अनुक्रमणिका

अलग्योझा

भोला महतो ने पहली स्त्री के मर जाने के बाद दूसरी सगाई की, तो उसके लड़के रग्घू के लिए बुरे दिन आ गये। रग्घू की उम्र उस समय केवल दस वर्ष की थी। चैन से गाँव में गुल्ली-डंडा खेलता-फिरता था। माँ के आते ही चक्की में जुतना पड़ा। पन्ना रूपवती स्त्री थी और रूप और गर्व में चोली- दामन का नाता है। वह अपने हाथों से कोई काम न करती। गोबर रग्घू निकालता, गाय को सानी रग्घू देता। रग्घू ही जूठे बरतन माँजता। भोला की आँखें कुछ ऐसी फिरीं कि उसे अब रग्घू में सब बुराइयाँ-ही-बुराइयाँ नज़र आतीं। पन्ना की बातों को वह प्राचीन मर्यादानुसार आँखें बंद करके मान लेता था। रग्घू की शिक़ायतों की ज़रा परवाह न करता। नतीज़ा यह हुआ कि रग्घू ने शिक़ायत करना ही छोड़ दिया। किसके सामने रोये? बाप ही नहीं, सारा गाँव उसका दुश्मन था। बड़ा ज़िद्दी लड़का है, पन्ना को तो कुछ समझता ही नहीं; बेचारी उसका दुलार करती है, खिलाती-पिलाती है। यह उसी का फल है। दूसरी औरत होती, तो निबाह न होता। वह तो कहो, पन्ना इतनी सीधी-सादी है कि निबाह हो जाता है। सबल की शिक़ायतें सब सुनते हैं, निर्बल की फ़रियाद भी कोई नहीं सुनता। रग्घू का हृदय माँ की ओर से दिन-दिन फटता जाता था। यहाँ तक कि आठ साल गुज़र गये और एक दिन भोला के नाम भी मृत्यु का सन्देश आ पहुँचा।

पन्ना के चार बच्चे थे—तीन बेटे और एक बेटी। इतना बड़ा ख़र्च और कमानेवाला कोई नहीं। रग्घू अब क्यों बात पूछने लगा? यह मानी हुई बात थी। अपनी स्त्री लायेगा और अलग रहेगा। स्त्री आकर और भी आग लगायेगी। पन्ना को चारों ओर अँधेरा-ही-अँधेरा दिखाई देता था; पर कुछ भी हो, वह रग्घू की आसरैत बनकर घर में न रहेगी। जिस घर में उसने राज किया, उसमें अब लौंडी न बनेगी। जिस लौंडे को अपना गुलाम समझा, उसका मुँह न ताकेगी। वह सुन्दर थी, अवस्था अभी कुछ ऐसी ज्यादा न थी। जवानी अपनी पूरी बहार पर थी। क्या वह कोई दूसरा घर नहीं कर सकती? यही न होगा, लोग हँसेंगे। बला से! उसकी बिरादरी में ऐसा होता नहीं? ब्राह्मण, ठाकुर थोड़े ही थी कि नाक कट जायेगी। यह तो उन्हीं जातों में होता है कि घर में चाहे जो कुछ करो, बाहर परदा ढका रहे। वह तो संसार को दिखाकर दूसरा घर कर सकती है। फिर वह रग्घू की दबैल बनकर क्यों रहे?

भोला को मरे एक महीना गुज़र चुका था। संध्या हो गयी थी। पन्ना इसी चिन्ता में पड़ी हुई थी कि सहसा उसे ख़याल आया, लड़के घर में नहीं हैं। बैलों के लौटने की बेला है, कहीं कोई लड़का उसके नीचे न आ जाये। अब द्वार पर कौन है, जो उनकी देखभाल करेगा? रग्घू को मेरे लड़के फूटी आँखों नहीं भाते। कभी हँसकर नहीं बोलता। घर से बाहर निकली तो देखा, रग्घू सामने झोंपड़े में बैठा ऊख की गँड़ेरिया बना रहा है। लड़के उसे घेरे खड़े हैं और छोटी लड़की उसकी गर्दन में हाथ डाले उसकी पीठ पर सवार होने की चेष्टा कर रही है। पन्ना को अपनी आँखों पर विश्वास न आया। आज तो यह नयी बात है। शायद दुनिया

को दिखाता है कि मैं अपने भाइयों को कितना चाहता हूँ और मन में छुरी रखी हुई है। घात मिले तो जान ही ले ले! काला साँप है, काला साँप! कठोर स्वर में बोली—तुम सब-के-सब वहाँ क्या करते हो? घर में आओ, साँझ की बेला है, गोरू आते होंगे।

रग्घू ने विनीत नेत्रों से देखकर कहा—मैं तो हूँ ही काकी, डर किस बात का है?

बड़ा लड़का केदार बोला—काकी, रग्घू दादा ने हमारे लिए दो गाड़ियाँ बना दी हैं। यह देख, एक पर हम और खुन्नू बैठेंगे, दूसरे पर लछमन और झुनियाँ। दादा दोनों गाड़ियाँ खींचेंगे।

यह कहकर वह एक कोने से दो छोटी-छोटी गाड़ियाँ निकाल लाया। चार-चार पहिये लगे थे। बैठने के लिए तख़्ते और रोक के लिए दोनों तरफ़ बाजू थे।

पन्ना ने आश्चर्य से पूछा—ये गाड़ियाँ किसने बनाईं?

केदार ने चिढ़कर कहा—रग्घू दादा ने बनायी हैं, और किसने। भगत के घर से बसूला और रुखानी माँग लाये और चटपट बना दीं। ख़ूब दौड़ती हैं काकी! बैठ खुन्नू, मैं खींचूँ।

खुन्नू गाड़ी में बैठ गया। केदार खींचने लगा। चर-चर का शोर हुआ, मानो गाड़ी भी इस खेल में लड़कों के साथ शरीक़ है।

लछमन ने दूसरी गाड़ी में बैठकर कहा—दादा, खींचो।

रग्घू ने झुनिया को भी गाड़ी में बिठा दिया और गाड़ी खींचता हुआ दौड़ा। तीनों लड़के तालियाँ बजाने लगे। पन्ना चकित नेत्रों से यह दृश्य देख रही थी और सोच रही कि यह वही रग्घू है या कोई और।

थोड़ी देर बाद दोनों गाड़ियाँ लौटीं, लड़के घर में आकर इस यान-यात्रा के अनुभव बयान करने लगे। कितने ख़ुश थे सब, मानों हवाई ज़हाज़ पर बैठे हों।

खुन्नू ने कहा—काकी, सच, पेड़ दौड़ रहे थे।

लछमन—और बछियाँ कैसी भागीं, सब-की सब दौड़ीं!

केदार—काकी, रग्घू दादा दोनों गाडियाँ एक साथ खींच ले जाते हैं।

झुनिया सबसे छोटी थी। उसकी व्यंजनाशक्ति उछल-कूद और नेत्रों तक परिमित थी—तालियाँ बजा-बजाकर नाच रही थी।

खुन्नू—अब हमारे घर गाय भी आ जायेगी काकी! रग्घू दादा ने गिरधारी से कहा है कि हमें एक गाय ला दो। गिरधारी बोला, कल लाऊँगा।

केदार—तीन सेर दूध देती है काकी! ख़ूब दूध पीएँगे।

इतने में रग्घू अंदर आ गया। पन्ना ने अवहेलना की दृष्टि से देखकर पूछा—क्यों रग्घू, तुमने गिरधारी से कोई गाय माँगी है?

रग्घू ने क्षमा-प्रार्थना के भाव से कहा—हाँ, माँगी तो है, कल लायेगा।

पन्ना—रुपये किसके घर से आयँगे? यह भी सोचा है?

रग्घू—सब सोच लिया है काकी! मेरी यह मुहर नहीं है। इसके पचीस रुपये मिल रहे हैं, पाँच रुपये बछिया के मुज़रा दे दूँगा! बस, गाय अपनी हो जायेगी।

पन्ना सन्नाटे में आ गयी। अब उसका अविश्वासी मन भी रग्घू के प्रेम और सज्जनता को अस्वीकार न कर सका। बोली—मुहर को क्यों बेचे देते हो? गाय की अभी कौन जल्दी है? हाथ में पैसे हो जायें, तो ले लेना। सूना-सूना गला अच्छा न लगेगा। इतने दिनों गाय नहीं रही, तो क्या लड़के नहीं जिये?

रग्घू दार्शनिक भाव से बोला—बच्चों के खाने-पीने के यही दिन हैं काकी! इस

उम्र में न खाया, तो फिर क्या खायेंगे। मुहर पहनना मुझे अच्छा भी नहीं मालूम होता। लोग समझते होंगे कि बाप तो गया, इसे मुहर पहनने को सूझी है।

भोला महतो गाय की चिंता ही में चल बसे। न रुपये आयक और न गाय मिली। मजबूर थे। रग्घू ने यह समस्या कितनी सुगमता से हल कर दी। आज जीवन में पहली बार पन्ना को रग्घू पर विश्वास आया, बोली—जब गहना ही बेचना है तो अपनी मुहर क्यों बेचोगे? मेरी हँसली ले लेना।

रग्घू—नहीं काकी! वह तुम्हारे गले में बहुत अच्छी लगती है। मर्दों को क्या, मुहर पहनें या ना पहनें।

पन्ना—चल, मैं बूढ़ी हुई। अब हँसली पहनकर क्या करना है। तू अभी लड़का है, तेरा सूना गला अच्छा न लगेगा।

रग्घू मुस्कराकर बोला—तुम अभी से कैसे बूढ़ी हो गईं? गाँव में है कौन तुम्हारे बराबर?

रग्घू की सरल आलोचना ने पन्ना को लज्जित कर दिया। उसके रूखे-मुरझाए मुख पर प्रसन्नता की लाली दौड़ गयी।

2

पाँच साल गुजर गये। रग्घू का-सा मेहनती, ईमानदार, बात का धनी दूसरा किसान गाँव में न था। पन्ना की इच्छा के बिना कोई काम न करता। उसकी उम्र अब 23 साल की हो गयी थी। पन्ना बार-बार कहती, भइया, बहू को बिदा करा लाओ। कब तक नैहर में पड़ी रहेगी? सब लोग मुझी को बदनाम करते हैं कि यही बहू को नहीं आने देती; मगर रग्घू टाल देता था। कहता कि अभी जल्दी क्या है। उसे अपनी स्त्री के रंग-ढंग का कुछ परिचय दूसरों से मिल चुका था। ऐसी औरत को घर में लाकर वह अपनी शांति में बाधा नहीं डालना चाहता था।

आख़िर एक दिन पन्ना ने ज़िद करके कहा—तो तुम न लाओगे?

'कह दिया कि अभी कोई जल्दी नहीं है।'

'तुम्हारे लिए जल्दी न होगी, मेरे लिए तो जल्दी है। मैं आज आदमी भेजती हूँ।'

'पछताओगी काकी, उसका मिज़ाज अच्छा नहीं है।'

'तुम्हारी बला से। जब मैं उससे बोलूँगी ही नहीं, तो क्या हवा से लड़ेगी? रोटियाँ तो बना लेगी। मुझसे भीतर-बाहर का सारा काम नहीं होता, मैं आज बुलाये लेती हूँ।'

'बुलाना चाहती हो, बुला लो; मगर फिर यह न कहना कि यह मेहरिया को ठीक नहीं करता, उसका गुलाम हो गया।'

'न कहूँगी, जाकर दो साड़ियाँ और मिठाई ले आ!'

तीसरे दिन मुलिया मैके से आ गयी। दरवाज़े पर नगाड़े बजे, शहनाइयों की मधुर ध्वनि आकाश में गूँजने लगी। मुँह-दिखाई की रस्म अदा हुई। वह इस मरुभूमि में निर्मल जलधारा थी। गेहुँआ रंग था, बड़ी-बड़ी नोकीली पलकें, कपोलों पर हलकी सुर्खी, आँखों में प्रबल आकर्षण। रग्घू उसे देखते ही मंत्रमुग्ध हो गया।

प्रातःकाल पानी का घड़ा लेकर चलती, तब उसका गेहुँआ रंग प्रभात की

सुनहरी किरणों से कुन्दन हो जाता, मानो उषा अपनी सारी सुगंध, सारा विकास और उन्माद लिये मुस्कराती चली जाती हो।

3

मुलिया मैके से ही जली-भुनी आयी थी। मेरा शौहर छाती फाड़कर काम करे, और पन्ना रानी बनी बैठी रहे, उसके लड़के रईसज़ादे बने घूमें। मुलिया से यह बरदाश्त न होगा। वह किसी की गुलामी न करेगी, अपने लड़के तो अपने होते नहीं, भाई किसके होते हैं? जब तक पर नहीं निकलते हैं, रग्घू को घेरे हुए हैं। ज्यों ही ज़रा सयाने हुए, पर झाड़कर निकल जायेंगे, बात भी न पूछेंगे।

एक दिन उसने रग्घू से कहा–तुम्हें इस तरह गुलामी करनी हो, तो करो, मुझसे न होगी।

रग्घू–तो फिर क्या करूँ, तू ही बता? लड़के तो अभी घर का काम करने लायक भी नहीं है।

मुलिया–लड़के रावत के हैं, तुम्हारे नहीं हैं। यही पन्ना है, जो तुम्हें दाने-दाने को तरसाती थी। सब सुन चुकी हूँ। मैं लौंडी बनकर न रहूँगी। रुपये-पैसे का मुझे कुछ हिसाब नहीं मिलता। न जाने तुम क्या लाते हो और वह क्या करती है? तुम समझते हो, रुपये घर ही में तो हैं; मगर देख लेना, तुम्हें जो एक फूटी कौड़ी भी मिले।

रग्घू–रुपये-पैसे तेरे हाथ में देने लगूँ तो दुनिया क्या कहेगी, यह तो सोच।

मुलिया–दुनिया जो चाहे, कहे। दुनिया के हाथों बिकी नहीं हूँ। देख लेना भाड़ लीपकर हाथ काला ही रहेगा। फिर तुम अपने भाइयों के लिए मरो, मैं क्यों मरूँ?

रग्घू ने कुछ जवाब न दिया। उसे जिस बात का भय था, वह इतनी जल्द सिर पर आ पड़ी। अब अगर उसने बहुत तथ्योंथंभी किया, तो साल-छः महीने और काम चलेगा। बस, आगे यह डोंगा चलता नज़र नहीं आता। बकरे की माँ कब तक ख़ैर मनाएगी?

एक दिन पन्ना ने महुए का सुखावन डाला। बरसात शुरू हो गयी थी। बखार में अनाज गीला हो रहा था। मुलिया से बोली–बहू, ज़रा देखती रहना, मैं तालाब से नहा आऊँ।

मुलिया ने लापरवाही से कहा, मुझे नींद आ रही है, तुम बैठकर देखो। एक दिन न नहाओगी तो क्या होगा?

पन्ना ने साड़ी उठाकर रख दी, नहाने न गयी। मुलिया का वार खाली गया।

कई दिन के बाद एक शाम को पन्ना धान रोपकर लौटी, अँधेरा हो गया था। दिन-भर की भूखी थी। आशा थी, बहू ने रोटी बना रखी होगी; मगर देखा, तो यहाँ चूल्हा ठंडा पड़ा हुआ था, और बच्चे मारे भूख के तड़प रहे थे। मुलिया से आहिस्ते से पूछा–आज अभी चूल्हा नहीं जला?

केदार ने कहा–आज दोपहर को भी चूल्हा नहीं जला काकी! भाभी ने कुछ बनाया ही नहीं।

पन्ना–तो तुम लोगों ने खाया क्या?

केदार—कुछ नहीं, रात की रोटियाँ थीं, खुन्नू और लछमन ने खायीं। मैंने सत्तू खा लिया।

पन्ना—और बहू?

केदार—वह पड़ी सो रही है, कुछ नहीं खाया।

पन्ना ने उसी वक़्त चूल्हा जलाया और खाना बनाने बैठ गयी। आटा गूँधती थी और रोती थी। क्या नसीब है? दिन-भर खेत में जली, घर आयी तो चूल्हे के सामने जलना पड़ा।

केदार का चौदहवाँ साल था। भाभी के रंग-ढंग देखकर सारी स्थिति समझ रहा था। बोला—काकी, भाभी अब तुम्हारे साथ रहना नहीं चाहती।

पन्ना ने चौंककर पूछा—क्या कुछ कहती थी?

केदार—कहती कुछ न थी; मगर है उसके मन में यही बात। फिर तुम क्यों नहीं उसे छोड़ देतीं? जैसे चाहे रहे, हमारा भी भगवान् है।

पन्ना ने दाँतों से जीभ दबाकर कहा—चुप, मेरे सामने ऐसी बात भूलकर भी न कहना। रग्घू तुम्हारा भाई नहीं, तुम्हारा बाप है। मुलिया से कभी बोलोगे तो समझ लेना, ज़हर खा लूँगी।

4

दशहरे का त्योहार आया। इस गाँव से कोस-भर पर एक पुरवे में मेला लगता था। गाँव के सब लड़के मेला देखने चले। पन्ना भी लड़कों के साथ चलने को तैयार हुई; मगर पैसे कहाँ से आयें? कुंजी तो मुलिया के पास थी।

रग्घू ने आकर मुलिया से कहा—लड़के मेले जा रहे हैं, सबों को दो-दो पैसे दे दे।

मुलिया ने त्योरियाँ चढ़ाकर कहा—पैसे घर में नहीं हैं।

रग्घू—अभी तो तेलहन बिका था, क्या इतनी जल्दी रुपये उठ गये?

मुलिया—हाँ, उठ गये।

रग्घू—कहाँ उठ गये? ज़रा सुनूँ, आज त्योहार के दिन लड़के मेला देखने न जायेंगे?

मुलिया—अपनी काकी से कहो, पैसे निकालें, गाड़कर क्या करेंगी?

खूँटी पर कुंजी लटक रही थी। रग्घू ने कुंजी उतारी और चाहा कि संदूक खोले कि मुलिया ने उसका हाथ पकड़ लिया और बोली—कुंजी मुझे दे दो, नहीं तो ठीक न होगा। खाने-पहनने को भी चाहिए, काग़ज़-किताब को भी चाहिए, उस पर मेला देखने को भी चाहिए। हमारी कमाई इसलिए नहीं है कि दूसरे खाएँ और मूँछों पर ताव दें।

पन्ना ने रग्घू से कहा—भैया, पैसे क्या होंगे! लड़के मेला देखने न जायेंगे।

रग्घू ने झिड़ककर कहा—मेला देखने क्यों न जायेंगे? सारा गाँव जा रहा है। हमारे ही लड़के न जायेंगे?

यह कहकर रग्घू ने अपना हाथ छुड़ा लिया और पैसे निकालकर लड़कों को दे दिये; मगर जब कुंजी मुलिया को देने लगा तो उसने उसे आँगन में फेंक दिया और मुँह लपेटकर लेट गयी! लड़के मेला देखने नहीं गये।

इसके बाद दो दिन गुज़र गये। मुलिया ने कुछ नहीं खाया और पन्ना भी भूखी रही। रग्घू कभी इसे मनाता, कभी उसे; पर न यह उठती, न वह। आख़िर रग्घू ने परेशान होकर मुलिया से पूछा—कुछ मुँह से भी तो कह, क्या चाहती है?

मुलिया ने धरती को सम्बोधित करके कहा—मैं कुछ नहीं चाहती, मुझे मेरे घर पहुँचा दो।

रग्घू—अच्छा उठ, बना खा। पहुँचा दूँगा।

मुलिया ने रग्घू की ओर आँखें उठाईं! रग्घू उसकी सूरत देखकर डर गया। वह माधुर्य, वह मोहकता, वह लावण्य ग़ायब हो गया था। दाँत निकल आये थे, आँखें फट गयी थीं और नथुने फड़क रहे थे। अंगारे की-सी लाल आँखों से देखकर बोली—अच्छा, तो काकी ने यह सलाह दी है, यह मंत्र पढ़ाया है? तो यहाँ ऐसी कच्ची नहीं हूँ। तुम दोनों की छाती पर मूँग दलूँगी। हो किस फेर में?

रग्घू—अच्छा तो मूँग ही दल लेना। कुछ खा-पी लेगी, तभी तो मूँग दल सकेगी।

मुलिया—अब तो तभी मुँह में पानी डालूँगी, जब घर अलग हो जायेगा। बहुत झेल चुकी, अब नहीं झेला जाता।

रग्घू सन्नाटे में आ गया। एक दिन तक उसके मुँह से आवाज़ ही न निकली। अलग होने की उसने स्वप्न में भी कल्पना नहीं की थी। उसने गाँव में दो-चार परिवारों को अलग होते देखा था। वह ख़ूब जानता था, रोटी के साथ लोगों के हृदय भी अलग हो जाते हैं। अपने हमेशा के लिए ग़ैर हो जाते हैं। फिर उनमें वही नाता रह जाता है, जो गाँव के और आदमियों में। रग्घू ने मन में ठान लिया था कि इस विपत्ति को घर में न आने दूँगा; मगर होनहार के सामने उसकी एक न चली। आह! मेरे मुँह में कालिख लगेगी, दुनिया यही कहेगी कि बाप के मर जाने पर दस साल भी एक में निबाह न हो सका। फिर किससे अलग हो जाऊँ? जिनको गोद में खिलाया, जिनको बच्चों की तरह पाला, जिनके लिए तरह-तरह के कष्ट झेले, उन्हीं से अलग हो जाऊँ। अपने प्यारों को घर से निकाल बाहर करूँ? उसका गला फँस गया। काँपते हुए स्वर में बोला—तू क्या चाहती है कि मैं अपने भाइयों से अलग हो जाऊँ? भला सोच तो, कहीं मुँह दिखाने लायक रहूँगा?

मुलिया—तो मेरा इन लोगों के साथ निबाह न होगा।

रग्घू—तो तू अलग हो जा। मुझे अपने साथ क्यों घसीटती है?

मुलिया—तो मुझे क्या तुम्हारे घर में मिठाई मिलती है? मेरे लिए क्या संसार में जगह नहीं है?

रग्घू—तेरी जैसी मर्ज़ी, जहाँ चाहे रह। मैं अपने घरवालों से अलग नहीं हो सकता। जिस दिन इस घर में दो चूल्हे जलेंगे, उस दिन मेरे कलेजे के दो टुकड़े हो जायेंगे। मैं यह चोट नहीं सह सकता। तुझे जो तकलीफ़ हो, वह मैं दूर कर सकता हूँ। माल-असबाब की मालकिन तू है ही, अनाज-पानी तेरे ही हाथ है, अब रह क्या गया है? अगर कुछ काम-धंधा करना नहीं चाहती तो मत कर, भगवान ने मुझे कमाई दी होती, तो मैं तुझे तिनका तक उठाने नहीं देता। तेरे यह सुकुमार हाथ-पाँव मेहनत-मजूरी करने के लिए बनाये ही नहीं गये हैं; मगर क्या करूँ, अपना कुछ बस ही नहीं है। फिर भी तेरा जी कोई काम करने को न चाहे, मत कर; मगर मुझसे अलग होने को न कह, तेरे पैरों पड़ता हूँ।

मुलिया ने सिर से आँचल खिसकाया और ज़रा समीप आकर बोली—मैं काम करने से नहीं डरती, न बैठे-बैठे खाना चाहती हूँ; मगर मुझसे किसी की धौंस

नहीं सही जाती। तुम्हारी काकी घर का काम-काज करती हैं, तो अपने लिए करती हैं, अपने बाल-बच्चों के लिए करती हैं। मुझ पर कुछ एहसान नहीं करतीं, फिर मुझ पर धौंस क्यों जमाती हैं? उन्हें अपने बच्चे प्यारे होंगे, मुझे तो तुम्हारा आसरा है। मैं अपनी आँखों से यह नहीं देख सकती कि सारा घर तो चैन करे, ज़रा-ज़रा से बच्चे तो दूध पिएँ, और जिसके बल-बूते पर गृहस्थी बनी हुई है, वह मट्ठे को तरसे। कोई उसका पूछनेवाला न हो। ज़रा अपना मुँह तो देखो, कैसी सूरत निकल आयी है। औरों के तो चार बरस में अपने पट्ठे तैयार हो जायेंगे। तुम तो दस साल में खाट पर पड़ जाओगे। बैठ जाओ, खड़े क्यों हो? क्या मारकर भागोगे? मैं तुम्हें ज़बरदस्ती न बाँध लूँगी, क्या यह मालकिन का हुक्म नहीं है? सच कहूँ, तुम बड़े कठ-कलेजी हो। मैं जानती, ऐसे निर्मोहिए से पाला पड़ेगा, तो इस घर में भूल से न आती। आती भी तो मन न लगाती, मगर अब तो मन तुमसे लग गया। घर भी जाऊँ तो मन यहाँ ही रहेगा। और तुम जो हो, मेरी बात नहीं पूछते।

मुलिया की ये रसीली बातें रग्घू पर कोई असर न डाल सकीं। वह उसी रुखाई से बोला—मुलिया, मुझसे यह न होगा। अलग होने का ध्यान करते ही मेरा मन जाने कैसा हो जाता है। यह चोट मुझसे न सही जायेगी।

मुलिया ने परिहास करके कहा—तो चूड़ियाँ पहनकर अन्दर बैठो न! लाओ मैं मूँछें लगा लूँ। मैं तो समझती थी कि तुममें भी कुछ कस-बल है। अब देखती हूँ तो निरे मिट्टी के लोंदे हो।

पन्ना दालान में खड़ी दोनों की बातचीत सुन रही थी। अब उससे न रहा गया। सामने आकर रग्घू से बोली—जब वह अलग होने पर तुली हुई है, फिर तुम क्यों उसे जबरदस्ती मिलाये रखना चाहते हो? तुम उसे लेकर रहो, हमारे भगवान् मालिक हैं। जब महतो मर गये थे और कहीं पत्तों की भी छाँह न थी, जब उस वक़्त भगवान् ने निबाह दिया, तो अब क्या डर? अब तो भगवान् की दया से तीनों लड़के सयाने हो गये हैं। अब कोई चिन्ता नहीं।

रग्घू ने आँसू भरी आँखों से पन्ना को देखकर कहा—काकी, तू भी पागल हो गयी है क्या? जानती नहीं, दो रोटियाँ होते ही दो मन हो जाते हैं।

पन्ना—जब वह मानती ही नहीं, तब तुम क्या करोगे? भगवान् की यही मरज़ी होगी, तो कोई क्या करेगा? परालब्ध में जितने दिन एक साथ रहना लिखा था, उतने दिन रहे। अब उसकी यही मरज़ी है, तो यही सही। तुमने मेरे बाल-बच्चों के लिए जो कुछ किया, वह भूल नहीं सकती। तुमने इनके सिर हाथ न रखा होता, तो आज इनकी न जाने क्या गति होती; न जाने किसके द्वार पर ठोकरें खाते होते, न जाने कहाँ-कहाँ भीख माँगते फिरते। तुम्हारा जस मरते दम तक गाऊँगी। अगर मेरी खाल तुम्हारे जूते बनाने के काम आये, तो ख़ुशी से दे दूँ। चाहे तुमसे अलग हो जाऊँ, पर जिस घड़ी पुकारोगे, कुत्ते की तरह दौड़ी आऊँगी। यह भूलकर भी न सोचना कि तुमसे अलग होकर मैं तुम्हारा बुरा चेतूँगी। जिस दिन तुम्हारे लिए कोई बुरी भावना मेरे मन में आयेगी, उसी दिन विष खाकर मर जाऊँगी। भगवान् करे, तुम दूधों नहाओ, पूतों फलो। मरते दम तक यही असीस मेरे रोएँ-रोएँ से निकलती रहेगी। और अगर लड़के भी अपने बाप के हैं, तो मरते दम तक तुम्हारा पोस मानेंगे।

यह कहकर पन्ना रोती हुई वहाँ से चली गयी। रग्घू वहीं मूर्ति की तरह बैठा रहा। आसमान की ओर टकटकी लगी थी और आँखों से आँसू बह रहे थे।

5

पन्ना की बातें सुनकर मुलिया समझ गयी कि अब अपने पौ बारह हैं। चटपट उठी, घर में झाड़ू लगाई, चूल्हा जलाया और कुएँ से पानी लाने चली। उसकी टेक पूरी हो गयी थी।

गाँव में स्त्रियों के दो दल होते हैं—एक बहुओं का, दूसरा सासों का। बहुएँ सलाह और सहानुभूति के लिए अपने दल में जाती हैं, सासें अपने में। दोनों की पंचायतें अलग होती हैं। मुलिया को कुएँ पर दो-तीन बहुएँ मिल गईं। एक ने पूछा—आज तो तुम्हारी बुढ़िया बहुत रो-धो रही थी।

मुलिया ने विजय के गर्व से कहा—इतने दिनों से घर की मालकिन बनी हुई हैं, राज-पाट छोड़ते किसे अच्छा लगता है? बहन, मैं उनका बुरा नहीं चाहती; लेकिन एक आदमी की कमाई में कहाँ तक बरकत होगी। मेरे भी तो यही खाने-पीने, पहनने-ओढ़ने के दिन हैं। अभी उनके पीछे मरो, फिर बाल-बच्चे हो जायें, उनके पीछे मरो। सारी ज़िन्दगी रोते ही कट जाये।

एक बहू—बुढ़िया यही चाहती है कि यह जन्म-भर लौंडी बनी रहे। मोटा-झोटा खाये और पड़ी रहे।

दूसरी बहू—किस भरोसे पर कोई मरे? अपने लड़के तो बात नहीं पूछते, पराये लड़कों का क्या भरोसा? कल इनके हाथ-पैर हो जायेंगे, फिर कौन पूछता है! अपनी-अपनी मेहरियों का मुँह देखेंगे। पहले ही से फटकार देना अच्छा है, फिर तो कोई कलक न होगा।

मुलिया पानी लेकर गयी, खाना बनाया और रग्घू से बोली—जाओ, नहा आओ, रोटी तैयार है।

रग्घू ने मानो सुना ही नहीं। सिर पर हाथ रखकर द्वार की तरफ़ ताकता रहा।

मुलिया—क्या कहती हूँ, कुछ सुनाई देता है? रोटी तैयार है, जाओ नहा आओ।

रग्घू—सुन तो रहा हूँ, क्या बहरा हूँ? रोटी तैयार है तो जाकर खा ले। मुझे भूख नहीं है।

मुलिया ने फिर कुछ नहीं कहा। जाकर चूल्हा बुझा दिया, रोटियाँ उठाकर छींके पर रख दीं और मुँह ढाँककर लेट रही।

ज़रा देर में पन्ना आकर बोली—खाना तो तैयार है, नहा-धोकर खा लो! बहू भी भूखी होगी।

रग्घू ने झुँझलाकर कहा—काकी, तू घर में रहने देगी कि मुँह में कालिख लगाकर कहीं निकल जाऊँ? खाना तो खाना ही है, आज न खाऊँगा, कल खाऊँगा; लेकिन अभी मुझसे न खाया जायेगा। केदार क्या अभी मदरसे से नहीं आया?

पन्ना—अभी तो नहीं आया, आता ही होगा।

पन्ना समझ गयी कि जब तक वह खाना बनाकर लड़कों को न खिलायेगी और खुद न खायेगी, रग्घू न खायेगा। इतना ही नहीं, उसे रग्घू से लड़ाई करनी पड़ेगी, उसे जली-कटी सुनानी पड़ेगी। उसे यह दिखाना पड़ेगा कि मैं ही उससे अलग होना चाहती हूँ, नहीं तो वह इसी चिन्ता में घुल-घुलकर प्राण दे देगा। यह सोचकर उसने अलग चूल्हा जलाया और खाना बनाने लगी। इतने में केदार और खुन्नू मदरसे से आ गये। पन्ना ने कहा—आओ बेटा, खा लो, रोटी तैयार है।

केदार ने पूछा–भइया को भी बुला लूँ न?

पन्ना–तुम आकर खा लो। उनकी रोटी बहू ने अलग बनायी है।

खुन्नू–जाकर भइया से पूछ न आऊँ?

पन्ना–जब उनका जी चाहेगा, खाएँगे। तू बैठकर खा; तुझे इन बातों से क्या मतलब? जिसका जी चाहेगा खायेगा, जिसका जी न चाहेगा, न खायेगा। जब वह और उसकी बीबी अलग रहने पर तुले हैं, तो कौन मनाये?

केदार–तो क्यों अम्माजी, क्या हम अलग घर में रहेंगे?

पन्ना–उनका जी चाहे, एक घर में रहें, जी चाहे आँगन में दीवार डाल लें।

खुन्नू ने दरवाज़े पर आकर झाँका, सामने-फूस की झोंपड़ी थी, वहीं खाट पर पड़ा रग्घू नारियल पी रहा था।

खुन्नू–भइया तो अभी नारियल लिये बैठे हैं।

पन्ना–जब जी चाहेगा, खाएँगे।

केदार–भइया ने भाभी को डाँटा नहीं?

मुलिया अपनी कोठरी में पड़ी सुन रही थी। बाहर आकर बोली–भइया ने तो नहीं डाँटा, अब तुम आकर डाँटो।

केदार के चेहरे का रंग उड़ गया। फिर ज़बान न खोली। तीनों लड़कों ने खाना खाया और बाहर निकले। लू चलने लगी थी। आम के बाग़ में गाँव के लड़के-लड़कियाँ हवा से गिरे हुए आम चुन रहे थे। केदार ने कहा–आज हम भी आम चुनने चलें, ख़ूब आम गिर रहे हैं।

खुन्नू–दादा जो बैठे हैं।

लछमन–मैं न जाऊँगा, दादा घुड़केंगे।

केदार–वह तो अब अलग हो गये।

लछमन–तो अब हमको कोई मारेगा, तब भी दादा न बोलेंगे?

केदार–वाह, तब क्यों न बोलेंगे?

रग्घू ने तीनों लड़कों को दरवाज़े पर खड़े देखा; पर कुछ बोला नहीं। पहले तो वह घर के बाहर निकलते ही उन्हें डाँट बैठता था; पर आज वह मूर्ति के समान निश्चल बैठा रहा। अब लड़कों को कुछ साहस हुआ। कुछ दूर और आगे बढ़े। रग्घू अब भी न बोला, कैसे बोले। वह सोच रहा था, काकी ने लड़कों को खिला-पिला दिया, मुझसे पूछा तक नहीं। क्या उसकी आँखों पर भी परदा पड़ गया है; अगर मैंने लड़कों को पुकारा और वह न आयें तो? मैं उनको मार-पीट तो न सकूँगा। लू में सब मारे-मारे फिरेंगे। कहीं बीमार न पड़ जायें। उसका दिल मसोसकर रह जाता था; लेकिन मुँह से कुछ न कह सकता था। लड़कों ने देखा कि यह बिलकुल नहीं बोलते, तो निर्भय होकर चल पड़े।

सहसा मुलिया ने आकर कहा–अब तो उठोगे कि अब भी नहीं? जिनके नाम पर फ़ाका कर रहे हो, उन्होंने मज़े से लड़कों को खिलाया और आप खाया, अब आराम से सो रही हैं। 'मोर पिया मोरी बात न पूछे, मोर सुहागिन नाँव।' एक बार भी तो मुँह से न फूटा कि चलो भइया, खा लो।

रग्घू को इस समय मर्मान्तक पीड़ा हो रही थी। मुलिया के इन कठोर शब्दों ने घाव पर नमक छिड़क दिया। दुःखित नेत्रों से देखकर बोला–तेरी जो मर्जी थी, वही तो हुआ। अब जा, ढोल बजा!

मुलिया–नहीं, तुम्हारे लिए थाली परोसे बैठी हैं।

रग्घू–मुझे चिढ़ा मत। तेरे पीछे मैं भी बदनाम हो रहा हूँ। जब तू किसी की होकर नहीं रहना चाहती, तो दूसरे को क्या गरज़ है, जो मेरी ख़ुशामद करे? जाकर काकी से पूछ, लड़के आम चुनने गये हैं, उन्हें पकड़ लाऊँ?

मुलिया अँगूठा दिखाकर बोली–यह जाता है। तुम्हें सौ बार गरज़ हो, जाकर पूछो।

इतने में पन्ना भी भीतर से निकल आयी, रग्घू ने पूछा–लड़के बग़ीचे में चले गये काकी, लू चल रही है।

पन्ना–अब उनका कौन पुछत्तर है? बग़ीचे में जाये, पेड़ पर चढ़ें, पानी में डूबें। मैं अकेली क्या-क्या करूँ?

रग्घू–जाकर पकड़ लाऊँ?

पन्ना–जब तुम्हें अपने मन से नहीं जाना है तो फिर मैं जाने को क्यों कहूँ? तुम्हें रोकना होता तो रोक न देते? तुम्हारे सामने ही तो गये होंगे।

पन्ना की बात पूरी भी न हुई थी कि रग्घू ने नारियल कोने में रख दिया और बाग़ की तरफ़ चला।

6

रग्घू लड़कों को लेकर बाग़ से लौटा तो देखा मुलिया अभी तक झोंपड़े में खड़ी है। बोला–तू जाकर खा क्यों नहीं लेती? मुझे तो इस बेला भूख नहीं है।

मुलिया ऐंठकर बोली–हाँ, भूख क्यों लगेगी! भाइयों ने खाया, वह तुम्हारे पेट में पहुँच ही गया होगा।

रग्घू ने दाँत पीसकर कहा–मुझे जला मत मुलिया, नहीं तो अच्छा न होगा। खाना कहीं भागा नहीं जाता। एक बेला न खाऊँगा, तो मर न जाऊँगा। क्या तू समझती है, घर में आज कोई छोटी बात हो गयी है? तूने घर में चूल्हा नहीं जलाया, मेरे कलेजे में आग लगायी है। मुझे घमंड था कि और चाहे कुछ भी हो जाये, पर मेरे घर में फूट का रोग न आने पायेगा, पर तूने मेरा घमंड चूर कर दिया। परालब्ध की बात है।

मुलिया तिनककर बोली–सारा मोह-छोह तुम्हीं को है कि और किसी को है? मैं तो किसी को तुम्हारी तरह बिसूरते नहीं देखती।

रग्घू ने ठंडी साँस खींचकर कहा–मुलिया, घाव पर नोन न छिड़क। तेरे ही कारण मेरी पीठ में धूल लग रही है। मुझे इस गृहस्थी का मोह न होगा, तो किसे होगा? मैंने ही तो इसे मर-मरकर जोड़ा। जिनको गोद में खिलाया, वही अब मेरे पट्टीदार होंगे। जिन बच्चों को मैं डाँटता था, उन्हें आज कड़ी आँखों से भी नहीं देख सकता। मैं उनके भले के लिए भी कोई बात करूँ, तो दुनिया यही कहेगी कि यह अपने भाइयों को लूटे लेता है। जा, मुझे छोड़ दे, अभी मुझसे कुछ न खाया जायेगा।

मुलिया–मैं क़सम रखा दूँगी, नहीं चुपके से चले चलो।

रग्घू–देख, अब भी कुछ नहीं बिगड़ा है। अपना हठ छोड़ दे।

मुलिया–हमारा ही लहू पिये, जो खाने न उठे।

रग्घू ने कानों पर हाथ रखकर कहा–यह तूने क्या किया मुलिया? मैं तो उठ ही रहा था। चल खा लूँ। नहाने-धोने कौन जाये, लेकिन इतना कहे देता हूँ

कि चाहे चार की जगह छः रोटियाँ खा जाऊँ, चाहे तू मुझे घी के मटके ही में डुबा दे; पर यह दाग़ मेरे दिल से न मिटेगा।

मुलिया—दाग़-वाग सब मिट जायेगा। पहले सबको ऐसा ही लगता है। देखते नहीं हो, उधर कैसी चैन की वंशी बज रही है। वह तो मना ही रही थीं कि किसी तरह यह सब अलग हो जायें। अब वह पहले की-सी चाँदी तो नहीं है कि जो कुछ घर में आये, सब ग़ायब! अब क्यों हमारे साथ रहने लगीं?

रग्घू ने आहत स्वर में कहा—इसी बात का तो मुझे ग़म है। काकी से मुझे ऐसी आशा न थी।

रग्घू खाने बैठा, तो कौर विष के घूँट-सा लगता था। जान पड़ता था, रोटियाँ भूसी की हैं। दाल पानी-सी लगती थी। पानी कंठ के नीचे न उतरता था, दूध की तरफ़ देखा तक नहीं। दो-चार ग्रास खाकर उठ आया, जैसे किसी प्रियजन के श्राद्ध का भोजन हो।

रात का भोजन भी उसने इसी तरह किया। भोजन क्या किया, क़सम पूरी की। रात-भर उसका चित्त उद्विग्न रहा। एक अज्ञात शंका उसके मन पर छाई हुई थी, जैसे भोला महतो द्वार पर बैठा रो रहा हो। वह कई बार चौंक कर उठा। ऐसा जान पड़ा, भोला उसकी ओर तिरस्कार की आँखों से देख रहा है।

वह दोनों जून भोजन करता था, पर जैसे शत्रु के घर! भोला की शोक मग्न मूर्ति आँखों से न उतरती थी। रात को उसे नींद न आती। वह गाँव में निकलता, तो इस तरह मुँह चुराए, सिर झुकाए, मानो गौ-हत्या की हो।

7

पाँच साल गुजर गये, रग्घू अब दो लड़कों का बाप था। आँगन में दीवार खिंच गयी थी, खेतों में मेड़ें डाल दी गयी थीं और बैल-बछिए बाँट लिये गए थे। केदार की उम्र अब सोलह साल की हो गयी थी। उसने पढ़ना छोड़ दिया था और खेती का काम करता था। खुन्नू गाय चराता था। केवल लछमन अब तक मदरसे जाता था। पन्ना और मुलिया दोनों एक-दूसरे की सूरत से जलती थीं। मुलिया के दोनों लड़के बहुधा पन्ना ही के पास रहते। वही उन्हें उबटन मलती, वही काजल लगाती, वही गोद में लिये फिरती, मगर मुलिया के मुँह से अनुग्रह का एक शब्द भी न निकलता। न पन्ना ही इसकी इच्छुक थी। वह जो कुछ करती, निर्ब्याज भाव से करती थी। उसके दो-दो लड़के अब कमाऊ हो गये थे। लड़की खाना पका लेती थी। वह ख़ुद ऊपर का काम-काज कर लेती! इसके विरुद्ध रग्घू अपने घर का अकेला था, वह भी दुर्बल, अशक्त और जवानी में बूढ़ा। अभी आयु तीस वर्ष से अधिक न थी, लेकिन बाल खिचड़ी हो गये थे, कमर भी झुक चली थी। खाँसी ने जीर्ण कर रखा था। देखकर दया आती थी। और खेती पसीने की वस्तु है। खेती की जैसी सेवा होनी चाहिए, वह उससे न हो पाती। फिर अच्छी फ़सल कहाँ से आती? कुछ ऋणी भी हो गया था। वह चिंता और भी मारे डालती थी। चाहिए तो यह था कि अब उसे कुछ आराम मिलता। इतने दिनों के निरन्तर परिश्रम के बाद सिर का बोझ कुछ हलका होता, किन्तु मुलिया की स्वार्थपरता और अदूरदर्शिता ने लहराती हुई खेती उजाड़ दी। अगर सब एक साथ रहते, तो अब तक पेन्शन

पा जाता, मजे से द्वार पर बैठा हुआ नारियल पीता। भाई काम करता, वह सलाह देता। महतो बना फिरता। कहीं किसी के झगड़े सुलझाता, कहीं साधु-संतों की सेवा करता; वह अवसर हाथ से निकल गया। अब तो चिंताभार दिन-दिन बढ़ता जाता था।

आख़िर उसे धीमा-धीमा ज्वर रहने लगा। हृदय-शूल, चिंता, कड़े परिश्रम और अभाव का यही पुरस्कार है। पहले कुछ परवाह न की। समझा आप- ही-आप अच्छा हो जायेगा; मगर कमज़ोरी बढ़ने लगी, तो दवा की फ़िक्र हुई। जिसने जो बता दिया, खा लिया। डॉक्टरों और वैद्यों के पास जाने की सामर्थ्य कहाँ? और सामर्थ्य भी होती, तो रुपये ख़र्च कर देने के सिवा और नतीजा ही क्या था? जीर्ण ज्वर की औषधि आराम और पुष्टिकारक भोजन है। न वह बसंत-मालती का सेवन कर सकता था और न आराम से बैठकर बलवर्धक भोजन कर सकता था। कमज़ोरी बढ़ती ही गयी।

पन्ना को अवसर मिलता, तो वह आकर उसे तसल्ली देती; लेकिन उसके लड़के अब रग्घू से बात भी न करते थे। दवा-दारू तो क्या करते, उसका और मज़ाक उड़ाते। भैया समझते थे कि हम लोगों से अलग होकर सोने की ईंट रख लेंगे। भाभी भी समझती थीं, सोने से लद जाऊँगी। अब देखें, कौन पूछता है? सिसक-सिसककर न मरें तो कह देना। बहुत 'हाय! हाय!' भी अच्छी नहीं होती। आदमी उतना काम करे, जितना हो सके। यह नहीं कि रुपये के लिए जान ही दे दे।

पन्ना कहती—रग्घू बेचारे का कौन दोष है?

केदार कहता—चल, मैं ख़ूब समझता हूँ। भैया की जगह मैं होता, तो डंडे से बात करता। मज़ाल थी कि औरत यों ज़िद करती। यह सब भैया की चाल थी। सब सधी-बदी बात थी।

आख़िर एक दिन रग्घू का टिमटिमाता हुआ जीवन-दीपक बुझ गया। मौत ने सारी चिन्ताओं का अंत कर दिया।

अंत समय उसने केदार को बुलाया था; पर केदार को ऊख में पानी देना था। डरा, कहीं दवा के लिए न भेज दें। बहाना बता दिया।

8

मुलिया का जीवन अंधकारमय हो गया। जिस भूमि पर उसने मनसूबों की दीवार खड़ी की थी, वह नीचे से खिसक गयी थी। जिस खूँटे के बल पर वह उछल रही थी, वह उखड़ गया था। गाँववालों ने कहना शुरू किया, ईश्वर ने कैसा तत्काल दंड दिया। बेचारी मारे लाज के अपने दोनों बच्चों को लिये रोया करती। गाँव में किसी को मुँह दिखाने का साहस न होता। प्रत्येक प्राणी उससे यह कहता हुआ मालूम होता था—'मारे घमण्ड के धरती पर पाँव न रखती थी; आख़िर सज़ा मिल गयी कि नहीं!' अब इस घर में कैसे निबाह होगा? वह किसके सहारे रहेगी? किसके बल पर खेती होगी? बेचारा रग्घू बीमार था, दुर्बल था, पर जब तक जीता रहा, अपना काम करता रहा। मारे कमज़ोरी के कभी-कभी सिर पकड़कर बैठ जाता और ज़रा दम लेकर फिर हाथ चलाने लगता था। सारी खेती तहस-नहस हो रही

थी। उसे कौन सँभालेगा? अनाज की डाँठें खलिहान में पड़ी थीं, ऊख अलग सूख रही थी। वह अकेली क्या-क्या करेगी? फिर सिंचाई अकेले आदमी का तो काम नहीं। तीन-तीन मज़दूरों को कहाँ से लाये! गाँव में मजदूर थे ही कितने। आदमियों के लिए खींचा-तानी हो रही थी। क्या करे, क्या न करे।

इस तरह तेरह दिन बीत गये। क्रिया-कर्म से छुट्टी मिली। दूसरे ही दिन सवेरे मुलिया ने दोनों बालकों को गोद में उठाया और अनाज माँड़ने चली। खलिहान में पहुँचकर उसने एक को तो पेड़ के नीचे घास के नर्म बिस्तर पर सुला दिया और दूसरे को वहीं बैठाकर अनाज माँड़ने लगी। बैलों को हाँकती थी और रोती थी। क्या इसीलिए भगवान् ने उसको जन्म दिया था? देखते-देखते क्या-से-क्या हो गया? इन्हीं दिनों पिछले साल भी अनाज माँड़ा गया था। वह रग्घू के लिए लोटे में शरबत और मटर की घुँघनी लेकर आयी थी। आज कोई उसके आगे है न पीछे! लेकिन किसी की लौंडी तो नहीं हूँ! उसे अलग होने का अब भी पछतावा न था।

एकाएक छोटे बच्चे का रोना सुनकर उसने उधर ताका, तो बड़ा लड़का उसे चुमकारकर कह रहा था—बैया तुप रहो, तुप रहो। धीरे-धीरे उसके मुँह पर हाथ फेरता था और चुप कराने के लिए विकल था। जब बच्चा किसी तरह न चुप हुआ तो वह खुद उसके पास लेट गया और उसे छाती से लगाकर प्यार करने लगा; जब यह प्रयत्न भी सफल न हुआ, तो वह रोने लगा।

उसी समय पन्ना दौड़ी आयी और छोटे बालक को गोद में उठाकर प्यार करती हुई बोली—लड़कों को मुझे क्यों न दे आयी बहू? हाय! हाय! बेचारा धरती पर पड़ा लोट रहा है। जब मैं मर जाऊँ तो जो चाहे करना, अभी तो जीती हूँ। अलग हो जाने से बच्चे तो नहीं अलग हो गये।

मुलिया ने कहा—तुम्हें भी तो छुट्टी नहीं थी अम्माँ, क्या करती।

पन्ना—तो तुझे यहाँ आने की ऐसी क्या जल्दी थी? डाँठ माँड़ न जाती। तीन-तीन लड़के तो हैं, और किस दिन काम आयेंगे? केदार तो कल ही माँड़ने को कह रहा था; पर मैंने कहा, पहले ऊख में पानी दे लो, फिर अनाज माँड़ना। मँड़ाई तो दस दिन के बाद भी हो सकती है, ऊख की सिंचाई न हुई तो सूख जायेगी। कल से पानी चढ़ा हुआ है, परसों तक खेत पुर जायेगा। तब मँड़ाई हो जायेगी। तुझे विश्वास न आयेगा, जब से भैया मरे हैं, केदार को बड़ी चिंता हो गयी है। दिन में सौ-सौ बार पूछता है, भाभी बहुत रोती तो नहीं है? देख, लड़के भूखे तो नहीं हैं। कोई लड़का रोता है, तो दौड़ आता है, देख अम्माँ क्या हुआ, बच्चा क्यों रोता है? कल रोकर बोला, अम्माँ, मैं जानता कि भैया इतनी जल्दी चले जायेंगे, तो उनकी कुछ सेवा कर लेता। कहाँ जगाए-जगाए उठता था, अब देखती हो, पहर रात से उठकर काम में लग जाता है। खुन्नू कल ज़रा-सा बोला, पहले हम अपनी ऊख में पानी दे लेंगे, तब भैया की ऊख में देंगे। इस पर केदार ने ऐसा डाँटा कि खुन्नू के मुँह से फिर बात न निकली। बोला, कैसी तुम्हारी और कैसी हमारी ऊख? भैया ने जिला न लिया होता, तो आज या तो मर गये होते या कहीं भीख माँगते होते। आज तुम बड़े ऊखवाले बने हो! यह उन्हीं का पुन-परताप है कि आज भले आदमी बने बैठे हो। परसों रोटी खाने को बुलाने गयी, तो मँडैया में बैठा रो रहा था। पूछा, क्यों रोता है? तो बोला, अम्माँ, भैया इसी 'अलग्योझे' के दुःख से मर गये, नहीं अभी उनकी उमर ही क्या थी! यह उस बखत न सूझा, नहीं उनसे क्यों बिगाड़ करते?

यह कहकर पन्ना ने मुलिया की ओर संकेतपूर्ण दृष्टि से देखकर कहा—तुम्हें वह अलग न रहने देगा बहू, कहता है, भैया हमारे लिए मर गये तो क्या हम भी उनके बाल-बच्चों के लिए मर जायेंगे।

मुलिया की आँखों से आँसू जारी थे। पन्ना की बातों में आज सच्ची वेदना, सच्ची सान्त्वना, सच्ची चिन्ता भरी हुई थी। मुलिया का मन कभी उसकी ओर इतना आकर्षित न हुआ था। जिनसे उसे व्यंग्य और प्रतिकार का भय था, वे इतने दयालु, इतने शुभेच्छु हो गये थे।

आज पहली बार उसे अपनी स्वार्थपरता पर लज्जा आयी। पहली बार आत्मा ने अलग्योझे पर धिक्कारा।

9

इस घटना को हुए पाँच साल गुज़र गये। पन्ना आज बूढ़ी हो गयी है। केदार घर का मालिक है। मुलिया घर की मालकिन है। खुन्नू और लछमन के विवाह हो चुके हैं; मगर केदार अभी तक क्वाँरा है। कहता है—मैं विवाह न करूँगा। कई जगहों से बातचीत हुई, कई सगाइयाँ आयीं; पर उसने हामी न भरी—पन्ना ने कम्पे लगाये, जाल फैलाये, पर वह न फँसा। कहता—औरतों से कौन सुख? मेहरिया घर में आयी और आदमी का मिज़ाज बदला। फिर जो कुछ है, वह मेहरिया है। माँ-बाप, भाई-बन्धु सब पराये हैं। जब भैया जैसे आदमी का मिज़ाज बदल गया, तो फिर दूसरों की क्या गिनती? दो लड़के भगवान् के दिये हैं। और क्या चाहिए। बिना ब्याह किये दो बेटे मिल गये, इससे बढ़कर और क्या होगा! जिसे अपना समझो, वह अपना है; जिसे ग़ैर समझो, वह ग़ैर है।

एक दिन पन्ना ने कहा—तेरा वंश कैसे चलेगा?

केदार—मेरा वंश तो चल रहा है। दोनों लड़कों को अपना ही समझता हूँ।

पन्ना—समझने ही पर है, तो तू मुलिया को भी अपनी मेहरिया समझता होगा?

केदार ने झेंपते हुए कहा—तुम तो गाली देती हो अम्माँ!

पन्ना—गाली कैसी, तेरी भाभी ही तो है!

केदार—मेरे जैसे लट्ठ-गँवार को वह क्यों पूछने लगी!

पन्ना—तू करने को कह, तो मैं उससे पूछूँ?

केदार—नहीं मेरी अम्माँ, कहीं रोने-गाने न लगे।

पन्ना—तेरा मन हो, तो मैं बातों-बातों में उसके मन की थाह लूँ?

केदार—मैं नहीं जानता, जो चाहे कर।

पन्ना केदार के मन की बात समझ गयी। लड़के का दिल मुलिया पर आया हुआ है; पर संकोच और भय के मारे कुछ नहीं कहता।

उसी दिन उसने मुलिया से कहा—क्या करूँ बहू, मन की लालसा मन में ही रह जाती है। केदार का घर भी बस जाता, तो मैं निश्चिन्त हो जाती।

मुलिया—वह तो करने को ही नहीं कहते।

पन्ना—कहता है, ऐसी औरत मिले, जो घर में मेल से रहे, तो कर लूँ।

मुलिया—ऐसी औरत कहाँ मिलेगी? कहाँ ढूँढ़े?

पन्ना–मैंने तो ढूँढ़ लिया है।

मुलिया–सच! किस गाँव की है?

पन्ना–अभी न बताऊँगी, मुदा यह जानती हूँ कि उससे केदार की सगाई हो जाये, तो घर बस जाये और केदार की ज़िन्दगी भी सफल हो जाये। न जाने लड़की मानेगी कि नहीं।

मुलिया–मानेगी क्यों नहीं अम्माँ, ऐसा सुन्दर, कमाऊ, सुशील वर और कहाँ मिला जाता है? उस जनम का कोई साधु-महात्मा है, नहीं तो लड़ाई-झगड़े के डर से कौन बिन ब्याहा रहता है। कहाँ रहती है, मैं जाकर उसे मना लाऊँ।

पन्ना–तू चाहे, तो उसे मना ले। तेरे ही ऊपर है।

मुलिया–मैं आज ही चली जाऊँगी अम्माँ! उसके पैरों पड़कर मना लाऊँगी।

पन्ना–बता दूँ! वह तू ही है!

मुलिया लजाकर बोली–तुम तो अम्माँजी, गाली देती हो।

पन्ना–गाली कैसी, देवर ही तो है!

मुलिया–मुझ जैसी बुढ़िया को वह क्यों पूछेंगे?

पन्ना–वह तुझी पर दाँत लगाये बैठा है। तेरे सिवा कोई और उसे भाती ही नहीं। डर के मारे कहता नहीं; पर उसके मन की बात मैं जानती हूँ।

वैधव्य के शोक से मुरझाया हुआ मुलिया का पीत बदन कमल की भाँति अरुण हो उठा। दस वर्षों में जो कुछ खोया था, वह इसी एक क्षण में मानो ब्याज के साथ मिल गया। वही लावण्य, वही विकास, वही आकर्षण, वही लोच।

❑❑❑

ईदग़ाह

रमजान के पूरे तीस रोज़ों के बाद ईद आयी है। कितना मनोहर, कितना सुहावना प्रभात है। वृक्षों पर कुछ अजीब हरियाली है, खेतों में कुछ अजीब रौनक़ है, आसमान पर कुछ अजीब लालिमा है। आज का सूर्य देखो, कितना प्यारा, कितना शीतल है, मानो संसार को ईद की बधाई दे रहा है। गाँव में कितनी हलचल है। ईदग़ाह जाने की तैयारियाँ हो रही हैं। किसी के कुरते में बटन नहीं है, पड़ोस के घर से सुई-तागा लेने दौड़ा जा रहा है। किसी के जूते कड़े हो गये हैं, उनमें तेल डालने के लिए तेली के घर भागा जाता है। जल्दी-जल्दी बैलों को सानी-पानी दे दें। ईदग़ाह से लौटते-लौटते दोपहर हो जायेगी। तीन कोस का पैदल रास्ता, फिर सैकड़ों आदमियों से मिलना-भेंटना, दोपहर के पहले लौटना असम्भव है। लड़के सबसे ज़्यादा प्रसन्न हैं। किसी ने एक रोज़ा रखा है, वह भी दोपहर तक, किसी ने वह भी नहीं; लेकिन ईदग़ाह जाने की ख़ुशी उनके हिस्से की चीज़ है। रोज़े बड़े-बूढ़ों के लिए होंगे। इनके लिए तो ईद है। रोज़ ईद का नाम रटते थे, आज वह आ गयी। अब जल्दी पड़ी है कि लोग ईदग़ाह क्यों नहीं चलते। इन्हें गृहस्थी की चिंताओं से क्या प्रयोजन! सेवैयों के लिए दूध और शक्कर घर में है या नहीं, इनकी बला से, ये तो सेवैयाँ खायेंगे। वह क्या जानें कि अब्बाजान क्यों बदहवास चौधरी क़ायमअली के घर दौड़े जा रहे हैं। उन्हें क्या ख़बर कि चौधरी आज आँखें बदल लें, तो यह सारी ईद मुहर्रम हो जाये। उनकी अपनी जेबों में तो कुबेर का धन भरा हुआ है। बार-बार जेब से अपना ख़ज़ाना निकालकर गिनते हैं और ख़ुश होकर फिर रख लेते हैं। महमूद गिनता है, एक-दो, दस-बारह! उसके पास बारह पैसे हैं। मोहसिन के पास एक, दो, तीन, आठ, नौ, पंद्रह पैसे हैं। इन्हीं अनगिनत पैसों में अनगिनत चीज़ें लायेंगे—खिलौने, मिठाइयाँ, बिगुल, गेंद और जाने क्या-क्या। और सबसे ज़्यादा प्रसन्न है हामिद। वह चार-पाँच साल का ग़रीब-सूरत, दुबला-पतला लड़का, जिसका बाप गत वर्ष हैज़े की भेंट हो गया और माँ न जाने क्यों पीली होती-होती एक दिन मर गयी। किसी को पता न चला, क्या बीमारी है? कहती तो कौन सुननेवाला था? दिल पर जो कुछ बीतती थी, वह दिल में ही सहती थी और जब न सहा गया, तो संसार से विदा हो गयी। अब हामिद अपनी बूढ़ी दादी अमीना की गोद में सोता है और उतना ही प्रसन्न है। उसके अब्बाजान रुपये कमाने गये हैं। बहुत-सी थैलियाँ लेकर आयेंगे। अम्मीजान अल्लाह मियाँ के घर से उसके लिए बड़ी अच्छी-अच्छी चीज़ें लाने गयी हैं; इसलिए हामिद प्रसन्न है। आशा तो बड़ी चीज़ है, और फिर बच्चों की आशा! उनकी कल्पना तो राई का पर्वत बना लेती है। हामिद के पाँव में जूते नहीं हैं, सिर पर एक पुरानी-धुरानी टोपी है, जिसका गोटा काला पड़ गया है, फिर भी वह प्रसन्न है। जब उसके अब्बाजान थैलियाँ और अम्मीजान नियामतें लेकर आयेंगी, तो वह दिल के अरमान निकाल लेगा। तब देखेगा, मोहसिन, नूरे और सम्मी कहाँ से उतने पैसे निकालेंगे।

अभागिन अमीना अपनी कोठरी में बैठी रो रही है। आज ईद का दिन और उसके घर में दाना नहीं! आज आबिद होता, तो क्या इसी तरह ईद आती और

चली जाती! इस अन्धकार और निराशा में वह डूबी जा रही है। किसने बुलाया था इस निगोड़ी ईद को? इस घर में उसका काम नहीं हैं, लेकिन हामिद! उसे किसी के मरने-जीने से क्या मतलब? उसके अंदर प्रकाश है, बाहर आशा। विपत्ति अपना सारा दलबल लेकर आये, हामिद की आनंद भरी चितवन उसका विध्वंस कर देगी।

हामिद भीतर जाकर दादी से कहता है—तुम डरना नहीं अम्माँ, मैं सबसे पहले आऊँगा। बिल्कुल न डरना।

अमीना का दिल कचोट रहा था। गाँव के बच्चे अपने-अपने बाप के साथ जा रहे हैं। हामिद का बाप अमीना के सिवा और कौन है! उसे कैसे अकेले मेले में जाने दे? उस भीड़-भाड़ में बच्चा कहीं खो जाये तो क्या हो? नहीं, अमीना उसे यों न जाने देगी। नन्हीं-सी जान! तीन कोस चलेगा कैसे? पैर में छाले पड़ जायेंगे। जूते भी तो नहीं हैं। वह थोड़ी-थोड़ी दूर पर उसे गोद ले लेगी; लेकिन यहाँ सेवैयाँ कौन पकायेगा? पैसे होते तो लौटते-लौटते सब सामग्री जमा करके चटपट बना लेती। यहाँ तो घंटों चीजें जमा करते लगेंगे। माँगे ही का तो भरोसा ठहरा। उस दिन फ़हीमन के कपड़े सिले थे। आठ आने पैसे मिले थे। उस अठन्नी को ईमान की तरह बचाती चली आती थी इसी ईद के लिए, लेकिन कल ग्वालन सिर पर सवार हो गयी तो क्या करती! हामिद के लिए कुछ नहीं है, तो दो पैसे का दूध तो चाहिए ही। अब तो कुल दो आने पैसे बच रहे हैं। तीन पैसे हामिद की जेब में, पाँच पैसे अमीना के बटुवे में। यही तो बिसात है और ईद का त्योहार! अल्लाह ही बेड़ा पार लगाये। धोबन और नाइन और मेहतरानी और चुड़हारिन सभी तो आयेंगी। सभी को सेवैयाँ चाहिए और थोड़ा किसी की आँखों नहीं लगता। किस-किस से मुँह चुराएगी? और मुँह क्यों चुराए? साल-भर का त्योहार है। ज़िन्दगी ख़ैरियत से रहे, उनकी तक़दीर भी तो उसी के साथ है। बच्चे को ख़ुदा सलामत रखे, ये दिन भी कट जायेंगे।

गाँव से मेला चला। और बच्चों के साथ हामिद भी जा रहा था। कभी सबके-सब दौड़कर आगे निकल जाते। फिर किसी पेड़ के नीचे खड़े होकर साथवालों का इन्तज़ार करते। यह लोग क्यों इतना धीरे-धीरे चल रहे हैं! हामिद के पैरों में तो जैसे पर लग गये हैं। वह कभी थक सकता है? शहर का दामन आ गया। सड़क के दोनों ओर अमीरों के बग़ीचे हैं। पक्की चार-दीवारी बनी हुई है। पेड़ों में आम और लीचियाँ लगी हुई हैं। कभी-कभी कोई लड़का कंकड़ी उठाकर आम पर निशाना लगाता है। माली अंदर से गाली देता हुआ निकलता है। लड़के वहाँ से एक फर्लांग पर हैं। ख़ूब हँस रहे हैं। माली को कैसा उल्लू बनाया है।

बड़ी-बड़ी इमारतें आने लगीं। यह अदालत है, यह कॉलेज है, यह क्लब घर है! इतने बड़े कॉलेज में कितने लड़के पढ़ते होंगे? सब लड़के नहीं हैं जी! बड़े-बड़े आदमी हैं, सच। उनकी बड़ी-बड़ी मूँछें हैं। इतने बड़े हो गये, अभी तक पढ़ने जाते हैं। न जाने कब तक पढ़ेंगे और क्या करेंगे इतना पढ़कर! हामिद के मदरसे में दो-तीन बड़े-बड़े लड़के हैं, बिल्कुल तीन कौड़ी के। रोज़ मार खाते हैं, काम से जी चुरानेवाले। इस जगह भी उसी तरह के लोग होंगे और क्या। क्लब घर में जादू होता है। सुना है, यहाँ मुर्दे की खोपड़ियाँ दौड़ती हैं। और बड़े-बड़े तमाशे होते हैं, पर किसी को अंदर नहीं जाने देते। और यहाँ शाम को साहब लोग खेलते हैं, बड़े-बड़े आदमी खेलते हैं, मूँछों दाढ़ीवाले। और मेमें भी खेलती हैं, सच! हमारी

अम्माँ को वह दे दो, क्या नाम है, बैट, तो उसे पकड़ ही न सकें। घुमाते ही लुढ़क जायें।

महमूद ने कहा—हमारी अम्मीजान का तो हाथ काँपने लगे, अल्ला कसम।

मोहसिन बोला—चलो, मनों आटा पीस डालती हैं। ज़रा-सा बैट पकड़ लेंगी, तो हाथ काँपने लगेंगे। सैकड़ों घड़े पानी रोज़ निकालती हैं। पाँच घड़े तो मेरी भैंस पी जाती है। किसी मेम को एक घड़ा पानी भरना पड़े, तो आँखों तले अँधेरा आ जाये।

महमूद ने कहा—लेकिन दौड़ती तो नहीं, उछल-कूद तो नहीं सकती।

मोहसिन—हाँ, उछल-कूद नहीं सकतीं; लेकिन उस दिन मेरी गाय खुल गयी थी और चौधरी के खेत में जा पड़ी थी, अम्माँ इतना तेज़ दौड़ीं कि मैं उन्हें न पा सका, सच!

आगे चले। हलवाइयों की दूकानें शुरू हुईं। आज ख़ूब सजी हुई थीं। इतनी मिठाइयाँ कौन खाता है? देखो न, एक-एक दूकान पर मनों होंगी। सुना है, रात को जिन्नात आकर ख़रीद ले जाते हैं। अब्बा कहते थे कि आधी रात को एक आदमी हर दूकान पर जाता है और जितना माल बचा होता है, वह तुलवा लेता है और सचमुच के रुपये देता है, बिल्कुल ऐसे ही रुपये।

हामिद को यकीन न आया—ऐसे रुपये जिन्नात को कहाँ से मिल जायेंगे?

मोहसिन ने कहा—जिन्नात को रुपये की क्या कमी? जिस ख़जाने में चाहें चले जायें। लोहे के दरवाजे तक उन्हें नहीं रोक सकते जनाब, आप हैं किस फेर में! हीरे-जवाहरात तक उनके पास रहते हैं। जिससे ख़ुश हो गये, उसे टोकरों जवाहरात दे दिए। अभी यहीं बैठे हैं, पाँच मिनट में कलकत्ता पहुँच जायें।

हामिद ने फिर पूछा—जिन्नात बहुत बड़े-बड़े होते होंगे?

मोहसिन—एक-एक सिर आसमान के बराबर होता है जी! ज़मीन पर खड़ा हो जाये, तो उसका सिर आसमान से जा लगे, मगर चाहे तो एक लोटे में घुस जाये।

हामिद—लोग उन्हें कैसे ख़ुश करते होंगे? कोई मुझे वह मंतर बता दे, तो एक जिन्न को ख़ुश कर लूँ।

मोहसिन—अब यह तो मैं नहीं जानता, लेकिन चौधरी साहब के काबू में बहुत से जिन्नात हैं। कोई चीज चोरी जाये, चौधरी साहब उसका पता लगा देंगे और चोर का नाम भी बता देंगे। जुमराती का बछवा उस दिन खो गया था। तीन दिन हैरान हुए, कहीं न मिला तब झख मारकर चौधरी के पास गये। चौधरी ने तुरन्त बता दिया, मवेशीख़ाने में है और वहीं मिला। जिन्नात आकर उन्हें सारे जहान की ख़बरें दे जाते हैं।

अब उसकी समझ में आ गया कि चौधरी के पास क्यों इतना धन है, और क्यों उनका इतना सम्मान है।

आगे चले। यह पुलिस लाइन है। यहीं सब कानिसटिबल कवायद करते हैं। रैटन! फाय फो! रात को बेचारे घूम-घूमकर पहरा देते हैं, नहीं चोरियाँ हो जाये। मोहसिन ने प्रतिवाद किया—यह कानिसटिबल पहरा देते हैं! तभी तुम बहुत जानते हो। अजी हज़रत, यही चोरी कराते हैं। शहर के जितने चोर-डाकू हैं, सब इनसे मिले रहते हैं। रात को ये लोग चोरों से तो कहते हैं, चोरी करो और आप दूसरे मुहल्ले में जाकर 'जागते रहो! जागते रहो!' पुकारते हैं। जभी इन लोगों के पास इतने रुपये आते हैं। मेरे मामू एक थाने में कानिसटिबल हैं। बीस रुपया महीना

पाते हैं, लेकिन पचास रुपये घर भेजते हैं। अल्ला कसम! मैंने एक बार पूछा था कि मामू, आप इतने रुपये कहाँ से पाते हैं? हँसकर कहने लगे—बेटा, अल्लाह देता है। फिर आप ही बोले—हम लोग चाहें तो एक दिन में लाखों मार लायें। हम तो इतना ही लेते हैं, जिसमें अपनी बदनामी न हो और नौकरी न चली जाये।

हामिद ने पूछा—यह लोग चोरी करवाते हैं, तो कोई इन्हें पकड़ता नहीं?

मोहसिन उसकी नादानी पर दया दिखाकर बोला—अरे पागल, इन्हें कौन पकड़ेगा? पकड़नेवाले तो यह लोग खुद हैं, लेकिन अल्लाह इन्हें सज़ा भी ख़ूब देता है। हराम का माल हराम में जाता है। थोड़े ही दिन हुए, मामू के घर में आग लग गयी। सारी लेई-पूँजी जल गयी। एक बरतन तक न बचा। कई दिन पेड़ के नीचे सोये, अल्ला कसम, पेड़ के नीचे! फिर न जाने, कहाँ से एक सौ कर्ज़ लाये तो बरतन-भाँड़े आये।

हामिद—एक सौ तो पचास से ज़्यादा होते हैं?

'कहाँ पचास, कहाँ एक सौ। पचास एक थैली भर होता है। सौ तो दो थैलियों में भी न आयें।'

अब बस्ती घनी होने लगी थी। ईदग़ाह जानेवालों की टोलियाँ नजर आने लगीं। एक-से-एक भड़कीले वस्त्र पहने हुए। कोई इक्के-ताँगे पर सवार, कोई मोटर पर, सभी इत्र में बसे, सभी के दिलों में उमंग। ग्रामीणों का यह छोटा-सा दल अपनी विपन्नता से बेख़बर, संतोष और धैर्य में मगन चला जा रहा था। बच्चों के लिए नगर की सभी चीजें अनोखीं थीं। जिस चीज़ की ओर ताकते, ताकते ही रह जाते और पीछे से बराबर हॉर्न की आवाज़ होने पर भी न चेतते। हामिद तो मोटर के नीचे जाते-जाते बचा।

सहसा ईदग़ाह नजर आया। ऊपर इमली के घने वृक्षों की छाया। नीचे पक्का फ़र्श है, जिस पर जाजिम बिछा हुआ है। और रोज़ेदारों की पंक्तियाँ एक के पीछे एक न जाने कहाँ तक चली गयी हैं, पक्की जगत के नीचे तक, जहाँ जाजिम भी नहीं है। नये आनेवाले आकर पीछे की कतार में खड़े हो जाते हैं। आगे जगह नहीं है। यहाँ कोई धन और पद नहीं देखता। इस्लाम की निग़ाह में सब बराबर हैं। इन ग्रामीणों ने भी वज़ू किया और पिछली पंक्ति में खड़े हो गये। कितना सुन्दर संचालन है, कितनी सुन्दर व्यवस्था! लाखों सिर एक साथ सिज़दे में झुक जाते हैं, फिर सब-के-सब एक साथ खड़े हो जाते हैं, एक साथ झुकते हैं, और एक साथ घुटनों के बल बैठ जाते हैं। कई बार यही क्रिया होती है, जैसे बिजली की लाखों बत्तियाँ एक साथ प्रदीप्त हों और एक साथ बुझ जाये और यही क्रम चलता रहे। कितना अपूर्व दृश्य था, जिसकी सामूहिक क्रियाएँ, विस्तार और अनंतता हृदय को श्रद्धा, गर्व और आत्मानंद से भर देती थी, मानो भ्रातृत्व का एक सूत्र इन समस्त आत्माओं को एक लड़ी में पिरोए हुए है।

2

नमाज़ ख़तम हो गयी है। लोग आपस में गले मिल रहे हैं। तब मिठाई और खिलौने की दूकान पर धावा होता है। ग्रामीणों का यह दल इस विषय में बालकों से कम उत्साही नहीं है। यह देखो हिंडोला है। एक पैसा देकर चढ़ जाओ। कभी आसमान

पर जाते हुए मालूम होंगे, कभी ज़मीन पर गिरते हुए। यह चर्खी है, लकड़ी के हाथी, घोड़े, ऊँट छड़ों से लटके हुए हैं। एक पैसा देकर बैठ जाओ और पच्चीस चक्करों का मज़ा लो। महमूद और मोहसिन और नूरे और सम्मी इन घोड़ों और ऊँटों पर बैठते हैं। हामिद दूर खड़ा है। तीन ही पैसे तो उसके पास हैं। अपने कोष का एक तिहाई ज़रा-सा चक्कर खाने के लिए नहीं दे सकता।

सब चर्खियों से उतरते हैं। अब खिलौने लेंगे। इधर दूकानों की क़तार लगी हुई है। तरह-तरह के खिलौने हैं—सिपाही और गुजरिया; राजा और वक़ील; भिश्ती और धोबिन और साधु। वाह! कितने सुन्दर खिलौने हैं। अब बोलना ही चाहते हैं; महमूद सिपाही लेता है, ख़ाकी वर्दी और लाल पगड़ीवाला, कंधे पर बंदूक रखे हुए; मालूम होता है, अभी क़वायद किये चला आ रहा है। मोहसिन को भिश्ती पसंद आया। कमर झुकी हुई है, ऊपर मशक़ रखे हुए है। मशक़ का मुँह एक हाथ से पकड़े हुए है। कितना प्रसन्न है! शायद कोई गीत गा रहा है। बस, मशक़ से पानी उड़ेलना ही चाहता है। नूरे को वकील से प्रेम है। कैसी विद्वता है उसके मुख पर! काला चोगा, नीचे सफ़ेद अचकन, अचकन के सामने की जेब में घड़ी, सुनहरी जंजीर, एक हाथ में क़ानून का पोथा लिये हुए। मालूम होता है, अभी किसी अदालत से जिरह या बहस किये चले आ रहे हैं। यह सब दो-दो पैसे के खिलौने हैं। हामिद के पास कुल तीन पैसे हैं, इतने महँगे खिलौने वह कैसे ले? खिलौना कहीं हाथ से छूट पड़े, तो चूर-चूर हो जाये। ज़रा पानी पड़े, तो सारा रंग धुल जाये। ऐसे खिलौने लेकर वह क्या करेगा, किस काम के!

मोहसिन कहता है—मेरा भिश्ती रोज पानी दे जायेगा, साँझ-सबेरे।

महमूद—और मेरा सिपाही घर का पहरा देगा। कोई चोर आयेगा, तो फौरन बंदूक़ से फायर कर देगा।

नूरे—और मेरा वक़ील ख़ूब मुकद्दमा लड़ेगा।

सम्मी—और मेरी धोबिन रोज़ कपड़े धोएगी।

हामिद खिलौने की निंदा करता है—मिट्टी ही के तो हैं, गिरें तो चकनाचूर हो जाये; लेकिन ललचाई हुई आँखों से खिलौनों को देख रहा है और चाहता है कि ज़रा देर के लिए उन्हें हाथ में ले सकता। उसके हाथ अनायास ही लपकते हैं; लेकिन लड़के इतने त्यागी नहीं होते हैं, विशेषकर जब अभी नया शौक़ है। हामिद ललचाता रह जाता है।

खिलौने के बाद मिठाइयाँ आती हैं। किसी ने रेवड़ियाँ ली हैं, किसी ने गुलाबजामुन, किसी ने सोहन हलवा, मज़े से खा रहे हैं। हामिद बिरादरी से पृथक् है। अभागे के पास तीन पैसे हैं। क्यों नहीं कुछ लेकर खाता! ललचाई आँखों से सबकी ओर देखता है।

मोहसिन कहता है—हामिद, रेवड़ी ले जा; कितनी ख़ुशबूदार है!

हामिद को संदेह हुआ, यह केवल क्रूर विनोद है। मोहसिन इतना उदार नहीं है; लेकिन यह जानकर भी वह उसके पास जाता है। मोहसिन दोने से एक रेवड़ी निकालकर हामिद की ओर बढ़ाता है। हामिद हाथ फैलाता है। मोहसिन रेवड़ी अपने मुँह में रख लेता है। महमूद, नूरे और सम्मी ख़ूब तालियाँ बजा-बजाकर हँसते हैं। हामिद खिसिया जाता है।

मोहसिन—अच्छा, अबकी ज़रूर देंगे हामिद, अल्ला कसम ले जा।

हामिद—रखे रहो। क्या मेरे पास पैसे नहीं हैं?

सम्मी—तीन ही पैसे तो हैं। तीन पैसे में क्या-क्या लोगे?

महमूद—हमसे गुलाब जामुन ले जाओ हामिद, मोहसिन बदमाश है।

हामिद—मिठाई कौन बड़ी नेमत है। किताब में इसकी कितनी बुराइयाँ लिखी हैं।

मोहसिन—लेकिन दिल में कह रहे होंगे कि मिले तो खा लें। अपने पैसे क्यों नहीं निकालते?

महमूद—हम समझते हैं, इसकी चालाकी। जब हमारे सारे पैसे ख़र्च हो जायेंगे, तो हमें ललचा-ललचाकर खाएगा।

मिठाइयों के बाद कुछ दूकानें लोहे की चीज़ों की, कुछ गिलट और कुछ नक़ली गहनों की। लड़कों के लिए यहाँ कोई आकर्षण न था। वे सब आगे बढ़ जाते हैं। हामिद लोहे की दूकान पर रुक जाता है। कई चिमटे रखे हुए थे। उसे ख़याल आया, दादी के पास चिमटा नहीं है। तवे से रोटियाँ उतारती हैं, तो हाथ जल जाता है। अगर वह चिमटा ले जाकर दादी को दे दे, तो वह कितना प्रसन्न होंगी! फिर उनकी उँगलियाँ कभी न जलेंगी। घर में एक काम की चीज़ हो जायेगी। खिलौने से क्या फ़ायदा? व्यर्थ में पैसे ख़राब होते हैं। ज़रा देर ही तो ख़ुशी होती है। फिर तो खिलौने को कोई आँख उठाकर नहीं देखता। यह तो घर पहुँचते-पहुँचते टूट-फूटकर बराबर हो जायेंगे। चिमटा कितने काम की चीज़ है। रोटियां तवे से उतार लो, चूल्हे में सेंक लो। कोई आग माँगने आये, तो चटपट चूल्हे से आग निकालकर उसे दे दो। अम्माँ बेचारी को कहाँ फुरसत है कि बाज़ार आयें, और इतने पैसे ही कहाँ मिलते हैं? रोज़ हाथ जला लेती हैं।

हामिद के साथी आगे बढ़ गये हैं। सबील पर सब-के-सब शर्बत पी रहे हैं। देखो, सब कितने लालची हैं! इतनी मिठाइयाँ लीं, मुझे किसी ने एक भी न दी। उस पर कहते हैं, मेरे साथ खेलो। मेरा यह काम करो। अब अगर किसी ने कोई काम करने को कहा, तो पूछूँगा। खाएँ मिठाइयाँ, आप मुँह सड़ेगा, फोड़े-फुन्सियाँ निकलेंगी, आप ही ज़बान चटोरी हो जायेगी। तब घर से पैसे चुरायेंगे और मार खायेंगे। किताब में झूठी बातें थोड़े ही लिखी हैं। मेरी ज़बान क्यों ख़राब होगी? अम्माँ चिमटा देखते ही दौड़कर मेरे हाथ से ले लेंगी और कहेंगी—मेरा बच्चा अम्माँ के लिए चिमटा लाया है। हज़ारों दुआएँ देंगी। फिर पड़ोस की औरतों को दिखाएँगी। सारे गाँव में चर्चा होने लगेगी, हामिद चिमटा लाया है। कितना अच्छा लड़का है। इन लोगों के खिलौने पर कौन इन्हें दुआएँ देगा? बड़ों की दुआएँ सीधे अल्लाह के दरबार में पहुँचती हैं, और तुरंत सुनी जाती हैं। मेरे पास पैसे नहीं हैं। तभी मोहसिन और महमूद यों मिज़ाज दिखाते हैं। मैं भी इनको मिज़ाज दिखाऊँगा। खेलें खिलौने और खायें मिठाइयाँ। मैं नहीं खेलता खिलौने, किसी का मिज़ाज क्यों सहूँ? मैं ग़रीब सही, किसी से कुछ माँगने तो नहीं जाता। आख़िर अब्बाजान कभी-न-कभी तो आएँगे। अम्माँ भी आएँगी ही। फिर इन लोगों से पूछूँगा, कितने खिलौने लोगे? एक-एक को टोकरियों खिलौने दूँ और दिखा दूँ कि दोस्तों के साथ इस तरह सलूक किया जाता है। यह नहीं कि एक पैसे की रेवड़ियाँ लीं, तो चिढ़ा-चिढ़ाकर खाने लगे। सब-के-सब हँसेंगे कि हमीद ने चिमटा लिया है। हँसें! मेरी बला से! उसने दूकानदार से पूछा—यह चिमटा कितने का है?

दूकानदार ने उसकी ओर देखा और कोई आदमी साथ न देखकर कहा—तुम्हारे काम का नहीं है जी!

'बिकाऊ है कि नहीं?'

'बिकाऊ क्यों नहीं है? और यहाँ क्यों लाद लाये हैं?'

'तो बताते क्यों नहीं, कै पैसे का है?'

'छः पैसे लगेंगे।'

हामिद का दिल बैठ गया।

'ठीक-ठीक बताओ!'

'ठीक-ठीक पाँच पैसे लगेंगे, लेना हो लो, नहीं चलते बनो।'

हामिद ने कलेजा मजबूत करके कहा—तीन पैसे लोगे?

यह कहता हुआ वह आगे बढ़ गया कि दूकानदार की घुड़कियाँ न सुने। लेकिन दूकानदार ने घुड़कियाँ न दीं। बुलाकर चिमटा दे दिया। हामिद ने उसे इस तरह कंधे पर रखा, मानो बंदूक़ है और शान से अकड़ता हुआ संगियों के पास आया। ज़रा सुनें, सब-के-सब क्या-क्या आलोचनाएँ करते हैं।

मोहसिन ने हँसकर कहा—यह चिमटा क्यों लाया पगले; इसे क्या करेगा?

हामिद ने चिमटे को ज़मीन पर पटककर कहा—ज़रा अपना भिश्ती ज़मीन पर गिरा दो। सारी पसलियाँ चूर-चूर हो जाये बच्चू की।

महमूद बोला—तो यह चिमटा कोई खिलौना है?

हामिद—खिलौना क्यों नहीं है! अभी कन्धे पर रखा, बंदूक़ हो गयी। हाथ में लिया, फ़क़ीरों का चिमटा हो गया। चाहूँ तो इससे मंजीरे का काम ले सकता हूँ। एक चिमटा जमा दूँ, तो तुम लोगों के सारे खिलौनों की जान निकल जाये। तुम्हारे खिलौने कितना ही ज़ोर लगायें, मेरे चिमटे का बाल भी बाँका नहीं कर सकते। मेरा बहादुर शेर है—चिमटा।

सम्मी ने खँजरी ली थी। प्रभावित होकर बोला—मेरी खँजरी से बदलोगे, दो आने की है।

हामिद ने खँजरी की ओर उपेक्षा से देखा—मेरा चिमटा चाहे तो तुम्हारी खँजरी का पेट फाड़ डाले। बस एक चमड़े की झिल्ली लगा दी, ढब-ढब बोलने लगी। ज़रा-सा पानी लग जाये, तो खतम हो जाये। मेरा बहादुर चिमटा आग में, पानी में, आँधी में, तूफ़ान में बराबर डटा खड़ा रहेगा।

चिमटे ने सभी को मोहित कर लिया, लेकिन अब पैसे किसके पास धरे हैं? फिर मेले से दूर निकल आये हैं, नौ कब के बज गये, धूप तेज हो रही है। घर पहुँचने की जल्दी हो रही है। बाप से ज़िद भी करें, तो चिमटा नहीं मिल सकता। हामिद है बड़ा चालाक। इसीलिए बदमाश ने अपने पैसे बचा रखे थे।

अब बालकों के दो दल हो गये हैं। मोहसिन, महमूद, सम्मी और नूरे एक तरफ़ हैं, हामिद अकेला दूसरी तरफ़। शास्त्रार्थ हो रहा है। सम्मी तो विधर्मी हो गया! दूसरे पक्ष से जा मिला; लेकिन मोहसिन, महमूद और नूरे भी, हामिद से एक-एक, दो-दो साल बड़े होने पर भी हामिद के आघातों से आतंकित हो उठे हैं। उसके पास न्याय का बल है और नीति की शक्ति। एक ओर मिट्टी है, दूसरी ओर लोहा, जो इस वक़्त अपने को फ़ौलाद कह रहा है। वह अजेय है, घातक है। अगर कोई शेर आ जाये, मियाँ भिश्ती के छक्के छूट जाये, मियाँ सिपाही मिट्टी की बंदूक छोड़कर भागें, वक़ील साहब की नानी मर जाये, चौगे में मुँह छिपाकर ज़मीन पर लेट जायें। मगर यह चिमटा, यह बहादुर, यह रुस्तमे-हिन्द लपककर शेर की गरदन पर सवार हो जायेगा और उसकी आँखें निकाल लेगा।

मोहसिन ने एड़ी-चोटी का ज़ोर लगाकर कहा—अच्छा, पानी तो नहीं भर सकता।

हामिद ने चिमटे को सीधा खड़ा करके कहा—भिश्ती को एक डाँट बताएगा, तो दौड़ा हुआ पानी लाकर उसके द्वार पर छिड़कने लगेगा।

मोहसिन परास्त हो गया; पर महमूद ने कुमक पहुँचाई—अगर बच्चू पकड़े जायें, तो अदालत में बँधे-बँधे फिरेंगे। तब वक़ील साहब के ही ही पैरों पड़ेंगे।

हामिद इस प्रबल तर्क का जवाब न दे सका। उसने पूछा—हमें पकड़ने कौन आएगा?

नूरे ने अकड़कर कहा—यह सिपाही बंदूक़वाला।

हामिद ने मुँह चिढ़ाकर कहा—यह बेचारे हम बहादुर रुस्तमे-हिंद को पकड़ेंगे! अच्छा लाओ, अभी ज़रा कुश्ती हो जाये। इसकी सूरत देखकर दूर से भागेंगे। पकड़ेंगे क्या बेचारे!

मोहसिन को एक नयी चोट सूझ गयी—तुम्हारे चिमटे का मुँह रोज़ आग में जलेगा।

उसने समझा था कि हामिद लाजवाब हो जायेगा; लेकिन यह बात न हुई। हामिद ने तुरंत जवाब दिया—आग में बहादुर ही कूदते हैं जनाब, तुम्हारे यह वक़ील, सिपाही और भिश्ती लौंडियों की तरह घर में घुस जायेंगे। आग में कूदना वह काम है, जो रुस्तमे-हिंद ही कर सकता है।

महमूद ने एक ज़ोर लगाया—वकील साहब कुरसी-मेज़ पर बैठेंगे, तुम्हारा चिमटा तो बावरचीख़ाने में ज़मीन पर पड़ा रहेगा।

इस तर्क ने सम्मी और नूरे को भी सजीव कर दिया! कितने ठिकाने की बात कही है पट्ठे ने। चिमटा बावरचीख़ाने में पड़ा रहने के सिवा और क्या कर सकता है?

हामिद को कोई फड़कता हुआ जवाब न सूझा, तो उसने धाँधली शुरू की—मेरा चिमटा बाबरचीख़ाने में नहीं रहेगा। वक़ील साहब कुर्सी पर बैठेंगे, तो जाकर उन्हें ज़मीन पर पटक देगा और उनका क़ानून उनके पेट में डाल देगा।

बात कुछ बनी नहीं। ख़ासी गाली-गलौज थी; लेकिन क़ानून को पेट में डालनेवाली बात छा गयी। ऐसी छा गई कि तीनों सूरमा मुँह ताकते रह गये, मानो कोई धेलचा कनकौआ किसी गंडेवाले कनकौए को काट गया हो। क़ानून मुँह से बाहर निकलनेवाली चीज़ है। उसको पेट के अन्दर डाल दिया जावे, बेतुकी-सी बात होने पर भी कुछ नयापन रखती है। हामिद ने मैदान मार लिया। उसका चिमटा रुस्तमे-हिंद है। अब इसमें मोहसिन, महमूद, नूरे, सम्मी किसी को भी आपत्ति नहीं हो सकती।

विजेता को हारनेवालों से जो सत्कार मिलना स्वाभाविक है, वह हामिद को भी मिला। औरों ने तीन-तीन, चार-चार आने पैसे ख़र्च किये, पर कोई काम की चीज़ न ले सके। हामिद ने तीन पैसे में रंग जमा लिया। सच ही तो है, खिलौनों का क्या भरोसा? टूट-फूट जायेंगे। हामिद का चिमटा तो बना रहेगा बरसों!

संधि की शर्तें तय होने लगीं। मोहसिन ने कहा—ज़रा अपना चिमटा दो, हम भी देखें। तुम हमारा भिश्ती लेकर देखो।

महमूद और नूरे ने भी अपने-अपने-खिलौने पेश किये।

हामिद को इन शर्तों के मानने में कोई आपत्ति न थी। चिमटा बारी-बारी से सबके हाथ में गया, और उनके खिलौने बारी-बारी से हामिद के हाथ में आये। कितने ख़ूबसूरत खिलौने हैं!

हामिद ने हारनेवालों के आँसू पोंछे—मैं तुम्हें चिढ़ा रहा था, सच! यह चिमटा भला, इन खिलौनों की क्या बराबरी करेगा; मालूम होता है, अब बोले, तब बोले।

लेकिन मोहसिन की पार्टी को इस दिलासे से संतोष नहीं होता। चिमटे का सिक्का ख़ूब बैठ गया है। चिपका हुआ टिकट अब पानी से नहीं छूट रहा है।

मोहसिन—लेकिन इन खिलौनों के लिए कोई हमें दुआ तो न देगा।

महमूद—दुआ को लिये फिरते हो। उलटे मार न पड़े। अम्माँ जरूर कहेंगी कि मेले में यही मिट्टी के खिलौने मिले?

हामिद को स्वीकार करना पड़ा कि खिलौनों को देखकर किसी की माँ इतनी ख़ुश न होगी, जितनी दादी चिमटे को देखकर होंगी। तीन पैसों ही में तो उसे सब-कुछ करना था और उन पैसों के इन उपयोग पर पछतावे की बिल्कुल ज़रूरत न थी। फिर अब तो चिमटा रुस्तमे-हिंद है और सभी खिलौनों का बादशाह!

रास्ते में महमूद को भूख लगी। उसके बाप ने केले खाने को दिये। महमूद ने केवल हामिद को साझी बनाया। उसके अन्य मित्र मुँह ताकते रह गये। यह उस चिमटे का प्रसाद था।

3

ग्यारह बजे गाँव में हलचल मच गयी। मेलेवाले आ गये। मोहसिन की छोटी बहन ने दौड़कर भिश्ती उसके हाथ से छीन लिया और मारे ख़ुशी के जो उछली, तो मियाँ भिश्ती नीचे आ रहे और परलोक सिधारे। इस पर भाई-बहन में मार-पीट हुई। दोनों ख़ूब रोये। उसकी अम्माँ यह शोर सुनकर बिगड़ी और दोनों को ऊपर से दो-दो चाँटे और लगाये।

मियाँ नूरे के वक़ील का अंत उनके प्रतिष्ठानुकूल इससे ज़्यादा गौरवमय हुआ। वक़ील ज़मीन पर या ताक पर तो नहीं बैठ सकता। उसकी मर्यादा का विचार तो करना ही होगा। दीवार में दो खूँटियाँ गाड़ी गईं। उन पर लकड़ी का एक पटरा रखा गया। पटरे पर काग़ज़ का कालीन बिछाया गया। वक़ील साहब राजा भोज की भाँति सिंहासन पर विराजे। नूरे ने उन्हें पंखा झलना शुरू किया। अदालतों में खस की टट्टियाँ और बिजली के पंखे रहते हैं। क्या यहाँ मामूली पंखा भी न हो! क़ानून की गर्मी दिमाग़ पर चढ़ जायेगी कि नहीं? बाँस का पंखा आया और नूरे हवा करने लगे। मालूम नहीं, पंखे की हवा से या पंखे की चोट से वक़ील साहब स्वर्गलोक से मृत्युलोक में आ रहे और उनका माटी का चोला माटी में मिल गया! फिर बड़े जोर-शोर से मातम हुआ और वक़ील साहब की अस्थि घूर पर डाल दी गयी।

अब रहा महमूद का सिपाही। उसे चटपट गाँव का पहरा देने का चार्ज मिल गया; लेकिन पुलिस का सिपाही कोई साधारण व्यक्ति तो नहीं, जो अपने पैरों चले। वह पालकी पर चलेगा। एक टोकरी आई, उसमें कुछ लाल रंग के फटे-पुराने चिथड़े बिछाये गये, जिसमें सिपाही साहब आराम से लेटे। नूरे ने यह टोकरी उठायी और अपने द्वार का चक्कर लगाने लगे। उनके दोनों छोटे भाई सिपाही की तरह 'छोनेवाले, जागते लहो' पुकारते चलते हैं। मगर रात तो अँधरी होनी चाहिए; महमूद को ठोकर लग जाती है। टोकरी उसके हाथ से छूटकर गिर पड़ती है और

मियाँ सिपाही अपनी बंदूक़ लिये ज़मीन पर आ जाते हैं और उनकी एक टाँग में विकार आ जाता है।

महमूद को आज ज्ञात हुआ कि वह अच्छा डॉक्टर है। उसको ऐसा मरहम मिल गया है, जिससे वह टूटी टाँग को आनन-फानन जोड़ सकता है। केवल गूलर का दूध चाहिए। गूलर का दूध आता है। टाँग जोड़ दी जाती है; लेकिन सिपाही को ज्यों ही खड़ा किया जाता है, टाँग जवाब दे देती है। शल्य-क्रिया असफल हुई, तब उसकी दूसरी टाँग भी तोड़ दी जाती है। अब कम-से-कम एक जगह आराम से बैठ तो सकता है। एक टाँग से तो न चल सकता था, न बैठ सकता था। अब वह सिपाही संन्यासी हो गया है। अपनी जगह पर बैठा-बैठा पहरा देता है। कभी-कभी देवता भी बन जाता है। उसके सिर का झालरदार साफा खुरच दिया गया है। अब उसका जितना रूपांतर चाहो, कर सकते हो। कभी-कभी तो उससे बाट का काम भी लिया जाता है।

अब मियाँ हामिद का हाल सुनिए। अमीना उसकी आवाज़ सुनते ही दौड़ी और उसे गोद में उठाकर प्यार करने लगी। सहसा उसके हाथ में चिमटा देखकर वह चौंकी।

'यह चिमटा कहाँ था?'

'मैंने मोल लिया है।'

'कितने पैसे में?'

'तीन पैसे दिये।'

अमीना ने छाती पीट ली। यह कैसा बेसमझ लड़का है कि दोपहर हुआ कुछ खाया न पिया। लाया क्या, चिमटा! 'सारे मेले में तुझे और कोई चीज़ न मिली, जो यह लोहे का चिमटा उठा लाया?'

हामिद ने अपराधी-भाव से कहा–तुम्हारी उँगलियाँ तवे से जल जाती थीं, इसलिए मैंने इसे लिया।

बुढ़िया का क्रोध तुरन्त स्नेह में बदल गया, और स्नेह भी वह नहीं जो प्रगल्भ होता है और अपनी सारी कसक शब्दों में बिखेर देता है। यह मूक स्नेह था, ख़ूब ठोस, रस और स्वाद से भरा हुआ। बच्चे में कितना त्याग, कितना सद्भाव और कितना विवेक है! दूसरों को खिलौने लेते और मिठाई खाते देखकर इसका मन कितना ललचाया होगा? इतना जब्त इससे हुआ कैसे? वहाँ भी इसे अपनी बुढ़िया दादी की याद बनी रही। अमीना का मन गद्गद हो गया।

और, अब एक बड़ी विचित्र बात हुई है। हामिद के इस चिमटे से भी विचित्र। बच्चे हामिद ने बूढ़े हामिद का पार्ट खेला था। बुढ़िया अमीना बालिका अमीना बन गयी। वह रोने लगी। दामन फैलाकर हामिद को दुआएँ देती जाती थी और आँसू की बड़ी-बड़ी बूँदें गिराती जाती थी। हामिद इसका रहस्य क्या समझता!

❑❑❑

माँ

आज बन्दी छूटकर घर आ रहा है। करुणा ने एक दिन पहले ही घर लीप-पोत रखा था। इन तीन वर्षों में उसने कठिन तपस्या करके जो दस-पाँच रुपये जमा कर रखे थे, वह सब पति के सत्कार और स्वागत की तैयारियों में ख़र्च कर दिये। पति के लिए धोतियों का नया जोड़ा लायी थीं, नये कुरते बनवाये थे, बच्चे के लिए नये कोट और टोपी की आयोजना की थी। बार-बार बच्चे को गले लगाती और प्रसन्न होती। अगर इस बच्चे ने सूर्य की भाँति उदय होकर उसके अँधेरे जीवन को प्रदीप्त न कर दिया होता, तो कदाचित् ठोकरों ने उसके जीवन का अन्त कर दिया होता। पति के कारावास-दण्ड के तीन ही महीने बाद इस बालक का जन्म हुआ। उसी का मुँह देख-देखकर करुणा ने यह तीन साल काट दिये थे। वह सोचती–जब मैं बालक को उनके सामने ले जाऊँगी, तो वह कितने प्रसन्न होंगे! उसे देखकर पहले तो चकित हो जायेंगे, फिर गोद में उठा लेंगे, कहेंगे–करुणा, तुमने यह रत्न देकर मुझे निहाल कर दिया। कैद के सारे कष्ट बालक की तोतली बातों में भूल जायेंगे, उसकी एक सरल, पवित्र, मोहक दृष्टि हृदय की सारी व्यथाओं को धो डालेगी। इस कल्पना का आनन्द लेकर वह फूली न समाती थी।

वह सोच रही थी–आदित्य के साथ बहुत से आदमी होंगे। जिस समय वह द्वार पर पहुँचेंगे, 'जय-जयकार' की ध्वनि से आकाश गूँज उठेगा। वह कितना स्वर्गीय दृश्य होगा। उन आदमियों के बैठने के लिए करुणा ने फटा-सा टाट बिछा दिया था, कुछ पान बना लिये थे और बार-बार आशामय नेत्रों से द्वार की ओर ताकती थी। पति की वह सुदृढ़, उदार, तेजपूर्ण मुद्रा बार-बार आँखों में फिर जाती थी। उनकी वे बातें बार-बार याद आती थीं, जो चलते समय उनके मुख से निकली थीं; उनका वह धैर्य, वह आत्मबल, जो पुलिस के प्रहारों के सामने भी अटल रहा था, वह मुस्कराहट जो उस समय भी उनके अधरों पर खेल रही थी; वह आत्माभिमान, जो उस समय भी उनके मुख से टपक रहा था, क्या करुणा के हृदय से कभी विस्मृत हो सकता था? उसका स्मरण आते ही करुणा के निस्तेज मुख पर आत्मगौरव की लालिमा छा गयी। यही वह अवलम्ब था, जिसने इन वर्षों की घोर यातनाओं में भी उसके हृदय को आश्वासन दिया था। कितनी ही रातें फ़ाकों से गुजरीं, बहुधा घर में दीपक जलने की नौबत भी न आती थी; पर दीनता के आँसू कभी उसकी आँखों से न गिरे। आज उन सारी विपत्तियों का अन्त हो जायेगा। पति के प्रगाढ़ आलिंगन में वह सब कुछ हँसकर झेल लेगी। वह अनंत निधि पाकर फिर उसे कोई अभिलाषा न रहेगी।

गगन-पथ का चिरगामी पथिक लपका हुआ विश्राम की ओर चला जाता था, जहाँ संध्या ने सुनहरा फ़र्श सजाया था और उज्ज्वल पुष्पों की सेज बिछा रखी थी। उसी समय करुणा को एक आदमी लाठी टेकता आता दिखाई दिया, मानो किसी जीर्ण मनुष्य की वेदना-ध्वनि हो। पग-पग पर रुककर खाँसने लगता था। उसका सिर झुका हुआ था, करुणा उसका चेहरा न देख सकती थी; लेकिन चाल-ढाल से कोई बूढ़ा आदमी मालूम होता था; पर एक क्षण में जब वह समीप आ

गया, तो करुणा उसे पहचान गयी। वह उसका प्यारा पति ही था; किन्तु शोक! उसकी सूरत कितनी बदल गयी थी। वह जवानी, वह तेज़, वह चपलता, वह सुगठन, सब प्रस्थान कर चुका था। केवल हड्डियों का एक ढाँचा रह गया था। न कोई संगी, न साथी, न यार, न दोस्त! करुणा उसे पहचानते ही बाहर निकल आयी; पर आलिंगन की कामना हृदय में दबाकर रह गयी। सारे मनसूबे धूल में मिल गये। सारा मनोल्लास आँसुओं के प्रवाह में बह गया, विलीन हो गया।

आदित्य ने घर में कदम रखते ही मुस्कराकर करुणा को देखा। पर उस मुस्कान में वेदना का एक संसार भरा हुआ था। करुणा ऐसी शिथिल हो गयी, मानो हृदय का स्पंदन रुक गया हो। वह फटी हुई आँखों से स्वामी की ओर टकटकी बाँधे खड़ी थी, मानो उसे अपनी आँखों पर अब भी विश्वास न आता हो। स्वागत या दुःख का एक शब्द भी उसके मुँह से न निकला! बालक भी उसकी गोद में बैठा हुआ सहमी आँखों से इस कंकाल को देख रहा था और माता की गोद में चिपटा जाता था।

आख़िर उसने कातर स्वर में कहा—यह तुम्हारी क्या दशा है? बिल्कुल पहचाने नहीं जाते!

आदित्य ने उसकी चिन्ता को शांत करने के लिए मुस्कराने की चेष्टा करके कहा—कुछ नहीं, ज़रा दुबला हो गया हूँ। तुम्हारे हाथों का भोजन पाकर फिर स्वस्थ हो जाऊँगा।

करुणा—छी! सूखकर काँटा हो गये। क्या वहाँ भरपेट भोजन भी नहीं मिलता! तुम तो कहते थे, राजनितिक आदमियों के साथ बड़ा अच्छा व्यवहार किया जाता है, और वह तुम्हारे साथी क्या हो गये, जो तुम्हें आठों पहर घेरे रहते थे और तुम्हारे पसीने की जगह ख़ून बहाने को तैयार रहते थे?

आदित्य की त्योरियों पर बल पड़ गये। बोले—यह बड़ा ही कटु अनुभव है करुणा! मुझे न मालूम था कि मेरे क़ैद होते ही लोग मेरी ओर से यों आँखें फेर लेंगे, कोई बात भी न पूछेगा। राष्ट्र के नाम पर मिटनेवालों का यही पुरस्कार है, यह मुझे न मालूम था। जनता अपने सेवकों को बहुत जल्द भूल जाती है, यह तो मैं जानता था; लेकिन अपने सहयोगी और सहायक इतने बेवफ़ा होते हैं, इसका मुझे यह पहला ही अनुभव हुआ। लेकिन मुझे किसी से शिक़ायत नहीं। सेवा स्वयं अपना पुरस्कार है। मेरी भूल थी कि मैं इसके लिए यश और नाम चाहता था।

करुणा—तो क्या वहाँ भोजन भी न मिलता था?

आदित्य—यह न पूछो करुणा, बड़ी करुण कथा है। बस, यही गनीमत समझो कि जीता लौट आया। तुम्हारे दर्शन बदे थे, नहीं, कष्ट तो ऐसे-ऐसे उठाये कि अब तक मुझे प्रस्थान कर जाना चाहिए था। मैं ज़रा लेटूँगा। खड़ा नहीं रहा जाता। दिन-भर में इतनी दूर आया हूँ।

करुणा—चलकर कुछ खा लो, तो आराम से लेटो। (बालक को गोद में उठाकर) बाबूजी हैं बेटा, तुम्हारे बाबूजी। इनकी गोद में जाओ, तुम्हें प्यार करेंगे।

आदित्य ने आँसू-भरी आँखों से बालक को देखा, और उनका एक-एक रोम उसका तिरस्कार करने लगा। अपनी जीर्ण दशा पर उन्हें कभी इतना दुःख न हुआ था। ईश्वर की असीम दया से यदि उनकी दशा सँभल जाती, तो वह फिर कभी राष्ट्रीय आन्दोलनों के समीप न जाते। इस फूल से बच्चे को यों संसार में लाकर

दरिद्रता की आग में झोंकने का उन्हें क्या अधिकार था? वह अब लक्ष्मी की उपासना करेंगे और अपना क्षुद्र जीवन बच्चे के लालन-पालन के लिए अर्पित कर देंगे। उन्हें इस समय ऐसा ज्ञात हुआ कि बालक उन्हें अपेक्षा की दृष्टि से देख रहा है, मानो कह रहा है 'मेरे साथ आपने कौन-सा कर्तव्य पालन किया?' उसकी सारी कामना, सारा प्यार बालक को हृदय से लगा लेने के लिए अधीर हो उठा; पर हाथ फैल न सके। हाथों में शक्ति ही न थी।

करुणा बालक को लिये हुए उठी और थाली में कुछ भोजन निकालकर लायी। आदित्य ने क्षुधापूर्ण नेत्रों से थाली की ओर देखा, मानो आज बहुत दिनों के बाद कोई खाने की चीज़ सामने आयी है। जानता था कि कई दिनों के उपवास के बाद और आरोग्य की इस गयी-गुज़री दशा में उसे ज़बान को काबू में रखना चाहिए, पर सब्र न कर सका, थाली पर टूट पड़ा और देखते-देखते थाली साफ कर दी। करुणा सशंक हो गयी, उसने दोबारा किसी चीज़ के लिए न पूछा। थाली उठाकर चली गयी, पर उसका दिल कह रहा था—इतना तो यह कभी न खाते थे।

करुणा बच्चे को कुछ खिला रही थी कि एकाएक कानों में आवाज़ आयी—करुणा!

करुणा ने आकर पूछा—क्या तुमने मुझे पुकारा है?

आदित्य का चेहरा पीला पड़ गया था और साँस ज़ोर-ज़ोर से चल रही थी। हाथों के सहारे वहीं टाट पर लेट गये थे। करुणा उनकी यह हालत देखकर घबरा गयी। बोली—जाकर किसी वैद्य को बुला लाऊँ?

आदित्य ने हाथ के इशारे से उसे मना करके कहा—व्यर्थ है करुणा! अब तुमसे छिपाना व्यर्थ है, मुझे तपेदिक हो गया है। कई बार मरते-मरते बच गया हूँ। तुम लोगों के दर्शन बदे थे, इसलिए प्राण न निकलते थे। देखो प्रिये, रोओ मत।

करुणा ने सिसकियों को दबाते हुए कहा—मैं वैद्य को लेकर अभी आती हूँ।

आदित्य ने फिर सिर हिलाया—नहीं करुणा, केवल मेरे पास बैठी रहो। अब किसी से कोई आशा नहीं है। डॉक्टरों ने जवाब दे दिया है। मुझे तो यह आश्चर्य है कि यहाँ पहुँच कैसे गया। न जाने कौन दैवी शक्ति मुझे वहाँ से खींच लायी। कदाचित् यह इस बुझते हुए दीपक की अन्तिम झलक थी। आह! मैंने तुम्हारे साथ बड़ा अन्याय किया। इसका मुझे हमेशा दुःख रहेगा! मैं तुम्हें कोई आराम न दे सका। तुम्हारे लिए कुछ न कर सका। केवल सोहाग का दाग़ लगाकर और एक बालक के पालन का भार छोड़कर चला जा रहा हूँ। आह!

करुणा ने हृदय को दृढ़ करके कहा—तुम्हें कहीं दर्द तो नहीं है? आग बना लाऊँ। कुछ बताते क्यों नहीं?

आदित्य ने करवट बदलकर कहा—कुछ करने की ज़रूरत नहीं प्रिये! कहीं दर्द नहीं। बस, ऐसा मालूम हो रहा है कि दिल बैठा जाता है, जैसे पानी में डूबा जाता हूँ। जीवन की लीला समाप्त हो रही है। दीपक को बुझते हुए देख रहा हूँ। कह नहीं सकता, कब आवाज़ बन्द हो जाये। जो कुछ कहना है, वह कह डालना चाहता हूँ, क्यों वह लालसा ले जाऊँ। मेरे एक प्रश्न का जवाब दोगी, पूछूँ?

करुणा के मन की सारी दुर्बलता, सारा शोक, सारी वेदना मानो लुप्त हो गयी और उसकी जगह उस आत्मबल का उदय हुआ, जो मृत्यु पर हँसता है और विपत्ति के साँपों से खेलता है। रत्नजटित मखमली म्यान में जैसे तेज़ तलवार

छिपी रहती है, जल के कोमल प्रवाह में जैसे असीम शक्ति छिपी रहती है, वैसे ही रमणी का कोमल हृदय, साहस और धैर्य को अपनी गोद में छिपाये रहता है। क्रोध जैसे तलवार को बाहर खींच लेता है, विज्ञान जैसे जल-शक्ति का उद्‌घाटन कर लेता है, वैसे ही प्रेम, रमणी के साहस और धैर्य को प्रदीप्त कर देता है।

करुणा ने पति के सिर पर हाथ रखते हुए कहा—पूछते क्यों नहीं प्यारे!

आदित्य ने करुणा के हाथों के कोमल स्पर्श का अनुभव करते हुए कहा—तुम्हारे विचार में मेरा जीवन कैसा था? बधाई के योग्य? देखो, तुमने मुझसे कभी परदा नहीं रखा। इस समय भी स्पष्ट कहना। तुम्हारे विचार में मुझे अपने जीवन पर हँसना चाहिए या रोना चाहिए?

करुणा ने उल्लास के साथ कहा—यह प्रश्न क्यों करते हो प्रियतम? क्या मैंने तुम्हारी उपेक्षा कभी की है? तुम्हारा जीवन देवताओं का-सा जीवन था, निःस्वार्थ, निर्लिप्त और आदर्श! विघ्न-बाधाओं से तंग आकर मैंने तुम्हें कितनी ही बार संसार की ओर खींचने की चेष्टा की है; पर उस समय भी मैं मन में जानती थी कि मैं तुम्हें ऊँचे आसन से गिरा रही हूँ। अगर तुम माया-मोह में फँसे होते, तो कदाचित् मेरे मन को अधिक संतोष होता; लेकिन मेरी आत्मा को वह गर्व और उल्लास न होता जो इस समय हो रहा है। मैं अगर किसी को बड़े-से बड़ा आशीर्वाद दे सकती हूँ, तो वह यही होगा कि उसका जीवन तुम्हारे जैसा हो।

यह कहते-कहते करुणा का आभाहीन मुखमंडल ज्योतिर्मय हो गया, मानो उसकी आत्मा दिव्य हो गयी हो। आदित्य ने सगर्व नेत्रों से करुणा को देखकर कहा—बस, अब मुझे संतोष हो गया करुणा, इस बच्चे की ओर से मुझे कोई शंका नहीं है। मैं उसे इससे अधिक कुशल हाथों में नहीं छोड़ सकता। मुझे विश्वास है कि जीवन का यह ऊँचा और पवित्र आदर्श सदैव तुम्हारे सामने रहेगा। अब मैं मरने को तैयार हूँ।

2

सात वर्ष बीत गये।

बालक प्रकाश अब दस साल का रूपवान, बलिष्ठ, प्रसन्नमुख कुमार था, बल का तेज, साहसी और मनस्वी। भय तो उसे छू भी नहीं गया था। करुणा का संतप्त हृदय उसे देखकर शीतल हो जाता। संसार करुणा को अभागिनी और दीन समझे। वह कभी भाग्य का रोना नहीं रोती। उसने उन आभूषणों को बेच डाला, जो पति के जीवन में उसे प्राणों से प्रिय थे, और उस धन से कुछ गायें और भैंसें मोल ले लीं। वह कृषक की बेटी थी, और गो-पालन उसके लिए कोई नया व्यवसाय न था। इसी को उसने अपनी जीविका का साधन बनाया। विशुद्ध दूध कहाँ मयस्सर होता है? सब दूध हाथों-हाथ बिक जाता। करुणा को पहर रात से पहर रात तक काम में लगा रहना पड़ता, पर वह प्रसन्न थी। उसके मुख पर निराशा या दीनता की छाया नहीं, संकल्प और साहस का तेज है। उसके एक-एक अंग से आत्मगौरव की ज्योति-सी निकल रही है; आँखों में एक दिव्य प्रकाश है, गंभीर, अथाह और असीम। सारी वेदनाएँ—वैधव्य का शोक और विधि का निर्गम प्रहार—सब उस प्रकाश की गहराई में विलीन हो गया है।

प्रकाश पर वह जान देती है। उसका आनंद, उसकी अभिलाषा, उसका संसार, उसका स्वर्ग, सब प्रकाश पर न्योछावर है; पर यह मजाल नहीं कि प्रकाश कोई शरारत करे और करुणा आँखें बन्द कर ले। नहीं, वह उसके चरित्र की बड़ी कठोरता से देख-भाल करती है। यह प्रकाश की माँ नहीं, माँ-बाप दोनों है। उसके पुत्र-स्नेह में माता की ममता के साथ पिता की कठोरता भी मिली हुई है। पति के अन्तिम शब्द अभी तक उसके कानों में गूँज रहे हैं। वह आत्मोल्लास, जो उनके चेहरे पर झलकने लगा था, वह गर्वमय लाली, जो उनकी आँखों में छा गयी थी, अभी तक उसकी आँखों में फिर रही है। निरंतर-पति-चिन्तन ने आदित्य को उसकी आँखों में प्रत्यक्ष कर दिया है। वह सदैव उसकी उपस्थिति का अनुभव किया करती है। उसे ऐसा जान पड़ता है कि आदित्य की आत्मा सदैव उसकी रक्षा करती रहती है। उसकी यही हार्दिक अभिलाषा है कि प्रकाश जवान होकर पिता का पदगामी हो।

सन्ध्या हो गयी थी। एक भिखारिन द्वार पर आकर भीख माँगने लगी। करुणा उस समय गउओं को पानी दे रही थी। प्रकाश बाहर खेल रहा था। बालक ही तो ठहरा! शरारत सूझी। घर में गया और कटोरे में थोड़ा-सा भूसा लेकर बाहर निकला। भिखारिन ने अपनी झोली फैला दी। प्रकाश ने भूसा उसकी झोली में डाल दिया और ज़ोर-ज़ोर से तालियाँ बजाता हुआ भागा।

भिखारिन ने अग्निमय नेत्रों से देखकर कहा—वाह रे लाड़ले! मुझसे हँसी करने चला है! यही माँ-बाप ने सिखाया है! तब तो ख़ूब कुल का नाम जगाओगे।

करुणा उसकी बोली सुनकर बाहर निकल आयी और पूछा—क्या है माता? किसे कह रही हो?

भिखारिन ने प्रकाश की तरफ़ इशारा करके कहा—वह तुम्हारा लड़का है न। देखो, कटोरे में भूसा भरकर मेरी झोली में डाल गया है। चुटकी-भर आटा था, वह भी मिट्टी में मिल गया। कोई इस तरह दुखियों को सताता है? सबके दिन एक-से नहीं रहते! आदमी को घमंड न करना चाहिए।

करुणा ने कठोर स्वर में पुकारा—प्रकाश!

प्रकाश लज्जित न हुआ। अभिमान से सिर उठाए हुए आया और बोला—यह हमारे घर भीख क्यों माँगने आयी है? कुछ काम क्यों नहीं करती?

करुणा ने उसे समझाने की चेष्टा करके कहा—शर्म तो नहीं आती, उलटे और आँख दिखाते हो।

प्रकाश—शर्म क्यों आये? यह क्यों रोज़ भीख माँगने आती है? हमारे यहाँ क्या कोई चीज़ मुफ़्त आती है!

करुणा—तुम्हें कुछ न देना था तो सीधे से कह देते, जाओ। तुमने यह शरारत क्यों की?

प्रकाश—उसकी आदत कैसे छूटती?

करुणा ने बिगड़कर कहा—तुम अब पिटोगे मेरे हाथों।

प्रकाश—पिटूँगा क्यों, आप ज़बरदस्ती पीटेंगी? दूसरे मुल्कों में अगर कोई भीख माँगे, तो क़ैद कर लिया जाये। यह नहीं कि उलटे भिखमंगों को और शह दी जाये।

करुणा—जो अपंग है, वह कैसे काम करे?

प्रकाश—तो जाकर डूब मरे; ज़िन्दा क्यों रहती है।

करुणा निरुत्तर हो गयी। बुढ़िया को तो उसने आटा-दाल देकर विदा किया, किन्तु प्रकाश का कुतर्क उसके हृदय में फोड़े के समान टीसता रहा। इसने यह धृष्टता, यह अविनय कहाँ सीखी? रात को भी उसे बार-बार यही ख़याल सताता रहा।

आधी रात के समीप एकाएक प्रकाश की नींद टूटी। लालटेन जल रही है और करुणा बैठी रो रही है। उठ बैठा और बोला—अम्माँ, अभी तुम सोई नहीं?

करुणा ने मुँह फेरकर कहा—नींद नहीं आई। तुम कैसे जग गये? प्यास तो नहीं लगी है?

प्रकाश—नहीं अम्माँ, न जाने क्यों आँख खुल गयी—मुझसे आज बड़ा अपराध हुआ अम्माँ।

करुणा ने उसके मुख की ओर स्नेह के नेत्रों से देखा।

प्रकाश—मैंने आज बुढ़िया के साथ बड़ी नटखटी की। मुझे क्षमा करो। फिर कभी ऐसी शरारत न करूँगा।

यह कहकर रोने लगा। करुणा ने स्नेहार्द्र होकर उसे गले लगा लिया और उसके कपोलों का चुम्बन करके बोली—बेटा, मुझे ख़ुश करने के लिए यह कह रहे हो या तुम्हारे मन में सचमुच पछतावा हो रहा है?

प्रकाश ने सिसकते हुए कहा—नहीं अम्माँ, मुझे दिल से अफ़सोस हो रहा है। अबकी वह बुढ़िया आयेगी, तो मैं उसे बहुत से पैसे दूँगा।

करुणा का हृदय मतवाला हो गया। ऐसा जान पड़ा, आदित्य सामने खड़े बच्चे को आशीर्वाद दे रहे हैं और कह रहे हैं, करुणा, क्षोभ मत कर, प्रकाश अपने पिता का नाम रोशन करेगा। तेरी सम्पूर्ण कामनाएँ पूरी हो जाएँगी।

3

लेकिन प्रकाश के कर्म और वचन में मेल न था, और दिनों के साथ उसके चरित्र का यह अंग प्रत्यक्ष होता जाता था। ज़हीन था ही, विश्वविद्यालय से उसे वज़ीफे मिलते थे, करुणा भी उसकी यथेष्ट सहायता करती थी, फिर भी उसका ख़र्च पूरा न पड़ता था। वह मितव्ययिता और सरल जीवन पर विद्वता से भरे हुए व्याख्यान दे सकता था, पर उसका रहन-सहन फैशन के अंधभक्तों से जौ भर घटकर न था। प्रदर्शन की धुन उसे हमेशा सवार रहती थी। उसके मन और बुद्धि में निरंतर द्वन्द्व होता रहता था। मन जाति की ओर था, बुद्धि अपनी ओर। बुद्धि मन को दबाए रहती थी। उसके सामने मन की एक न चलती थी। जाति-सेवा ऊसर की खेती है, वहाँ बड़े-से-बड़ा उपहार भी मिल सकता है, वह है गौरव और यश; पर वह भी स्थायी नहीं, इतना अस्थिर कि क्षण में जीवन भर की कमाई पर पानी फिर सकता है। अतएव उसका अन्तःकरण अनिवार्य वेग के साथ विलासमय जीवन की ओर झुकता था। यहाँ तक कि धीरे-धीरे उसे त्याग निग्रह से घृणा होने लगी। वह दुरावस्था और दरिद्रता को हेय समझता था। उसके हृदय न था, भाव न थे, केवल मस्तिष्क था। मस्तिष्क में दर्द कहाँ, दया कहाँ? वहाँ तो तर्क है, हौसला है, मनसूबे हैं।

सिन्ध में बाढ़ आयी। हज़ारों आदमी तबाह हो गये। विद्यालय ने वहाँ एक सेवा समिति भेजी। प्रकाश के मन में द्वन्द्व होने लगा—जाऊँ या न जाऊँ? इतने

दिनों अगर वह परीक्षा की तैयारी करे, तो प्रथम श्रेणी में पास हो। चलते समय उसने बीमारी का बहाना कर दिया। करुणा ने लिखा, तुम सिन्ध न गये, इसका मुझे दुःख है। तुम बीमार रहते हुए भी वहाँ जा सकते थे। समिति में चिकित्सक भी तो थे! प्रकाश ने पत्र का उत्तर न दिया!

उड़ीसा में अकाल पड़ा। प्रजा मक्खियों की तरह मरने लगी। कांग्रेस ने पीड़ितों के लिए एक मिशन तैयार किया। उन्हीं दिनों विद्यालय ने इतिहास के छात्रों को ऐतिहासिक खोज के लिए लंका भेजने का निश्चय किया। करुणा ने प्रकाश को लिखा—तुम उड़ीसा जाओ। किन्तु प्रकाश लंका जाने को लालायित था। वह कई दिन इसी दुविधा में रहा। अंत में सीलोन ने उड़ीसा पर विजय पायी। करुणा ने अबकी उसे कुछ न लिखा। चुपचाप रोती रही।

सीलोन से लौटकर प्रकाश छुट्टियों में घर गया। करुणा उससे खिंची-खिंची रही। प्रकाश मन में लज्जित हुआ और संकल्प किया कि अबकी कोई अवसर आया, तो अम्माँ को अवश्य प्रसन्न करूँगा; यह निश्चय करके वह विद्यालय लौटा लेकिन यहाँ आते ही फिर परीक्षा की फ़िक्र सवार हो गयी। यहाँ तक कि परीक्षा के दिन आ गये; मगर इम्तहान से फुरसत पाकर भी प्रकाश घर न गया। विद्यालय के एक अध्यापक काश्मीर सैर करने जा रहे थे। प्रकाश उन्हीं के साथ काश्मीर चल खड़ा हुआ। जब परीक्षा-फल निकला और प्रकाश प्रथम आया, तब उसे घर की याद आयी! तुरन्त करुणा को पत्र लिखा और अपने आने की सूचना दी। माता को प्रसन्न करने के लिए उसने दो-चार शब्द जाति-सेवा के विषय में भी लिखे—अब मैं आपकी आज्ञा का पालन करने को तैयार हूँ। मैंने शिक्षा-सम्बन्धी कार्य करने का निश्चय किया है। इसी विचार से मैंने वह विशिष्ट स्थान प्राप्त किया है। हमारे नेता भी तो विद्यालयों के आचार्यों ही का सम्मान करते हैं। अभी तक इन उपाधियों के मोह से वे मुक्त नहीं हुए हैं। यह उपाधि लेकर वास्तव में मैंने अपने सेवा-मार्ग से एक बाधा हटा दी है। हमारे नेता भी योग्यता, सदुत्साह, लगन का उतना सम्मान नहीं करते, जितना उपाधियों का! अब सब मेरी इज़्ज़त करेंगे और जिम्मेदारी का काम सौंपेंगे, जो पहले माँगे भी न मिलता।

करुणा की आस फिर बँधी।

4

विद्यालय खुलते ही प्रकाश के नाम रजिस्ट्रार का पत्र पहुँचा। उन्होंने प्रकाश को इंग्लैंड जाकर विद्याभ्यास करने के लिए सरकारी वजीफ़े की मंजूरी की सूचना दी थी। प्रकाश पत्र हाथ में लिए हर्ष के उन्माद में जाकर माँ से बोला—अम्माँ, मुझे इंग्लैंड जाकर पढ़ने के लिए सरकारी वजीफ़ा मिल गया।

करुणा ने उदासीन भाव से पूछा—तो तुम्हारा क्या इरादा है?

प्रकाश—मेरा इरादा? ऐसा अवसर पाकर भला कौन छोड़ता है!

करुणा—तुम तो स्वयंसेवकों में भरती होने जा रहे थे?

प्रकाश—तो आप समझती हैं, स्वयंसेवक बन जाना ही जाति-सेवा है? मैं इंग्लैंड से आकर भी तो सेवा-कार्य कर सकता हूँ, और अम्माँ, सच पूछो, तो एक मैजिस्ट्रेट अपने देश का जितना उपकार कर सकता है, उतना एक हज़ार स्वयंसेवक मिलकर भी नहीं कर सकते। मैं तो सिविल सर्विस की परीक्षा में बैठूँगा और मुझे विश्वास है कि सफल हो जाऊँगा।

करुणा ने चकित होकर पूछा—तो क्या तुम मैजिस्ट्रेट हो जाओगे?

प्रकाश—सेवा-भाव रखनेवाला एक मैजिस्ट्रेट कांग्रेस के एक हजार सभापतियों से ज़्यादा उपकार कर सकता है। अख़बारों में उसकी लंबी-लंबी तारीफ़ें न छपेंगी, उसकी वक्तृताओं पर तालियाँ न बजेंगी, जनता उसके जुलूस की गाड़ी न खींचेगी, और न विद्यालयों के छात्र उसको अभिनंदन-पत्र देंगे; पर सच्ची सेवा मैजिस्ट्रेट ही कर सकता है।

करुणा ने आपत्ति के भाव से कहा—लेकिन यही मैजिस्ट्रेट जो जाति के सेवकों को सज़ाएँ देते हैं, उन पर गोलियाँ चलाते हैं?

प्रकाश—अगर मैजिस्ट्रेट के हृदय में परोपकार का भाव है, तो वह नरमी से वही काम करता है, जो दूसरे गोलियाँ खाकर भी नहीं कर सकते।

करुणा—मैं यह नहीं मानूँगी। सरकार अपने नौकरों को इतनी स्वाधीनता नहीं देती। वह एक नीति बना देती है, और हरएक सरकारी नौकर को उसका पालन करना पड़ता है। सरकार की पहली नीति यह है कि वह दिन-दिन अधिक संगठित और दृढ़ हो। इसके लिए स्वाधीनता के भावों का दमन करना ज़रूरी है; अगर कोई मैजिस्ट्रेट इस नीति के विरुद्ध काम करता है, तो वह मैजिस्ट्रेट न रहेगा। वह हिन्दुस्तानी मैजिस्ट्रेट था, जिसने तुम्हारे बाबूजी को ज़रा-सी बात पर तीन साल की सज़ा दे दी। इसी सज़ा ने उनके प्राण लिये बेटा, मेरी इतनी बात मान लो। सरकारी पदों पर न गिरो। मुझे यह मंजूर है कि तुम मोटा खाकर और मोटा पहनकर देश की कुछ सेवा करो। इसके बदले कि तुम हाकिम बन जाओ और शान से जीवन बिताओ। यह समझ लो कि जिस दिन तुम हाकिम की कुरसी पर बैठोगे, उस दिन से तुम्हारा दिमाग़ हाकिमों का-सा हो जायेगा। तुम यही चाहोगे कि अफ़सरों में तुम्हारी नेकनामी और तरक्की हो। एक गँवारू मिसाल लो। लड़की जब तक मैके में क्वाँरी रहती है, वह अपने को उसी घर का समझती है; लेकिन जिस दिन ससुराल चली जाती है, वह अपने घर को दूसरों का घर समझने लगती है। माँ-बाप, भाई-बंद सब वही रहते हैं, लेकिन वह घर अपना नहीं रहता। यही दुनिया का दस्तूर है।

प्रकाश ने खीझकर कहा—तो क्या आप यही चाहती हैं कि मैं जिंदगी-भर चारों तरफ़ ठोकरें खाता फिरूँ?

करुणा कठोर नेत्रों से देखकर बोली, अगर ठोकर खाकर आत्मा स्वाधीन रह सकती है, तो मैं कहूँगी, ठोकर खाना अच्छा है।

प्रकाश ने निश्चयात्मक भाव से पूछा—तो आपकी यही इच्छा है?

करुणा ने उसी स्वर में उत्तर दिया—हाँ, मेरी यही इच्छा है।

प्रकाश ने कुछ जवाब न दिया। उठकर बाहर चला गया और तुरन्त रजिस्ट्रार को इनकारी-पत्र लिख भेजा; मगर उसी क्षण से मानो उसके सिर पर विपत्ति ने आसन जमा लिया। विरक्त और विमन अपने कमरे में पड़ा रहता, न कहीं घूमने जाता न किसी से मिलता। मुँह लटकाये भीतर आता और फिर बाहर चला जाता, यहाँ तक की एक महीना गुज़र गया। न चेहरे पर वह लाली रही, न वह ओज; आँखें अनाथों के मुख की भाँति याचना से भरी हुई, होंठ हँसना भूल गये, मानो उस इनकारी पत्र के साथ उसकी सारी सजीवता, सारी चपलता, सारी सरलता विदा हो गयी। करुणा उसके मनोभाव समझती थी और उसके शोक को भुलाने की चेष्टा करती थी, पर रूठे देवता प्रसन्न न होते थे।

आख़िर एक दिन उसने प्रकाश से कहा—बेटा, अगर तुमने विलायत जाने

की ठान ही ली है, तो चले आओ। मैं मना न करूँगी। मुझे खेद है कि मैंने तुम्हें रोका। अगर मैं जानती कि तुम्हें इतना आघात पहुँचेगा, तो कभी न रोकती। मैंने तो केवल इस विचार से रोका था कि तुम्हें जाति-में मग्न देखकर तुम्हारे बाबूजी की आत्मा प्रसन्न होगी। उन्होंने चलते समय यही वसीयत की थी।

प्रकाश ने रुखाई से जबाब दिया—अब क्या जाऊँगा! इनकारी-ख़त लिख चुका। मेरे लिए कोई अब तक बैठा थोड़े ही होगा। कोई दूसरा लड़का चुन लिया गया होगा और फिर करना ही क्या है। जब आपकी मर्ज़ी है कि गाँव-गाँव की ख़ाक छानता फिरूँ, तो वही सही।

करुणा का गर्व चूर-चूर हो गया। इस अनुमति से उसने बाधा का काम लेना चाहा था; पर सफल न हुई। बोली—अभी कोई न चुना गया होगा। लिख दो, मैं जाने को तैयार हूँ।

प्रकाश ने झुँझलाकर कहा—अब कुछ नहीं हो सकता। लोग हँसी उड़ाएँगे। मैंने तय कर लिया है कि जीवन को आपकी इच्छा के अनुकूल बनाऊँगा।

करुणा—तुमने अगर शुद्ध मन से यह इरादा किया होता, तो यों न रहते। तुम मुझसे सत्याग्रह कर रहे हो; अगर मन को दबाकर, मुझे अपनी राह का काँटा समझकर तुमने मेरी इच्छा पूरी भी की, तो क्या। मैं तो जब जानती, जब कि तुम्हारे मन में आप-ही-आप सेवा का भाव उत्पन्न होता। तुम आज ही रजिस्ट्रार साहब को पत्र लिख दो।

प्रकाश—अब मैं नहीं लिख सकता।

'तो इसी शोक में तने बैठे रहोगे?'

'लाचारी है।'

करुणा ने और कुछ न कहा। ज़रा देर में प्रकाश ने देखा कि वह कहीं जा रही है; मगर वह कुछ बोला नहीं। करुणा के लिए बाहर आना-जाना कोई असाधारण बात न थी; लेकिन जब संध्या हो गयी और करुणा न आयी, तो प्रकाश को चिन्ता होने लगी। अम्माँ कहाँ गयीं? यह प्रश्न बार-बार उसके मन में उठने लगा।

प्रकाश सारी रात द्वार पर बैठा रहा। भाँति-भाँति की शंकाएँ मन में उठने लगीं। उसे अब याद आया, चलते समय करुणा कितनी उदास थी; उसकी आँखें कितनी लाल थीं। यह बातें प्रकाश को उस समय क्यों न नज़र आयीं? वह क्यों स्वार्थ में अंधा हो गया था?

हाँ, अब प्रकाश को याद आया—माता ने साफ़-सुथरे कपड़े पहने थे। उसके हाथ में छतरी भी थी। तो क्या वह कहीं बहुत दूर गयी हैं? किससे पूछे? अनिष्ट के भय से प्रकाश रोने लगा।

श्रावण की अँधेरी भयानक रात थी। आकाश में श्याम मेघमालायें, भीषण स्वप्न की भाँति छाई हुईं थीं। प्रकाश रह-रहकर आकाश की ओर देखता था, मानो करुणा उन्हीं मेघमालाओं में छिपी बैठी है। उसने निश्चय किया, सवेरा होते ही माँ को खोजने चलूँगा और अगर···

किसी ने द्वार खटखटाया। प्रकाश ने दौड़कर खोला, तो देखा करुणा खड़ी है! उसका मुख-मंडल इतना खोया हुआ, इतना करुण था, जैसे आज ही उसका सोहाग उठ गया है, जैसे संसार में अब उसके लिए कुछ नहीं रहा, जैसे वह नदी के किनारे खड़ी अपनी लदी हुई नाव को डूबती देख रही है और कुछ कर नहीं सकती।

प्रकाश ने अधीर होकर पूछा—अम्माँ, कहाँ चली गयी थीं? बहुत देर लगायी?

करुणा ने भूमि की ओर ताकते हुए जबाब दिया—एक काम से गयी थी। देर हो गयी।

यह कहते हुए उसने प्रकाश के सामने एक बन्द लिफ़ाफ़ा फेंक दिया। प्रकाश ने उत्सुक होकर लिफ़ाफ़ा उठा लिया। ऊपर ही विद्यालय की मुहर थी। तुरन्त ही लिफ़ाफ़ा खोलकर पढ़ा। हल्की-सी लालिमा चेहरे पर दौड़ गयी। पूछा—यह तुम्हें कहाँ मिल गया अम्माँ?

करुणा—तुम्हारे रजिस्ट्रार के पास से लायी हूँ।

'क्या तुम वहाँ चली गयी थीं?'

'और क्या करती।'

'कल तो गाड़ी का समय न था?'

'मोटर ले ली थी।'

प्रकाश एक क्षण तक मौन खड़ा रहा, फिर कुंठित स्वर में बोला—जब तुम्हारी इच्छा नहीं है तो मुझे क्यों भेज रही हो?

करुणा ने विरक्त भाव से कहा—इसलिए कि तुम्हारी जाने की इच्छा है। तुम्हारा यह मलिन वेश नहीं देखा जाता। अपने जीवन के बीस वर्ष तुम्हारी हितकामना पर अर्पित कर दिये; अब तुम्हारी महत्त्वाकांक्षा की हत्या नहीं कर सकती। तुम्हारी यात्रा सफल हो, यही हमारी हार्दिक अभिलाषा है।

करुणा का कंठ रुँध गया और कुछ न कह सकी।

5

प्रकाश उसी दिन से यात्रा की तैयारियाँ करने लगा। करुणा के पास जो कुछ था, वह सब ख़र्च हो गया। कुछ ऋण भी लेना पड़ा। नये सूट बने, सूट-केस लिये गये। प्रकाश अपनी धुन में मस्त था। कभी किसी चीज़ की फ़रमाइश लेकर आता, कभी किसी चीज़ की।

करुणा इस एक सप्ताह में इतनी दुर्बल हो गयी है, उसके बालों पर कितनी सफ़ेदी आ गयी है, चेहरे पर कितनी झुर्रियाँ पड़ गयी हैं, यह उसे कुछ न नज़र आता। उसकी आँखों में इंग्लैंड के दृश्य समाये हुए थे। महत्त्वाकांक्षा आँखों पर परदा डाल देती है।

प्रस्थान का दिन आया। आज कई दिनों के बाद धूप निकली थी। करुणा स्वामी के पुराने कपड़ों को बाहर निकाल रही थी। उनकी गाढ़े की चादरें, खद्दर के कुरते, पाजामे और लिहाफ अभी तक सन्दूक में संचित थे। प्रति वर्ष वे धूप में सुखाये जाते और झाड़-पोंछकर रख दिये जाते थे। करुणा ने आज फिर उन कपड़ों को निकाला; मगर सुखाकर रखने के लिए नहीं, ग़रीबों को बाँट देने के लिए। वह आज पति से नाराज़ है। वह लुटिया, डोर और घड़ी, जो आदित्य की चिरसंगनी थीं और जिनकी बीस वर्ष से करुणा ने उपासना की थी, आज निकालकर आँगन में फेंक दी गयीं; वह झोली जो बरसों आदित्य के कन्धों पर आरूढ़ रह चुकी थी, आज कूड़े में डाल दी गयी; वह चित्र जिसके सामने बीस वर्ष से करुणा सिर झुकाती थी, आज बड़ी निर्दयता से भूमि पर डाल दिया गया। पति का कोई स्मृति-चिह्न वह अब अपने घर में नहीं रखना चाहती। उसका अन्तःकरण शोक और निराशा से विदीर्ण हो गया है और पति के सिवा वह किस पर क्रोध उतारे?

कौन उसका अपना है? वह किससे अपनी व्यथा कहे? किसे अपनी छाती चीरकर दिखाए? वह होते तो क्या आज प्रकाश दासता की जंजीर गले में डालकर फूला न समाता? उसे कौन समझाए कि आदित्य भी इस अवसर पर पछताने के सिवा और कुछ न कर सकते।

प्रकाश के मित्रों ने आज उसे विदाई का भोज दिया था। वहाँ से वह संध्या समय कई मित्रों के साथ मोटर पर लौटा। सफ़र का सामान मोटर पर रख दिया गया, तब वह अन्दर आकर माँ से बोला—अम्माँ, जाता हूँ। बम्बई पहुँचकर पत्र लिखूँगा। तुम्हें मेरी कसम, रोना मत और मेरे ख़तों का जवाब बराबर देना।

जैसे किसी लाश को बाहर निकालते समय संबंधियों का धैर्य छूट जाता है, रुके हुए आँसू निकल पड़ते हैं और शोक की तरंगें उठने लगती हैं, वही दशा करुणा की हुई। कलेजे में एक हाहाकार हुआ, जिसने उसकी दुर्बल आत्मा के एक-एक अणु को कँपा दिया। उसके मुख से शोक या आशीर्वाद का एक शब्द भी न निकला। प्रकाश ने उसके चरण छुए, अश्रुजल से माता के चरणों को पखारा, फिर बाहर चला। करुणा पाषाण-मूर्ति की भाँति खड़ी थी।

सहसा ग्वाले ने आकर कहा—बहूजी, भइया चले गये! बहुत रोते थे।

तब करुणा की समाधि टूटी। देखा, सामने कोई नहीं है। घर में मृत्यु का-सा सन्नाटा छाया हुआ है, और मानो हृदय की गति बन्द हो गयी है।

सहसा करुणा की दृष्टि ऊपर उठ गयी। उसने देखा कि आदित्य अपनी गोद में प्रकाश की निर्जीव देह लिए खड़े रो रहे हैं। करुणा पछाड खाकर गिर पड़ी।

7

करुणा जीवित थी; पर संसार से उसका कोई नाता न था। उसका छोटा-सा संसार, जिसे उसने अपनी कल्पनाओं के हृदय में रचा था, स्वप्न की भाँति अनन्त में विलीन हो गया था। जिस प्रकाश को सामने देखकर वह जीवन की अँधेरी रात में भी हृदय में आशाओं की सम्पत्ति लिये जी रही थी, वह बुझ गया और सम्पत्ति लुट गयी। अब न कोई आश्रय था और न उसकी ज़रूरत। जिन गउओं को वह दोनों वक़्त अपने हाथों से दाना-चारा देती और सहलाती थी, अब खूँटे पर बँधी निराश नेत्रों से द्वार की ओर ताकती रहती थीं। बछड़ों को गले लगाकर चुमकारनेवाला अब कोई न था। किसके लिए दूध दुहे, मट्ठा निकाले ? खानेवाला कौन था ? करुणा ने अपने छोटे-से संसार को अपने ही अन्दर समेट लिया था।

किन्तु एक ही सप्ताह में करुणा के जीवन ने फिर रंग बदला। उसका छोटा-सा संसार फैलते-फैलते विश्वव्यापी हो गया। जिस लंगर ने नौका को तट से एक केन्द्र पर बाँध रखा था, वह उखड़ गया। अब नौका सागर के अशेष विस्तार में भ्रमण करेगी, चाहे वह उद्दाम तरंगों के वक्ष में ही क्यों न विलीन हो जाये।

करुणा द्वार पर आ बैठती और मुहल्ले-भर के लड़कों को जमा करके दूध पिलाती। दोपहर तक मक्खन निकालती और वह मक्खन मुहल्ले के लड़के खाते। फिर भाँति-भाँति के पकवान बनाती और कुत्तों को खिलाती। अब यही उसका नित्य का नियम हो गया। चिड़ियाँ, कुत्ते, बिल्लियाँ, चींटी-चींटियाँ सब अपने हो गये। प्रेम का वह द्वार अब किसी के लिए बन्द न था। उस अंगुल-भर जगह में, जो प्रकाश के लिए भी काफ़ी न थी, अब समस्त संसार समा गया था।

एक दिन प्रकाश का पत्र आया। करुणा ने उसे उठाकर फेंक दिया। फिर थोड़ी देर के बाद उसे उठाकर फाड़ डाला और चिड़ियों को दाना चुगाने लगी; मगर जब निशा-योगिनी ने अपनी धूनी जलायी और वेदनाएँ उससे वरदान माँगने के लिए विकल हो-होकर चलीं, तो करुणा की मनोवेदना भी सजग हो उठी—प्रकाश का पत्र पढ़ने के लिए उसका मन व्याकुल हो उठा। उसने सोचा, प्रकाश मेरा कौन है? मेरा उससे क्या प्रयोजन? हाँ, प्रकाश मेरा कौन है? हृदय ने उत्तर दिया, प्रकाश तेरा सर्वस्व है, वह तेरे उस अमर प्रेम की निशानी है, जिससे तू सदैव के लिए वंचित हो गयी। वह तेरे प्राणों का प्राण है, तेरे जीवन-दीपक का प्रकाश, तेरी वंचित कामनाओं का माधुर्य, तेरे अश्रुजल में विहार करनेवाला हंस। करुणा उस पत्र के टुकड़ों को जमा करने लगी, मानो उसके प्राण बिखर गये हो। एक-एक टुकड़ा उसे अपने खोये हुए प्रेम का एक-एक पदचिह्न-सा मालूम होता था। जब सारे पुरज़े जमा हो गये, तो करुणा दीपक के सामने बैठकर उन्हें जोड़ने लगी, जैसे कोई वियोगी हृदय प्रेम के टूटे हुए तारों को जोड़ रहा हो। हाय री ममता! वह अभागिन सारी रात उन पुरज़ों को जोड़ने में लगी रही। पत्र दोनों ओर लिखा हुआ था, इसलिए पुरज़ों को ठीक स्थान पर रखना और भी कठिन था। कोई शब्द, कोई वाक्य बीच में ग़ायब हो जाता। उस एक टुकड़े को वह फिर खोजने लगती। सारी रात बीत गयी; पर पत्र अभी तक अपूर्ण था।

दिन चढ़ आया, मुहल्ले के लौंडे मक्खन और दूध की चाह में एकत्र हो गये, कुत्तों और बिल्लियों का आगमन हुआ, चिड़ियाँ आ-आकर आँगन में फुदकने लगीं, कोई ओखली पर बैठी, कोई तुलसी के चौतरे पर; पर करुणा को सिर उठाने की फुरसत नहीं।

दोपहर हुआ। करुणा ने सिर न उठाया। न भूख थी, न प्यास, फिर संध्या हो गयी पर वह पत्र अभी तक अधूरा था। पत्र का आशय समझ में आ रहा था—प्रकाश का ज़हाज़ कहीं-से-कहीं जा रहा है। उसके हृदय में कुछ उठा हुआ है क्या उठा हुआ है? पर करुणा न सोच सकी। प्यास से तड़पते हुए आदमी की प्यास क्या ओस से बुझ सकती है? करुणा पत्र की लेखनी से निकले हुए एक-एक शब्द को पढ़ना और उसे हृदय पर अंकित कर लेना चाहती थी।

इस भाँति तीन दिन गुज़र गये। संध्या हो गयी थी। तीन दिन की जागी आँखें ज़रा झपक गयीं। करुणा ने देखा, एक लम्बा-चौड़ा कमरा है, उसमें मेज़ें और कुर्सियाँ लगी हुई हैं, बीच में एक ऊँचे मंच पर कोई आदमी बैठा हुआ है। करुणा ने ध्यान से देखा; प्रकाश था।

एक क्षण में एक क़ैदी उसके सामने लाया गया, उसके हाथ-पाँव में जंजीर थी, कमर झुकी हुई, यह आदित्य थे।

करुणा की आँखें खुल गयीं, आँसू बहने लगे। उसने पत्र के टुकड़ों को फिर समेट लिया और उन्हें जलाकर राख कर डाला। राख की एक चुटकी के सिवा वहाँ कुछ न रहा। यही उस ममता की चिता थी, जो उसके हृदय को विदीर्ण किये डालती थी। इसी एक चुटकी राख में उसका गुड़ियोंवाला बचपन, उसका संतप्त यौवन और उसका तृष्णामय वैधव्य—सब समा गया।

प्रातःकाल लोगों ने देखा, पक्षी पिंजड़े से उड़ चुका था! आदित्य का चित्र अब भी उसके शून्य हृदय से चिपटा हुआ था। वह भग्नहृदय पति की स्नेहस्मृति में विश्राम कर रहा था और प्रकाश का जहाज़ यूरोप चला जा रहा था!

❑❑❑

बेटों वाली विधवा

पण्डित अयोध्यानाथ का देहान्त हुआ तो सबने कहा, ईश्वर आदमी को ऐसी ही मौत दे। चार जवान बेटे थे, एक लड़की थी। चारों लड़कों के विवाह हो चुके थे, केवल लड़की कँवारी थी। सम्पत्ति भी काफ़ी छोड़ी थी। एक पक्का मकान, दो बग़ीचे, कई हज़ार के गहने और बीस हज़ार नकद। विधवा फूलमती को शोक तो हुआ और कई दिन तक बेहाल पड़ी रही, लेकिन जवान बेटों को सामने देखकर उसे ढाढ़स हुआ। चारों लड़के एकसे-एक सुशील, चारों बहुएँ एक-से-एक बढ़कर आज्ञाकारिणी। जब वह रात को लेटती, तो चारों बारी-बारी से उसके पाँव दबातीं, वह स्नान करके उठती, तो उसकी साड़ी छाँटतीं। सारा घर उसके इशारे पर चलता था। बड़ा लड़का कामता एक दफ़्तर में 50 रु. पर नौकर था, छोटा उमानाथ डॉक्टरी पास कर चुका था और कहीं औषधालय खोलने की फ़िक्र में था, तीसरा दयानाथ बी. ए. में फेल हो गया था और पत्रिकाओं में लेख लिखकर कुछ-न-कुछ कमा लेता था, चौथा सीतानाथ चारों में सबसे कुशाग्र और होनहार था और अबकी साल बी. ए. प्रथम श्रेणी में पास करके एम. ए. की तैयारी में लगा हुआ था। किसी लड़के में वह दुर्व्यसन, वह छैलापन, वह लुटाऊपन न था, जो माता-पिता को जलाता और कुल-मर्यादा को डुबाता है। फूलमती घर की मालकिन थी। गोकि कुंजियाँ बड़ी बहू के पास रहती थीं। बुढ़िया में वह अधिकार-प्रेम न था जो वृद्धजनों को कटु और कलहशील बना दिया करता है, किन्तु उसकी इच्छा के बिना कोई बालक मिठाई तक न मँगा सकता था।

संध्या हो गयी थी। पंडित को मरे आज बारहवाँ दिन था। कल तेरही है। ब्रह्मभोज होगा। बिरादरी के लोग निमंत्रित होंगे। उसी की तैयारी हो रही थी। फूलमती अपनी कोठरी में बैठी देख रही थी, पल्लेदार बोरे में आटा लाकर रख रहे हैं। घी के टिन आ रहे हैं। शाक-भाजी के टोकरे, शक्कर की बोरियाँ, दही के मटके चले आ रहे हैं। महापात्र के लिए दान की चीज़ें लायी गयी हैं बरतन कपड़े, पलंग, बिछावन, छाते, जूते, छड़ियाँ, लालटेनें आदि; किन्तु फूलमती को कोई चीज़ नहीं दिखाई गयी। नियमानुसार ये सब सामान उसके पास आने चाहिए थे। वह प्रत्येक वस्तु को देखती, उसे पसंद करती, उसकी मात्रा में कमी-बेशी का फ़ैसला करती; तब इन चीज़ों को भंडारे में रखा जाता। क्यों उसे दिखाने और उसकी राय लेने की ज़रूरत नहीं समझी गयी? अच्छा! वह आटा तीन ही बोरी क्यों आया? उसने तो पाँच बोरों के लिए कहा था। घी भी पाँच ही कनस्तर है, उसने तो दस कनस्तर मँगवाये थे। इसी तरह शाक-भाजी, शक्कर, दही आदि में भी कमी की गयी होगी। किसने उसके हुक्म में हस्तक्षेप किया? जब उसने एक बात तय कर दी, तब किसे उसको घटाने-बढ़ानें का अधिकार है?

आज चालीस वर्षों से घर के प्रत्येक मामले में फूलमती की बात सर्वमान्य थी। उसने सौ कहा तो सौ ख़र्च किये गये, एक कहा तो एक! किसी ने मीनमेख न की। यहाँ तक कि पं० अयोध्यानाथ भी उसकी इच्छा के विरुद्ध कुछ न करते थे; पर आज उसकी आँखों के सामने प्रत्यक्ष रूप से उसके हुक्म की उपेक्षा की जा रही है, इसे वह क्योंकर स्वीकार कर सकती?

कुछ देर तक तो वह जब्त किये बैठी रही पर अंत में न रहा गया। स्वायत्त शासन उसका स्वभाव हो गया था। वह क्रोध में भरी हुई आयी और कामतानाथ से बोली—क्या आटा तीन ही बोरे लाये? मैंने तो पाँच बोरों के लिए कहा था और घी भी पाँच ही टिन मँगवाया! तुम्हें याद है, मैंने दस कनस्तर कहा था। किफ़ायत को मैं बुरा नहीं समझती; लेकिन जिसने यह कुआँ खोदा, उसी की आत्मा पानी को तरसे, यह कितनी लज्जा की बात है।

कामतानाथ ने क्षमा-याचना न की, अपनी भूल भी स्वीकार न की, लज्जित भी नहीं हुआ। एक मिनट तो विद्रोही भाव से खड़ा रहा, फिर बोला—हम लोगों की सलाह तीन ही बोरों की हुई और तीन बोरे के लिए पाँच टिन घी काफ़ी था। इसी हिसाब से और चीजें भी कम कर दी गयी हैं।

फूलमती उग्र होकर बोली—'किसकी राय से आटा कम किया गया?'

'हम लोगों की राय से।'

'तो मेरी राय कोई चीज़ नहीं है?'

'है क्यों नहीं; लेकिन अपना हानि-लाभ तो हम भी समझते हैं।'

फूलमती हक्की-बक्की होकर उसका मुँह ताकने लगी। इस वाक्य का आशय उसकी समझ में न आया। अपना हानि-लाभ! अपने घर में हानि-लाभ की ज़िम्मेदार वह आप है। दूसरों को, चाहे वे उसके पेट के जन्मे पुत्र ही क्यों न हों, उसके कामों में हस्तक्षेप करने का क्या अधिकार है? यह लौंडा तो इस ढिठाई से जवाब दे रहा है, मानो घर उसी का है, उसी ने मर-मरकर गृहस्थी जोड़ी है, मैं तो गैर हूँ! ज़रा इसकी हेकड़ी तो देखो!

उसने तमतमाए हुए मुख से कहा—मेरे हानि-लाभ के ज़िम्मेदार तुम नहीं हो। मुझे अख़्तियार है, जो उचित समझूँ, वह करूँ। अभी जाकर दो बोरे आटा और पाँच टिन घी और लाओ और आगे के लिए ख़बरदार, जो किसी ने मेरी बात काटी।

अपने विचार से उसने काफ़ी तम्बीह कर दी थी। शायद इतनी कठोरता अनावश्यक थी। उसे अपनी उग्रता पर खेद हुआ। लड़के ही तो हैं, समझे होंगे कुछ किफ़ायत करनी चाहिए। मुझसे इसलिए न पूछा होगा कि अम्माँ तो ख़ुद हरेक काम में किफ़ायत करती हैं। अगर इन्हें मालूम होता कि इस काम में मैं किफ़ायत पसंद न करूँगी, तो कभी इन्हें मेरी उपेक्षा करने का साहस न होता। यद्यपि कामतानाथ अब भी उसी जगह खड़ा था और उसकी भाव-भंगिमा से ऐसा ज्ञात होता था कि इस आज्ञा का पालन करने के लिए वह बहुत उत्सुक नहीं, पर फूलमती निश्चिंत होकर अपनी कोठरी में चली गयीं। इतनी तम्बीह पर भी किसी को अवज्ञा करने की सामर्थ्य हो सकती है, इसकी सम्भावना का ध्यान भी उसे न आया।

पर ज्यों-ज्यों समय बीतने लगा, उस पर यह हक़ीक़त खुलने लगी कि इस घर में अब उसकी वह हैसियत नहीं रही जो दस-बारह दिन पहले थी। संबंधियों के यहाँ से नेवते में शक्कर, मिठाई, दही, अचार आदि आ रहे थे। बड़ी बहू इन वस्तुओं को स्वामिनी-भाव से सँभाल-सँभालकर रख रही थी। कोई भी उससे पूछने नहीं आता। बिरादरी के लोग जो कुछ पूछते हैं, कामतानाथ से या बड़ी बहू से। कामतानाथ कहाँ का बड़ा इन्तज़ामकार है, रात-दिन भंग पिये पड़ा रहता है। किसी तरह रो-धोकर दफ़्तर जाता है। उसमें भी महीने में पंद्रह नागाओं से कम नहीं होते। वह तो कहीं साहब पंडितजी का लिहाज़ करता है, नहीं तो अब तक कभी

का निकाल देता। और बड़ी बहू जैसी फूहड़ औरत भला इन बातों को क्या समझेगी! अपने कपड़े-लत्ते तक तो जतन से रख नहीं सकती, चली है गृहस्थी चलाने! भद होगी, और क्या। सब मिलकर कुल की नाक कटवाएँगे। वक़्त पर कोई-न-कोई चीज़ कम हो जायेगी। इन कामों के लिए बड़ा अनुभव चाहिए। कोई चीज़ तो इतनी बन जायेगी कि मारी-मारी फिरेगी। कोई चीज़ इतनी कम बनेगी कि किसी पत्तल पर पहुँचेगी किसी पर नहीं। आख़िर इन सबों को हो क्या गया है! अच्छा, बहू तिज़ोरी क्यों खोल रही है? वह मेरी आज्ञा के बिना तिज़ोरी खोलनेवाली कौन होती है? कुंजी उसके पास है अवश्य, लेकिन, जब तक मैं रुपये न निकलवाऊँ, तिज़ोरी नहीं खुलती। आज तो इस तरह खोल रही है, मानो मैं कुछ हूँ ही नहीं। यह मुझसे न बर्दाश्त होगा!

वह झमककर उठी और बड़ी बहू के पास कठोर स्वर में बोली—तिज़ोरी क्यों खोलती हो बहू, मैंने तो खोलने को नहीं कहा?

बड़ी बहू ने निस्संकोच भाव से उत्तर दिया—बाज़ार से सामान आया है तो दाम न दिया जायेगा?

''कौन-सी चीज़ किस भाव से आयी है, और कितनी आयी है, यह मुझे कुछ नहीं मालूम! जब तक हिसाब-किताब न हो जाये, रुपये कैसे दिये जायेंगे?''

'हिसाब-किताब सब हो गया है।'

'किसने किया?'

'अब मैं क्या जानूँ किसने किया? जाकर मरदों से पूछो! मुझे हुक्म मिला, रुपये लाकर दे दो, रुपये लिये जाती हूँ!'

फूलमती खून का घूँट पीकर रह गयी। इस वक़्त बिगड़ने का अवसर न था। घर में मेहमान स्त्री-पुरुष भरे हुए थे। अगर इस वक़्त उसने लड़कों को डाँटा, तो लोग यही कहेंगे कि इनके घर में पंडितजी के मरते ही फूट पड़ गयी। दिल पर पत्थर रखकर फिर अपनी कोठरी में चली आयी। जब मेहमान विदा हो जायेंगे, तब वह एक-एक की ख़बर लेगी। तब देखेगी, कौन उसके सामने आता है और क्या कहता है। इनकी सारी चौकड़ी भुला देगी।

किन्तु कोठरी के एकांत में भी वह निश्चिंत न बैठी थी। सारी परिस्थिति को गिद्ध दृष्टि से देख रही थी, कहाँ सत्कार का कौन-सा नियम भंग होता है, कहाँ मर्यादाओं की उपेक्षा की जाती है। भोज आरम्भ हो गया। सारी बिरादरी एक साथ पंगत में बैठा दी गयी। आँगन में मुश्किल से दो सौ आदमी बैठ सकते हैं। ये पाँच सौ आदमी इतनी-सी जगह में कैसे बैठ जायेंगे? क्या आदमी के ऊपर आदमी बैठाये जायेंगे? दो पंगतों में लोग बैठाये जाते तो क्या बुराई हो जाती? यही तो होता कि बारह बजे की जगह भोज दो बजे समाप्त होता मगर यहाँ तो सबको सोने की जल्दी पड़ी हुई है। किसी तरह यह बला सिर से टले और चैन से सोएँ! लोग कितने सटकर बैठे हुए हैं कि किसी को हिलने की भी जगह नहीं। पत्तल एक-पर-एक रखे हुए हैं। पूरियाँ ठंडी हो गयीं। लोग गरम-गरम माँग रहे हैं। मैदे की पूरियाँ ठंडी होकर चिमड़ी हो जाती हैं। इन्हें कौन खायेगा? रसोइये को कढ़ाव पर से न जाने क्यों उठा दिया गया? यही सब बातें नाक काटने की हैं।

सहसा शोर मचा, तरकारियों में नमक नहीं। बड़ी बहू जल्दी-जल्दी नमक पीसने लगी। फूलमती क्रोध के मारे ओंठ चबा रही थी, पर इस अवसर पर मुँह न खोल सकती थी। नमक पिसा और पत्तलों पर डाला गया। इतने में फिर शोर

मचा—पानी गरम है, ठंडा पानी लाओ! ठंडे पानी का कोई प्रबन्ध न था, बर्फ भी न मँगाई गयी। आदमी बाज़ार दौड़ाया गया, मगर बाज़ार में इतनी रात गये बर्फ़ कहाँ? आदमी खाली हाथ लौट आया। मेहमानों को वही नल का गरम पानी पीना पड़ा। फूलमती का बस चलता, तो लड़कों का मुँह नोच लेतीं। ऐसी छीछालेदर उसके घर में कभी न हुई थी। उस पर सब मालिक बनने के लिए मरते हैं। बर्फ़ जैसी जरूरी चीज मँगवाने की भी किसी को सुध न थी। सुध कहाँ से रहे? जब किसी को गप लड़ाने से फुर्सत मिले। मेहमान अपने दिल में क्या कहेंगे कि चले हैं बिरादरी को भोज देने और घर में बर्फ तक नहीं।

अच्छा, फिर यह हलचल क्यों मच गयी। अरे, लोग पंगत से उठे जा रहे हैं। क्या मामला है?

फूलमती उदासीन न रह सकी। कोठरी से निकलकर बरामदे में आयी और कामतानाथ से पूछा—क्या बात हो गयी लल्ला? लोग उठे क्यों जा रहे हैं? कामता ने कोई जवाब न दिया। वहाँ से खिसक गया। फूलमती झुँझलाकर रह गयी। सहसा कहारिन मिल गयी। फूलमती ने उससे भी वह प्रश्न किया। मालूम हुआ, किसी के शोरबे में मरी हुई चुहिया निकल आई। फूलमती चित्रलिखित-सी वहीं खड़ी रह गयी। भीतर ऐसा उबाल उठा कि दीवार से सिर टकरा ले! अभागे भोज का प्रबन्ध करने चले थे। इस फूहड़पन की कोई हद है, कितने आदमियों का धर्म सत्यानाश हो गया! फिर पंगत क्यों न उठ जाये? आँखों से देखकर अपना धर्म कौन गँवायेगा? हाँ! सारा किया-धरा मिट्टी में मिल गया! सैकड़ों रुपये पर पानी फिर गया! बदनामी हुई, वह अलग।

मेहमान उठ चुके थे। पत्तलों पर खाना ज्यों-का-त्यों पड़ा हुआ था। चारों लड़के आँगन में लज्जित खड़े थे। एक-दूसरे को इल्जाम दे रहे थे। बड़ी बहू अपनी देवरानी पर बिगड़ रही थी। देवरानियाँ सारा दोष कुमुद के सिर डालती थी। कुमुद खड़ी रो रही थी। उसी वक़्त फूलमती झल्लायी हुई आकर बोली—मुँह पर कालिख लगी कि नहीं या अभी कुछ कसर बाक़ी है? डूब मरो सब-के-सब जाकर चूल्लू-भर पानी में? शहर में कहीं मुँह दिखाने लायक भी नहीं रहे।

किसी लड़के ने जवाब न दिया।

फूलमती और भी प्रचंड होकर बोली—तुम लोगों को क्या? किसी को शर्म-हया तो है नहीं। आत्मा तो उनकी रो रही है, जिन्होंने अपनी ज़िन्दगी घर की मरजाद बनाने में ख़राब कर दी। उनकी पवित्र आत्मा को तुमने यों कलंकित किया। शहर में थुड़ी-थुड़ी हो रही है। अब कोई तुम्हारे द्वार पर पेशाब करने भी आयेगा नहीं!

कामतानाथ कुछ देर तक तो चुपचाप सुनता रहा। आख़िर झुँझलाकर बोला—अच्छा, अब चुप रहो अम्माँ। भूल हुई, हम सब मानते हैं, बड़ी भयंकर भूल हुई, लेकिन अब क्या उसके लिए घर के प्राणियों को हलाल कर डालोगी? सभी से भूलें होती हैं। आदमी पछताकर रह जाता है। किसी की जान तो नहीं मारी जाती?

बड़ी बहू ने अपनी सफ़ाई दी—हम क्या जानते थे कि बीबी (कुमुद) से इतना-सा काम भी न होगा। इन्हें चाहिए था कि देखकर तरकारी कढ़ाव में डालतीं टोकरी उठाकर कढ़ाव में डाल दी! हमारा क्या दोष!

कामतानाथ ने पत्नी को डाँटा—इसमें न कुमुद का कुसूर है, न तुम्हारा, न मेरा। संयोग की बात है। बदनामी भाग में लिखी थी, वह हुई। इतने बड़े भोज

में एक-एक मुट्ठी तरकारी कढ़ाव में नहीं डाली जाती! टोकरे-के-टोकरे उँड़ेल दिये जाते हैं। कभी-कभी ऐसी दुर्घटना होती है, पर इसमें कैसी जग-हँसाई और कैसी नक-कटाई! तुम ख़्वामख़्वाह जले पर नमक छिड़कती हो!

फूलमती ने दाँत पीसकर कहा—शरमाते तो नहीं, उलटे और बेहयाई की बातें करते हो।

कामतानाथ ने निःसंकोच होकर कहा—शरमाऊँ क्यों, किसी की चोरी की है? चीनी में चींटे और आटे में घुन, यह नहीं देखे जाते। पहले हमारी निग़ाह न पड़ी, बस यही बात बिगड़ गयी। नहीं, चुपके से चुहिया निकालकर फेंक देते। किसी को ख़बर भी न होती।

फूलमती ने चकित होकर कहा—क्या कहता है, मरी चुहिया खिलाकर सबका धर्म बिगाड़ देता?

कामता हँसकर बोला—क्या पुराने ज़माने की बातें करती हो अम्माँ? इन बातों से धर्म नहीं जाता? यह धर्मात्मा लोग जो पत्तल पर से उठ गये हैं, इनमें ऐसा कौन है, जो भेड़-बकरी का मांस न खाता हो? तालाब के कछुए और घोंघे तक तो किसी से बचते नहीं। ज़रा-सी चुहिया में क्या रखा था?

फूलमती को ऐसा प्रतीत हुआ कि अब प्रलय आने में बहुत देर नहीं है। जब पढ़े-लिखे आदमियों के मन में ऐसे अधार्मिक भाव आने लगे, तो फिर धर्म की भगवान् ही रक्षा करें। अपना-सा मुँह लेकर चली गयीं।

2

दो महीने गुज़र गये हैं। रात का समय है। चारों भाई दिन के काम से छुट्टी पाकर कमरे में बैठे गप-शप कर रहे हैं। बड़ी बहू भी षड्यंत्र में शरीक़ है। कुमुद के विवाह का प्रश्न छिड़ा हुआ है।

कामतानाथ ने मसनद पर टेक लगाते हुए कहा—दादा की बात दादा के साथ गयी। मुरारी पंडित विद्वान् भी हैं और कुलीन भी होंगे। लेकिन जो आदमी अपनी विद्या और कुलीनता को रुपयों पर बेचे, वह नीच है। ऐसे नीच आदमी के लड़के से हम कुमुद का विवाह सेंत में भी न करेंगे, पाँच हज़ार तो दूर की बात है। उसे बताओ धता और किसी दूसरे वर की तलाश करो। हमारे पास कुल बीस हज़ार ही तो हैं एक-एक हिस्से में पाँच-पाँच हज़ार आते हैं। पाँच हज़ार दहेज में दे दें, और पाँच हज़ार नेग-न्योछावर, बाजे-गाजे में उड़ा दें, तो फिर हमारी बधिया ही बैठ जायेगी।

उमानाथ बोले—मुझे अपना औषधालय खोलने के लिए कम-से-कम पाँच हज़ार की ज़रूरत है। मैं अपने हिस्से में से एक पाई भी नहीं दे सकता फिर खुलते ही आमदनी तो होगी नहीं। कम-से-कम साल भर घर से खाना पड़ेगा।

दयानाथ एक समाचार-पत्र देख रहे थे। आँखों से ऐनक उतारते हुए बोले—मेरा विचार भी एक पत्र निकालने का है। प्रेस और पत्र के लिए कम-से-कम दस हज़ार का कैपिटल चाहिए। पाँच हज़ार मेरे रहेंगे तो कोई-न-कोई साझेदार मिल जायेगा। पत्रों में लेख लिखकर मेरा निबाह नहीं हो सकता।

कामतानाथ ने सिर हिलाते हुए कहा—अजी, राम भजो, सेंत में कोई लेख छापता नहीं, रुपये कौन देता है।

दयानाथ ने प्रतिवाद किया—नहीं, यह बात तो नहीं है। मैं तो कहीं भी बिना पेशगी पुरस्कार लिये नहीं लिखता।

कामता ने जैसे अपने शब्द वापस लिये—तुम्हारी बात मैं नहीं कहता भाई। तुम तो थोड़ा-बहुत मार लेते हो, लेकिन सबको तो नहीं मिलता।

बड़ी बहू ने श्रद्धा भाव से कहा—कन्या भाग्यवान् हो, तो दरिद्र घर में भी सुखी रह सकती है। अभागी हो, तो राजा के घर में भी रोयेगी। यह सब नसीबों का खेल है।

कामतानाथ ने स्त्री की ओर प्रशंसा-भाव से देखा—फिर इसी साल हमें सीता का विवाह भी तो करना है।

सीतानाथ सबसे छोटा था। सिर झुकाए भाइयों की स्वार्थ-भरी बातें सुन-सुनकर कुछ कहने के लिए उतावला हो रहा था। अपना नाम सुनते ही बोला—मेरे विवाह की आप लोग चिन्ता न करें। मैं जब तक किसी धन्धे में न लग जाऊँगा, विवाह का नाम भी न लूँगा और सच पूछिए तो मैं विवाह करना ही नहीं चाहता। देश को इस समय बालकों की ज़रूरत नहीं, काम करनेवालों की ज़रूरत है। मेरे हिस्से के रुपये आप कुमुद के विवाह में ख़र्च कर दें। सारी बातें तय हो जाने के बाद यह उचित नहीं है कि पंडित मुरारीलाल से सम्बन्ध तोड़ लिया जाये।

उमा ने तीव्र स्वर में कहा—दस हज़ार कहाँ से आयेंगे?

सीता ने डरते हुए कहा—मैं तो अपने हिस्से के रुपये देने को कहता हूँ।

'और शेष?'

'मुरारीलाल से कहा जाये कि दहेज में कुछ कमी कर दें। वह इतने स्वार्थान्ध नहीं हैं कि इस अवसर पर कुछ बल खाने को तैयार न हो जायें; अगर वह तीन हज़ार में सन्तुष्ट हो जायें, तो पाँच हज़ार में विवाह हो सकता है।

उमा ने कामतानाथ से कहा—सुनते हैं भाई साहब, इसकी बातें।

दयानाथ बोल उठे—तो इसमें आप लोगों का क्या नुकसान है? यह अपने रुपये दे रहे हैं, ख़र्च कीजिए। मुरारी पंडित से हमारा कोई बैर नहीं है। मुझे तो इस बात से ख़ुशी हो रही है कि भला हममें कोई तो त्याग करने योग्य है। इन्हें तत्काल रुपये की ज़रूरत नहीं है। सरकार से वज़ीफ़ा पाते ही हैं। पास होने पर कहीं-न-कहीं जगह मिल जायेगी। हम लोगों की हालत तो ऐसी नहीं है।

कामतानाथ ने दूरदर्शिता का परिचय दिया—नुकसान की एक ही कही। हममें से एक को कष्ट हो तो क्या और लोग बैठे देखेंगे? यह अभी लड़के हैं इन्हें क्या मालूम, समय पर एक रुपया एक लाख का काम करता है। कौन जानता है, कल इन्हें विलायत जाकर पढ़ने के लिए सरकारी वज़ीफ़ा मिल जाये या सिविल सर्विस में आ जाये। उस वक़्त सफ़र की तैयारियों में चार-पाँच हज़ार लग जायेंगे। तब किसके सामने हाथ फैलाते फिरेंगे? मैं यह नहीं चाहता कि दहेज़ के पीछे इनकी ज़िन्दगी नष्ट हो जाये।

इस तर्क ने सीतानाथ को भी तोड़ लिया। सकुचाता हुआ बोला—हाँ, यदि ऐसा हुआ तो बेशक मुझे रुपये की ज़रूरत होगी।

'क्या ऐसा होना असम्भव है?'

'असम्भव तो मैं नहीं समझता; लेकिन कठिन अवश्य है। वज़ीफ़े उन्हें मिलते हैं, जिनके पास सिफ़ारिशें होती हैं, मुझे कौन पूछता है।'

'कभी-कभी सिफ़ारिशें धरी रह जाती हैं और बिना सिफ़ारिश वाले बाज़ी मार ले जाते हैं।'

'तो आप जैसा उचित समझें। मुझे यहाँ तक मंजूर है कि चाहे मैं विलायत न जाऊँ; पर कुमुद अच्छे घर जाये।'

कामतानाथ ने निष्ठा-भाव से कहा—अच्छा घर दहेज देने ही से नहीं मिलता भैया! जैसा तुम्हारी भाभी ने कहा, यह नसीबों का खेल है। मैं तो चाहता हूँ कि मुरारीलाल को जवाब दे दिया जाये और कोई ऐसा घर खोजा जाये, जो थोड़े में राजी हो जाये। इस विवाह में मैं एक हज़ार से ज़्यादा नहीं ख़र्च कर सकता। पंडित दीनदयाल कैसे हैं?

उमा ने प्रसन्न होकर कहा—बहुत अच्छे। एम. ए., बी. ए. न सही, यजमानों से अच्छी आमदनी है।

दयानाथ ने आपत्ति की—अम्माँ से भी तो पूछ लेना चाहिए।

कामतानाथ को इसकी कोई ज़रूरत न मालूम हुई। बोले—उनकी तो जैसे बुद्धि ही भ्रष्ट हो गयी। वही पुराने युग की बातें! मुरारीलाल के नाम पर उधार खाये बैठी हैं। यह नहीं समझतीं कि वह ज़माना नहीं रहा। उनको तो बस, कुमुद मुरारी पंडित के घर जाये, चाहे हम लोग तबाह हो जाएँ।

उमा ने एक शंका उपस्थित की—अम्माँ अपने सब गहने कुमुद को दे देंगी, देख लीजिएगा।

कामतानाथ का स्वार्थ नीति से विद्रोह न कर सका। बोले—गहनों पर उनका पूरा अधिकार है। यह उनका स्त्रीधन है। जिसे चाहें, दे सकती हैं।

उमा ने कहा—स्त्रीधन है तो क्या वह उसे लुटा देंगी! आख़िर वह भी तो दादा ही की कमाई है।

'किसी की कमाई हो। स्त्रीधन पर उनका पूरा अधिकार है!'

'यह क़ानूनी गोरख धंधे हैं। बीस हज़ार में तो चार हिस्सेदार हों और दस हज़ार के गहने अम्माँ के पास रह जाये। देख लेना, इन्हीं के बल पर वह कुमुद का विवाह मुरारी पंडित के घर करेंगी।'

उमानाथ इतनी बड़ी रकम को इतनी आसानी से नहीं छोड़ सकता। वह कपट-नीति में कुशल है। कोई कौशल रचकर माता से सारे गहने ले लेगा। उस वक़्त तक कुमुद के विवाह की चर्चा करके फूलमती को भड़काना उचित नहीं। कामतानाथ ने सिर हिलाकर कहा—भई, मैं इन चालों को पसंद नहीं करता।

उमानाथ ने खिसियाकर कहा—गहने दस हज़ार से कम न होंगे।

कामतानाथ अविचलित स्वर में बोले—कितने ही के हों; मैं अनीति में हाथ नहीं डालना चाहता।

'तो आप अलग बैठिए। हाँ, बीच में भाँजी न मारिएगा।'

'मैं अलग रहूँगा।'

'और तुम सीता?'

'अलग रहूँगा।'

लेकिन जब दयानाथ से यही प्रश्न किया गया, तो वह उमानाथ से सहयोग करने को तैयार हो गया। दस हज़ार में ढाई हज़ार तो उसके होंगे ही। इतनी बड़ी रकम के लिए यदि कुछ कौशल भी करना पड़े तो क्षम्य है।

3

फूलमती रात को भोजन करके लेटी थी कि उमा और दया उसके पास जाकर बैठ गये। दोनों ऐसा मुँह बनाये हुए थे, मानो कोई भारी विपत्ति आ पड़ी है। फूलमती ने सशंक होकर पूछा—तुम दोनों घबड़ाये हुए मालूम होते हो?

उमा ने सिर खुजलाते हुए कहा—समाचार-पत्रों में लेख लिखना बड़े जोख़िम का काम है अम्माँ! कितना ही बचकर लिखो, लेकिन कहीं-न-कहीं पकड़ हो ही जाती है। दयानाथ ने एक लेख लिखा था। उस पर पाँच हज़ार की ज़मानत माँगी गयी है। अगर कल तक ज़मानत न ज़मा कर दी गयी, तो गिरफ़्तार हो जायेंगे और दस साल की सज़ा ठुक जायेगी।

फूलमती ने सिर पीटकर कहा—तो ऐसी बातें क्यों लिखते हो बेटा? जानते नहीं आजकल हमारे दुर्दिन आये हुए हैं। ज़मानत किसी तरह टल नहीं सकती?

दयानाथ ने अपराधी-भाव से उत्तर दिया—मैंने तो अम्माँ, ऐसी कोई बात नहीं लिखी थी लेकिन क़िस्मत को क्या करूँ। हाकिम ज़िला इतना कड़ा है कि जरा भी रियायत नहीं करता। मैंने जितनी दौड़-धूप हो सकती थी, वह कर ली।

'तो तुमने कामता से रुपये का प्रबन्ध करने को नहीं कहा?'

उमा ने मुँह बनाया—उनका स्वभाव तो तुम जानती हो अम्माँ, उन्हें रुपये प्राणों से प्यारे हैं। इन्हें चाहे काला पानी ही हो जाये, वह एक पाई न देंगे।

दयानाथ ने समर्थन किया—मैंने तो उनसे इसका ज़िक्र ही नहीं किया।

फूलमती ने चारपाई से उठते हुए कहा—चलो, मैं कहती हूँ, देगा कैसे नहीं? रुपये इसी दिन के लिए होते हैं कि गाड़कर रखने के लिए?

उमानाथ ने माता को रोककर कहा—नहीं अम्माँ, उनसे कुछ न कहो। रुपये तो न देंगे, उलटे और हाय-हाय मचाएँगे। उनको अपनी नौकरी की ख़ैरियत मनानी है, इन्हें घर में रहने भी न देंगे। अफ़सरों में जाकर ख़बर दे दें तो आश्चर्य नहीं।

फूलमती ने लाचार होकर कहा—तो फिर ज़मानत का क्या प्रबन्ध करोगे? मेरे पास तो कुछ नहीं है। हाँ मेरे गहने हैं, इन्हें ले जाओ, कहीं गिरवी रखकर ज़मानत दे दो। और आज से कान पकड़ो कि किसी पत्र में एक शब्द भी न लिखोगे!

दयानाथ कानों पर हाथ रखकर बोला—यह तो नहीं हो सकता अम्माँ कि तुम्हारे ज़ेवर लेकर मैं अपनी जान बचाऊँ। दस-पाँच साल की क़ैद ही तो होगी, झेल लूँगा। यहीं बैठा-बैठा क्या कर रहा हूँ!

फूलमती छाती पीटते हुए बोली—कैसी बातें मुँह से निकालते हो बेटा, मेरे जीते-जी तुम्हें कौन गिरफ़्तार कर सकता है। उसका मुँह झुलस दूँगी। गहने इसी दिन के लिए हैं या और किसी दिन के लिए। जब तुम्हीं न रहोगे, तो गहने लेकर क्या आग में झोंकूँगी!

उसने पिटारी लाकर उसके सामने रख दी।

दया ने उमा की ओर जैसे फ़रियाद की, आँखों से देखा और बोला—आपकी क्या राय है भाई साहब? इसी मारे मैं कहता था, अम्माँ को जताने की ज़रूरत नहीं। जेल ही तो हो जाती या और कुछ?

उमा ने जैसे सिफ़ारिश करते हुए कहा—यह कैसे हो सकता था कि इतनी बड़ी वारदात हो जाती और अम्माँ को ख़बर न होती। मुझसे यह नहीं हो सकता था कि सुनकर पेट में डाल लेता; मगर अब करना क्या चाहिए, यह मैं खुद निर्णय

नहीं कर सकता। न तो यही अच्छा लगता है कि तुम जेल जाओ और न यही अच्छा लगता है कि अम्माँ के गहने ग़िरवी रखे जाये।

फूलमती ने व्यथित कंठ से पूछा—क्या तुम समझते हो, मुझे गहने तुमसे ज़्यादा प्यारे हैं? मैं तो अपने प्राण तक तुम्हारे ऊपर न्योछावर कर दूँ, गहनों की बिसात ही क्या है।

दया ने दृढ़ता से कहा—अम्माँ, तुम्हारे गहने तो न लूँगा, चाहे मुझ पर कुछ ही क्यों न आ पड़े। जब आज तक तुम्हारी कुछ सेवा न कर सका, तो किस मुँह से तुम्हारे गहने उठा ले जाऊँ? मुझ जैसे कपूत को तो तुम्हारी कोख से जन्म ही न लेना चाहिए था। सदा तुम्हें कष्ट ही देता रहा।

फूलमती ने भी उतनी ही दृढ़ता से कहा—अगर यों न लोगे, मैं ख़ुद जाकर इन्हें ग़िरवी रख दूँगी और ख़ुद हाकिम ज़िला के पास जाकर ज़मानत ज़मा कर आऊँगी; अगर इच्छा हो तो यह परीक्षा भी ले लो। आँखें बन्द हो जाने के बाद क्या होगा, भगवान् जानें, लेकिन जब तक जीती हूँ, तुम्हारी ओर कोई तिरछी आँखों से नहीं देख सकता।

उमानाथ ने मानो माता पर एहसान रखकर कहा—अब तो तुम्हारे लिए कोई रास्ता न रहा दयानाथ। क्या हरज है, ले लो; मगर याद रखो, ज्यों ही हाथ में रुपये आ जाये, गहने छुड़ाने पड़ेंगे। सच कहते हैं, मातृत्व दीर्घ तपस्या है। माता के सिवाय इतना स्नेह और कौन कर सकता है? हम बड़े अभागे हैं कि माता के प्रति जितनी श्रद्धा रखनी चाहिए उसका शतांश भी नहीं रखते।

दोनों ने जैसे बड़े धर्मसंकट में पड़कर गहनों की पिटारी सँभाली और चलते बने। माता वात्सल्य-भरी आँखों से उनकी ओर देख रही थी और उसकी सम्पूर्ण आत्मा का आशीर्वाद जैसे उन्हें अपनी गोद में समेट लेने के लिए व्याकुल हो रहा था। आज कई महीने के बाद उसके भग्न-मातृ-हृदय को अपना सर्वस्व अर्पण करके जैसे आनन्द की विभूति मिली। उसकी स्वामिनी कल्पना इसी त्याग के लिए, इसी आत्मसमर्पण के लिए जैसे कोई मार्ग ढूँढ़ती रहती थी। अधिकार या लोभ या ममता की वहाँ गंध तक न थी। त्याग ही उसका आनंद और त्याग ही उसका अधिकार है। आज अपना खोया हुआ अधिकार पाकर अपनी सिरजी हुई प्रतिमा पर अपने प्राणों की भेंट करके वह निहाल हो गयी।

4

तीन महीने और गुज़र गये। माँ के गहनों पर हाथ साफ़ करके चारों भाई उसकी दिलजोई करने लगे थे। अपनी स्त्रियों को भी समझाते थे कि उसका दिल न दुखाएँ। अगर थोड़े से शिष्टाचार से उसकी आत्मा को शांति मिलती है, तो इसमें क्या हानि है। चारों करते अपने मन की, पर माता से सलाह ले लेते या जाल फैलाते कि वह सरला उनकी बातों में आ जाती और हरेक काम में सहमत हो जाती। बाग़ को बेचना उसे बहुत बुरा लगता था; लेकिन चारों ने ऐसी माया रची कि वह उसे बेचने पर राज़ी हो गयी, किन्तु कुमुद के विवाह के विषय में मतैक्य न हो सका। माँ पं० मुरारीलाल पर जमी हुई थी, लड़के दीनदयाल पर अड़े हुए थे। एक दिन आपस में कलह हो गया।

फूलमती ने कहा—माँ-बाप की कमाई में बेटी का हिस्सा भी है। तुम्हें सोलह हज़ार का एक बाग़ मिला, पचीस हज़ार का एक मकान। बीस हज़ार नकद में, क्या पाँच हज़ार भी कुमुद का हिस्सा नहीं है।

कामता ने नम्रता से कहा—अम्माँ, कुमुद आपकी लड़की है, तो हमारी बहिन है। आप दो-चार साल में प्रस्थान कर जायेंगी; पर हमारा और उसका बहुत दिनों तक सम्बन्ध रहेगा। तब हम यथाशक्ति कोई ऐसी बात न करेंगे, जिससे उसका अमंगल हो; लेकिन हिस्से की बात कहती हो, तो कुमुद का हिस्सा कुछ नहीं। दादा जीवित थे, तब और बात थी। वह उसके विवाह में जितना चाहते, ख़र्च करते। कोई उनका हाथ न पकड़ सकता था; लेकिन अब तो हमें एक-एक पैसे की किफ़ायत करनी पड़ेगी। जो काम एक हज़ार में हो जाये, उसके लिए पाँच हज़ार ख़र्च करना कहाँ की बुद्धिमानी है।

उमानाथ ने सुधारा—पाँच हज़ार क्यों, दस हज़ार कहिए।

कामता ने भवें सिकोड़कर कहा—नहीं, मैं पाँच हज़ार ही कहूँगा; एक विवाह में पाँच हज़ार ख़र्च करने की हमारी हैसियत नहीं है।

फूलमती ने ज़िद पकड़कर कहा—विवाह तो मुरारीलाल के पुत्र से ही होगा, पाँच हज़ार ख़र्च हो, चाहे दस हज़ार! मेरे पति की कमाई है। मैंने मर-मरकर जोड़ा है। अपनी इच्छा से ख़र्च करूँगी। तुम्हीं ने मेरी कोख से नहीं जन्म लिया है। कुमुद भी उसी कोख से आयी है। मेरी आँखों में तुम सब बराबर हो। मैं किसी से कुछ माँगती नहीं। तुम बैठे तमाशा देखो, मैं सब-कुछ कर लूँगी। बीस हज़ार में पाँच हज़ार कुमुद का है।

कामतानाथ को अब कड़वे सत्य की शरण लेने के सिवा और मार्ग न रहा। बोला—अम्माँ, तुम बरबस बात बढ़ाती हो। जिन रुपयों को तुम अपना समझती हो, वह तुम्हारे नहीं हैं; तुम हमारी अनुमति के बिना उनमें से कुछ नहीं ख़र्च कर सकतीं।

फूलमती को जैसे सर्प ने डस लिया—क्या कहा! फिर तो कहना! मैं अपने ही संचे रुपये अपनी इच्छा से नहीं ख़र्च कर सकती?

'वह रुपये तुम्हारे नहीं रहे, हमारे हो गये।'

'तुम्हारे होंगे; लेकिन हमारे मरने के पीछे।'

'नहीं, दादा के मरते ही हमारे हो गये!'

उमानाथ ने बेहयाई से कहा—अम्माँ क़ानून-क़ायदा तो जानती नहीं, नाहक उछलती हैं।

फूलमती क्रोध-विह्वल होकर बोली—भाड़ में जाये तुम्हारा क़ानून। मैं ऐसे क़ानून को नहीं जानती। तुम्हारे दादा ऐसे कोई धन्नासेठ नहीं थे। मैंने ही पेट और तन काटकर यह गृहस्थी जोड़ी है, नहीं आज बैठने की छाँह न मिलती! मेरे जीते-जी तुम मेरे रुपये नहीं छू सकते। मैंने तीन भाइयों के विवाह में दस-दस हज़ार ख़र्च किये हैं। वही मैं कुमुद के विवाह में भी ख़र्च करूँगी।

कामतानाथ भी गर्म पड़ा—आपको कुछ भी ख़र्च करने का अधिकार नहीं है।

उमानाथ ने बड़े भाई को डाँटा—आप ख़ामख़्वाह अम्माँ के मुँह लगते हैं भाई साहब! मुरारीलाल को पत्र लिख दीजिए कि तुम्हारे यहाँ कुमुद का विवाह न होगा। बस, छुट्टी हुई। क़ायदा-क़ानून तो जानती नहीं, व्यर्थ ही बहस करती हैं।

फूलमती ने संयमित स्वर में कहा—अच्छा, क्या क़ानून है, ज़रा मैं भी सुनूँ।

उमा ने निरीह भाव से कहा—क़ानून यही है कि बाप के मरने के बाद ज़ायदाद बेटों की हो जाती है। माँ का हक़ केवल रोटी-कपड़े का है।

फूलमती ने तड़पकर पूछा—किसने यह क़ानून बनाया है?

उमा शांत स्थिर स्वर में बोला—हमारे ऋषियों ने, महाराज मनु ने, और किसने?

फूलमती एक क्षण अवाक् रहकर आहत कंठ से बोली—तो इस घर में मैं तुम्हारे टुकड़ों पर पड़ी हुई हूँ?

उमानाथ ने न्यायाधीश की निर्ममता से कहा—तुम जैसा समझो।

फूलमती की सम्पूर्ण आत्मा मानो इस वज्रपात से चीत्कार करने लगी। उसके मुख से जलती हुई चिनगारियों की भाँति यह शब्द निकल पड़े—'मैंने घर बनवाया, मैंने सम्पत्ति जोड़ी, मैंने तुम्हें जन्म दिया, पाला और आज मैं इस घर में ग़ैर हूँ? मनु का यही क़ानून है और तुम उसी क़ानून पर चलना चाहते हो? अच्छी बात है। अपना घर-द्वार लो। मुझे तुम्हारी आश्रिता बनकर रहना स्वीकार नहीं। इससे कहीं अच्छा है कि मर जाऊँ। वाह रे अंधेर! मैंने पेड़ लगाया और मैं ही उसकी छाँह में खड़ी नहीं हो सकती; अगर यही क़ानून है, तो इसमें आग लग जाये।

चारों युवकों पर माता के इस क्रोध और आतंक का कोई असर न हुआ। क़ानून का फौलादी कवच उनकी रक्षा कर रहा था। इन काँटों का उन पर क्या असर हो सकता था?

ज़रा देर में फूलमती उठकर चली गयी। आज जीवन में पहली बार उसका वात्सल्य-भग्न-मातृत्व अभिशाप बनकर उसे धिक्कारने लगा। जिस मातृत्व को उसने जीवन की विभूति समझा था, जिसके चरणों पर वह सदैव अपनी समस्त अभिलाषाओं और कामनाओं को अर्पित करके अपने को धन्य मानती थी, वही मातृत्व आज उसे उस अग्निकुंड-सा जान पड़ा, जिसमें उसका जीवन जलकर भस्म हो रहा था।

संध्या हो गयी थी। द्वार पर नीम का वृक्ष सिर झुकाए निस्तब्ध खड़ा था, मानो संसार की गति पर क्षुब्ध हो रहा हो। अस्ताचल की ओर प्रकाश और जीवन का देवता फूलमती के मातृत्व ही की भाँति अपनी चिता में जल रहा था।

5

फूलमती अपने कमरे में जाकर लेटी, तो उसे मालूम हुआ, उसकी कमर टूट गयी है। पति के मरते ही अपने पेट के लड़के उसके शत्रु हो जाएँगे, उसको स्वप्न में भी अनुमान न था। जिन लड़कों को अपना हृदयरक्त पिला-पिलाकर पाला, वही आज उसके हृदय पर यों आघात कर रहे हैं! अब वह घर उसे काँटों की सेज हो रहा था। जहाँ उसकी कुछ क़द्र नहीं, कुछ गिनती नहीं, वहाँ अनाथों की भाँति पड़ी रोटियाँ खाये, यह उसकी अभिमानी प्रकृति के लिए असह्य था।

पर उपाय ही क्या था? वह लड़कों से अलग होकर रहे भी तो नाक किसकी कटेगी! संसार उसे थूके तो क्या, और लड़कों को थूके तो क्या, बदनामी तो उसी की है। दुनिया यही तो कहेगी कि चार जवान बेटों के होते बुढ़िया अलग पड़ी हुई मजूरी करके पेट पाल रही है! जिन्हें उसने हमेशा नीच समझा, वही उस पर

हँसेंगे। नहीं, वह अपमान इस अनादर से कहीं ज़्यादा हृदय विदारक था। अब अपना और घर का परदा ढँका रखने में ही कुशल है। हाँ, अब उसे अपने को नयी परिस्थिति के अनुकूल बनाना पड़ेगा। समय बदल गया है। अब तक स्वामिनी बनकर रही, अब लौंडी बनकर रहना पड़ेगा। ईश्वर की यही इच्छा है। अपने बेटों की बातें और लातें गैरों की बातों और लातों की अपेक्षा फिर भी गनीमत है।

वह बड़ी देर तक मुँह ढाँपे अपनी दशा पर रोती रही। सारी रात इसी आत्म-वेदना में कट गयी। शरद का प्रभात डरता-डरता ऊषा की गोद से निकला, जैसे कोई क़ैदी छिपकर जेल से भाग आया हो। फूलमती अपने नियम के विरुद्ध आज तड़के ही उठी, रात-भर में उसका मानसिक परिवर्तन हो चुका था। सारा घर सो रहा था और यह आँगन में झाड़ू लगा रही थी। रात-भर ओस में भीगी हुई पक्की ज़मीन उसके नंगे पैरों में काँटों की तरह चुभ रही थी। पंडितजी उसे कभी इतने सवेरे उठने न देते थे। शीत उसके लिए बहुत हानिकारक था। पर अब वह दिन नहीं रहे। प्रकृति को भी समय के साथ बदल देने का प्रयत्न कर रही थी। झाड़ू से फुरसत पाकर उसने आग जलायी और चावल-दाल की कंकड़ियाँ चुनने लगी। कुछ देर में लड़के जागे। बहुएँ उठीं। सभी ने बुढ़िया को सर्दी से सिकुड़े हुए काम करते देखा; पर किसी ने यह न कहा कि अम्माँ, क्यों हल्कान होती हो? शायद सब-के-सब बुढ़िया के इस मान-मर्दन पर प्रसन्न थे।

आज से फूलमती का यही नियम हो गया कि जी तोड़कर घर का काम करना और अंतरंग नीति से अलग रहना। उसके मुख पर जो एक आत्मगौरव झलकता रहता था, उसकी जगह अब गहरी वेदना छायी हुई नज़र आती थी। जहाँ बिजली जलती थी, वहाँ अब तेल का दिया टिमटिमा रहा था, जिसे बुझा देने के लिए हवा का एक हलका-सा झोंका काफ़ी है।

मुरारीलाल को इनकारी पत्र लिखने की बात पक्की हो ही चुकी थी। दूसरे दिन पत्र लिख दिया गया। दीनदयाल से कुमुद का विवाह निश्चित हो गया। दीनदयाल की उम्र चालीस से कुछ अधिक थी, मर्यादा में भी कुछ हेठे थे, पर रोटी-दाल से ख़ुश थे। बिना किसी ठहराव के विवाह करने पर राज़ी हो गये। तिथि नियत हुई, बारात आयी, विवाह हुआ और कुमुद विदा कर दी गयी। फूलमती के दिल पर क्या गुज़र रही थी, इसे कौन जान सकता है; कुमुद के दिल पर क्या गुज़र रही थी, इसे कौन जान सकता है; पर चारों भाई बहुत प्रसन्न थे, मानो उनके हृदय का काँटा निकल गया हो। ऊँचे कुल की कन्या, मुँह कैसे खोलती? भाग्य में सुख भोगना लिखा होगा, सुख भोगेगी; दुख भोगना लिखा होगा, दुःख झेलेगी। हरि-इच्छा बेबसों का अंतिम अवलम्ब है। घरवालों ने जिससे विवाह कर दिया, उसमें हज़ार ऐब हों, तो भी वह उसका उपास्य, उसका स्वामी है। प्रतिरोध उसकी कल्पना से परे था।

फूलमती ने किसी काम में दख़ल न दिया। कुमुद को क्या दिया गया, मेहमानों का कैसा सत्कार किया गया, किसके यहाँ से नेवते में क्या आया, किसी बात से भी उसको सरोकार न था। उससे कोई सलाह भी ली गयी तो यही कहा—बेटा, तुम लोग जो करते हो, अच्छा ही करते हो। मुझसे क्या पूछते हो!

जब कुमुद के लिए द्वार पर डोली आ गयी और कुमुद माँ के गले लिपटकर रोने लगी, तो वह बेटी को अपनी कोठरी में ले गयी और जो कुछ सौ-पचास रुपये और दो-चार मामूली गहने उसके पास बच रहे थे, बेटी के आँचल में डालकर बोली—बेटी, मेरी तो मन की मन में रह गयी, नहीं तो क्या आज तुम्हारा विवाह इस तरह होता और तुम इस तरह विदा की जातीं!

आज तक फूलमती ने अपने गहनों की बात किसी से न कही थी। लड़कों ने उसके साथ जो कपट-व्यवहार किया था, इसे चाहे वह अब तक न समझी हो, लेकिन इतना जानती थी कि गहने फिर न मिलेंगे और मनोमालिन्य बढ़ने के सिवा कुछ हाथ न लगेगा। लेकिन इस अवसर पर उसे अपनी सफ़ाई देने की ज़रूरत मालूम हुई। कुमुद यह भाव मन में लेकर जाये कि अम्माँ ने अपने गहने बहुओं के लिए रख छोड़े, इसे वह किसी तरह न सह सकती थी, इसीलिए वह अपनी कोठरी में ले गयी थी। लेकिन कुमुद को पहले ही इस कौशल की टोह मिल चुकी थी; उसने गहने और रुपये आँचल से निकालकर माता के चरणों पर रख दिये और बोली—अम्माँ मेरे लिए तुम्हारा आशीर्वाद लाखों रुपयों के बराबर है। तुम इन चीज़ों को अपने पास रखो। न जाने अभी तुम्हें किन विपत्तियों का सामना करना पड़े।

फूलमती कुछ कहना ही चाहती थी कि उमानाथ ने आकर कहा—क्या कर रही है कुमुद? चल, जल्दी कर। साइत टली जाती है। वह लोग हाय-हाय कर रहे हैं, फिर तो दो-चार महीने में आयेगी ही, जो कुछ लेना-देना हो, ले लेना।

फूलमती के घाव पर जैसे मानो नमक पड़ गया। बोली—मेरे पास अब क्या है भैया, जो मैं इसे दूँगी? जाओ बेटी, भगवान् तुम्हारा सुहाग अमर करें।

कुमुद विदा हो गयी। फूलमती पछाड़ खाकर गिर पड़ी। जीवन की अंतिम लालसा नष्ट हो गयी।

6

एक साल बीत गया।

फूलमती का कमरा घर में सब कमरों से बड़ा और हवादार था। कई महीनों से उसने बड़ी बहू के लिए खाली कर दिया था और खुद एक छोटी-सी कोठरी में रहने लगी, जैसे कोई भिखारिन हो। बेटों और बहुओं से अब उसे ज़रा भी स्नेह न था। वह अब घर की लौंडी थी। घर के किसी प्राणी, किसी वस्तु, किसी प्रसंग से उसे प्रयोजन न था। वह केवल इसीलिए जीती थी कि मौत न आती थी। सुख या दुःख का अब उसे लेशमात्र भी ज्ञान न था।

उमानाथ का औषधालय खुला, मित्रों की दावत हुई, नाच-तमाशा हुआ। दयानाथ का प्रेस खुला, फिर जलसा हुआ। सीतानाथ को वज़ीफ़ा मिला और विलायत गया, फिर उत्सव हुआ। कामतानाथ के बड़े लड़के का यज्ञोपवीत संस्कार हुआ, फिर धूम-धाम हुई; लेकिन फूलमती के मुख पर आनंद की छाया तक न आयी! कामतानाथ टाइफाइड में महीने-भर बीमार रहा और मरकर उठा। दयानाथ ने अबकी अपने पत्र का प्रचार बढ़ाने के लिए वास्तव में एक आपत्तिजनक लेख लिखा और छः महीने की सज़ा पायी। उमानाथ ने एक फौजदारी के मामले में रिश्वत लेकर ग़लत रिपोर्ट लिखी और उसकी सनद छीन ली गयी; पर फूलमती के चेहरे पर रंज की परछाईं तक न पड़ी। उसके जीवन में अब कोई आशा, कोई दिलचस्पी, कोई चिन्ता न थी। बस, पशुओं की तरह काम करना और खाना, यही उसकी ज़िन्दगी के दो काम थे। जानवर मारने से काम करता है; पर खाता है मन से। फूलमती बेकहे काम करती थी; पर खाती थी विष के कौर की तरह। महीनों सिर

में तेल न पड़ता, महीनों कपड़े न धुलते, कुछ परवाह नहीं। चेतनाशून्य हो गयी थी।

सावन की झड़ी लगी हुई थी। मलेरिया फैल रहा था। आकाश में मटियाले बादल थे, ज़मीन पर मटियाला पानी। आर्द्र वायु शीत-ज्वर और श्वास का वितरण करती फिरती थी। घर की महरी बीमार पड़ गयी। फूलमती ने घर के सारे बर्तन माँजे, पानी में भीग-भीगकर सारा काम किया। फिर आग जलायी और चूल्हे पर पतीलियाँ चढ़ा दीं। लड़कों को समय पर भोजन तो मिलना चाहिए। सहसा उसे याद आया, कामतानाथ नल का पानी नहीं पीते। उसी वर्षा में गंगाजल लाने चली।

कामतानाथ ने पलँग पर लेटे-लेटे कहा—रहने दो अम्माँ, मैं पानी भर लाऊँगा, आज महरी ख़ूब बैठ रही।

फूलमती ने मटियाले आकाश की ओर देखकर कहा—तुम भीग जाओगे बेटा, सर्दी हो जायेगी।

कामतानाथ बोले—तुम भी तो भीग रही हो। कहीं बीमार न पड़ जाओ।

फूलमती निर्मम भाव से बोली—मैं बीमार न पड़ूँगी। मुझे भगवान् ने अमर कर दिया है।

उमानाथ भी वहीं बैठा हुआ था। उसके औषधालय में कुछ आमदनी न होती थी, इसीलिए बहुत चिन्तित रहता था। भाई-भावज की मुँहदेखी करता रहता था। बोला—जाने भी दो भैया! बहुत दिनों बहुओं पर राज कर चुकी हैं, उसका प्रायश्चित्त तो करने दो।

गंगा बढ़ी हुई थीं, जैसे समुद्र हो। क्षितिज सामने के कूल से मिला हुआ था। किनारों के वृक्षों की केवल फुनगियाँ पानी के ऊपर रह गयी थीं। घाट ऊपर तक पानी में डूब गये थे। फूलमती कलसा लिए नीचे उतरी। पानी भरा और ऊपर जा रही थी कि पाँव फिसला। सँभल न सकी। पानी में गिर पड़ी। पल-भर हाथ-पाँव चलाये, फिर लहरें उसे नीचे खींच ले गयीं। किनारे पर दो-चार पंडे चिल्लाये—'अरे दौड़ो, बुढ़िया डूबी जाती है।' दो-चार आदमी दौड़े भी; लेकिन फूलमती लहरों में समा गयी थी, उन बल खाती हुई लहरों में, जिन्हें देखकर ही हृदय काँप उठता था।

एक ने पूछा—यह कौन बुढ़िया थी?

'अरे, वही पंडित अयोध्यानाथ की विधवा है।'

'अयोध्यानाथ तो बड़े आदमी थे?'

'हाँ थे तो, पर इसके भाग्य में ठोकर खाना लिखा था।'

'उनके तो कई लड़के बड़े-बड़े हैं और सब कमाते हैं?'

'हाँ, सब हैं भाई; मगर भाग्य भी तो कोई वस्तु है!'

❑❑❑

बड़े भाई साहब

मेरे भाई साहब मुझसे पाँच साल बड़े थे लेकिन तीन दरजे आगे। उन्होंने भी उसी उम्र में पढ़ना शुरू किया था, जब मैंने शुरू किया; लेकिन तालीम जैसे महत्त्व के मामले में वह जल्दीबाज़ी से काम लेना पसंद न करते थे। इस भवन की बुनियाद ख़ूब मज़बूत डालना चाहते थे, जिस पर आलीशान महल बन सके। एक साल का काम दो साल में करते थे। कभी-कभी तीन साल भी लग जाते थे। बुनियाद ही पुख़्ता न हो, तो मकान कैसे पायेदार बने!

मैं छोटा था, वह बड़े थे। मेरी उम्र नौ साल की, वह चौदह साल के थे। उन्हें मेरी तम्बीह और निगरानी का पूरा जन्मसिद्ध अधिकार था और मेरी शालीनता इसी में थी कि उनके हुक्म को क़ानून समझूँ।

वह स्वभाव से बड़े अध्ययनशील थे। हरदम किताब खोले बैठे रहते और शायद दिमाग को आराम देने के लिए कभी कॉपी पर, कभी किताब के हाशियों पर चिड़ियों, कुत्तों, बिल्लियों की तस्वीरें बनाया करते थे। कभी-कभी एक ही नाम या शब्द या वाक्य दस-बीस बार लिख डालते। कभी एक शेर को बार-बार सुन्दर अक्षरों से नकल करते। कभी ऐसी शब्द-रचना करते, जिसमें न कोई अर्थ होता, न कोई सामंजस्य! मसलन एक बार उनकी कॉपी पर मैंने यह इबारत देखी—स्पेशल, अमीना, भाइयों-भाइयों, दर-असल, भाई-भाई, राधेश्याम, श्रीयुत राधेश्याम, एक घंटे तक—इसके बाद एक आदमी का चेहरा बना हुआ था। मैंने चेष्टा की कि इस पहेली का कोई अर्थ निकालूँ; लेकिन असफल रहा और उनसे पूछने का साहस न हुआ। वह नवीं जमात में थे, मैं पाँचवीं में। उनकी रचनाओं को समझना मेरे लिए छोटा मुँह बड़ी बात थी।

मेरा जी पढ़ने में बिल्कुल न लगता था। एक घंटा भी किताब लेकर बैठना पहाड़ था। मौक़ा पाते ही होस्टल से निकलकर मैदान में आ जाता और कभी कंकरियाँ उछालता, कभी काग़ज़ की तितलियाँ उड़ाता, और कहीं कोई साथी मिल गया तो पूछना ही क्या! कभी चारदीवारी पर चढ़कर नीचे कूद रहे हैं कभी फाटक पर सवार, उसे आगे-पीछे चलाते हुए मोटरकार का आनंद उठा रहे हैं, लेकिन कमरे में आते ही भाई साहब का रौद्र रूप देखकर प्राण सूख जाते। उनका पहला सवाल होता—'कहाँ थे?' हमेशा यही सवाल, इसी ध्वनि में हमेशा पूछा जाता था और उसका जवाब मेरे पास केवल मौन था। न जाने मुँह से यह बात क्यों न निकलती कि ज़रा बाहर खेल रहा था। मेरा मौन कह देता था कि मुझे अपना अपराध स्वीकार है और भाई साहब के लिए इसके सिवा और कोई इलाज न था स्नेह और कि रोष से मिले हुए शब्दों में मेरा सत्कार करें।

'इस तरह अंगरेजी पढ़ोगे, तो ज़िन्दगी भर पढ़ते रहोगे और एक हर्फ़ न आयेगा। अंगरेजी पढ़ना कोई हँसी-खेल नहीं है कि जो चाहे पढ़ ले; नहीं ऐरा-ग़ैरा नत्थू ख़ैरा सभी अंगरेजी के विद्वान् हो जाते। यहाँ रात-दिन आँखें फोड़नी पड़ती हैं और ख़ून जलाना पड़ता है, तब कहीं यह विद्या आती है। और आती

क्या है, हाँ कहने को आ जाती है। बड़े-बड़े विद्वान् भी शुद्ध अंगरेजी नहीं लिख सकते, बोलना तो दूर रहा। और मैं कहता हूँ, तुम कितने घोंघा हो कि मुझे देखकर भी सबक नहीं लेते। मैं कितनी मेहनत करता हूँ, यह तुम अपनी आँखों देखते हो, अगर नहीं देखते, तो यह तुम्हारी आँखों का कसूर है, तुम्हारी बुद्धि का कसूर है। इतने खेल-तमाशे होते हैं, मुझे तुमने कभी देखने जाते देखा है? रोज़ ही क्रिकेट और हॉकी मैच होते हैं, मैं पास नहीं फटकता। हमेशा पढ़ता रहता हूँ; उस पर भी एक-एक दरजे में दो-दो, तीन-तीन साल पड़ा रहता हूँ; फिर तुम कैसे आशा करते हो कि तुम यों खेल-कूद में वक़्त गँवाकर पास हो जाओगे? मुझे तो दो ही तीन साल लगते हैं, तुम उम्र भर इसी दरजे में पड़े सड़ते रहोगे! अगर तुम्हें इस तरह उम्र गँवानी है, तो बेहतर है, घर चले जाओ और मजे से गुल्ली-डंडा खेलो। दादा की गाढ़ी कमाई के रुपये क्यों बरबाद करते हो?'

मैं यह लताड़ सुनकर आँसू बहाने लगता। जवाब ही क्या था! अपराध तो मैंने किया, लताड़ कौन सहे? भाई साहब उपदेश की कला में निपुण थे। ऐसी-ऐसी लगती बातें कहते, ऐसे-ऐसे सूक्ति-बाण चलाते कि मेरे जिगर के टुकड़े-टुकड़े हो जाते और हिम्मत छूट जाती। इस तरह जान तोड़कर मेहनत करने की शक्ति मैं अपने में न पाता और उस निराशा में जरा देर के लिए मैं सोचने लगता—क्यों न घर चला जाऊँ। जो काम मेरे बूते के बाहर है, उसमें हाथ डालकर क्यों अपनी जिन्दगी ख़राब करूँ? मुझे अपना मूर्ख रहना मंजूर था; लेकिन उतनी मेहनत से मुझे तो चक्कर आ जाता था। लेकिन घंटे-दो-घंटे बाद निराशा के बादल फट जाते और मैं इरादा करता कि आगे से ख़ूब जी लगाकर पढ़ूँगा। चटपट एक टाइम-टेबिल बना डालता। बिना पहले से नक़्शा बनाये, कोई स्कीम तैयार किये काम कैसे शुरू करूँ? टाइम-टेबिल में खेल-कूद की मद बिल्कुल उड़ जाती। प्रातःकाल उठना, छः बजे मुँह-हाथ धो, नाश्ता कर पढ़ने बैठ जाना। छः से आठ तक अंगरेज़ी, आठ से नौ तक हिसाब, नौ से साढ़े नौ तक इतिहास, फिर भोजन और स्कूल। साढ़े तीन बजे स्कूल से वापस होकर आधा घण्टा आराम, चार से पाँच तक भूगोल, पाँच से छः तक ग्रामर, आधा घंटा होस्टल के सामने टहलना, साढ़े छः से सात तक अंगरेज़ी कम्पोज़ीशन, फिर भोजन करके आठ से नौ तक अनुवाद, नौ से दस तक हिन्दी, दस से ग्यारह तक विविध-विषय, फिर विश्राम।

मगर टाइम-टेबिल बना लेना एक बात है, उस पर अमल करना दूसरी बात। पहले ही दिन से उसकी अवहेलना शुरू हो जाती। मैदान की वह सुखद हरियाली, हवा के वह हलके-हलके झोंके, फुटबाल की उछल-कूद, कबड्डी के वह दाँव-घात, बाली-बाल की वह तेज़ी और फुरती मुझे अज्ञात और अनिवार्य रूप से खींच ले जाती और वहाँ जाते ही मैं सब कुछ भूल जाता। वह जान-लेवा टाइम-टेबिल, वह आँखफोड़ पुस्तकें, किसी की याद न रहती, और फिर भाई साहब को नसीहत और फ़ज़ीहत का अवसर मिल जाता। मैं उनके साये से भागता, उनकी आँखों से दूर रहने की चेष्टा करता। कमरे में इस तरह दबे पाँव आता कि उन्हें ख़बर न हो! उनकी नज़र मेरी ओर उठी और मेरे प्राण निकले। हमेशा सिर पर एक नंगी तलवार-सी लटकती मालूम होती। फिर भी जैसे मौत और विपत्ति के बीच में भी आदमी मोह और माया के बंधन में जकड़ा रहता है, मैं फटकार और घुड़कियाँ खाकर भी खेल-कूद का तिरस्कार न कर सकता।

2

सालाना इम्तहान हुआ। भाई साहब फेल हो गये, मैं पास हो गया और दरजे में प्रथम आया। मेरे और उनके बीच केवल दो साल का अन्तर रह गया। जी में आया, भाई साहब को आड़े हाथों लूँ—आपकी वह घोर तपस्या कहाँ गयी? मुझे देखिये, मज़े से खेलता भी रहा और दरजे में अव्वल भी हूँ। लेकिन वह इतने दुःखी और उदास थे कि मुझे उनसे दिली हमदर्दी हुई और उनके घाव पर नमक छिड़कने का विचार ही लज्जास्पद जान पड़ा। हाँ, अब मुझे अपने ऊपर कुछ अभिमान हुआ और आत्मासम्मान भी बढ़ा! भाई साहब का वह रौब मुझ पर न रहा। आज़ादी से खेल-कूद में शरीक़ होने लगा। दिल मज़बूत था। अगर उन्होंने फिर मेरी फज़ीहत की, तो साफ़ कह दूँगा—आपने अपना ख़ून जलाकर कौन-सा तीर मार लिया। मैं तो खेलते-कूदते दरजे में अव्वल आ गया। ज़बान से यह हेकड़ी जताने का साहस न होने पर भी मेरे रंग-ढंग से साफ़ ज़ाहिर होता था कि भाई साहब का वह आतंक मुझ पर नहीं है। भाई साहब ने इसे भाँप लिया—उनकी सहज बुद्धि बड़ी तीव्र थी और एक दिन जब मैं भोर का सारा समय गुल्ली-डंडे की भेंट करके ठीक भोजन के समय लौटा, तो भाई साहब ने मानो तलवार खींच ली और मुझ पर टूट पड़े—देखता हूँ, इस साल पास हो गये और दरजे में अव्वल आ गये, तो तुम्हें दिमाग़ हो गया है; मगर भाईजान, घमंड तो बड़े-बड़ों का नहीं रहा, तुम्हारी क्या हस्ती है? इतिहास में रावण का हाल तो पढ़ा ही होगा। उसके चरित्र से तुमने कौन-सा उपदेश लिया? या यों ही बढ़ गये? महज़ इम्तहान पास कर लेना कोई चीज़ नहीं, असल चीज़ है बुद्धि का विकास। जो कुछ पढ़ो, उसका अभिप्राय समझो। रावण भू-मंडल का स्वामी था। ऐसे राजाओं को चक्रवर्ती कहते हैं। आजकल अँगरेजों के राज्य का विस्तार बहुत बढ़ा हुआ है; पर इन्हें चक्रवर्ती नहीं कह सकते! संसार में अनेक राष्ट्र अँगरेज़ों का आधिपत्य स्वीकार नहीं करते। बिल्कुल स्वाधीन हैं। रावण चक्रवर्ती राजा था। संसार के सभी महीप उसे कर देते थे। बड़े-बड़े देवता उसकी गुलामी करते थे। आग और पानी के देवता भी उसके दास थे; मगर उसका अंत क्या हुआ? घमंड ने उसका नामो-निशान तक मिटा दिया, कोई उसे एक चुल्लू पानी देनेवाला भी न बचा। आदमी जो कुकर्म चाहे करे; पर अभिमान न करे, इतराए नहीं। अभिमान किया और दीन-दुनिया, दोनों से गया।

शैतान का हाल भी पढ़ा ही होगा। उसे यह अभिमान हुआ था कि ईश्वर का उससे बढ़कर सच्चा भक्त कोई है ही नहीं। अन्त में यह हुआ कि स्वर्ग से नरक में ढकेल दिया गया। शाहेरूम ने भी एक बार अहंकार किया था। भीख माँग-माँगकर मर गया। तुमने तो अभी केवल एक दरजा पास किया है और अभी से तुम्हारा सिर फिर गया, तब तो तुम आगे पढ़ चुके। यह समझ लो कि तुम अपनी मेहनत से नहीं पास हुए, अन्धे के हाथ बटेर लग गयी। मगर बटेर केवल एक बार हाथ लग सकती है, बार-बार नहीं। कभी-कभी गुल्ली-डंडे में भी अंधाचोट निशाना पड़ जाता है। इससे कोई सफल खिलाड़ी नहीं हो जाता। सफल खिलाड़ी वह है, जिसका कोई निशाना खाली न जाये। मेरे फेल होने पर न जाओ। मेरे दरजे में आओगे, तो दाँतों पसीना आयेगा, जब अलजबरा और जॉमेट्री के लोहे के चने चबाने पड़ेंगे और इंगलिस्तान का इतिहास पढ़ना पड़ेगा! बादशाहों के नाम याद

रखना आसान नहीं। आठ-आठ हेनरी हो गुजरे हैं। कौन-सा कांड किस हेनरी के समय हुआ, क्या यह याद कर लेना आसान समझते हो? हेनरी सातवें की जगह, हेनरी आठवाँ लिखा और सब नम्बर ग़ायब! सफ़ाचट। सिफ़र भी न मिलेगा, सिफ़र भी! हो किस ख़याल में? दरजनों तो जेम्स हुए हैं, दरजनों विलियम, कोड़ियों चार्ल्स! दिमाग़ चक्कर खाने लगता है। आँधी रोग हो जाता है। इन अभागों को नाम भी न जुड़ते थे। एक ही नाम के पीछे दोयम, तेयम, चहारुम पंजुम, पंजम लगाते चले गये। मुझसे पूछते, तो दस लाख नाम बता देता।

जॉमेट्री तो बस ख़ुदा की पनाह! अ ब ज की जगह अ ज ब लिख दिया और सारे नम्बर कट गये। कोई इन निर्दयी मुमतहिनों से नहीं पूछता कि आख़िर अ ब ज और अ ज ब में क्या फ़र्क़ है, और व्यर्थ की बात के लिए क्यों छात्रों का ख़ून करते हो? दाल भात रोटी खायी या भात-दाल-रोटी खायी, इसमें क्या रखा है; मगर इन परीक्षकों को क्या परवाह! वह तो वही देखते हैं, जो पुस्तक में लिखा है। चाहते हैं कि लड़के अक्षर-अक्षर रट डालें और इसी रटंत का नाम शिक्षा रख छोड़ा है और आख़िर इन बे-सिर-पैर की बातों के पढ़ने से फ़ायदा? इस रेखा पर वह लम्ब गिरा दो, तो आधार लम्ब से दुगना होगा। पूछिए, इससे प्रयोजन? दुगना नहीं, चौगुना हो जाये, या आधा ही रहे, मेरी बला से, लेकिन परीक्षा में पास होना है, तो यह सब खुराफ़ात याद करनी पड़ेगी। कह दिया– 'समय की पाबंदी' पर एक निबन्ध लिखो, जो चार पन्नों से कम न हो। अब आप कॉपी सामने खोले, कलम हाथ में लिए, उसके नाम को रोइए। कौन नहीं जानता कि समय की पाबन्दी बहुत अच्छी बात है। इससे आदमी के जीवन में संयम आ जाता है, दूसरों का उस पर स्नेह होने लगता है और उसके कारोबार में उन्नति होती है; ज़रा-सी बात पर चार पन्ने कैसे लिखें? जो बात एक वाक्य में कही जा सके, उसे चार पन्ने में लिखने की ज़रूरत? मैं तो इसे हिमाक़त समझता हूँ। यह तो समय की किफ़ायत नहीं, बल्कि उसका दुरुपयोग है कि व्यर्थ में किसी बात को ठूँस दिया जाये। हम चाहते हैं, आदमी को जो कुछ कहना हो, चटपट कह दे और अपनी राह ले। मगर नहीं, आपको चार पन्ने रँगने पड़ेंगे, चाहे जैसे लिखिए और पन्ने भी पूरे फुलस्केप आकार के। यह छात्रों पर अत्याचार नहीं तो और क्या है? अनर्थ तो यह है कि कहा जाता है कि संक्षेप में लिखो, समय पाबन्दी पर संक्षेप में एक निबन्ध लिखो, जो चार पन्ने से कम न हो। ठीक! संक्षेप में तो चार पन्ने हुए, नहीं तो शायद सौ-दो-सौ पन्ने लिखवाते। तेज़ भी दौड़िए और धीरे-धीरे भी। है उलटी बात है या नहीं? बालक भी इतनी-सी बात समझ सकता है, लेकिन इन अध्यापकों को इतनी तमीज़ भी नहीं। उस पर दावा है कि हम अध्यापक हैं। मेरे दरजे में आओगे लाला, तो ये सारे पापड़ बेलने पड़ेंगे और तब आटे दाल का भाव मालूम होगा। इस दरजे में अव्वल आ गये हो, तो ज़मीन पर पाँव नहीं रखते। इसलिए मेरा कहना मानिए। लाख फेल हो गया हूँ, लेकिन तुमसे बड़ा हूँ, संसार का मुझे तुमसे ज्यादा अनुभव है। जो कहता हूँ, उसे गिरह बाँधिए, नहीं तो पछताइयेगा।

स्कूल का समय निकट था, नहीं तो ईश्वर जाने, यह उपदेश-माला कब समाप्त होती। भोजन आज मुझे निस्वाद-सा लग रहा था। जब पास होने पर यह तिरस्कार हो रहा है, तो फेल हो जाने पर तो शायद प्राण ही ले लिए जायँ। भाई साहब ने अपने दरजे की पढ़ाई का जो भयंकर चित्र खींचा था, उसने मुझे भयभीत कर दिया। कैसे स्कूल छोड़कर घर नहीं भागा, यही ताज्जुब है; लेकिन इतने तिरस्कार

पर भी पुस्तकों में मेरी अरुचि ज्यों-की-त्यों बनी रही। खेल-कूद का कोई अवसर हाथ से न जाने देता। पढ़ता भी था, मगर बहुत कम। बस इतना कि रोज़ का टास्क पूरा हो जाये और दरजे में ज़लील न होना पड़े। अपने ऊपर जो विश्वास पैदा हुआ था, वह फिर लुप्त हो गया और फिर चोरों का-सा जीवन कटने लगा।

3

फिर सालाना इम्तहान हुआ, और कुछ ऐसा संयोग हुआ कि मैं फिर पास हुआ और भाई साहब फेल हो गये। मैंने बहुत मेहनत न की, पर न जाने कैसे दरजे में अव्वल आ गया। मुझे ख़ुद अचरज हुआ। भाई साहब ने प्राणाँत तक परिश्रम किया था। कोर्स का एक-एक शब्द चाट गये थे, दस बजे रात तक इधर, चार बजे भोर से उधर, छः से साढ़े नौ तक स्कूल जाने के पहले। मुद्रा कांतिहीन हो गयी थी, मगर बेचारे फेल हो गये। मुझे उन पर दया आती थी। नतीजा सुनाया गया, तो वह रो पड़े और मैं भी रोने लगा। अपने पास होने की ख़ुशी आधी हो गयी। मैं भी फेल हो गया होता, तो भाई साहब को इतना दुःख न होता, लेकिन विधि की बात कौन टाले?

मेरे और भाई साहब के बीच अब केवल एक दरजे का अन्तर और रह गया। मेरे मन में एक कुटिल भावना उदय हुई कि कहीं साहब एक साल और फेल हो जाये, तो मैं उनके बराबर हो जाऊँ, फिर वह किस आधार पर मेरी फ़जीहत कर सकेंगे; लेकिन मैंने इस कमीने विचार को दिल से बलपूर्वक निकाल डाला। आख़िर वह मुझे मेरे हित के विचार से ही तो डाँटते हैं। मुझे इस वक़्त अप्रिय लगता है अवश्य; मगर यह शायद उनके उपदेशों का ही असर हो कि मैं दनादन पास हो जाता हूँ और इतने अच्छे नम्बरों से।

अबकी भाई साहब बहुत कुछ नर्म पड़ गये थे। कई बार मुझे डाँटने का अवसर पाकर भी उन्होंने धीरज से काम लिया। शायद अब वह ख़ुद समझने लगे कि मुझे डाँटने का अधिकार उन्हें नहीं रहा, या रहा तो बहुत कम। मेरी स्वच्छंदता भी बढ़ी। मैं उनकी सहिष्णुता का अनुचित लाभ उठाने लगा। मुझे कुछ ऐसी धारणा हुई कि मैं तो पास हो ही जाऊँगा, पढ़ूँ या न पढ़ूँ, मेरी तक़दीर बलवान है; इसलिए भाई साहब के डर से जो थोड़ा-बहुत पढ़ लिया करता था, वह भी बन्द हुआ। मुझे कनकौए उड़ाने का नया शौक़ पैदा हो गया था और अब सारा समय पतंगबाज़ी ही की भेंट होता था; फिर भी मैं भाई साहब का अदब करता था, और उनकी नज़र बचाकर कनकौए उड़ाता था। माँझा देना, कन्ने बाँधना, पतंग टूर्नामेंट की तैयारियाँ आदि समस्याएँ सब गुप्त रूप से हल की जाती थीं। भाई साहब को यह सन्देह न करने देना चाहता था कि उनका सम्मान और लिहाज़ मेरी नज़रों में कम हो गया है।

एक दिन संध्या समय होस्टल से दूर मैं एक कनकौआ लूटने बेतहाशा दौड़ा जा रहा था। आँखें आसमान की ओर थी और मन उस आकाशगामी पथिक की ओर, जो मंदगति से झूमता पतन की ओर चला जा रहा था, मानो कोई आत्मा स्वर्ग से निकलकर विरक्त मन से नये संस्कार ग्रहण करने जा रही हो। बालकों की एक पूरी सेना लग्गे और झाड़दार बाँस लिये उनका स्वागत करने को दौड़ी आ रही थी। किसी को अपने आगे-पीछे की ख़बर न थी। सभी मानो उस पतंग

के साथ ही आकाश में उड़ रहे थे, जहाँ सब कुछ समतल है, न मोटरकारें हैं, न ट्राम, न गाड़ियाँ।

सहसा भाई साहब से मेरी मुठभेड़ हो गयी, जो शायद बाज़ार से लौट रहे थे। उन्होंने वहीं मेरा हाथ पकड़ लिया और उग्रभाव से बोले—इन बाज़ारी लौंडों के साथ धेले के कनकौए के लिए दौड़ते तुम्हें शर्म नहीं आती? तुम्हें इसका भी कुछ लिहाज़ नहीं कि अब नीची ज़मात में नहीं हो; बल्कि आठवीं ज़मात में आ गये हो और मुझसे केवल एक दरज़ा नीचे हो। आख़िर आदमी को कुछ तो अपनी पोजीशन का ख़याल करना चाहिए। एक ज़माना था कि लोग आठवाँ दरज़ा पास करके नायब तहसीलदार हो जाते थे। मैं कितने ही मिडिलचियों को जानता हूँ, जो आज अव्वल दरज़े के डिप्टी मैजिस्ट्रेट या सुपरिंटेंडेंट हैं। कितने ही आठवीं जमातवाले हमारे लीडर और समाचारपत्रों के सम्पादक हैं। बड़े-बड़े विद्वान् उनकी मातहती में काम करते हैं और तुम उसी आठवें दरजे में आकर बाज़ारी लौंडों के साथ कनकौए के लिए दौड़ रहे हो। मुझे तुम्हारी इस कमअक्ली पर दुःख होता है। तुम ज़हीन हो, इसमें शक नहीं; लेकिन वह ज़ेहन किस काम का, जो हमारे आत्मगौरव की हत्या कर डाले? तुम अपने दिल में समझते होगे, मैं भाई साहब से महज़ एक दरज़ा नीचे हूँ और अब उन्हें मुझको कुछ कहने का हक़ नहीं है; लेकिन यह तुम्हारी ग़लती है। मैं तुमसे पाँच साल बड़ा हूँ और चाहे आज तुम मेरी ही ज़मात में आ जाओ—और परीक्षकों का यही हाल है, तो निस्संदेह अगले साल तुम मेरे समकक्ष हो जाओगे और शायद एक साल बाद मुझसे आगे भी निकल जाओ—लेकिन मुझमें और तुममें जो पाँच साल का अन्तर है, उसे तुम क्या, ख़ुदा भी नहीं मिटा सकता। मैं तुमसे पाँच साल बड़ा हूँ और हमेशा रहूँगा। मुझे दुनिया का और ज़िन्दगी का जो तजुरबा है, तुम उसकी बराबरी नहीं कर सकते, चाहे तुम एम. ए, डी. फिल. और डी. लिट् ही क्यों न हो जाओ। समझ किताबें पढ़ने से नहीं दुनिया देखने से आती है। हमारी अम्माँ ने कोई दरज़ा नहीं पास किया, और दादा भी शायद पाँचवीं ज़मात के आगे नहीं गये, लेकिन हम दोनों चाहे सारी दुनिया की विद्या पढ़ लें, अम्माँ और दादा को हमें समझाने और सुधारने का अधिकार हमेशा रहेगा। केवल इसलिए नहीं कि वे हमारे जन्मदाता हैं; बल्कि इसलिए कि उन्हें दुनिया का हमसे ज़्यादा तजुरबा है और रहेगा। अमेरिका में किस तरह की राज्य-व्यवस्था है, और आठवें हेनरी ने कितने ब्याह किये और आकाश में कितने नक्षत्र हैं, ये बातें चाहे उन्हें न मालूम हों, लेकिन हज़ारों ऐसी बातें हैं, जिनका ज्ञान उन्हें हमसे और तुमसे ज़्यादा है।

दैव न करे, आज मैं बीमार हो जाऊँ, तो तुम्हारे हाथ-पाँव फूल जायेंगे। दादा को तार देने के सिवा तुम्हें और कुछ न सूझेगा; लेकिन तुम्हारी जगह पर दादा हों, तो किसी को तार न दें, न घबराएँ, न बदहवास हों। पहले ख़ुद मरज़ पहचानकर इलाज करेंगे, उसमें सफ़ल न हुए, तो किसी डॉक्टर को बुलायेंगे। बीमारी तो ख़ैर बड़ी चीज़ है। हम-तुम तो इतना भी नहीं जानते कि महीने-भर का ख़र्च महीना-भर कैसे चले। जो कुछ दादा भेजते हैं, उसे हम बीस-बाईस तक ख़र्च कर डालते हैं और फिर पैसे-पैसे को मोहताज़ हो जाते हैं। नाश्ता बंद हो जाता है, धोबी और नाई से मुँह चुराने लगते हैं; लेकिन जितना आज हम और तुम ख़र्च कर रहे हैं, उसके आधे में दादा ने अपनी उम्र का बड़ा भाग इज़्ज़त और नेक़नामी के साथ निभाया है और एक कुटुम्ब का पालन किया है, जिसमें सब मिलाकर नौ आदमी थे। अपने हैडमास्टर साहब ही को देखो। एम. ए. हैं कि नहीं; और

यहाँ के एम. ए. नहीं, ऑक्सफोर्ड के। एक हजार रुपये पाते हैं; लेकिन उनके घर का इंतज़ाम कौन करता है? उनकी बूढ़ी माँ। हेडमास्टर साहब की डिग्री यहाँ बेकार हो गयी। पहले खुद घर का इन्तज़ाम करते थे। ख़र्च पूरा न पड़ता था। करज़दार रहते थे। जब से उनकी माताजी ने प्रबंध अपने हाथ में ले लिया है, जैसे घर में लक्ष्मी आ गयी है। तो भाईजान, यह गरूर दिल से निकाल डालो कि तुम मेरे समीप आ गये हो और अब स्वतंत्र हो। मेरे देखते तुम बेराह न चलने पाओगे। अगर तुम यों न मानोगे, तो मैं (थप्पड़ दिखाकर) इसका प्रयोग भी कर सकता हूँ। मैं जानता हूँ, तुम्हें मेरी बातें ज़हर लग रही हैं।

मैं उनकी इस नयी युक्ति से नतमस्तक हो गया। मुझे आज सचमुच अपनी लघुता का अनुभव हुआ और भाई साहब के प्रति मेरे मन में श्रद्धा उत्पन्न हुई। मैंने सजल आँखों से कहा—हरगिज़ नहीं। आप जो कुछ फ़रमा रहे हैं, वह बिल्कुल सच है और आपको कहने का अधिकार है।

भाई साहब ने मुझे गले लगा लिया और बोले—कनकौए उड़ाने को मना नहीं करता। मेरा जी भी ललचाता है, लेकिन क्या करूँ, ख़ुद बेराह चलूँ तो तुम्हारी रक्षा कैसे करूँ? यह कर्तव्य भी तो मेरे सिर है!

संयोग से उसी वक़्त एक कटा हुआ कनकौआ हमारे ऊपर से गुज़रा। उसकी डोर लटक रही थी। लड़कों का एक गोल पीछे-पीछे दौड़ा चला आता था। भाई साहब लम्बे हैं ही, उछलकर उसकी डोर पकड़ ली और बेतहाशा होस्टल की तरफ़ दौड़े। मैं पीछे-पीछे दौड़ रहा था।

❑❑❑

शांति

स्वर्गीय देवनाथ मेरे अभिन्न मित्रों में थे। आज भी जब उनकी याद आ जाती है, तो वह रँगरेलियाँ आँखों में फिर जाती हैं, और कहीं एकान्त में जाकर ज़रा देर रो लेता हूँ। हमारे और उनके बीच में दो-ढाई सौ मील का अंतर था। मैं लखनऊ में था, वह दिल्ली में; लेकिन ऐसा शायद ही कोई महीना जाता हो कि हम आपस में न मिल जाते हों। वह स्वच्छन्द प्रकृति के विनोदप्रिय, सहृदय, उदार और मित्रों पर प्राण देनेवाले आदमी थे, जिन्होंने अपने और पराये में कभी भेद नहीं किया। संसार क्या है और यहाँ लौकिक व्यवहार का कैसा निर्वाह होता है, यह उस व्यक्ति ने कभी जानने की चेष्टा नहीं की। उनके जीवन में ऐसे कई अवसर आये, जब उन्हें आगे के लिए होशियार हो जाना चाहिए था। मित्रों ने उनकी निष्कपटता से अनुचित लाभ उठाया, और कई बार उन्हें लज्जित भी होना पड़ा; लेकिन उस भले आदमी ने जीवन से कोई सबक लेने की कसम खा ली थी। उनके व्यवहार ज्यों-के-त्यों रहे–'भोलानाथ जिये, वैसे ही भोलानाथ मरे।' जिस दुनिया में वह रहते थे, वह निराली दुनिया थी, जिसमें संदेह, चालाकी और कपट के लिए स्थान न था–सब अपने थे, कोई ग़ैर न था। मैंने बार-बार उन्हें सचेत करना चाहा, पर इसका परिणाम आशा के विरुद्ध हुआ। मुझे कभी-कभी चिन्ता होती थी कि उन्होंने हाथ बंद न किया, तो नतीज़ा क्या होगा? लेकिन विडम्बना यह थी कि उनकी स्त्री गोपा भी कुछ उसी साँचे में ढली हुई थीं। हमारी देवियों में जो एक चातुरी होती है, जो सदैव ऐसे उड़ाऊ पुरुषों की असावधानियों पर 'ब्रेक' का काम करती है, उससे वह वंचित थी। यहाँ तक कि वस्त्राभूषण में भी उसे विशेष रुचि न थी, अतएव जब मुझे देवनाथ के स्वर्गारोहण का समाचार मिला और मैं भागा हुआ दिल्ली गया, तो घर में बरतन-भाँड़े और मकान के सिवा और कोई सम्पत्ति न थी। और अभी उसकी उमर ही क्या थी, जो संचय की चिन्ता करते? चालीस भी तो पूरे न हुए थे। यों तो लड़कपन उनके स्वभाव में ही था; लेकिन इस उम्र में प्रायः सभी लोग कुछ बेफ़िक्र रहते हैं। पहले एक लड़की हुई थी। इसके बाद दो लड़के हुए। दोनों लड़के तो बचपन में ही दग़ा दे गये थे। लड़की बच रही थी, और यही इस नाटक का सबसे करुण दृश्य था। जिस तरह का इनका जीवन था, उसके देखते इस छोटे से परिवार के लिए दो सौ रुपये महीने की जरूरत थी। दो-तीन साल में लड़की का विवाह भी करना होगा। कैसे क्या होगा, मेरी बुद्धि कुछ काम न करती थी।

इस अवसर पर मुझे यह बहुमूल्य अनुभव हुआ कि जो लोग सेवा-भाव रखते हैं, और जो स्वार्थ-सिद्धि को जीवन का लक्ष्य नहीं बनाते, उनके परिवार को आड़ देनेवालों की कमी नहीं रहती। यह कोई नियम नहीं है, क्योंकि मैंने ऐसे लोगों को भी देखा है, जिन्होंने जीवन में बहुतों के साथ सलूक किये; पर उनके पीछे उनके बाल-बच्चों की किसी ने बात तक न पूछी। लेकिन चाहे कुछ हो, देवनाथ के मित्रों ने प्रशंसनीय औदार्य से काम लिया और गोपा के निर्वाह के लिए स्थायी धन जमा करने का प्रस्ताव किया। दो-एक सज्जन जो रँडुवे थे, उससे विवाह करने

को तैयार थे किन्तु गोपा ने भी उसी स्वाभिमान का परिचय दिया, जो हमारी देवियों का जौहर है और इस प्रस्ताव को अस्वीकार कर दिया। मकान बहुत बड़ा था। उसका एक भाग किराये पर उठा दिया। इस तरह उसको 50 रु. माहवार मिलने लगे। वह इतने में ही अपना निर्वाह कर लेगी। जो कुछ ख़र्च था, वह सुन्नी की जात से था। गोपा के लिए तो जीवन में अब कोई अनुराग ही न था।

2

इसके एक महीने बाद मुझे कारोबार के सिलसिले में विदेश जाना पड़ा और वहाँ मेरे अनुमान से कहीं अधिक—दो साल लग गये। गोपा के पत्र बराबर आते रहते थे, जिससे मालूम होता था, वह आराम से है, कोई चिन्ता की बात नहीं है। मुझे पीछे ज्ञात हुआ कि गोपा ने मुझे भी ग़ैर समझा और वास्तविक स्थिति छिपाती रही।

विदेश से लौटकर मैं सीधा दिल्ली पहुँचा। द्वार पर पहुँचते ही मुझे रोना आ गया। मृत्यु की प्रतिध्वनि-सी छायी हुई थी। जिस कमरे में मित्रों के जमघट रहते थे, उनके द्वार बन्द थे, मकड़ियों ने चारों ओर जाले तान रखे थे। देवनाथ के साथ वह श्री भी लुप्त हो गयी थी। पहली नजर में तो मुझे ऐसा भ्रम हुआ कि देवनाथ द्वार पर खड़े मेरी ओर देखकर मुस्करा रहे हैं। मैं मिथ्यावादी नहीं हूँ और आत्मा की दैहिकता में मुझे सन्देह है; लेकिन उस वक़्त एक बार मैं चौंक ज़रूर पड़ा। हृदय में एक कम्पन-सा उठा; लेकिन दूसरी नज़र में प्रतिमा मिट चुकी थी।

द्वार खुला। गोपा के सिवा खोलनेवाला ही कौन था? मैंने उसे देखकर दिल थाम लिया। उसे मेरे आने की सूचना थी और मेरे स्वागत की प्रतीक्षा में उसने नयी साड़ी पहन ली थी और शायद बाल भी गूँथ लिए थे; पर इन दो वर्षों के समय ने उस पर जो आघात किये थे, उन्हें क्या कहती? नारियों के जीवन में यह वह अवस्था है, जब रूप-लावण्य अपने पूरे विकास पर होता है, जब उसमें अल्हड़पन, चंचलता और अभिमान की जगह, आकर्षण, माधुर्य और रसिकता आ जाती है; लेकिन गोपा का यौवन बीत चुका था। उसके मुख पर झुर्रियाँ और विषाद की रेखाएँ अंकित थीं, जिन्हें उसकी प्रयत्नशील प्रसन्नता भी न मिटा सकती थी। केशों पर सफ़ेदी दौड़ चली थी और एक-एक अंग बूढ़ा हो रहा था।

मैंने करुण स्वर में पूछा—क्या तुम बीमार थीं, गोपा?

गोपा ने आँसू पीकर कहा—नहीं तो, मुझे कभी सिर-दर्द भी नहीं हुआ।

'तो तुम्हारी यह क्या दशा है? बिल्कुल बूढ़ी हो गयी हो।'

'तो अब जवानी लेकर करना ही क्या है? मेरी उम्र भी तो पैंतीस के ऊपर हो गयी!'

'पैंतीस की उम्र तो बहुत नहीं होती।'

'हाँ उनके लिए, जो बहुत दिन जीना चाहते हैं। मैं तो चाहती हूँ जितनी जल्द हो सके, जीवन का अंत हो जाये। बस, सुन्नी के ब्याह की चिंता है। इससे छुट्टी पा जाऊँ; फिर मुझे जिन्दगी की परवाह न रहेगी।'

अब मालूम हुआ कि जो सज्जन इस मकान में किरायेदार हुए थे, वह थोड़े दिनों के बाद तब्दील होकर चले गये और तब से कोई दूसरा किरायेदार न आया। मेरे हृदय में बरछी-सी चुभ गयी। इतने दिन इन बेचारों का निर्वाह कैसे हुआ? यह कल्पना ही दुःखद थी।

मैने विरक्त मन से कहा—लेकिन तुमने मुझे सूचना क्यों न दी? क्या मैं बिल्कुल ग़ैर हूँ?

गोपा ने लज्जित होकर कहा—नहीं-नहीं, यह बात नहीं है। तुम्हें ग़ैर समझूँगी तो अपना किसे समझूँगी? मैंने समझा, परदेश में तुम ख़ुद अपने झमेले में पड़े होगे, तुम्हें क्यों सताऊँ? किसी-न-किसी तरह दिन कट ही गये। घर में और कुछ न था, तो थोड़े-से गहने तो थे ही। अब सुनीता के विवाह की चिंता है। पहले मैंने सोचा था, इस मकान को निकाल दूँगी, बीस-बाईस हज़ार मिल जायेंगे। विवाह भी हो जायेगा और कुछ मेरे लिए बच भी जायेगा; लेकिन बाद को मालूम हुआ कि मकान पहले ही रेहन हो चुका है और सूद मिलाकर उस पर बीस हज़ार हो गये हैं। महाजन ने इतनी ही दया क्या कम की कि मुझे घर से निकाल न दिया। इधर से तो अब कोई आशा नहीं है। बहुत हाथ-पाँव जोड़ने पर, संभव है, महाजन से दो-ढाई हज़ार मिल जाय। इतने में क्या होगा? इसी फ़िक्र में घुली जा-रही हूँ। लेकिन मैं भी कितनी मतलबी हूँ, न तुम्हें हाथ-मुँह धोने को पानी दिया, न कुछ जलपान लायी और अपना दुखड़ा ले बैठी। अब आप कपड़े उतारिए और आराम से बैठिए। कुछ खाने को लाऊँ, खा लीजिए, तब बातें हों। घर पर तो सब कुशल है?

मैंने कहा—मैं तो सीधा बम्बई से यहाँ आ रहा हूँ। घर कहाँ गया।

गोपा ने मुझे तिरस्कार-भरी आँखों से देखा; पर उस तिरस्कार की आड़ में घनिष्ठ आत्मीयता बैठी झाँक रही थी। मुझे ऐसा जान पड़ा, उसके मुख की झुर्रियाँ मिट गयीं हैं। पीछे मुख पर हलकी-सी लाली दौड़ गयी। उसने कहा—इसका फल यह होगा कि तुम्हारी देवीजी तुम्हें कभी यहाँ न आने देंगी।

'मैं किसी का गुलाम नहीं हूँ।'

'किसी को अपना गुलाम बनाने के लिए पहले ख़ुद भी उसका गुलाम बनना पड़ता है।'

शीतकाल की संध्या देखते-ही-देखते दीपक जलाने लगी। सुन्नी लालटेन लेकर कमरे में आयी। दो साल पहले की अबोध और कृशतनु बालिका रूपवती युवती हो गयी थी, जिसकी हर एक चितवन, हर एक बात, उसकी गौरवशील प्रकृति का पता दे रही थी। जिसे मैं गोद में उठाकर प्यार करता था, उसकी तरफ़ आज आँखें न उठा सका और वह जो मेरे गले से लिपटकर प्रसन्न होती थी, आज मेरे सामने खड़ी भी न रह सकी। जैसे मुझसे कोई वस्तु छिपाना चाहती है, और जैसे मैं उस वस्तु के छिपाने का अवसर दे रहा हूँ।

मैंने पूछा—अब तुम किस दरजे में पहुँची सुन्नी?

उसने सिर झुकाए हुए जवाब दिया—दसवें में हूँ।

'घर का भी कुछ काम-काज करती हो?'

'अम्माँ जब करने भी दें।'

गोपा बोली—मैं नहीं करने देती या ख़ुद किसी काम के नज़दीक नहीं जाती?

सुन्नी मुँह फेरकर हँसती हुई चली गयी। माँ की दुलारी लड़की थी। जिस दिन वह गृहस्थी का काम करती, उस दिन शायद गोपा रो-रोकर आँखें फोड़ लेती। वह ख़ुद लड़की को कोई काम न करने देती थी, मगर सबसे शिकायत करती थी कि वह कोई काम नहीं करती। यह शिक़ायत भी उसके प्यार का ही एक करिश्मा था! हमारी 'मर्यादा' हमारे बाद भी जीवित रहती है।

मैं भोजन करके लेटा, तो गोपा ने फिर सुन्नी के विवाह की तैयारियों की चर्चा छेड़ दी। इसके सिवा उसके पास और बात ही क्या थी? लड़के तो बहुत मिलते हैं, लेकिन कुछ हैसियत भी तो हो। लड़की को यह सोचने का अवसर क्यों मिले कि दादा होते तो शायद मेरे लिए इससे अच्छा घर-वर ढूँढ़ते। फिर गोपा ने डरते-डरते लाला मदारीलाल के लड़के का ज़िक्र किया।

मैंने चकित होकर उसकी ओर देखा। लाला मदारीलाल पहले इंजीनियर थे, अब पेंशन पाते थे। लाखों रुपया जमा कर लिया था, पर अब तक उनके लोभ की प्यास न बुझी थी। गोपा ने घर भी वह छाँटा, जहाँ उसकी रसाई कठिन थी।

मैंने आपत्ति की—मदारीलाल तो बड़ा ही दुर्जन मनुष्य है।

गोपा ने दाँतों-तले जीभ दबाकर कहा—अरे नहीं भैया, तुमने उन्हें पहचाना न होगा। मेरे ऊपर बड़े दयालु हैं। कभी-कभी आकर कुशल-समाचार पूछ जाते हैं। लड़का ऐसा होनहार है कि मैं तुमसे क्या कहूँ! फिर उनके यहाँ कमी किस बात की है? यह ठीक है कि पहले वह ख़ूब रिश्वत लेते थे; लेकिन यहाँ धर्मात्मा कौन है? कौन अवसर पाकर छोड़ देता है? मदारीलाल ने तो यहाँ तक कह दिया है कि वह मुझसे दहेज़ नहीं चाहते, केवल कन्या चाहते हैं। सुन्नी उनके मन में बैठ गयी है।

मुझे गोपा की सरलता पर दया आयी लेकिन मैंने सोचा क्यों इसके मन में किसी के प्रति अविश्वास उत्पन्न करूँ। संभव है, मदारीलाल वह न रहे हों। चित्त की भावनाएँ बदलती भी रहती हैं।

मैंने अर्द्ध सहमत होकर कहा—मगर यह तो सोचो, उनमें और तुममें कितना अंतर है। शायद अपना सर्वस्व अर्पण करके भी उनका मुँह सीधा न कर सको।

लेकिन गोपा के मन में बात जम गयी थी। सुन्नी को वह ऐसे घर में चाहती थी, जहाँ वह रानी बनकर रहे।

दूसरे दिन प्रातःकाल मैं मदारीलाल के पास गया और उनसे मेरी जो बात-चीत हुई, उसने मुझे मुग्ध कर दिया। किसी समय वह लोभी रहे होंगे। इस समय तो मैंने उन्हें बहुत-ही सहृदय, उदार और विनयशील पाया। बोले—भाई साहब, मैं देवनाथजी से परिचित हूँ। आदमियों में रत्न थे। उनकी लड़की मेरे घर आये, यह मेरा सौभाग्य है। आप उसकी माँ से कह दें, मदारीलाल उनसे किसी चीज की इच्छा नहीं रखता। ईश्वर का दिया हुआ मेरे घर में सब कुछ है, मैं उन्हें जेरबार नहीं करना चाहता।

मेरे दिल का बोझ उतर गया। हम सुनी-सुनाई बातों से दूसरों के सबंध में कैसी मिथ्या धारणा कर लिया करते हैं, इसका बड़ा शुभ अनुभव हुआ। मैंने आकर गोपा को बधाई दी। यह निश्चय हुआ कि गरमियों में विवाह कर दिया जाय।

3

ये चार महीने गोपा ने विवाह की तैयारियों में काटे। मैं महीने में एक बार अवश्य उनसे मिल जाता था; पर हर बार खिन्न होकर लौटता। गोपा ने अपनी कुल-मर्यादा का न जाने कितना महान् आदर्श अपने सामने रख लिया था। पगली इस भ्रम में पड़ी हुई थी कि उसका उत्साह नगर में अपनी यादगार छोड़ जायेगा। यह

न जानती थी कि यहाँ ऐसे तमाशे रोज़ होते हैं और आये-दिन भुला दिये जाते हैं। शायद वह संसार से यह श्रेय लेना चाहती थी कि इस गयी-बीती दशा में भी, लेटा हुआ हाथी नौ लाख का है। पग-पग पर उसे देवनाथ की याद आती। वह होते तो यह काम यों न होता, यों होता, और तब रोती।

मदारीलाल सज्जन हैं, यह सत्य है; लेकिन गोपा का अपनी कन्या के प्रति भी कुछ धर्म है। कौन उसके दस-पाँच लड़कियाँ बैठी हुई हैं। वह तो दिल खोलकर अरमान निकालेगी। सुन्नी के लिए उसने जितने गहने और जोड़े बनवाये थे, उन्हें देखकर मुझे आश्चर्य होता था। जब देखो, कुछ-न-कुछ सी रही है, कभी सुनारों की दूकान पर बैठी हुई, कभी मेहमानों के आदर-सत्कार का आयोजन कर रही है। मुहल्ले में ऐसा बिरला ही कोई सम्पन्न मनुष्य होगा, जिससे उसने कुछ क़र्ज़ न लिया हो। वह इसे क़र्ज़ समझती थी; पर देनेवाले दान समझकर देते थे! सारा मुहल्ला उसका सहायक था। सुन्नी अब मुहल्ले की लड़की थी। गोपा की इज़्ज़त सबकी इज़्ज़त है और गोपा के लिए तो नींद और आराम हराम था। दर्द से सिर फटा जा रहा है, आधी रात हो गयी; मगर वह बैठी कुछ-न-कुछ सी रही है, या 'इस कोठी का धान उस कोठी' कर रही है। कितनी वात्सल्य से भरी आकांक्षा थी, जो कि देखनेवालों में श्रद्धा उत्पन्न कर देती थी।

अकेली औरत और वह भी आधी जान की। क्या-क्या करे? जो काम दूसरों पर छोड़ देती है, उसी में कुछ-न-कुछ कसर रह जाती है; पर उसकी हिम्मत है कि किसी तरह हार नहीं मानती।

पिछली बार उसकी दशा देखकर मुझसे न रहा गया। बोला—गोपा देवी, अगर मरना ही चाहती हो, तो विवाह हो जाने के बाद मरो। मुझे भय है कि तुम पहले ही न चल दो।

गोपा का मुरझाया हुआ मुख प्रमुदित हो उठा। बोली—इसकी चिंता न करो भैया, विधवा की आयु बहुत लम्बी होती है। तुमने सुना नहीं, 'राँड़ मरे, न खँडहर ढहे।' लेकिन मेरी यही कामना है कि सुन्नी को ठिकाने लगाकर मैं भी चल दूँ। अब और जीकर क्या करूँगी, अगर किसी तरह का विघ्न पड़ गया, तो किसकी बदनामी होगी? इन चार महीनों में मुश्किल से घंटा भर सोती हूँगी। नींद ही नहीं आती, पर मेरा चित्त प्रसन्न है। मैं मरूँ या जीऊँ, मुझे यह सन्तोष तो होगा कि सुन्नी के लिए उसका बाप जो कर सकता था, वह मैंने कर दिया। मदारीलाल ने अपनी सज्जनता दिखायी, तो मुझे भी तो अपनी नाक रखनी है।

एक देवी ने आकर कहा—बहन, ज़रा चलकर देख लो चाशनी ठीक हो गयी है या नहीं। गोपा उसके साथ चाशनी की परीक्षा करने गयी और एक क्षण के बाद आकर बोली—जी चाहता है, सिर पीट लूँ। तुमसे ज़रा बात करने लगी, उधर चाशनी इतनी कड़ी हो गयी कि लड्डू दाँतों से लड़ेंगे। किससे क्या कहूँ!

मैंने चिढ़कर कहा—तुम व्यर्थ का झंझट कर रही हो। क्यों नहीं किसी हलवाई को बुलाकर मिठाइयों का ठेका देतीं? फिर तुम्हारे यहाँ मेहमान ही कितने आयेंगे, जिसके लिए यह तूमार बाँध रही हो। दस-पाँच की मिठाई उनके लिए बहुत होगी।

गोपा ने व्यथित नेत्रों से मेरी ओर देखा। मेरी यह आलोचना उसे बुरी लगी। इन दिनों उसे बात-बात पर क्रोध आ जाता था। बोली—भैया, तुम ये बातें न समझोगे। तुम्हें न माँ बनने का अवसर मिला, न पत्नी बनने का। सुन्नी के पिता का कितना नाम था, कितने आदमी उनके दम से जीते थे, क्या यह तुम नहीं जानते! वह पगड़ी मेरे ही सिर तो बँधी है। तुम्हें विश्वास न आयेगा, नास्तिक जो ठहरे, पर

मैं तो उन्हें सदैव अपने अंदर बैठा हुआ पाती हूँ, जो कुछ कर रहे हैं, वह कर रहे हैं। मैं मंदबुद्धि स्त्री भला अकेली क्या कर देती? वही मेरे सहायक हैं, वही मेरे प्रकाश हैं! यह समझ लो कि यह देह मेरी है; पर इसके अंदर जो आत्मा है, वह उनकी है। जो कुछ हो रहा है, उनके पुण्य आदेश से हो रहा है। तुम उनके मित्र हो। तुमने अपने सैकड़ों रुपये ख़र्च किये और इतना हैरान हो रहे हो। मैं तो उनकी सहगामिनी हूँ, लोक में भी, परलोक में भी।

मैं अपना-सा मुँह लेकर रह गया।

4

जून में विवाह हो गया। गोपा ने बहुत कुछ दिया और अपनी हैसियत से ज़्यादा दिया लेकिन फिर भी उसे संतोष न हुआ था। आज सुन्नी के पिता होते, तो न जाने क्या करते! बराबर रोती रही।

जाड़ों में फिर दिल्ली गया। मैं समझा था, अब गोपा सुखी होगी। लड़की का घर और वर, दोनों आदर्श हैं। गोपा को इसके सिवा और क्या चाहिए। लेकिन सुख उसके भाग्य में ही न था।

मैं अभी कपड़े भी न उतारने पाया था कि उसने अपना दुखड़ा शुरू कर दिया—भैया, घर-द्वार सब अच्छा है, सास-ससुर भी अच्छे हैं; लेकिन जमाई निकम्मा निकला। सुन्नी बेचारी रो-रोकर दिन काट रही है। तुम उसे देखो, तो पहचान न सको। उसकी परछाईं मात्र रह गयी है। अभी कई दिन हुए आयी हुई थी, उसकी दशा देखकर छाती फटती थी! जैसे जीवन में अपना पथ खो बैठी हो, न तन-बदन की सुध है, न कपड़े-लत्ते की। मेरी सुन्नी की दुर्गत होगी, यह तो स्वप्न में भी न सोचा था। बिल्कुल गुम-सुम हो गयी है। कितना पूछा, बेटी, तुझसे वह क्यों नहीं बोलता, किस बात पर नाराज़ है, लेकिन कुछ जवाब ही नहीं देती। बस, आँखों से आँसू बहते रहते हैं। मेरी सुन्नी कुएँ में गिर गयी।

मैंने कहा—तुमने उसके घरवालों से पता नहीं लगाया?

'लगाया क्यों नहीं भैया, सब हाल मालूम हो गया। लौंडा चाहता है, मैं चाहे जिस राह जाऊँ, सुन्नी मेरी पूजा करती रहे। सुन्नी भला इसे क्यों सहने लगी? उसे तो तुम जानते हो, कितनी अभिमानी है? वह उन स्त्रियों में नहीं है, जो पति को देवता समझती हैं और उसका दुर्व्यवहार सहती रहती हैं। उसने सदैव दुलार और प्यार पाया है। बाप भी उस पर जान देता था। मैं आँखों की पुतली समझती थी। पति मिला छैला, जो आधी-आधी रात तक मारा-मारा फिरता है। दोनों में क्या बात हुई, यह कौन जान सकता है! लेकिन दोनों में कोई गाँठ पड़ गयी है। न वह सुन्नी की परवाह करता है, न सुन्नी उसकी परवाह करती है, मगर वह तो अपने रंग में मस्त है, सुन्नी प्राण दिये देती है। उसके लिए सुन्नी की जगह मुन्नी है, सुन्नी के लिए उसकी अपेक्षा है और रुदन है।'

मैंने कहा—लेकिन तुमने सुन्नी को समझाया नहीं? उस लौंडे का क्या बिगड़ेगा? उसकी तो जिन्दगी ख़राब हो जायेगी।

गोपा की आँखों में आँसू भर आये, बोली—भैया, किस दिल से समझाऊँ? सुन्नी को देखकर तो मेरी छाती फटने लगती है। बस, यही जी चाहता है कि इसे अपने कलेजे में रख लूँ, कि इसे कोई कड़ी आँख से देख भी न सके। सुन्नी फूहड़

होती, कटु भाषिणी होती, आरामतलब होती, तो समझाती भी। क्या यह समझाऊँ कि तेरा पति गली-गली मुँह काला करता फिरे, फिर भी तू उसकी पूजा किया कर? मैं तो खुद यह अपमान न सह सकती। स्त्री-पुरुष में विवाह की पहली शर्त यह है कि दोनों सोलहों आने एक दूसरे के हो जाय। ऐसे पुरुष तो कम हैं, जो स्त्री को जौ-भर विचलित होते देखकर शांत रह सकें, पर ऐसी स्त्रियाँ बहुत हैं, जो पति को स्वच्छंद समझती हैं। सुन्नी उन स्त्रियों में नहीं है। वह अगर आत्मसमर्पण करती है, तो आत्मसमर्पण चाहती भी है, और यदि पति में यह बात न हुई, तो वह उससे कोई सम्पर्क न रखेगी, चाहे उसका सारा जीवन रोते कट जाय।

यह कहकर गोपा भीतर गयी और एक सिंगारदान लाकर उसके अन्दर के आभूषण दिखाती हुई बोली—सुन्नी इसे अबकी यहीं छोड़ गयी। इसलिए आयी ही थी। ये वे गहने हैं, जो मैंने न जाने कितना कष्ट सहकर बनवाये थे। इनके पीछे महीनों मारी-मारी फिरी थी। यों कहो कि भीख माँगकर जमा किये थे। सुन्नी अब इनकी ओर आँख उठाकर भी नहीं देखती। पहने तो किसके लिए? सिंगार करे तो किस पर? पाँच संदूक कपड़ों के दिये थे। कपड़े सीते-सीते मेरी आँखें फूट गयीं। यह सब कपड़े उठाती लायी। इन चीज़ों से उसे घृणा हो गयी है। बस, कलायी में दो काँच की चूड़ियाँ और एक उजली साड़ी, यही उसका सिंगार है।

मैंने गोपा को साँत्वना दी—मैं जाकर ज़रा केदारनाथ से मिलूँगा। देखूँ तो, वह किस रंग-ढंग का आदमी है।

गोपा ने हाथ जोड़कर कहा—नहीं भैया, भूलकर भी न जाना। सुन्नी सुनेगी तो प्राण ही दे देगी। अभिमान की पुतली ही समझो उसे। रस्सी समझ लो, जिसके जल जाने पर भी बल नहीं जाते। जिन पैरों ने उसे ठुकरा दिया है, उन्हें वह कभी न सहलायेगी। उसे अपना बनाकर कोई चाहे तो लौंडी बना ले लेकिन शासन तो उसने मेरा न सहा, दूसरों का क्या सहेगी!

मैंने गोपा से उस वक़्त कुछ न कहा लेकिन अवसर पाते ही लाला मदारीलाल से मिला। मैं रहस्य का पता लगाना चाहता था। संयोग से पिता और पुत्र, दोनों एक ही जगह पर मिल गये। मुझे देखते ही केदार ने इस तरह झुककर मेरे चरण छुए कि मैं उसकी शालीनता पर मुग्ध हो गया। तुरंत भीतर गया और चाय, मुरब्बा और मिठाइयाँ लाया। इतना सौम्य, इतना सुशील, इतना विनम्र युवक मैंने न देखा था। यह भावना ही न हो सकती थी कि इसके भीतर और बाहर में कोई अंतर हो सकता है। जब तक रहा, सिर झुकाए बैठा रहा। उच्छृङ्खलता तो उसे छू भी नहीं गयी थी।

जब केदार टेनिस खेलने गया, तो मैंने मदारीलाल से कहा—केदार बाबू तो बहुत सच्चरित्र जान पड़ते हैं. फिर स्त्री-पुरुष में इतना मनोमालिन्य क्यों हो गया है?

मदारीलाल ने एक क्षण विचार करके कहा—इसका कारण इसके सिवा और क्या बताऊँ कि दोनों अपने माँ-बाप के लाड़ले हैं, और प्यार लड़कों को अपने मन का बना देता है। मेरा सारा जीवन संघर्ष में कटा। अब जाकर ज़रा शांति मिली है। भोग-विलास का कभी अवसर ही न मिला। दिन-भर-परिश्रम करता था, संध्या को पड़कर सो रहता था। स्वास्थ्य भी अच्छा न था, इसलिए बार-बार यह चिन्ता सवार रहती थी कि कुछ संचय कर लूँ। ऐसा न हो कि मेरे पीछे बाल-बच्चे भीख माँगते फिरें। नतीजा यह हुआ कि इन महाशय को मुफ़्त का धन मिला।

सनक सवार हो गयी। शराब उड़ने लगी। फिर ड्रामा खेलने का शौक हुआ। धन की कमी थी ही नहीं, उस पर माँ-बाप के अकेले बेटे। उनकी प्रसन्नता ही हमारे जीवन का स्वर्ग था। पढ़ना-लिखना तो दूर रहा, विलास की इच्छा बढ़ती गयी। मैंने यह रंग देखा तो मुझे चिंता हुई। सोचा, ब्याह कर दूँ, ठीक हो जायेगा। गोपा देवी का पैगाम आया, तो मैंने तुरन्त स्वीकार कर लिया। मैं सुन्नी को देख चुका था। सोचा, ऐसी रूपवती पत्नी पाकर इसका मन स्थिर हो जायगा, पर वह भी लाड़ली लड़की थी—हठीली, अबोध, आदर्शवादिनी। सहिष्णुता तो उसने सीखी ही न थी। समझौते का जीवन में क्या मूल्य है, इसकी उसे ख़बर ही नहीं। लोहा लोहे से लड़ गया। वह अभिमान से इसे पराजित करना चाहती है या उपेक्षा से, यही रहस्य है! और साहब, मैं तो बहू को ही अधिक दोषी समझता हूँ। लड़के तो प्रायः मनचले होते हैं। लड़कियाँ स्वभाव से ही सुशीला होती हैं और अपनी ज़िम्मेदारी समझती हैं। उनकी सेवा, त्याग और प्रेम ही अस्त्र है, जिससे वे पुरुष पर विजय पाती हैं। उसमें ये गुण हैं नहीं। डोंगा कैसे पार होगा, ईश्वर ही जाने।

सहसा सुन्नी अंदर से आ गयी। बिल्कुल अपने चित्र की रेखा-सी, मानो मनोहर संगीत की प्रतिध्वनि हो। कुंदन तपकर भस्म हो गया था। मिटी हुई आशाओं का इससे अच्छा चित्र नहीं हो सकता। उलाहना देती हुई बोली—आप जाने कब से बैठे हुए हैं, मुझे ख़बर तक नहीं, और शायद आप बाहर ही बाहर चले भी जाते?

मैंने आँसुओं के वेग को रोकते हुए कहा—नहीं सुन्नी, यह कैसे हो सकता था? तुम्हारे पास आ ही रहा था कि तुम स्वयं आ गयीं।

मदारीलाल कमरे के बाहर अपनी 'कार' की सफ़ाई कराने लगे। शायद मुझे सुन्नी से बात करने का अवसर देना चाहते थे।

सुन्नी ने पूछा—अम्माँ तो अच्छी तरह से हैं?

'हाँ, अच्छी हैं। तुमने अपनी यह क्या गत बना रखी है?'

'मैं अच्छी तरह से हूँ।'

'यह बात क्या है? तुम लोगों में यह क्या अनबन है? गोपा देवी प्राण दिये डालती हैं। तुम खुद मरने की तैयारी कर रही हो। कुछ तो विचार से काम लो।'

सुन्नी के माथे पर बल पड़ गये—आपने नाहक यह विषय छेड़ दिया चाचा जी! मैंने तो यह सोचकर अपने मन को समझा लिया कि मैं अभागिन हूँ। बस, इसका निवारण मेरे बूते से बाहर है। मैं उस जीवन से मृत्यु को कहीं अच्छा समझती हूँ, जहाँ अपनी क़दर न हो। मैं व्रत के बदले में व्रत चाहती हूँ। जीवन का कोई दूसरा रूप मेरी समझ में नहीं आता। इस विषय में किसी तरह का समझौता करना मेरे लिए असम्भव है। नतीजे की मैं परवाह नहीं करती।

'लेकिन'

'नहीं चाचाजी, इस विषय में अब कुछ न कहिए, नहीं तो मैं चली जाऊँगी।'

'आख़िर सोचो तो ···'

'मैं सब सोच चुकी और तय कर चुकी। पशु को मनुष्य बनाना मेरी शक्ति के बाहर है।'

इसके बाद मेरे लिए अपना मुँह बन्द कर लेने के सिवा और क्या रह गया था?

5

मई का महीना था। मैं मंसूरी गया हुआ था कि गोपा का तार पहुँचा–'तुरन्त आओ, ज़रूरी काम है।' मैं घबरा तो गया, लेकिन इतना निश्चित था कि कोई दुर्घटना नहीं हुई है। दूसरे दिन दिल्ली जा पहुँचा। गोपा मेरे सामने आकर खड़ी हो गयी, निस्पंद, मूक, निष्प्राण, जैसे तपेदिक का रोगी हो।

मैंने पूछा–कुशल तो है, मैं तो घबरा उठा।

उसने बुझी हुई आँखों से देखा और बोली–सच।

'सुन्नी तो कुशल से है?'

'हाँ, अच्छी तरह है।'

'और केदारनाथ?'

'वह भी अच्छी तरह हैं।'

'तो फिर माजरा क्या है?'

'कुछ तो नहीं।'

'तुमने तार दिया और कहती हो–कुछ तो नहीं।'

'दिल घबरा रहा था, इससे तुम्हें बुला लिया। सुन्नी को किसी तरह समझाकर यहाँ लाना है। मैं तो सब कुछ करके हार गयी।'

'क्या इधर कोई नयी बात हो गयी?'

नयी तो नहीं है, लेकिन एक तरह से नयी ही समझो। केदार एक ऐक्ट्रेस के साथ कहीं भाग गया। एक सप्ताह से उसका कहीं पता नहीं है। सुन्नी से कह गया है–जब तक तुम रहोगी, घर नहीं आऊँगा। सारा घर सुन्नी का शत्रु हो रहा है; लेकिन वह यहाँ से टलने का नाम नहीं लेती। सुना है, केदार अपने बाप के दस्तख़त बनाकर कई हज़ार रुपये बैंक से ले गया है।

'तुम सुन्नी से मिली थीं?'

'हाँ, तीन दिन से बराबर जा रही हूँ।'

'वह नहीं आना चाहती, तो रहने क्यों नहीं देती?'

'वहाँ वह घुट-घुटकर मर जायेगी।'

मैं उन्हीं पैरों लाला मदारीलाल के घर चला। हालाँकि मैं जानता था कि सुन्नी किसी तरह न आयेगी, मगर वहाँ पहुँचा, तो देखा–कुहराम मचा हुआ है। मेरा कलेजा धक् से रह गया। वहाँ तो अर्थी सज रही थी। मुहल्ले के सैकड़ों आदमी जमा थे। घर में से 'हाय! हाय!' की क्रंदन-ध्वनि आ रही थी। यह सुन्नी का शव था!

मदारीलाल मुझे देखते ही मुझसे उन्मत्त की भाँति लिपट गये और बोले–भाई साहब, मैं तो लुट गया। लड़का भी गया, बहू भी गयी, जिन्दगी ही गारत हो गयी।

मालूम हुआ कि जब से केदार ग़ायब हो गया था, सुन्नी और भी ज़्यादा उदास रहने लगी थी। उसने उसी दिन अपनी चूड़ियाँ तोड़ डाली थीं और माँग का सिंदूर पोंछ डाला था। सास ने जब आपत्ति की, तो उसको अपशब्द कहे। मदारीलाल ने समझाना चाहा, तो उन्हें भी जली-कटी सुनायी। ऐसा अनुमान होता था–उन्माद हो गया है। लोगों ने उससे बोलना छोड़ दिया था। आज प्रातःकाल यमुना-स्नान करने गयी। अँधेरा था, सारा घर सो रहा था, किसी को नहीं जगाया। जब दिन चढ़ गया और बहू घर में न मिली, तो उसकी तलाश होने लगी। दोपहर को पता लगा कि यमुना गयी है। लोग उधर भागे। वहाँ उसकी लाश मिली। पुलिस आयी,

शव की परीक्षा हुई। अब जाकर शव मिला है। मैं कलेजा थामकर बैठ गया। हाय, अभी थोड़े दिन पहले जो सुन्दरी पालकी पर सवार होकर आयी थी, आज वह चार के कन्धे पर जा रही है।

मैं अर्थी के साथ हो लिया और वहाँ से लौटा, तो रात के दस बज गये थे। मेरे पाँव काँप रहे थे। मालूम नहीं यह ख़बर पाकर गोपा की क्या दशा होगी। प्राणांत न हो जाय, मुझे यही भय हो रहा था। सुन्नी उसकी प्राण थी। उसके जीवन का केन्द्र थी। उस दुखिया के उद्यान में यही एक पौधा बच रहा था। उसे वह हृदय-रक्त से सींच-सींचकर पाल रही थी। उसके बंसत का सुनहरा स्वप्न ही उसका जीवन था—उसमें कोपलें निकलेंगी। फूल खिलेंगे, फल लगेंगे, चिड़ियाँ उसकी डालियों पर बैठकर अपने-सुहाने राग गाएँगी; किन्तु आज निष्ठुर नियति ने उस जीवन-सूत्र को उखाड़कर फेंक दिया। और अब उसके जीवन का कोई आधार न था! वह बिन्दु ही मिट गया था, जिस पर जीवन की सारी रेखाएँ आकर एकत्र हो जाती थीं।

दिल को दोनों हाथों से थामे, मैंने जंजीर खटखटायी। गोपा एक लालटेन लिये निकली। मैंने गोपा के मुख पर एक नये आनंद की झलक देखी।

मेरी शोक-मुद्रा देखकर उसने मातृवत् प्रेम से मेरा हाथ पकड़ लिया और बोली—आज तो तुम्हें सारा दिन रोते ही कटा। अर्थी के साथ बहुत से आदमी रहे होंगे! मेरे जी में भी आया कि चलकर सुन्नी का अंतिम दर्शन कर लूँ। लेकिन मैंने सोचा—जब सुन्नी ही न रही, तो उसकी लाश में क्या रखा है! न गयी।

मैं विस्मय से गोपा का मुँह देखने लगा। तो इसे यह शोक-समाचार मिल चुका है। फिर भी यह शांति! और यह अविचल धैर्य! बोला—अच्छा किया न गयीं, रोना ही तो था।

'हाँ, और क्या! रोयी यहाँ भी, लेकिन तुमसे सच कहती हूँ, दिल से नहीं रोयी। न जाने कैसे आँसू निकल आये। मुझे तो सुन्नी की मौत से प्रसन्नता हुई। दुखिया अपनी 'मान-मर्यादा' लिये संसार से विदा हो गयी, नहीं तो न जाने क्या-क्या देखना पड़ता। इसलिए और भी प्रसन्न हूँ कि उसने अपनी आन निभा दी। स्त्री के जीवन में प्यार न मिले, तो उसका अंत हो जाना ही अच्छा। तुमने सुन्नी की मुद्रा देखी थी? लोग कहते हैं, ऐसा जान पड़ता था—मुस्करा रही है। मेरी सुन्नी सचमुच देवी थी। भैया, आदमी इसलिए थोड़े ही जीना चाहता है कि रोता रहे। जब मालूम हो गया कि जीवन में दुःख के सिवा और कुछ नहीं है, तो आदमी जीकर क्या करे? किसलिए जिये? खाने और सोने और मर जाने के लिए? यह मैं नहीं कहती कि मुझे सुन्नी की याद न आयेगी और मैं उसे याद करके रोऊँगी नहीं। लेकिन वह शोक के आँसू न होंगे, हर्ष के आँसू होंगे। बहादुर बेटे की माँ उसकी वीरगति पर प्रसन्न होती है! सुन्नी की मौत में क्या कुछ कम गौरव है? मैं आँसू बहाकर उस गौरव का अनादर कैसे करूँ? वह जानती है, और चाहे सारा संसार उसकी निंदा करे, उसकी माता उसकी सराहना ही करेगी। उसकी आत्मा से यह आनंद भी छीन लूँ? लेकिन अब रात ज़्यादा हो गयी। ऊपर जाकर सो रहो। मैंने तुम्हारी चारपाई बिछा दी है मगर देखो, अकेले पड़े-पड़े रोना नहीं। सुन्नी ने वही किया, जो उसे करना चाहिए था। उसके पिता होते तो आज सुन्नी की प्रतिमा बनाकर पूजते।'

मैं ऊपर जाकर लेटा, तो मेरे दिल का बोझ बहुत हल्का हो गया था; किन्तु रह-रहकर यह संदेह हो जाता था कि गोपा की यह शांति उसकी अपार व्यथा का ही रूप तो नहीं है?

❑❑❑

नशा

ईश्वरी एक बड़े ज़मींदार का लड़का था और मैं एक ग़रीब क्लर्क का, जिसके पास मेहनत-मजूरी के सिवा और कोई जायदाद न थी। हम दोनों में परस्पर बहसें होती रहती थीं। मैं ज़मींदारों की बुराई करता, उन्हें हिंसक पशु और ख़ून चूसनेवाली जोंक और वृक्षों की चोटी पर फूलनेवाला बंझा कहता। वह ज़मींदारों का पक्ष लेता, पर स्वभावतः उसका पहलू कुछ कमज़ोर होता था; क्योंकि उसके पास ज़मींदारों के अनुकूल कोई दलील न थी। वह कहता कि सभी मनुष्य बराबर नहीं होते, छोटे-बड़े हमेशा होते रहते हैं और होते रहेंगे। लचर दलील थी। किसी मानुषीय या नैतिक नियम से इस व्यवस्था का औचित्य सिद्ध करना कठिन था। मैं इस वाद-विवाद की गर्मा-गर्मी में अक्सर तेज़ हो जाता और लगनेवाली बात कह जाता, लेकिन ईश्वरी हारकर भी मुस्कराता रहता था। मैंने उसे कभी गर्म होते नहीं देखा। शायद इसका कारण यह था कि वह अपने पक्ष की कमज़ोरी समझता था।

नौकरों से वह सीधे मुँह बात न करता था। अमीरों में जो एक बेदर्दी और उद्दण्डता होती है, इसमें उसे भी प्रचुर भाग मिला था। नौकर ने बिस्तर लगाने में ज़रा भी देर की, दूध ज़रूरत से ज़्यादा गर्म या ठंडा हुआ, साइकिल अच्छी तरह साफ़ नहीं हुई, तो वह आपे से बाहर हो जाता! सुस्ती बदतमीज़ी भी उसे ज़रा भी बर्दाश्त न थी, पर दोस्तों से और विशेषकर मुझसे उसका व्यवहार सौहार्द्र और नम्रता से भरा हुआ होता था। शायद उसकी जगह मैं होता, तो मुझमें भी वही कठोरताएँ पैदा हो जातीं, जो उसमें थीं; क्योंकि मेरा लोक-प्रेम सिद्धांतों पर नहीं, निजी दशाओं पर टिका हुआ था, लेकिन वह मेरी जगह होकर भी शायद अमीर ही रहता, क्योंकि वह प्रकृति से ही विलासी और ऐश्वर्य-प्रिय था।

अबकी दशहरे की छुट्टियों में मैंने निश्चय किया कि घर न जाऊँगा। मेरे पास किराये के लिए रुपये न थे और न मैं घरवालों को तकलीफ़ देना चाहता था। मैं जानता हूँ, वे मुझे जो कुछ देते हैं, वह उनकी हैसियत से बहुत ज़्यादा है, इसके साथ ही परीक्षा का भी ख़याल था। अभी बहुत कुछ पढ़ना बाकी था और घर जाकर कौन पढ़ता है। बोर्डिंग हॉउस में भूत की तरह अकेले पड़े रहने को भी जी न चाहता था। इसलिए जब ईश्वरी ने मुझे अपने घर चलने का नेवता दिया, तो मैं बिना आग्रह के राजी हो गया। ईश्वरी के साथ परीक्षा की तैयारी ख़ूब हो जायेगी। वह अमीर होकर भी मेहनती और ज़हीन है। उसने इसके साथ ही कहा—लेकिन भाई, एक बात का ख़याल रखना। वहाँ अगर ज़मींदारों की निंदा की, तो मुआमला बिगड़ जायेगा और मेरे घरवालों को बुरा लगेगा। वह लोग तो असामियों पर इसी दावे से शासन करते हैं कि ईश्वर ने असामियों को उनकी सेवा के लिए ही पैदा किया है। आसामी भी यही समझता है। अगर उसे सुझा दिया जाय कि ज़मींदार और असामी में कोई मौलिक भेद नहीं है, तो ज़मींदारों का कहीं पता न लगे।

मैंने कहा—तो क्या तुम समझते हो कि मैं वहाँ जाकर कुछ और हो जाऊँगा?

'हाँ, मैं तो यही समझता हूँ।'

'तुम ग़लत समझते हो।'

ईश्वरी ने इसका कोई जवाब न दिया। कदाचित् उसने इस मुआमले को मेरे विवेक पर छोड़ दिया। और बहुत अच्छा किया। अगर वह अपनी बात पर अड़ता, तो मैं भी ज़िद पकड़ लेता।

2

सेकेंड क्लास तो क्या, मैंने कभी इंटर क्लास में भी सफर न किया था। अबकी सेकेंड क्लास में सफर का सौभाग्य प्राप्त हुआ। गाड़ी तो नौ बजे रात को आती थी, पर यात्रा के हर्ष में हम शाम को ही स्टेशन जा पहुँचे। कुछ देर इधर-उधर सैर करने के बाद रिफ्रेशमेंट-रूम जाकर हम लोगों ने भोजन किया। मेरी वेष-भूषा और रंग-ढंग से पारखी खानसामों को यह पहचानने में देर न लगी कि मालिक कौन है और पिछलग्गू कौन; लेकिन न जाने क्यों मुझे उनकी गुस्ताख़ी बुरी लग रही थी। पैसे ईश्वरी के जेब से गये। शायद मेरे पिता को जो वेतन मिलता है, उससे ज्यादा इन खानसामों को इनाम-इक़राम में मिल जाता हो। एक अठन्नी तो चलते समय ईश्वरी ही ने दी। फिर भी मैं उन सबों में उसी तत्परता और विनय की अपेक्षा करता था, जिससे वे ईश्वरी की सेवा कर रहे थे। क्यों ईश्वरी के हुक़्म पर सब-के-सब दौड़ते हैं, लेकिन मैं कोई चीज़ माँगता हूँ, तो उतना उत्साह नहीं दिखाते! मुझे भोजन में कुछ स्वाद न मिला। यह भेद मेरे ध्यान को सम्पूर्ण रूप से अपनी ओर खींचे हुए था।

गाड़ी आयी, हम दोनों सवार हुए। खानसामों ने ईश्वरी को सलाम किया। मेरी ओर देखा भी नहीं।

ईश्वरी ने कहा—कितने तमीज़दार हैं ये सब? एक हमारे नौकर हैं कि कोई काम करने का ढंग नहीं।

मैंने खट्टे मन से कहा—इसी तरह अगर तुम अपने नौकरों को भी आठ आने रोज ईनाम दिया करो, यह सब केवल ईनाम के लालच से इतना अदब करते हैं?

'जी नहीं, कदापि नहीं! तमीज और अदब तो इनके रक्त में मिल गया है!'

गाड़ी चली। डाक थी। प्रयाग से चली तो प्रतापगढ़ जाकर रुकी। एक आदमी ने हमारा कमरा खोला। मैं तुरंत चिल्ला उठा—दूसरा दरजा है—सेकेंड क्लास है।

उस मुसाफ़िर ने डिब्बे के अन्दर आकर मेरी ओर एक विचित्र उपेक्षा की दृष्टि से देखकर कहा—जी हाँ, सेवक इतना समझता है, और बीचवाले बर्थ पर बैठ गया। मुझे कितनी लज्जा आयी, कह नहीं सकता।

भोर होते-होते हम लोग मुरादाबाद पहुँचे। स्टेशन पर कई आदमी हमारा स्वागत करने के लिए खड़े थे। दो भद्र पुरुष थे। पाँच बेगार। बेगारों ने हमारा लगेज उठाया। दोनों भद्र पुरुष पीछे-पीछे चले। एक मुसलमान था, रियासत अली, दूसरा ब्राह्मण था रामहरख। दोनों ने मेरी ओर अपरिचित नेत्रों से देखा, मानो कह रहे हों, तुम कौवे होकर हंस के साथ कैसे?

रियासत अली ने ईश्वरी से पूछा—यह बाबू साहब क्या आपके साथ पढ़ते हैं?

ईश्वरी ने जवाब दिया—हाँ, साथ पढ़ते भी हैं और साथ रहते भी हैं। यों कहिए कि आप ही की बदौलत मैं इलाहाबाद पड़ा हुआ हूँ, नहीं कब का लखनऊ चला अया होता। अबकी मैं इन्हें घसीट लाया। इनके घर से कई तार आ चुके थे; मगर मैंने इनकारी जवाब दिलवा दिये। आख़िरी तार तो अर्जेंट था, जिसकी फीस चार आने प्रति शब्द है; पर यहाँ से उसका भी जवाब इनकारी हो गया।

दोनों सज्जनों ने मेरी ओर चकित नेत्रों से देखा। आतंकित हो जाने की चेष्टा करते हुए जान पड़े।

रियासतअली ने अर्द्ध शंका के स्वर में कहा—लेकिन आप बड़े सादे लिबास में रहते हैं।

ईश्वरी ने शंका निवारण की—महात्मा गांधी के भक्त हैं साहब! खद्दर के सिवा कुछ पहनते ही नहीं। पुराने सारे कपड़े जला डाले। यों कहो कि राजा हैं। ढाई लाख सालाना की रियासत है; पर आपकी सूरत देखो तो मालूम होता है, अभी अनाथालय से पकड़कर आये हैं!

रामहरख बोले—अमीरों का ऐसा स्वभाव बहुत कम देखने में आता है। कोई भाँप ही नहीं सकता।

रियासत अली ने समर्थन किया—आपने महाराजा चाँगली को देखा होता तो दाँतों ऊँगली दबाते। एक गाढ़े की मिर्जई और चमरौधे जूते पहने बाज़ारों में घूमा करते थे। सुनते हैं, एक बार बेगार में पकड़े गये थे और उन्होंने दस लाख से कॉलेज खोल दिया।

मैं मन में कटा जा रहा था; पर न जाने क्या बात थी कि यह सफ़ेद झूठ उस वक़्त मुझे हास्यास्पद न जान पड़ा। उसके प्रत्येक वाक्य के साथ मानो मैं उस कल्पित वैभव के समीपतर आता जाता था।

मैं शहसवार नहीं हूँ। हाँ, लड़कपन में कई बार लद्दू घोड़ों पर सवार हुआ हूँ। यहाँ देखा तो दो कलाँ-रास घोड़े हमारे लिए तैयार खड़े थे। मेरी तो जान ही निकल गयी। सवार तो हुआ; पर बोटियाँ काँप रही थीं। मैंने चेहरे पर शिकन न पड़ने दिया। घोड़े को तेज़ न किया, वरना शायद मैं हाथ-पाँव तुड़वाकर लौटता। सम्भव है, ईश्वरी ने समझ लिया हो कि यह कितने पानी में है।

3

ईश्वरी का घर क्या था, किला था। इमामबाड़े का-सा फाटक, द्वार पर पहरेदार टहलता हुआ, नौकरों का कोई हिसाब नहीं, एक हाथी बँधा हुआ। ईश्वरी ने अपने पिता, चाचा, ताऊ आदि सबसे मेरा परिचय कराया और उसी अतिशयोक्ति के साथ ऐसी हवा बाँधी कि कुछ न पूछिए। नौकर-चाकर ही नहीं, घर के लोग भी मेरा सम्मान करने लगे। देहात के ज़मींदार, लाखों का मुनाफ़ा मगर पुलिस कान्सटेबल को अफ़सर समझनेवाले। कई महाशय तो मुझे हुजूर-हुजूर कहने लगे।

जब ज़रा एकान्त हुआ, तो मैंने ईश्वरी से कहा—तुम बड़े शैतान हो यार। मेरी मिट्टी क्यों पलीद कर रहे हो?

ईश्वरी ने दृढ़ मुस्कान के साथ कहा—इन गधों के सामने यही चाल ज़रूरी थी, वरना सीधे मुँह बोलते भी नहीं।

ज़रा देर के बाद नाई हमारे पाँव दबाने आया। कुंवर लोग स्टेशन से आये

हैं, थक गये होंगे। ईश्वरी ने मेरी ओर इशारा करके कहा—पहले कुँवर साहब के पाँव दबा।

मैं चारपाई पर लेटा हुआ था। मेरे जीवन में ऐसा शायद ही कभी हुआ हो कि किसी ने मेरे पाँव दबाये हों। मैं इसे अमीरों के चोंचले, रइसों का गधापन और बड़े आदमियों की मुटमर्दी और जाने क्या-क्या कहकर ईश्वरी का परिहास किया करता और आज मैं पोतड़ों का रईस बनने का स्वाँग भर रहा था?

इतने में दस बज गये। पुरानी सभ्यता के लोग थे। नयी रोशनी अभी केवल पहाड़ की चोटी तक पहुँच पायी थी। अंदर से भोजन का बुलावा आया। हम स्नान करने चले। मैं हमेशा अपनी धोती ख़ुद छाँट लिया करता हूँ मगर यहाँ मैंने ईश्वरी की ही भाँति अपनी धोती भी छोड़ दी। अपने हाथों अपनी धोती भी छाँटते शर्म आ रही थी। अंदर भोजन करने चले। होस्टल में जूते पहने मेज पर जा डटते थे। यहाँ पाँव धोना आवश्यक था। कहार पानी लिये खड़ा था। ईश्वरी ने पाँव बढ़ा दिये। कहार ने उसके पाँव धोये। मैंने भी पाँव बढ़ा दिये। कहार ने मेरे पाँव भी धोये। मेरा वह विचार न जाने कहाँ चला गया था।

4

सोचा था, वहाँ देहात में एकाग्र होकर ख़ूब पढ़ेंगे, पर यहाँ सारा दिन सैर-सपाटे में कट जाता था। कहीं नदी में बजरे पर सैर कर रहे हैं, कहीं मछलियों या चिड़ियों का शिकार खेल रहे हैं, कहीं पहलवानों की कुश्ती देख रहे हैं, कहीं शतरंज पर जमे हैं, ईश्वरी ख़ूब अण्डे मँगवाता और कमरे में 'स्टोव' पर आमलेट बनते। नौकरों का एक जत्था हमेशा घेरे रहता। अपने हाथ-पाँव हिलाने की कोई ज़रूरत नहीं। केवल ज़बान हिला देना काफ़ी है। नहाने बैठो तो आदमी नहलाने को हाज़िर, लेटो तो आदमी पंखा झलने को खड़े।

महात्मा गांधी का कुंवर चेला मशहूर था। भीतर से बाहर तक मेरी धाक थी। नाश्ते में ज़रा भी देर न होने पाये, कहीं कुँवर साहब नाराज़ न हो जायें; बिछावन ठीक समय पर लग जाय, कुँवर साहब के सोने का समय आ गया। मैं ईश्वरी से भी ज़्यादा नाज़ुक दिमाग़ बन गया था या बनने पर मजबूर किया गया था। ईश्वरी अपने हाथ से बिस्तर बिछा ले, लेकिन कुँवर मेहमान अपने हाथों कैसे अपना बिछावन बिछा सकते! उसकी महानता में बट्टा लग जायेगा।

एक दिन सचमुच यही बात हो गयी। ईश्वरी घर में था। शायद अपनी माता से कुछ बातचीत करने में देर हो गयी। यहाँ दस बज गये। मेरी आँखें नींद से झपक रही थीं; मगर बिस्तर कैसे लगाऊँ? कुँवर जो ठहरा! कोई साढ़े ग्यारह बजे महरा आया। बड़ा मुँहलगा नौकर था। घर के धंधों में मेरा बिस्तर लगाने की उसे सुधि ही न रही। अब जो याद आई, तो भागा हुआ आया। मैंने ऐसी डाँट बतायी कि उसने भी याद किया होगा।

ईश्वरी मेरी डाँट सुनकर बाहर निकल आया और बोला—तुमने बहुत अच्छा किया। यह सब हरामख़ोर इसी व्यवहार के योग्य हैं।

इसी तरह ईश्वरी एक दिन एक जगह दावत में गया हुआ था। शाम हो गयी; मगर लैम्प न जला। लैम्प मेज़ पर रखा हुआ था। फिर कुँवर साहब कैसे जलाये? मैं झुँझला रहा था। समाचार-पत्र आया रखा हुआ था। जी उधर लगा हुआ

था; पर लैम्प नदारद। दैवयोग से उसी वक़्त मुंशी रियासत अली आ निकले। मैं उन्हीं पर उबल पड़ा, ऐसी फटकार बतायी कि बेचारा उल्लू हो गया—तुम लोगों को इतनी फ़िक्र भी नहीं कि लैम्प तो जलवा दो! मालूम नहीं, ऐसे कामचोर आदमियों का यहाँ कैसे गुज़र होता है। मेरे यहाँ घंटे-भर निर्वाह न हो। रियासत अली ने काँपते हुए हाथों से लैम्प जला दिया।

वहाँ एक ठाकुर अकसर आया करता था। कुछ मनचला आदमी था, महात्मा गांधी का परम भक्त। मुझे महात्माजी का चेला समझकर मेरा बड़ा लिहाज़ करता था; पर मुझसे कुछ पूछते संकोच करता था। एक दिन मुझे अकेला देखकर आया और हाथ बाँधकर बोला—सरकार तो गांधी बाबा के चेले हैं न? लोग कहते हैं कि यहाँ सुराज हो जायेगा तो ज़मींदार न रहेंगे।

मैंने शान जमाई—ज़मींदारों के रहने की ज़रूरत ही क्या है? यह लोग ग़रीबों का ख़ून चूसने के सिवा और क्या करते हैं?

ठाकुर ने फिर पूछा—तो ख़ुशी से दे देंगे। जो लोग ख़ुशी से न देंगे, उनकी ज़मीन छीननी ही पड़ेगी। हम लोग तो तैयार बैठे हुए हैं। ज्यों ही स्वराज्य हुआ, अपने सारे इलाके असामियों के नाम हिबा कर देंगे।

मैं कुरसी पर पाँव लटकाए बैठा था। ठाकुर मेरे पाँव दबाने लगा। फिर बोला—आजकल ज़मींदार लोग बड़ा जुल्म करते हैं सरकार! हमें भी हुज़ूर अपने इलाके में थोड़ी-सी ज़मीन दे दें, तो चलकर वहीं आपकी सेवा में रहें।

मैंने कहा—अभी तो मेरा कोई अख़्तियार नहीं है भाई; लेकिन ज्यों ही अख़्तियार मिला, मैं सबसे पहले तुम्हें बुलाऊँगा। तुम्हें मोटर-ड्राइवरी सिखा कर अपना ड्राइवर बना लूँगा।

सुना, उस दिन ठाकुर ने ख़ूब भंग पी और अपनी स्त्री को ख़ूब पीटा और गाँव के महाजन से लड़ने पर तैयार हो गया।

5

छुट्टी इस तरह ख़तम हुई और हम फिर प्रयाग चले। गाँव के बहुत-से लोग हम लोगों को पहुँचाने आये। ठाकुर तो हमारे साथ स्टेशन तक आया। मैंने भी अपना पार्ट ख़ूब सफ़ाई से खेला और अपनी कुबेरोचित विनय और देवत्व की मुहर हरेक हृदय पर लगा दी। जी तो चाहता था, हरेक नौकर को अच्छा ईनाम दूँ, लेकिन वह सामर्थ्य कहाँ थी? वापसी टिकट था ही, केवल गाड़ी में बैठना था; पर गाड़ी आयी तो ठसाठस भरी हुई। दुर्गापूजा की छुट्टियाँ भोगकर सभी लोग लौट रहे थे। सेकेंड क्लास में तिल रखने की जगह नहीं। इंटर क्लास की हालत उससे भी बदतर। यह आख़िरी गाड़ी थी। किसी तरह रुक न सकते थे। बड़ी मुश्किल से तीसरे दरजे में जगह मिली। हमारे ऐश्वर्य ने वहाँ अपना रंग ज़मा लिया; मगर मुझे उसमें बैठना बुरा लग रहा था। आये थे आराम से लेटे-लेटे, जा रहे थे सिकुड़े हुए। पहलू बदलने की जगह न थी।

कई आदमी पढ़े-लिखे भी थे! वे आपस में अंगरेज़ी राज्य की तारीफ़ करते जा रहे थे। एक महाशय बोले—ऐसा न्याय तो किसी राज्य में नहीं देखा। छोटे-बड़े सब बराबर। राजा भी किसी पर अन्याय करे, तो अदालत उसकी भी गर्दन दबा देती है।

दूसरे सज्ज्न ने समर्थन किया—अरे साहब, आप ख़ुद बादशाह पर दाव लगा

दूसरे सज्जन ने समर्थन किया—अरे साहब, आप ख़ुद बादशाह पर दाव लगा सकते हैं। अदालत में बादशाह पर डिग्री हो जाती है।

एक आदमी, जिसकी पीठ पर बड़ा गट्ठर बँधा था, कलकत्ते जा रहा था। कहीं गठरी रखने की जगह न मिलती थी। पीठ पर बाँधे हुए था। इससे बेचैन होकर बार-बार द्वार पर खड़ा हो जाता। मैं द्वार के पास ही बैठा हुआ था। उसका बार-बार आकर मेरे मुँह को अपनी गठरी से रगड़ना मुझे बहुत बुरा लगा रहा था। एक तो हवा यों ही कम थी, दूसरे उस गँवार का आकर मेरे मुँह पर खड़ा हो जाना, मानो मेरा गला दबाना था। मैं कुछ देर तक ज़ब्त किये बैठा रहा। एकाएक मुझे क्रोध आ गया। मैंने उसे पकड़कर पीछे ढकेल दिया और दो तमाचे ज़ोर-ज़ोर से लगाये।

उसने आँखें निकालकर कहा—क्यों मारते हो बाबूजी, हमने भी किराया दिया है।

मैंने उठकर दो-तीन तमाचे और जड़ दिये।

गाड़ी में तूफ़ान आ गया। चारों ओर से मुझ पर बौछार पड़ने लगी।

'अगर इतने नाज़ुक मिज़ाज हो, तो अव्वल दर्जे में क्यों नहीं बैठे?'

'कोई बड़ा आदमी होगा। मुझे इस तरह मारकर तो दिखा देता।'

'क्या कसूर किया था बेचारे ने! गाड़ी में साँस लेने की जगह नहीं। खिड़की पर ज़रा साँस लेने खड़ा हो गया, तो उस पर इतना क्रोध! अमीर होकर क्या आदमी अपनी इनसानियत बिल्कुल खो देता है?'

'यह भी अंगरेज़ी राज है, जिसका आप बखान कर रहे थे।'

एक ग्रामीण बोला—दफ़्तरन माँ घुस पावत नहीं, उस पै इत्ता मिज़ाज!

ईश्वरी ने अंगरेज़ी में कहा ..... What an idiot you are Bir!

और मेरा नशा अब कुछ-कुछ उतरता हुआ मालूम होता था।

❑❑❑

स्वामिनी

शिवदास ने भंडारे की कुंजी अपनी बहू रामप्यारी के सामने फेंककर अपनी बूढ़ी आँखों में आँसू भरकर कहा—बहू, आज से गिरस्ती की देख-भाल तुम्हारे ऊपर है। मेरा सुख भगवान् से नहीं देखा गया, नहीं तो क्या ज़वान बेटे को यों छीन लेते! उसका काम करनेवाला तो कोई चाहिए। एक हल तोड़ दूँ तो गुजारा न होगा। मेरे ही कुकरम से भगवान् का यह कोप आया है, और मैं ही अपने माथे पर उसे लूँगा। बिरजू का हल अब मैं ही सँभालूँगा। अब घर की देख-रेख करनेवाला, धरने-उठानेवाला तुम्हारे सिवा दूसरा कौन है? रोओ मत बेटे, भगवान् की जो इच्छा थी, वह हुआ; और जो इच्छा होगी, वह होगा। हमारा-तुम्हारा क्या बस है? मेरे जीते-जी तुम्हें कोई टेढ़ी आँख से देख भी न सकेगा। तुम किसी बात का सोच मत करो। बिरजू गया, तो मैं तो अभी बैठा ही हुआ हूँ।

रामप्यारी और रामदुलारी दो सगी बहनें थीं। दोनों का विवाह—मथुरा और बिरजू—दो सगे भाइयों से हुआ। दोनों बहनें नैहर की तरह ससुराल में भी प्रेम और आनंद से रहने लगीं। शिवदास को पेंशन मिली। दिन-भर द्वार पर गप-शप करते। भरा-पूरा परिवार देखकर प्रसन्न होते और अधिकतर धर्म-चर्चा में लगे रहते थे; लेकिन दैवगति से बड़ा लड़का बिरजू बीमार पड़ा और आज उसे मरे हुए पंद्रह दिन बीत गये। आज क्रिया-कर्म से फुरसत मिली और शिवदास ने सच्चे कर्मवीर की भाँति फिर जीवन-संग्राम के लिए कमर कस ली। मन में उसे चाहे कितना ही दुःख हुआ हो, उसे किसी ने रोते नहीं देखा। आज अपनी बहू को देखकर एक क्षण के लिए उसकी आँखें सजल हो गयीं; लेकिन उसने मन को सँभाला और रुद्ध कंठ से उसे दिलासा देने लगा। कदाचित् उसने सोचा था, घर की स्वामिनी बनकर विधवा के आँसू पुँछ जायेंगे, कम-से-कम उसे इतना कठिन परिश्रम न करना पड़ेगा, इसलिए उसने भंडारे की कुंजी बहू के सामने फेंक दी थी। वैधव्य की व्यथा को स्वामित्व के गर्व से दबा देना चाहता था।

रामप्यारी ने पुलकित कंठ से कहा—यह कैसे हो सकता है दादा, कि तुम मेहनत-मजदूरी करो और मैं मालकिन बनकर बैठूँ? काम-धन्धे में लगी रहूँगी तो मन बहला रहेगा। बैठे-बैठे तो रोने के सिवा और कुछ न होगा।

शिवदास ने समझाया—बेटा, दैवगति से तो किसी का बस नहीं, रोने- धोने से हलकानी के सिवा और क्या हाथ आयेगा? घर में भी तो बीसों काम हैं, कोई साधु-सन्त आ जाये, कोई पहुना ही आ पहुँचे, तो उसके सेवा-सत्कार के लिए किसी को घर पर रहना ही पड़ेगा।

बहू ने बहुत-से हीले किये, पर शिवदास ने एक न सुनी।

2

शिवदास के बाहर चले जाने पर रामप्यारी ने कुंजी उठायी, तो उसे मन में अपूर्व-गौरव और उत्तरदायित्व का अनुभव हुआ। ज़रा देर के लिए पति-वियोग का दुःख उसे भूल गया। उसकी छोटी बहन और देवर, दोनों काम करने गये हुए थे। शिवदास बाहर था, घर बिल्कुल खाली था। इस वक़्त वह निश्चिंत होकर भंडारे को खोल

सकती है। उसमें क्या-क्या सामान है, क्या-क्या विभूति है, यह देखने के लिए उसका मन लालायित हो उठा। इसमें वह कभी न आयी थी। जब कभी किसी को कुछ देना या किसी से कुछ लेना होता था, तभी शिवदास आकर इस कोठरी को खोला करता था। फिर उसे बन्दकर ताली अपनी कमर में रख लेता था।

रामप्यारी कभी-कभी द्वार के दराजों से भीतर झाँकती थी, पर अँधेरे में कुछ न दिखाई देता। सारे घर के लिए वह कोठरी तिलिस्म या रहस्य था, जिसके विषय में भाँति-भाँति की कल्पनाएँ होती रहती थीं। आज रामप्यारी को वह रहस्य खोलकर देखने का अवसर मिल गया। उसने बाहर का द्वार बन्द कर दिया कि कोई उसे भंडार खोलते न देख ले, नहीं तो सोचेगा, बेज़रूरत इसने क्यों खोला। तब आकर काँपते हुए हाथों से ताला खोला। उसकी छाती धड़क रही थी कि कोई द्वार न खटखटाने लगे। अन्दर पाँव रखा तो उसे कुछ उसी प्रकार का लेकिन उससे कहीं तीव्र आनन्द हुआ जो उसे अपने गहने-कपड़े की पिटारी खोलने में होता था। मटकों में गुड़, शक्कर, गेहूँ-जौ आदि चीजें रखी हुई थीं। एक किनारे बड़े-बड़े बरतन धरे थे, जो शादी-ब्याह के अवसर पर निकाले जाते थे, या माँगे दिये जाते थे। एक आले पर मालगुज़ारी की रसीदें और लेने देन के पुरजे बँधे हुए रखे थे। कोठरी में एक विभूति-सी छायी थी, मानो लक्ष्मी अज्ञात रूप से विराज रही हों। उस विभूति की छाया में रामप्यारी आधे घण्टे तक बैठी अपनी आत्मा को तृप्त करती रही, प्रतिक्षण उसके हृदय पर ममत्व का नशा-सा छाता जा रहा था। जब वह उस कोठरी से निकली, तो उसके मन के संस्कार बदल गये थे, मानों किसी ने उस पर मंत्र डाल दिया हो।

उसी समय द्वार पर किसी ने आवाज दी। उसने तुरन्त भंडारे का द्वार बन्द किया और जाकर सदर दरवाज़ा खोल दिया। देखा तो पड़ोसिन झुनिया खड़ी है और एक रुपया उधार माँग रही है।

रामप्यारी ने रुखाई से कहा—अभी तो एक पैसा घर में नहीं है जीजी, क्रिया-कर्म में सब ख़र्च हो गया।

झुनिया चकरा गयी। चौधरी के घर में इस समय एक रुपया भी नहीं है, यह विश्वास करने की बात न थी। जिसके यहाँ सैकड़ों का लेन-देन है, वह सब कुछ क्रिया-कर्म में नहीं ख़र्च कर सकता। अगर शिवदास ने बहाना किया होता, तो उसे आश्चर्य न होता। राम प्यारी तो अपने सरल स्वभाव के लिए गाँव में मशहूर थी। अकसर शिवदास की आँखें बचाकर पड़ोसियों को इच्छित वस्तुएँ दे दिया करती थी। अभी कल ही उसने जानकी को सेर-भर दूध दिया। यहाँ तक कि अपने गहने तक माँगे दे देती थी। कृपण शिवदास के घर में ऐसी सखरच बहू का आना गाँववाले अपना सौभाग्य की बात समझते थे।

झुनिया ने चकित होकर कहा—ऐसा न कहो जीजी, बड़े गाढ़ में पड़कर आयी हूँ, नहीं तुम जानती हो मेरी आदत ऐसी नहीं है। बाक़ी का एक रुपया देना है। प्यादा द्वार खड़ा बकझक रहा है। रुपया दे दो, तो किसी तरह यह विपत्ति टले। मैं आज से आठवें दिन आकर दे जाऊँगी। गाँव में और कौन घर है, जहाँ माँगने जाऊँ?

रामप्यारी टस-से-मस न हुई।

उसके जाते ही रामप्यारी साँझ के लिए रसोई-पानी का इंतज़ाम करने लगी। पहले चावल-दाल बीनना पहाड़ लगता था और रसोई में जाना तो सूली पर चढ़ने से कम न था। कुछ देर दोनों बहनों में झाँव-झाँव होती, तब शिवदास आकर कहते,

क्या आज रसोई न बनेगी, तो दो में से एक उठती और मोटे-मोटे टिक्कड़ लगाकर रख देती, मानो बैलों का रातिब हो। आज प्यारी तन-मन से रसोई के प्रबंध में लगी हुई है। अब वह घर की स्वामिनी है।

तब उसने बाहर निकलकर देखा, कितना कूड़ा-करकट पड़ा हुआ है! बुढ़ऊ दिन भर मक्खी मारा करते हैं। इतना भी नहीं होता कि जरा झाड़ू ही लगा दें। अब क्या इनसे इतना भी न होगा? द्वार ऐसा चिकना चाहिए कि देखकर आदमी का मन प्रसन्न हो जाय। यह नहीं कि उबकाई आने लगे। अभी कह दूँ, तो तिनक उठेंगे। अच्छा, मुन्नी नाँद से अलग क्यों खड़ी है?

उसने मुन्नी के पास जाकर नाँद में झाँका। दुर्गन्ध आ रही थी। ठीक! मालूम होता है, महीनों से पानी ही नहीं बदला गया। इस तरह तो गाय रह चुकी! अपना पेट भर लिया, छुट्टी हुई, और किसी से क्या मतलब? हाँ, दूध सबको अच्छा लगता है। दादा द्वार पर बैठे चिलम पी रहे हैं, वह भी तीन कौड़ी का। खाने को डेढ़ सेर; काम करते नानी मरती है। आज आता है तो पूछती हूँ, नाँद में पानी क्यों नहीं बदला। रहना हो रहे, या जाये। आदमी बहुत मिलेंगे। चारों ओर तो लोग मारे-मारे फिर रहे हैं।

आख़िर उससे न रहा गया। घड़ा उठाकर पानी लाने चली।

शिवदास ने पुकारा—पानी का क्या होगा बहू? इसमें पानी भरा हुआ है।

प्यारी ने कहा—नाँद का पानी सड़ गया है। मुन्नी भूसे में मुँह नहीं डालती। देखते नहीं हो, कोस-भर पर खड़ी है।

शिवदास मार्मिक भाव से मुस्कराए और आकर बहू के हाथ से घड़ा ले लिया।

3

कई महीने बीत गये। प्यारी के अधिकार में आते ही उस घर में जैसे बसंत आ गया। भीतर-बाहर जहाँ देखिए, किसी निपुण प्रबंधक के हस्त-कौशल, सुविचार और सुरुचि के चिह्न दीखते थे। प्यारी ने गृहयंत्र की ऐसी चाभी कस दी थी कि सभी पुरजे ठीक-ठाक चलने लगे थे। भोजन पहले से अच्छा मिलता है और समय पर मिलता है। दूध ज़्यादा होता है, घी ज़्यादा होता है, और काम ज़्यादा होता है। प्यारी न ख़ुद विश्राम लेती है, न दूसरों को विश्राम लेने देती है। घर में कुछ ऐसी बरकत आ गयी है कि जो चीज़ माँगो, घर ही में निकल आती है। आदमी से लेकर जानवर तक सभी स्वस्थ दिखाई देते हैं। अब वह पहले की-सी दशा नहीं है कि कोई चिथड़े लपेटे घूम रहा है, किसी को गहने की धुन सवार है। हाँ, अगर कोई रुग्ण और चिंतित तथा मलिन वेष में है तो वह प्यारी है। फिर भी सारा घर उससे जलता है। यहाँ तक कि बूढ़े शिवदास भी कभी-कभी उसकी बदगोई करते हैं। किसी को पहर रात रहे उठना अच्छा नहीं लगता। मेहनत से सभी जी चुराते हैं। फिर भी यह सब मानते हैं कि प्यारी न हो तो घर का काम न चले। और-तो-और दोनों बहनों में भी अब उतना अपनापन नहीं।

प्रातःकाल का समय था। दुलारी ने हाथों के कड़े लाकर प्यारी के सामने पटक दिये और भुन्नाई हुई बोली—लेकर इसे भी भंडारे में बंद कर दे।

प्यारी ने कड़े उठा लिये और कोमल स्वर में कहा—कह तो दिया, हाथ में

रुपये आने दे, बनवा दूँगी। अभी ऐसा घिस नहीं गया है कि आज ही उतारकर फेंक दिया जाय।

दुलारी लड़ने को तैयार होकर आयी थी। बोली—तेरे हाथ में काहे को कभी रुपये आयेंगे और काहे को कड़े बनेंगे। जोड़-तोड़ रखने में मज़ा आता है न?

प्यारी ने हँसकर कहा—जोड़-तोड़ रखती हूँ, तो तेरे ही लिए कि मेरे कोई और बैठा हुआ है, कि मैं सबसे ज्यादा खा-पहर लेती हूँ! मेरा अनन्त कब का टूटा पड़ा है।

दुलारी—तुम न खाओ न पहनो, जस तो पाती हो, यहाँ खाने-पहनने के सिवा और क्या है? मैं तुम्हारा हिसाब-किताब नहीं जानती, मेरे कड़े आज बनने को भेज दो।

प्यारी ने सरल विनोद के भाव से पूछा—रुपये न हों, तो कहाँ से लाऊँ?

दुलारी ने उद्दंडता के साथ कहा—मुझे इससे कोई मतलब नहीं। मैं तो कड़े चाहती हूँ।

इसी तरह घर के सब आदमी अपने-अपने अवसर पर प्यारी को दो-चार खोटी-खरी सुना जाते थे, और वह ग़रीब सबकी धौंस हँसकर सहती थी। स्वामिनी का यह धर्म ही है कि सबकी धौंस सुन लें और करे वही, जिसमें घर का कल्याण हो। स्वामित्व के कवच पर धौंस, ताने, धमकी—किसी का असर न होता। उसकी स्वामिनी की कल्पना इन आघातों से और भी स्वस्थ होती थी। वह गृहस्थी की संचालिका है। सभी अपने-अपने दुःख उसी के सामने रोते है, पर जो कुछ वह करती है, वही होता है। इतना उसे प्रसन्न करने के लिए काफ़ी था।

गाँव में प्यारी की सराहना होती थी। अभी उम्र ही क्या है, लेकिन सारे घर को सँभाले हुए है। चाहती तो सगाई करके चैन से रहती। इस घर के पीछे अपने को मिटाये देती है। कभी किसी से हँसती-बोलती भी नहीं, जैसे कायापलट हो गयी।

कई दिन बाद दुलारी के कड़े बनकर आ गये। प्यारी ख़ुद सुनार के घर दौड़-दौड़ गयी।

संध्या हो गयी थी। दुलारी और मथुरा हाट से लौटे। प्यारी ने नये कड़े दुलारी को दिये। दुलारी निहाल हो गयी। चटपट कड़े पहने और दौड़ी हुई बरौठे में जाकर मथुरा को दिखाने लगी। प्यारी बरौठे के द्वार पर छिपी खड़ी यह दृश्य देखने लगी। उसकी आँखें सजल हो गयीं। दुलारी उससे कुल तीन ही साल तो छोटी है! पर दोनों में कितना अंतर है। उसकी आँखें मानो उस दृश्य पर जम गयीं, दम्पत्ति का वह सरल आनंद, उनका प्रेमालिंगन, उनकी मुग्ध मुद्रा—प्यारी की टकटकी-सी बँध गयी, यहाँ तक कि दीपक के धुँधले प्रकाश में वे दोनों उसकी नजरों से ग़ायब हो गये और अपने ही अतीत जीवन की एक लीला आँखों के सामने बार-बार नये-नये रुप में आने लगी।

सहसा शिवदास ने पुकारा—बड़ी बहू! एक पैसा दो। तमाखू मँगवाऊँ।

प्यारी की समाधि टूट गयी। आँसू पोंछती हुई भंडारे में से पैसा लेने चली गयी।

4

एक-एक करके प्यारी के गहने उसके हाथ से निकलते जाते थे। वह चाहती थी, मेरा घर गाँव में सबसे सम्पन्न समझा जाय, और इस महत्त्वाकांक्षा का मूल्य देना पड़ा था। कभी घर की मरम्मत के लिए और कभी बैलों की नयी गोईं ख़रीदने के लिए, कभी नातेदारों के व्यवहारों के लिए, कभी बीमारों की दवा-दारू के लिए रुपये की जरूरत पड़ती रहती थी, और जब बहुत कतर-ब्योंत करने पर भी काम न चलता, तो वह अपनी कोई-न-कोई चीज निकाल देती। और चीज एक बार हाथ से निकलकर फिर न लौटती थी। वह चाहती, तो इनमें से कितने ही ख़र्चों को टाल जाती; पर जहाँ इज्ज़त की बात आ पड़ती थी, वह दिल खोलकर ख़र्च करती। अगर गाँव में हेठी हो गयी तो क्या बात रही! लोग उसी का नाम तो धरेंगे। दुलारी के पास भी गहने थे। दो-एक चीजें मथुरा के पास भी थीं, लेकिन प्यारी उनकी चीजें न छूती। उनके खाने-पहने के दिन हैं। वे इस जंजाल में क्यों फँसें।

दुलारी को लड़का हुआ, तो प्यारी ने धूम से जन्मोत्सव मनाने का प्रस्ताव किया।

शिवदास ने विरोध किया—क्या फ़ायदा? जब भगवान् की दया से सगाई-ब्याह के दिन आयेंगे, तो धूम-धाम कर लेना।

प्यारी का हौसलों से भरा दिल भला क्यों मानता? बोली—कैसी बात कहते हो दादा? पहलौठी लड़के के लिए भी धूम-धाम न हुई तो कब होगी? मन तो नहीं मानता। फिर दुनिया क्या कहेगी? नाम बड़े दर्शन थोड़े। मैं तुमसे कुछ नहीं माँगती। अपना सारा सरंजाम कर लूँगी।

'गहनों के माथे जायेगी, और क्या!'—शिवदास ने चिंतित होकर कहा—इस तरह एक दिन धागा भी न बचेगा। कितना समझाया, बेटा, भाई-भौजाई किसी के नहीं होते। अपने पास दो चीजें रहेंगी, तो सब मुँह जोहेंगे; नहीं कोई सीधी बात भी न करेगा।

प्यारी ने ऐसा मुँह बनाया, मानो वह ऐसी बूढ़ी बातें बहुत सुन चुकी है, और बोली—जो अपने हैं, वे भी न पूछें, तो भी अपने ही रहते हैं। मेरा धरम मेरे साथ है, उनका धरम उनके साथ है। मर जाऊँगी तो क्या छाती पर लाद ले जाऊँगी?

धूम-धाम से जन्मोत्सव मनाया गया। बरही के दिन सारी बिरादरी का भोज हुआ। लोग खा-पीकर चले गये; प्यारी दिन-भर की थकी-माँदी आँगन में एक टाट का टुकड़ा बिछाकर कमर सीधी करने लगी। आँखें झपक गयीं। मथुरा उसी वक़्त घर में आया। नवजात पुत्र को देखने के लिए उसका चित्त व्याकुल हो रहा था। दुलारी सौर-गृह से निकल चुकी थी। गर्भावस्था में उसकी देह क्षीण हो गयी थी, मुँह भी उतर गया था; पर आज स्वस्थता की लालिमा मुख पर छाई हुई थी। मातृत्व के गर्व और आनन्द ने आँखों में संजीवनी सी भर रखी थी। सौहर के संयम और पौष्टिक भोजन ने देह को चिकना कर दिया था। मथुरा उसे आँगन में देखते ही समीप आ गया और एक बार प्यारी की ओर ताककर उसके निद्रामग्न होने का निश्चय करके उसने शिशु को गोद में ले लिया और उसका मुँह चूमने लगा।

आहट पाकर प्यारी की आँखें खुल गयीं; पर उसने नींद का बहाना किया और अधखुली आँखों से यह आनन्द-क्रीड़ा देखने लगी। माता और पिता, दोनों बारी-बारी से बालक को चूमते, गले लगाते और उसके मुख को निहारते थे। कितना

स्वर्गीय आनन्द था! प्यारी की तृषित,लालसा एक क्षण के लिए स्वामिनी को भूल गयी। जैसे लगाम मुखबद्ध, बोझ से लदा हुआ, हाँकनेवाले के चाबुक से पीड़ित, दौड़ते-दौड़ते बेदम तुरंग हिनहिनाने की आवाज़ सुनकर कनौतियाँ खड़ी कर लेता है, और परिस्थिति को भूलकर एक दबी हुई हिनहिनाहट से उसका जवाब देता है, कुछ वही दशा प्यारी की हुई। उसका मातृत्व, जो पिंजरे में बन्द, मूक, निश्चेष्ट पड़ा हुआ था, समीप से आनेवाली मातृत्व की चहकार सुनकर जैसे जाग पड़ा और चिन्ताओं के उस पिंजरे से निकलने के लिए पंख फड़फड़ाने लगा।

मथुरा ने कहा—यह मेरा लड़का है।

दुलारी ने बालक को गोद में चिपटाकर कहा—हाँ, है क्यों नहीं। तुम्हीं ने तो नौ महीने पेट में रखा है? साँसत तो मेरी हुई; बाप कहलाने के लिए तुम कूद पड़े।

मथुरा—मेरा लड़का न होता, तो मेरी सूरत का क्यों होता! चेहरा-मोहरा, रंग-रूप सब मेरा ही-सा है कि नहीं?

दुलारी—इससे क्या होता है। बीज बनिये के घर से आता है। खेत किसान का होता है। उपज बनिये की नहीं होती, किसान की होती है।

मथुरा—बातों में तुमसे कोई न जीतेगा। मेरा लड़का हो जायेगा, तो मैं द्वार पर बैठकर मजे से हुक्का पिया करूँगा।

दुलारी—मेरा लड़का पढ़े-लिखेगा, कोई बड़ा ओहदा पाएगा। तुम्हारी तरह दिन-भर बैल के पीछे न चलेगा। मालकिन से कहना है, कल एक पालना बनवा दें।

मथुरा—अब बहुत सवेरे न उठा करना और छाती फाड़कर काम भी न करना।

दुलारी—यह महारानी जीने देंगी?

मथुरा—मुझे तो बेचारी पर दया आती है। उसके कौन बैठा हुआ है? हमीं लोगों के लिए मरती है। भैया होते, तो अब तक दो-तीन बच्चों की माँ हो गयी होती।

प्यारी के कंठ में आँसुओं का ऐसा वेग उठा कि उसे रोकने में सारी देह काँप उठी। अपना वंचित जीवन उसे मरुस्थल-सा लगा, जिसकी सूखी रेत पर हरा-भरा बाग़ लगाने की निष्फल चेष्टा कर रही थी।

सहसा शिवदास ने भीतर आकर कहा—बड़ी बहू, क्या सो गयी? बाजे वाले को अभी परोसा नहीं मिला। क्या कह दूँ?

5

कुछ दिनों के बाद शिवदास भी मर गया। उधर दुलारी के दो बच्चे और हुए। वह भी अधिकतर बच्चों के लालन-पालन में व्यस्त रहने लगी। खेती का काम मजदूरों पर आ पड़ा। मथुरा मज़दूर तो अच्छा था, संचालक अच्छा न था। उसे स्वतंत्र रूप से काम लेने का कभी अवसर न मिला। ख़ुद पहले भाई की निग़रानी में काम करता रहा, बाद को बाप की निग़रानी में करने लगा। खेती का तार भी न जानता था। वही मज़दूर उसके यहाँ टिकते थे जो मेहनत नहीं, ख़ुशामद करने में कुशल होते थे, इसलिए प्यारी को अब दिन में दो-चार चक्कर हार का भी लगाना पड़ता। कहने को तो वह अब भी मालकिन थी, पर वास्तव में घर-भर की सेविका थी।

मजदूर भी उससे त्योरियाँ बदलते, ज़मींदार का प्यादा भी उसी पर धौंस जमाता। भोजन में किफ़ायत करनी पड़ती; लड़कों को तो जितनी बार माँगें, उतनी बार कुछ-न-कुछ चाहिए। दुलारी तो लड़कोरी थी, उसे भी भरपूर भोजन चाहिए। मथुरा घर का सरदार था, उसके इस अधिकार को कौन छीन सकता था? मजदूर भला क्यों रियायत करने लगे थे। सारी कसर बेचारी प्यारी पर निकलती थी। वही एक फालतू चीज़ थी। अगर आधा ही पेट खाये, तो किसी को कोई हानि न हो सकती थी। तीस वर्ष की अवस्था में उसके बाल पक गये, कमर झुक गयी, आँखों की जोत कम हो गयी, मगर वह प्रसन्न थी। स्वामित्व का गौरव इन सारे जख़्मों पर मरहम का काम करता था।

एक दिन मथुरा ने कहा—भाभी, अब तो कहीं परदेश जाने का जी होता है। यहाँ तो कमाई में बरक़्कत नहीं। किसी तरह पेट की रोटियाँ चल जाती है। वह भी रो-धोकर। कई आदमी पूरब से आये हैं। वे कहते हैं, वहाँ दो-तीन रुपये रोज की मज़दूरी हो जाती है। चार-पाँच साल भी रह गया, तो मालामाल हो जाऊँगा। अब आगे लड़के-बाले हुए, इनके लिए कुछ तो करना ही चाहिए।

दुलारी ने समर्थन किया—हाथ में चार पैसे होंगे, लड़कों को पढ़ाएँगे-लिखाएँगे। हमारी तो किसी तरह कट गयी, लड़कों को तो आदमी बनाना है।

प्यारी यह प्रस्ताव सुनकर अवाक् रह गयी। उसका मुँह ताकने लगी। इसके पहले इस तरह की बातचीत कभी न हुई थी। यह धुन कैसे सवार हो गयी? उसे संदेह हुआ, शायद मेरे कारण यह भावना उत्पन्न हुई। बोली मैं तो जाने को न कहूँगी, आगे जैसी तुम्हारी इच्छा हो। लड़कों को पढ़ाने-लिखाने के लिए यहाँ भी तो मदरसा है। फिर क्या नित्य यही दिन बने रहेंगे? दो-तीन साल भी खेती बन गयी, तो सब कुछ हो जायेगा।

मथुरा—इतने दिन खेती करते हो गये, जब अब तक न बनी तो अब क्या बन जायेगी! इस तरह एक दिन चल देंगे, मन-की-मन में रह जायेगी। फिर अब पौरुख भी तो थक रहा है। यह खेती कौन सँभालेगा? लड़कों को मैं चक्की में जोतकर उनकी जिन्दगी नहीं ख़राब करना चाहता।

प्यारी ने आँखों में आँसू लाकर कहा—भैया, घर पर जब तक आधा मिले, सारी के लिए न धावना चाहिए। अगर मेरी ओर से कोई बात हो, तो अपना घर-बार अपने हाथ में करो, मुझे एक टुकड़ा दे देना, पड़ी रहूँगी।

मथुरा आर्द्र-कंठ होकर बोला—भाभी, यह तुम क्या कहती हो! तुम्हारे ही सँभाले यह घर अब तक चला है, नहीं तो रसातल को चला गया होता। इस गिरस्ती के पीछे तुमने अपने को मिट्टी में मिला दिया, अपनी देह घुला डाली। मैं अंधा नहीं हूँ। सब कुछ समझता हूँ। हम लोगों को जाने दो। भगवान् ने चाहा तो घर फिर सँभल जायेगा। तुम्हारे लिए हम बराबर खरच-बरच भेजते रहेंगे।

प्यारी ने कहा—ऐसा ही है तो तुम चले जाओ, बाल-बच्चों को कहाँ-कहाँ बाँधे फिरोगे?

दुलारी बोली—यह कैसे हो सकता है बहन; यहाँ देहात में लड़के क्या पढ़े-लिखेंगे। बच्चों के बिना इनका जी भी वहाँ न लगेगा। दौड़-दौड़कर घर आयेंगे और सारी कमाई रेल खा जायेगी। परदेश में अकेले जितना खरचा होगा, उतने में सारा घर आराम से रहेगा।

प्यारी बोली—तो मैं ही यहाँ रहकर क्या करूँगी? मुझे भी लेते चलो।

दुलारी उसे साथ ले चलने को तैयार न थी। कुछ दिन का आनंद उठाना

चाहती थी; अगर परदेश में भी यह बंधन रहा, तो जाने से फ़ायदा ही क्या? बोली— बहन, तुम चलती तो क्या बात थी; लेकिन फिर यहाँ का सारा कारोबार तो चौपट हो जायेगा। तुम तो कुछ-न-कुछ देखभाल करती ही रहोगी।

प्रस्थान की तिथि के एक दिन पहले ही रामप्यारी ने रात-भर जागकर हलुआ और पूरियाँ पकायीं। जब से इस घर में आयी, कभी एक दिन के लिए भी अकेले रहने का अवसर नहीं आया। दोनों बहनें सदा साथ रहीं। आज उस भयंकर अवसर को सामने आते देखकर प्यारी का दिल बैठा जाता था। वह देखती थी, मथुरा प्रसन्न है, बाल वृन्द यात्रा के आनंद में खाना-पीना तक भूले हुए हैं, तो उसके जी में आता, वह भी इसी भाँति निर्द्वन्द रहे, मोह और ममता को पैरों से कुचल डाले; किन्तु वह ममता जिस खाद्य को खा-खाकर पली थी, उसे अपने सामने से हटाये जाते देखकर क्षुब्ध होने से न रुकती थी। दुलारी तो इस तरह निश्चिंत होकर बैठी थी, मानो कोई मेला देखने जा रही है। नयी-नयी चीजों को देखने, नयी दुनिया में विचरने की उत्सुकता ने उसे क्रियाशून्य-सा कर दिया था। प्यारी के सिर सारे प्रबंध का भार था। धोबी के घर से सब कपड़े आये हैं या नहीं, कौन-कौन-से बरतन साथ जायेंगे, सफ़र-ख़र्च के लिए कितने रुपयों की जरूरत होगी। एक बच्चे को खाँसी आ रही थी, दूसरे को कई दिन से दस्त आ रहे थे; उन दोनों की औषधियों को पीसना-कूटना आदि सैकड़ों ही काम व्यस्त किये हुए थे। लड़कोरी न होकर भी वह बच्चों के लालन-पालन में दुलारी से कुशल थी। 'देखो, बच्चों को बहुत मारना-पीटना मत। मारने से बच्चे जिद्दी या बेहया हो जाते हैं। बच्चों के साथ आदमी को बच्चा बन जाना पड़ता है। कभी-कभी उनके साथ खेलना पड़ता है, कभी हँसना पड़ता है। जो तुम चाहो कि हम आराम से पड़े रहें और बच्चे चुपचाप बैठे रहें, हाथ-पैर न हिलाये, तो यह नहीं हो सकता। बच्चे तो स्वभाव के चंचल होते हैं। उन्हें किसी-न-किसी काम में फँसाए रखो। धेले का खिलौना हजार घुड़कियों से बढ़कर होता है।' दुलारी इन उपदेशों को इस तरह बेमन होकर सुनती थी, मानो कोई सनककर बक रहा हो।

बिदाई का दिन प्यारी के लिए परीक्षा का दिन था। उसके जी में आता था, कहीं चली जाये, जिससे वह दृश्य देखना न पड़े। हाँ! घड़ी भर में यह घर सूना हो जायेगा! वह दिन भर घर में अकेली पड़ी रहेगी! किससे हँसेगी-बोलेगी? यह सोचकर उसका हृदय काँप जाता था। ज्यों-ज्यों समय निकट आता था, उसकी वृत्तियाँ शिथिल होती जाती थीं। वह कोई काम करते-करते जैसे खो जाती थी और अपलक नेत्रों से किसी बिन्दु की ओर ताकने लगती। कभी अवसर पाकर एकांत में जाकर थोड़ा-सा रो आती थी। मन को समझा रही थी, वह लोग अपने होते तो क्या इस तरह चले जाते? यह तो मानने का नाता है; किसी पर कोई ज़बरदस्ती है? दूसरों के लिए कितना ही मरो, तो भी, अपने नहीं होते, पानी तेल में कितना ही मिले, फिर भी अलग ही रहेगा।

बच्चे नये-नये कुरते पहने, नवाब बने घूम रहे थे। प्यारी उन्हें प्यार करने के लिए गोद लेना चाहती, तो रोने का-सा मुँह बनाकर छुड़ाकर भाग जाते। वह क्या जानती थी कि ऐसे अवसर पर बहुधा अपने बच्चे भी निष्ठुर हो जाते हैं।

दस बजते-बजते द्वार पर बैलगाड़ी आ गयी। लड़के पहले ही से उस पर जा बैठे। गाँव के कितने स्त्री-पुरुष मिलने आये। प्यारी को इस समय उनका आना बुरा लग रहा था। वह दुलारी से थोड़ी देर एकांत में गले मिलकर रोना चाहती थी; मथुरा से हाथ जोड़कर कहना चाहती थी, मेरी खोज-ख़बर लेते रहना, तुम्हारे

सिवा मेरा संसार में कौन है; लेकिन इस भड़भड़ में उसको इन बातों का मौक़ा न मिला। मथुरा और दुलारी, दोनों गाड़ी में जा बैठे और प्यारी द्वार पर रोती खड़ी रह गयी। वह इतनी विह्वल थी कि गाँव के बाहर तक पहुँचाने की भी उसे सुधि न रही।

6

कई दिन तक प्यारी मूर्छित-सी पड़ी रही। न घर से निकली, न चूल्हा जलाया, न हाथ-मुँह धोया। उसका हलवाहा जोखू बार-बार आकर कहता—'मालकिन उठो, मुँह-हाथ धोओ, कुछ खाओ-पियो। कब तक इस तरह पड़ी रहोगी?' इस तरह की तसल्ली गाँव की और स्त्रियाँ भी देती थीं, पर उनकी तसल्ली में एक प्रकार की ईर्ष्या का भाव छिपा हुआ जान पड़ता था।

जोखू के स्वर में सच्ची सहानुभूति झलकती थी। जोखू कामचोर, बातूनी और नशेबाज़ था। प्यारी उसे बराबर डाँटती रहती थी। दो-एक बार उसे निकाल भी चुकी थी। पर मथुरा के आग्रह से फिर रख लिया था। आज भी जोखू की सहानुभूति-भरी बातें सुनकर प्यारी झुँझलाती, वह काम करने क्यों नहीं जाता? यहाँ मेरे पीछे क्यों पड़ा हुआ है। मगर उसे झिड़क देने को जी न चाहता था। उसे इस समय सहानुभूति की भूख थी। फल काँटेदार वृक्ष से भी मिलें तो क्या उन्हें छोड़ दिया जाता है?

धीरे-धीरे क्षोभ का वेग कम हुआ। जीवन के व्यापार होने लगे। अब खेती का सारा भार प्यारी पर था। लोगों ने सलाह दी, एक हल तोड़ दो और खेतों को उठा दो; पर प्यारी का गर्व यों ढोल बजाकर अपनी पराजय स्वीकार न कर सकता था। सारे काम पूर्ववत् चलने लगे। उधर मथुरा के चिट्ठी-पत्री न भेजने से उसके अभिमान को और भी उत्तेजना मिली। वह समझता है, मैं उसके आसरे बैठी हूँ, यहाँ उसको भी खिलाने का दावा रखती हूँ। उसके चिट्ठी भेजने से मुझे कोई निधि न मिल जाती। उसे अगर मेरी चिंता नहीं है, तो मैं कब उसकी परवाह करती हूँ।

घर में तो अब विशेष कोई काम रहा नहीं, प्यारी सारे दिन खेती-बारी के कामों में लगी रहती। खरबूजे बोये थे। वह ख़ूब फले और ख़ूब बिके। पहले सारा दूध घर में ख़र्च हो जाता था, अब बिकने लगा। प्यारी की मनोवृत्तियों में भी एक विचित्र परिवर्तन आ गया। वह अब साफ़-सुथरे कपड़े पहनती, माँग-चोटी की ओर से भी उतनी उदासीन न थी। आभूषणों में भी रुचि हुई। रुपये हाथ में आते ही उसने अपने गिरवी गहने छुड़ाये और भोजन भी संयम से करने लगी। सागर पहले खेतों को सींचकर ख़ुद खाली हो जाता था। अब निकासी की नालियाँ बन्द हो गयी थीं। सागर में पानी जमा होने लगा और अब उसमें हलकी-हलकी लहरें भी थीं, खिले हुए कमल भी थे।

एक दिन जोखू हार से लौटा, तो अँधेरा हो गया था। प्यारी ने पूछा—अब तक वहाँ क्या करता रहा?

जोखू ने कहा—चार क्यारियाँ बच रही थीं। मैंने सोचा, दस मोट और खींच दूँ, कल का झंझट कौन रखे?

जोखू अब कुछ दिनों से काम में मन लगाने लगा था। जब तक मालिक उसके सिर पर सवार रहते थे, वह हाले-बहाने करता। अब सब-कुछ उसके हाथ में था। प्यारी सारे दिन हार में थोड़े ही रह सकती थी, इसलिए अब उसमें जिम्मेदारी आ गयी थी।

प्यारी ने लोटे का पानी रखते हुए कहा—अच्छा, हाथ-मुँह धो डालो। आदमी जान रखकर काम करता है, हाय-हाय करने से कुछ नहीं होता। खेत आज न होते, कल होते, क्या जल्दी थी!

जोखू ने समझा, प्यारी बिगड़ रही है। उसने तो अपनी समझ से कारगुजारी की थी और समझा था, तारीफ़ होगी। यहाँ आलोचना हुई। चिढ़कर बोला—मालकिन, तुम दाहिने-बायें दोनों ओर चलती हो। जो बात नहीं समझती हो, उसमें क्यों कूदती हो? कल के लिए तो उँचवा के खेत पड़े सूख रहे हैं। आज बड़ी मुश्क़िल से कुआँ ख़ाली हुआ। सवेरे मैं पहुँचता, तो कोई और आकर न छेंक लेता। फिर अठवारे तक राह देखनी पड़ती। तब तक तो सारी ऊख बिदा हो जाती।

प्यारी उसकी सरलता पर हँसकर बोली—अरे, तो मैं तुझे कुछ कह थोड़ी रही हूँ, पागल! मैं तो कहती हूँ कि जान रखकर काम कर। कहीं बीमार पड़ गया, तो लेने के देने पड़ जायेंगे।

जोखू—कौन बीमार पड़ जायेगा, मैं? बीस साल में कभी सिर तक तो दुखा नहीं, आगे की नहीं जानता। कहो तो रात-भर काम करता रहूँ।

प्यारी—मैं क्या जानूँ, तुम्हीं अँतरे दिन बैठे रहते थे और पूछा जाता था तो कहते थे—ज्वर आ गया था, पेट में दर्द था।

जोखू झेंपता हुआ बोला—वह बातें जब थीं, जब मालिक लोग चाहते थे कि इसे पीस डालें। अब तो जानता हूँ, मेरे ही माथे है। मैं न करूँगा तो सब चौपट हो जायेगा।

प्यारी—मैं क्या देख-भाल नहीं करती?

जोखू—तुम बहुत करोगी, दो बेर चली आओगी। सारे दिन तुम वहाँ बैठी नहीं रह सकतीं।

प्यारी को उसके निष्कपट व्यवहार ने मुग्ध कर दिया। बोली—तो इतनी रात गये चूल्हा जलाओगे। कोई सगाई क्यों नहीं कर लेते?

जोखू ने मुँह धोते हुए कहा—तुम भी ख़ूब कहती हो मालकिन! अपने पेट-भरने को तो होता नहीं, सगाई कर लूँ! सवा सेर खाता हूँ एक जून—पूरा सवा सेर—दोनों जून के लिए दो सेर चाहिए।

प्यारी—अच्छा, आज मेरी रसोई में खाओ, देखूँ कितना खाते हो?

जोखू ने पुलकित होकर कहा—नहीं मालकिन, तुम बनाते-बनाते थक जाओगी। हाँ, आधा-आधा सेर के दो रोटी बनाकर खिला दो, तो खालूँ। मैं तो यही करता हूँ। बस, आटा सानकर दो रोटी बनाता हूँ और उपले पर सेंक लेता हूँ। कभी मठे से, कभी नमक से, कभी प्याज से खा लेता हूँ और आकर पड़ रहता हूँ।

प्यारी—मैं तुम्हें आज फुलके खिलाऊँगी।

जोखू—तब तो सारी रात खाते ही बीत जायेगी।

प्यारी—बको मत, चटपट आकर बैठ जाओ।

जोखू—ज़रा बैलों को सानी-पानी देता आऊँ तो बैठूँ।

8

जोखू और प्यारी में ठनी हुई थी।

प्यारी ने कहा—मैं कहती हूँ, धान रोपने की कोई जरूरत नहीं। झड़ी लग जाये, तो खेत डूब जायें। बरखा बन्द हो जाये, तो खेत सूख जायें। जुआर, बाज़रा, सन, अरहर सब तो हैं, धान न सही।

जोखू ने अपने विशाल कंधे पर फावड़ा रखते हुए कहा—जो सबका होगा, तो मेरा भी होगा। सबका डूब जायेगा; तो मेरा भी डूब जायेगा। मैं क्यों किसी से पीछे रहूँ? बाबा के ज़माने में पाँच बीघा से कम नहीं रोपा जाता था, बिरजू भैया ने उसमें एक-दो बीघे और बढ़ा दिये। मथुरा ने भी थोड़ा-बहुत हर साल रोपा, तो मैं क्या सबसे गया बीता हूँ? मैं पाँच बीघे से कम न लगाऊँगा।

'तब घर में दो जवान काम करनेवाले थे।'

'मैं अकेला उन दोनों के बराबर खाता हूँ। दोनों के बराबर काम क्यों न करूँगा?'

'चल, झूठा कहीं का। कहते थे, दो सेर खाता हूँ, चार सेर खाता हूँ। आध सेर में रह गये।'

'एक दिन तौलो तब मालूम हो।'

'तौला है। बड़े खाने वाले! मैं कहे देती हूँ, धान न रोपो। मजूर मिलेंगे नहीं, अकेले हलकान होना पड़ेगा।'

'तुम्हारी बला से, मैं ही हलकान हूँगा न? यह देह किस दिन काम आयेगी।'

प्यारी ने उसके कंधे पर से फावड़ा ले लिया और बोली—तुम पहर रात से पहर रात तक ताल में रहोगे, अकेले मेरा जी ऊबेगा।

जोखू को जी ऊबने का अनुभव न था। कोई काम न हो, तो आदमी पड़कर सो रहे। जी क्यों ऊबे? बोला—जी ऊबे तो सो रहना। मैं घर रहूँगा, तब तो और जी ऊबेगा। मैं खाली बैठता हूँ तो बार-बार खाने की सूझती है। बातों में देर हो रही है और बादल घिरे आते हैं।

प्यारी ने हारकर कहा—अच्छा, कल से जाना, आज बैठो।

जोखू ने मानो बंधन में पड़कर कहा—अच्छा, बैठ गया। कहो क्या कहती हो?

प्यारी ने विनोद करते हुए पूछा—कहना क्या है, मैं तुमसे पूछती हूँ, अपनी सगाई क्यों नहीं कर लेते? अकेले मरते हो। तब एक से दो हो जाओगे।

जोखू शरमाता हुआ बोला—तुमने फिर वही बेबात की बात छेड़ दी, मालकिन? किससे सगाई कर लूँ यहाँ? ऐसी मेहरिया लेकर क्या करूँगा, जो गहनों के लिए मेरी जान खाती रहे।

प्यारी—यह तो तुमने बड़ी कड़ी शर्त लगायी। ऐसी औरत कहाँ मिलेगी, जो गहने भी न चाहे?

जोखू—यह मैं थोड़े ही कहता हूँ कि वह गहने न चाहे; हाँ मेरी जान न खाये। तुमने तो कभी गहनों के लिए हठ न किया; बल्कि अपने सारे गहने दूसरों के ऊपर लगा दिये।

प्यारी के कपोलों पर हल्का-सा रंग आ गया। बोली—अच्छा, और क्या चाहते हो?

जोखू—मैं कहने लगूँगा, तो बिगड़ जाओगी।

प्यारी की आँखों में लज्जा की एक रेखा नज़र आयी, बोली—बिगड़ने की बात कहोगे, तो ज़रूर बिगड़ूँगी।

जोखू—तो मैं न कहूँगा।

प्यारी ने उसे पीछे की ओर ढकेलते हुए कहा—कहोगे कैसे नहीं, मैं कहला के छोड़ूँगी।

जोखू—मैं चाहता हूँ कि वह तुम्हारी तरह हो, ऐसी गंभीर हो, ऐसी ही बातचीत में चतुर हो, ऐसा ही अच्छा खाना पकाती हो, ऐसी ही किफ़ायती हो, ऐसी ही हँसमुख हो। बस, ऐसी औरत मिलेगी, तो करूँगा, नहीं इसी तरह पड़ा रहूँगा।

प्यारी का मुख लज्जा से आरक्त हो गया। उसने पीछे हटकर कहा—तुम बड़े नटखट हो! हँसी-हँसी में सब कुछ कह गये।

❑❑❑

ठाकुर का कुआँ

जोखू ने लोटा मुँह से लगाया तो पानी में सख़्त बदबू आई। गंगी से बोला—यह कैसा पानी है? मारे बास के पिया नहीं जाता। गला सूखा जा रहा है और तू सड़ा पानी पिलाये देती है!

गंगी प्रतिदिन शाम को पानी भर लिया करती थी। कुआँ दूर था, बार-बार जाना मुश्किल था। कल वह पानी लायी, तो उसमें बू बिल्कुल न थी; आज पानी में बदबू कैसी! लोटा नाक से लगाया, तो सचमुच बदबू थी। ज़रूर कोई जानवर कुएँ में गिरकर मर गया होगा; मगर दूसरा पानी आवे कहाँ से?

ठाकुर के कुएँ पर कौन चढ़ने देगा? दूर से लोग डाँट बताएँगे। साहू का कुआँ गाँव के उस सिरे पर है, परन्तु वहाँ भी कौन पानी भरने देगा? कोई कुआँ गाँव में है नहीं।

जोखू कई दिन से बीमार है। कुछ देर तक तो प्यास रोके चुप पड़ा रहा, फिर बोला—अब तो मारे प्यास के रहा नहीं जाता। ला, थोड़ा पानी नाक बंद करके पी लूँ।

गंगी ने पानी न दिया। ख़राब पानी पीने से बीमारी बढ़ जायेगी—इतना जानती थी; परंतु यह न जानती थी कि पानी को उबाल देने से उसकी ख़राबी जाती रहती है। बोली—यह पानी कैसे पियोगे? न जाने कौन जानवर मरा है। कुएँ से मैं दूसरा पानी लाये देती हूँ।

जोखू ने आश्चर्य से उसकी ओर देखा—दूसरा पानी कहाँ से लायेगी?

'ठाकुर और साहू के दो कुएँ तो हैं। क्या एक लोटा पानी न भरने देंगे?'

'हाथ-पाँव तुड़वा आयेगी और कुछ न होगा। बैठ चुपके से। ब्राह्मण-देवता आशीर्वाद देंगे, ठाकुर लाठी मारेंगे, साहूजी एक के पाँच लेंगे। ग़रीबों का दर्द कौन समझता है! हम तो मर भी जाते हैं, तो कोई दुआर पर झाँकने नहीं आता, कंधा देना तो बड़ी बात है। ऐसे लोग कुएँ से पानी भरने देंगे?'

इन शब्दों में कड़वा सत्य था। गंगी क्या जवाब देती; किन्तु उसने वह बदबूदार पानी पीने को न दिया।

2

रात के नौ बजे थे। थके-माँदे मजदूर तो सो चुके थे, ठाकुर के दरवाज़े पर दस-पाँच बेफ़िक्रे जमा थे। मैदानी बहादुरी का तो न अब ज़माना रहा है, न मौक़ा। क़ानूनी बहादुरी की बातें हो रही थीं। कितनी होशियारी से ठाकुर ने थानेदार को एक ख़ास मुक़द्दमे में रिश्वत दे दी और साफ़ निकल गये। कितनी अक्लमंदी से एक मार्के के मुक़द्दमे की नक़ल ले आये। नाजिर और मोहतिमिम, सभी कहते थे, नक़ल नहीं मिल सकती। कोई पचास माँगता, कोई सौ। यहाँ बे पैसे-कौड़ी नक़ल उड़ा दी। काम करने का ढंग चाहिए।

इसी समय गंगी कुएँ से पानी लेने पहुँची।

कुप्पी की धुँधली रोशनी कुएँ पर आ रही थी। गंगी जगत की आड़ में बैठी मौके का इंतज़ार करने लगी। इस कुएँ का पानी सारा गाँव पीता है। किसी के लिए रोक नहीं; सिर्फ़ ये बदनसीब नहीं भर सकते।

गंगी का विद्रोही दिल रिवाज़ी पाबंदियों और मज़बूरियों पर चोटें करने लगा—हम क्यों नीच हैं और ये लोग क्यों ऊँच हैं? इसलिए कि ये लोग गले में तागा डाल लेते हैं? यहाँ तो जितने हैं, एक-से-एक छटे हैं। चोरी ये करें, जालफ़रेब ये करें, झूठे मुक़द्दमे ये करें। अभी इस ठाकुर ने तो उस दिन बेचारे गड़रिये की एक भेड़ चुरा ली थी और बाद में मारकर खा गया। इन्हीं पंडित के घर में तो बारहों मास जुआ होता है। यही साहूजी तो घी में तेल मिलाकर बेचते हैं। काम करा लेते हैं, मजूरी देते नानी मरती है। किस-किस बात में हैं हमसे ऊँचे? हाँ, मुँह से हमसे ऊँचे हैं, हम गली-गली चिल्लाते नहीं कि हम ऊँचे हैं, हम ऊँचे हैं। कभी गाँव में आ जाती हूँ, तो रस-भरी आँख से देखने लगते हैं। जैसे सबकी छाती पर साँप लोटने लगता है, परंतु घमंड यह कि हम ऊँचे हैं!

कुएँ पर किसी के आने की आहट हुई। गंगी की छाती धक्-धक् करने लगी। कहीं देख ले तो गज़ब हो जाय। एक लात भी तो नीचे न पड़े। उसने घड़ा और रस्सी उठा ली और झुककर चलती हुई एक वृक्ष के अँधेरे साए में जा खड़ी हुई। कब इन लोगों को दया आती है किसी पर! बेचारे महँगू को इतना मारा कि महीनों लहू थूकता रहा। इसीलिए तो कि उसने बेगार न दी थी! इस पर ये लोग ऊँचे बनते हैं?

कुएँ पर दो स्त्रियाँ पानी भरने आयी थीं। इनमें बातें हो रही थीं।

'खाना खाने चले और हुक्म हुआ कि ताज़ा पानी भर लाओ। घड़े के लिए पैसे नहीं हैं।'

'हम लोगों को आराम से बैठे देखकर जैसे मरदों को जलन होती है।'

'हाँ, यह तो न हुआ कि कलसिया उठाकर भर लाते। बस, हुक्म चला दिया कि ताजा पानी लाओ, जैसे हम लौंडियाँ ही तो हैं!'

'लौंडिया नहीं तो और क्या हो तुम? रोटी-कपड़ा नहीं पातीं? दस-पाँच रुपये भी छीन-झपटकर ले ही लेती हो। और लौंडियाँ कैसी होती हैं!

'मत लजाओ दीदी! छिन-भर आराम करने को जी तरसकर रह जाता है। इतना काम किसी दूसरे के घर कर देती, तो इससे कहीं आराम से रहती। ऊपर से वह एहसान मानता। यहाँ काम करते-करते मर जाओ, पर किसी का मुँह ही सीधा नहीं होता।'

दोनों पानी भरकर चली गयीं, तो गंगी वृक्ष की छाया से निकली और कुएँ के जगत के पास आयी। बेफ़िक्रे चले गये थे। ठाकुर भी दरवाज़ा बंद कर अंदर आँगन में सोने जा रहे थे। गंगी ने क्षणिक सुख की साँस ली। किसी तरह मैदान तो साफ़ हुआ। अमृत चुरा लाने के लिए जो राजकुमार किसी जमाने में गया था, वह भी शायद इतनी सावधानी के साथ और समझ-बूझकर न गया होगा। गंगी दबे पाँव कुएँ के जगत पर चढ़ी। विजय का ऐसा अनुभव उसे पहले कभी न हुआ था।

उसने रस्सी का फंदा घड़े में डाला। दाएँ-बाएँ चौकन्नी दृष्टि से देखा, जैसे कोई सिपाही रात को शत्रु के क़िले में सुराख कर रहा हो। अगर इस समय वह

पकड़ ली गयी, तो फिर उसके लिए माफ़ी या रियायत की रत्ती-भर उम्मीद नहीं। अंत में देवताओं को याद करके उसने कलेजा मज़बूत किया और घड़ा कुएँ में डाल दिया।

घड़े ने पानी में गोता लगाया, बहुत ही आहिस्ता। ज़रा भी आवाज़ न हुई। गंगी ने दो-चार हाथ जल्दी-जल्दी मारे। घड़ा कुएँ के मुँह तक आ पहुँचा। कोई बड़ा शहज़ोर पहलवान भी इतनी तेज़ी से उसे न खींच सकता था।

गंगी झुकी कि घड़े को पकड़कर जगत पर रखे कि एकाएक ठाकुर साहब का दरवाज़ा खुल गया। शेर का मुँह इससे अधिक भयानक न होगा।

गंगी के हाथ से रस्सी छूट गयी। रस्सी के साथ घड़ा धड़ाम से पानी में गिरा और कई क्षण तक पानी में हलकोरे की आवाज़ें सुनाई देती रहीं।

ठाकुर 'कौन है, कौन है?' पुकारते हुए कुएँ की तरफ़ जा रहे थे और गंगी जगत से कूदकर भागी जा रही थी।

घर पहुँचकर देखा कि जोखू मुँह से लगाये वही मैला गंदा पानी पी रहा है।

❑❑❑

घर जमाई

हरिधन जेठ की दुपहरी में ऊख में पानी देकर आया और बाहर बैठा रहा। घर में से धुआँ उठता नज़र आता था। छन-छन की आवाज़ भी आ रही थी। उसके दोनों साले उसके बाद आये और घर में चले गये। दोनों सालों के लड़के भी आये और उसी तरह अन्दर दाखिल हो गये; पर हरिधन अन्दर न जा सका। इधर एक महीने से उसके साथ यहाँ जो बरताव हो रहा था और विशेषकर कल उसे जैसी फटकार सुननी पड़ी थी, वह उसके पाँव में बेड़ियाँ-सी डाले हुए था। कल उसकी सास ही ने तो कहा था, मेरा जी तुमसे भर गया, मैं तुम्हारी जिन्दगी भर का ठेका लिये बैठी हूँ क्या? और सबसे बढ़कर अपनी स्त्री की निष्ठुरता ने उसके हृदय के टुकड़े कर दिये थे। वह बैठी यह फटकार सुनती रही, पर एक बार भी तो उसके मुँह से न निकला, अम्माँ, तुम क्यों इनका अपमान कर रही हो? बैठी गट-गट सुनती रही। शायद मेरी दुर्गति पर ख़ुश हो रही थी। इस घर में वह कैसे जाय? क्या फिर वही गालियाँ खाने, वही फटकार सुनने के लिए? और आज इस घर में जीवन के दस साल गुज़र जाने पर यह हाल हो रहा है! मैं किसी से कम काम करता हूँ? दोनों साले मीठी नींद सोते रहते हैं और मैं बैलों को सानी-पानी देता हूँ, छाँटी काटता हूँ। वहाँ सब लोग पल-पल पर चिलम पीते हैं, मैं आँखें बन्द किये अपने काम में लगा रहता हूँ। संध्या समय घरवाले गाने-बजाने चले जाते हैं। मैं घड़ी रात तक गायें-भैसें दुहता हूँ। उसका यह पुरस्कार मिल रहा है कि कोई खाने को भी नहीं पूछता। उलटे और गालियाँ मिलती हैं।

उसकी स्त्री घर में से डोल लेकर निकली और बोली—ज़रा इसे कुएँ से खींच लो, एक बूँद पानी नहीं है।

हरिधन ने डोल लिया और कुएँ से पानी भर लाया। उसे ज़ोर की भूख लगी हुई थी। समझा, अब खाने को बुलाने आयेगी, मगर स्त्री डोल लेकर अन्दर गयी तो वहीं की हो रही। हरिधन थका-माँदा, क्षुधा से व्याकुल पड़ा सो रहा।

सहसा उसकी स्त्री गुमानी ने आकर उसे जगाया।

हरिधन ने पड़े-पड़े ही कहा—क्या है? क्या पड़ा भी न रहने देगी या और पानी चाहिए?

गुमानी कटु स्वर में बोली—गुर्राते क्यों हो, खाने को बुलाने आयी हूँ।

हरिधन ने देखा, उसके दोनों साले और बड़े साले के दोनों लड़के भोजन किये चले जा रहे थे। उसकी देह में आग लग गयी। मेरी अब यह नौबत पहुँच गयी कि इन लोगों के साथ बैठकर खा भी नहीं सकता। ये लोग मालिक हैं। मैं इनकी जूठी थाली चाटनेवाला हूँ। मैं इनका कुत्ता हूँ, जिसे खाने के बाद टुकड़ा रोटी डाल दी जाती है। यही घर है, जहाँ आज के दस साल पहले उसका कितना आदर-सत्कार होता था। साले गुलाम बने रहते थे। सास मुँह जोहती रहती थीं। स्त्री पूजा करती थी। तब उसके पास रुपये थे, जायदाद थी। अब वह दरिद्र है। उसकी सारी जायदाद को इन्हीं लोगों ने कूड़ा कर दिया। अब उसे रोटियों के भी

लाले हैं। उसके जी में एक ज्वाला-सी उठी कि इसी वक़्त अन्दर जाकर सास को और साली को भिगो-भिगोकर लगाए, पर जब्त करके रह गया। पड़े-पड़े बोला—मुझे भूख नहीं है। आज न खाऊँगा।

गुमानी ने कहा—न खाओगे मेरी बला से, हाँ नहीं तो! खाओगे, तुम्हारे ही पेट में जायेगा, कुछ मेरे पेट में थोड़े ही चला जायेगा।

हरिधन का क्रोध आँसू बन गया। यह मेरी स्त्री है, जिसके लिए मैंने अपना सर्वस्व मिट्टी में मिला दिया। मुझे उल्लू बनाकर यह सब अब निकाल देना चाहते हैं। वह अब कहाँ जाये! क्या करे!

उसकी सास आकर बोलीं—चलकर खा क्यों नहीं लेते जी, रूठते किस पर हो। यहाँ तुम्हारे नख़रे सहने का किसी में बूता नहीं है। जो देते हो, वह मत देना और क्या करोगे! तुमसे बेटी ब्याही है, कुछ तुम्हारी ज़िन्दगी का ठेका नहीं लिया है।

हरिधन ने मर्माहत होकर कहा—हाँ अम्माँ, मेरी भूल थी कि मैं यही समझ रहा था। अब मेरे पास क्या है कि तुम मेरी ज़िन्दगी का ठेका लोगी? जब मेरे पास धन भी था, तब सब कुछ आता था। अब दरिद्र हूँ, तुम क्यों बात पूछोगी?

बूढ़ी सास भी मुँह फुलाकर भीतर चली गयी।

2

बच्चों के लिए बाप एक फालतू-सी चीज—एक विलास की वस्तु—है, जैसे घोड़े के लिए चने या बाबुओं के लिए मोहनभोग। रोटी-दाल, मोहनभोग उम्र-भर न मिले, तो किसका नुकसान है; मगर एक दिन रोटी-दाल के दर्शन न हों, तो फिर देखिए, क्या हाल होता है! पिता के दर्शन कभी-कभी शाम-सबेरे हो जाते हैं, वह बच्चे को उछालता है, दुलारता है, कभी गोद में लेकर या उँगली पकड़कर सैर कराने ले जाता है और बस, यही उसके कर्तव्य की इति है। वह परदेश चला जाय, बच्चे को परवा नहीं होती; लेकिन माँ तो बच्चे का सर्वस्व है। बालक एक मिनट के लिए भी उसका वियोग नहीं सह सकता। पिता कोई हो, उसे परवा नहीं, केवल एक उछालने-कुदानेवाला आदमी होना चाहिए; लेकिन माता तो अपनी ही होनी चाहिए, सोलहों-आने अपनी। वही रूप, वही रंग, वही प्यार, वही सब-कुछ। वह अगर नहीं है, तो बालक के जीवन का स्रोत मानो सूख जाता है, फिर वह शिव का नन्दी है, जिस पर फूल या जल चढ़ाना लाज़िमी नहीं, अख़्तियारी है। हरिधन की माता का आज दस साल हुए, देहान्त हो गया था। उस वक़्त उसका विवाह हो चुका था। वह सोलह साल का कुमार था। पर माँ के मरते ही उसे मालूम हुआ, मैं कितना निस्सहाय हूँ। जैसे उस घर पर उसका कोई अधिकार ही न रहा हो। बहनों के विवाह हो चुके थे। भाई कोई दूसरा न था। बेचारा अकेले घर में जाते भी डरता था। माँ के लिए रोता था, पर माँ की परछाईं से डरता था। जिस कोठरी में उसने देह-त्याग किया था, उधर वह आँखें तक न उठाता। घर में एक बुआ थीं, वह हरिधन को बहुत दुलार करतीं। हरिधन को अब दूध ज्यादा मिलता, काम भी कम करना पड़ता। बुआ बार-बार पूछतीं—बेटा! कुछ खाओगे? बाप भी अब से उसे ज़्यादा प्यार करते। उसके लिए अलग एक गाय मँगवा दी। कभी-कभी उसे कुछ पैसे देते कि

जैसे चाहे ख़र्च करे। पर इन मरहमों से वह घाव न पूरा होता था, जिसने उसकी आत्मा को आहत कर दिया था। वह दुलार और प्यार उसे बार-बार माँ की याद दिलाता। माँ की घुड़कियों में जो मज़ा था, वह क्या इस दुलार में था? माँ से माँगकर, लड़कर, ठुनककर, रूठकर लेने में जो आनन्द था, वह क्या इस भिक्षादान में था? पहले वह स्वस्थ था, माँग-माँगकर खाता था, लड़-लड़कर खाता; अब वह बीमार था, अच्छे-से-अच्छे पदार्थ उसे दिये जाते थे, पर भूख न थी।

साल भर तक वह इस दशा में रहा। फिर दुनिया बदल गयी। एक नई स्त्री, जिसे लोग उसकी माता कहते थे, उसके घर में आयी और देखते-देखते एक काली घटा की तरह उसके संकुचित भूमंडल पर छा गयी—सारी हरियाली, सारे प्रकाश पर अंधकार का परदा पड़ गया। हरिधन ने इस नक़ली माँ से बात तक न की, कभी उसके पास गया तक नहीं। एक दिन घर से निकला और ससुराल चला आया।

बाप ने बार-बार बुलाया पर उनके जीते जी वह फिर उस घर में न गया। जिस दिन उसके पिता के देहांत की सूचना मिली, उसे एक प्रकार का ईर्ष्यामय हर्ष हुआ। उसकी आँखों में आँसू की एक बूँद भी न आयी।

इस नये संसार में आकर हरिधन को एक बार फिर मातृ-स्नेह का आनन्द मिला। उसकी सास ने ऋषि-वरदान की भाँति उसके शून्य जीवन को विभूतियों से परिपूर्ण कर दिया। मरुभूमि में हरियाली उत्पन्न हो गयी। सालियों की चुहल में, सास के स्नेह में, सालों के वाक्-विलास में और स्त्री के प्रेम में उसके जीवन की सारी आकांक्षाएँ पूरी हो गयीं। सास कहतीं—बेटा, तुम इस घर को अपना ही समझो, तुम्हीं मेरी आँखों के तारे हो। वह उससे अपने लड़कों की, बहुओं की शिक़ायत करती। वह दिल में समझता था, सासजी मुझे अपने बेटों से भी ज़्यादा चाहती हैं।

बाप के मरते ही वह घर गया और अपने हिस्से की जायदाद को कूड़ा करके रुपयों की थैली लिए फिर आ गया। अब उसका दूना आदर-सत्कार होने लगा। उसने अपनी सारी सम्पत्ति सास के चरणों पर अर्पण करके अपने जीवन को सार्थक कर दिया। अब तक उसे कभी-कभी घर की याद आ जाती थी, अब भूलकर भी उसकी याद न आती, मानो वह उसके जीवन का कोई भीषण कांड था, जिसे भूल जाना ही उसके लिए अच्छा था। वह सबसे पहले उठता, सबसे ज़्यादा काम करता। उसका मनोयोग, उसका परिश्रम देखकर गाँव के लोग दाँतों उँगली दबाते थे। उसके ससुर का भाग्य बखानते, जिसे ऐसा दामाद मिल गया! लेकिन ज्यों-ज्यों दिन गुज़रते गये, उसका मान-सम्मान घटता गया। पहले देवता था, फिर घर का आदमी, अन्त में घर का दास हो गया। रोटियों में भी बाधा पड़ गयी! अपमान होने लगा। अगर घर के लोग भूखों मरते और साथ ही उसे भी मरना पड़ता, तो उसे ज़रा भी शिक़ायत न होती। लेकिन जब वह देखता, और लोग मूँछों पर ताव दे रहे हैं, केवल मैं ही दूध की मक्खी बना दिया गया हूँ, तो उसके अन्तस्तल से एक लम्बी, ठंडी आह निकल जाती। अभी उसकी उम्र कुल पच्चीस ही साल की तो थी। इतनी उम्र इस घर में कैसे गुजरेगी? और तो और, उसकी स्त्री ने भी आँखें फेर लीं! यह उस विपत्ति का सबसे क्रूर दृश्य था।

3

हरिधन तो उधर भूखा-प्यासा चिन्ता-दाह में जल रहा था, इधर घर में सासजी और दोनों सालों में बातें हो रही थीं। गुमानी भी हाँ-में-हाँ मिलाती जाती थी।

बड़े साले ने कहा—हम लोगों की बराबरी करते हैं। यह नहीं समझते कि किसी ने उनकी ज़िन्दगी-भर का बीड़ा थोड़े ही लिया है। दस साल हो गये। इतने दिनों में क्या दो-तीन हज़ार न हड़प गये होंगे?

छोटे साले बोले—मजूर हो तो आदमी घुड़के भी, डाँटे भी, अब इनसे कोई क्या कहे। न जाने इनसे कभी पिण्ड छूटेगा भी या नहीं? अपने दिल में समझते होंगे, मैंने दो हज़ार रुपये नहीं दिये हैं? यह नहीं समझते कि उनके दो हज़ार कब के उड़ चुके। सवा सेर तो एक जून को चाहिए।

सास ने गम्भीर भाव से कहा—बड़ी भारी खोराक है!

गुमानी माता के सिर से जूँ निकाल रही थी। सुलगते हुए हृदय से बोली—निकम्मे आदमी को खाने के सिवा और काम ही क्या रहता है!

बड़े—खाने की कोई बात नहीं है। जिसको जितनी भूख हो उतना खाये लेकिन कुछ पैदा करना चाहिए। यह नहीं समझते कि पहुनई में किसी के दिन कटे हैं!

छोटे—मैं तो एक दिन कह दूँगा; अब आप अपनी राह लीजिए, आपका करजा नहीं खाया है।

गुमानी घरवालों को ऐसी-ऐसी बातें सुनकर अपने पति से द्वेष करने लगी थी। अगर वह बाहर से चार पैसे लाता, तो इस घर में उसका कितना मान-सम्मान होता, वह भी रानी बनकर रहती। न जाने क्यों कहीं बाहर जाकर कमाते उनकी नानी मरती है। गुमानी की मनोवृत्तियाँ अभी तक बिल्कुल बालपन की-सी थीं। उसका अपना कोई घर न था। उसी घर का हित-अहित उसके लिए भी प्रधान था। वह भी उन्हीं शब्दों में विचार करती, इस समस्या को उन्हीं आँखों से देखती, जैसे उसके घरवाले देखते थे। सच तो है, दो हज़ार रुपये में क्या किसी को मोल ले लेंगे? दस साल में दो हज़ार रुपये होते ही क्या हैं? दो सौ ही तो साल-भर के हुए। क्या दो आदमी साल-भर में दो सौ भी न खाएँगे? फिर कपड़े-लत्ते, दूध-घी सभी कुछ तो है। दस साल हो गये, एक पीतल का छल्ला नहीं बना। घर से निकलते तो जैसे इनके प्राण निकलते हैं। जानते हैं, जैसे पहले पूजा होती थी, वैसे ही जन्म-भर होती रहेगी। यह नहीं सोचते कि पहले और बात थी; अब और बात है। बहू ही पहले ससुराल जाती है, तो उसका कितना महातम होता है। उसके डोली से उतरते ही बाजे बजते हैं, गाँव-मुहल्ले की औरतें उसका मुँह देखने आती हैं और रुपये देती हैं। महीनों उसे घर-भर से अच्छा खाने को मिलता है, अच्छा पहनने को, कोई काम नहीं लिया जाता; लेकिन छः महीने बाद कोई उसकी बात भी नहीं पूछता, वह घर-भर की लौंडी हो जाती है। उनके घर में मेरी तो वही गति होती। फिर काहे का रोना। जो यह कहो कि मैं तो काम करता हूँ, तो तुम्हारी भूल है, मजूर की और बात है। उसे आदमी डाँटता भी है, मारता भी है, जब चाहता है रखता है, जब जी चाहता है निकाल देता है। कसकर काम लेता है। यह नहीं कि जब जी में आया, कुछ काम किया, जब जी में आया, पड़कर सो रहे।

5

हरिधन भी पड़ा अन्दर-ही-अन्दर सुलग रहा था कि दोनों साले बाहर आये और बड़े साहब बोले—भैया, उठो, तीसरा पहर ढल गया, कब तक सोते रहोगे? सारा खेत पड़ा हुआ है।

हरिधन चट उठ बैठा और तीव्र स्वर में बोला—क्या तुम लोगों ने मुझे उल्लू समझ लिया है?

दोनों साले हक्का-बक्का हो गये। जिस आदमी ने कभी जबान नहीं खोली हमेशा गुलामों की तरह हाथ बाँधे हाजिर रहा, वह आज एकाएक इतना आत्माभिमानी हो गया, यह उनको चौंका देने के लिए काफ़ी था। कुछ जवाब न सूझा।

हरिधन ने देखा, इन दोनों के कदम उखड़ गये हैं, तो एक धक्का और देने की प्रबल इच्छा को न रोक सका। उसी ढंग से बोला—मेरी भी आँखें हैं, अन्धा नहीं हूँ, न बहरा ही हूँ। छाती फाड़कर काम करूँ और उस पर भी कुत्ता समझा जाऊँ, ऐसे गधे कहीं और होंगे।

अब बड़े साले भी गरम पड़े—तुम्हें किसी ने यहाँ बाँध तो नहीं रखा है।

अबकी हरिधन लाजवाब हुआ। कोई बात न सूझी।

बड़े ने फिर उसी ढंग से कहा—अगर तुम यह चाहो कि जन्म-भर पाहुँने बने रहो और तुम्हारा वैसा ही आदर-सत्कार होता रहे, तो यह हमारे बस की बात नहीं है।

हरिधन ने आँखें निकालकर कहा—क्या मैं तुम लोगों से कम काम करता हूँ?

बड़े—यह कौन कहता है?

हरिधन—तो तुम्हारे घर की यही नीति है कि जो सबसे ज्यादा काम करे, वही भूखों मारा जाय?

बड़े—तुम ख़ुद खाने नहीं गये। क्या कोई तुम्हारे मुँह में कौर डाल देता?

हरिधन ने होंठ चबाकर कहा—मैं ख़ुद खाने नहीं गया! कहते तुम्हें लाज नहीं आती।

'नहीं आयी थी बहन तुम्हें बुलाने?'

हरिधन की आँखों में ख़ून उतर आया, दाँत पीसकर रह गया।

छोटे साले ने कहा—अम्माँ भी आयी थीं। तुमने कह दिया, मुझे भूख नहीं है, तो क्या करतीं।

सास भीतर से लपकी चली आ रही थीं। यह बात सुनकर बोलीं—कितना कहकर हार गयी, कोई उठे न तो मैं क्या करूँ!

हरिधन ने विष, ख़ून और आग से भरे हुए स्वर में कहा—मैं तुम्हारे लड़कों का जूठा खाने के लिए हूँ! मैं कुत्ता हूँ कि तुम लोग खाकर मेरे सामने रूखी रोटी का टुकड़ा फेंक दो?

बुढ़िया ने ऐंठकर कहा—तो क्या तुम लड़कों की बराबरी करोगे?

हरिधन परास्त हो गया! बुढ़िया के एक ही वाक्प्रहार में उसका काम तमाम कर दिया। उसकी तनी हुई भवें ढीली पड़ गयीं, आँखों की आग बुझ गयी, फड़कते हुए नथने शान्त हो गये। किसी आहत मनुष्य की भाँति वह ज़मीन पर गिर पड़ा।

'क्या तुम मेरे लड़कों की बराबरी करोगे?' यह वाक्य एक लम्बे भाले की तरह उसके हृदय में चुभता चला जाता था—न हृदय का अन्त था, न उस भाले का!

5

सारे घर ने खाया, पर हरिधन न उठा। सास ने मनाया, सालियों ने मनाया ससुर ने मनाया, दोनों साले मनाकर हार गये। हरिधन न उठा, वहाँ द्वार पर एक टाट पड़ा था। उसे उठाकर सबसे अलग कुएँ पर ले गया और जगत पर बिछाकर पड़ा रहा।

रात भीग चुकी थी। अनन्त आकाश में उज्ज्वल तारे बालकों की भाँति क्रीड़ा कर रहे थे। कोई नाचता था, कोई उछलता था, कोई हँसता था, कोई आँखें मींचकर फिर खोल देता था। रह-रहकर कोई साहसी बालक सपाटा भरकर एक पल में उस विस्तृत क्षेत्र को पार कर लेता था और न जाने कहाँ छा जाता था। हरिधन को अपना बचपन याद आया, जब वह भी इसी तरह क्रीड़ा करता था। उसकी बाल-स्मृतियाँ उन्हीं चमकीले तारों की भाँति प्रज्वलित हो गयीं। वह अपना छोटा-सा घर, वह आम का बाग़, जहाँ वह केरियाँ चुना करता था; वह मैदान, जहाँ वह कबड्डी खेला करता था, सब उसको याद आने लगे। फिर अपनी स्नेहमयी माता की सदय मूर्ति उसके सामने खड़ी हो गयी। उन आँखों में कितनी करुणा थी, कितनी दया थी। उसे ऐसा जान पड़ा, मानो माता आँखों में आँसू भरे, उसे छाती से लगा लेने के लिए हाथ फैलाए उसकी ओर चली आ रही है। वह उस मधुर भावना में अपने को भूल गया। ऐसा जान पड़ा, मानो माता ने उसे छाती से लगा लिया है और उसके सिर पर हाथ फेर रही है। वह रोने लगा, फूट-फूटकर रोने लगा। उसी आत्म-सम्मोहित दशा में उसके मुँह से यह शब्द निकले—अम्माँ, तुमने मुझे इतना भुला दिया। देखो, तुम्हारे प्यारे लाल की क्या दशा हो रही है? कोई उसे पानी को भी नहीं पूछता। क्या जहाँ तुम हो, वहाँ मेरे लिए जगह नहीं है!

सहसा गुमानी ने आकर पुकारा—क्या सो गये तुम, ऐसी भी क्या राच्छसी नींद! चलकर खा क्यों नहीं लेते? कब तक कोई तुम्हारे लिए बैठा रहे।

हरिधन उस कल्पना-जगत् से क्रूर प्रत्यक्ष में आ गया। वही कुएँ की जगत थी, वही फटा हुआ टाट और गुमानी सामने खड़ी कह रही थी—कब तक कोई तुम्हारे लिए बैठा रहे!

हरिधन उठ बैठा और मानो तलवार म्यान से निकलकर बोला—भला, तुम्हें मेरी सुध तो आयी! मैंने तो कह दिया था, मुझे भूख नहीं है।

गुमानी—तो कितने दिन तक न खाओगे?

'अब इस घर का पानी भी न पीऊँगा। तुझे मेरे साथ चलना है या नहीं?'

दृढ़ संकल्प से भरे हुए इन शब्दों को सुनकर गुमानी सहम उठी। बोली—कहाँ जा रहे हो?

हरिधन ने मानो नशे में कहा—तुझे इससे क्या मतलब? मेरे साथ चलेगी या नहीं? फिर पीछे से न कहना, मुझसे कहा नहीं।

गुमानी आपत्ति के भाव से बोली—तुम बताते क्यों नहीं, कहाँ जा रहे हो?

'तू मेरे साथ चलेगी या नहीं?'

'जब तक तुम बता न दोगे, मैं न जाऊँगी।'

'तो मालूम हो गया, तू नहीं जाना चाहती। मुझे इतना ही पूछना था, नहीं तो अब तक मैं आधी दूर निकल गया होता।'

यह कहकर उठा और अपने घर की ओर चला। गुमानी पुकारती रही—'सुन लो, सुन लो' पर उसने फिरकर भी न देखा।

6

तीस मील की मंज़िल हरिधन ने पाँच घंटों में तय की। जब वह अपने गाँव की अमराइयों के सामने पहुँचा, तो उसकी मातृ-भावना उषा की सुनहरी गोद में खेल रही थी। उन वृक्षों को देखकर उसका विह्वल हृदय नाचने लगा। मन्दिर का सुनहरा कलश देखकर वह इस तरह दौड़ा, मानो एक छलाँग में उसके ऊपर जा पहुँचेगा। वह वेग में दौड़ा जा रहा था, मानो उसकी माता गोद फैलाए उसे बुला रही हो। जब वह आमों के बाग़ में पहुँचा, जहाँ डालियों पर बैठकर वह हाथी की सवारी का आनन्द पाता था, जहाँ के कच्चे बेरों और लिसोड़ों में एक स्वर्गीय स्वाद था, तो वह बैठ गया और भूमि पर सिर झुकाकर रोने लगा, मानो अपनी माता को अपनी विपत्ति-कथा सुना रहा हो। वहाँ की वायु में, वहाँ के प्रकाश में, मानो उसकी विराट्-रूपिणी माता व्याप्त हो रही थी। वहाँ की अंगुल-अंगुल भूमि माता के पद-चिह्नों से पवित्र थी, माता के स्नेह में डूबे हुए शब्द अभी तक मानो आकाश में गूँज रहे थे। इस वायु और इस आकाश में न जाने कौन-सी संजीवनी थी, जिसने उसके शोकार्त्त हृदय को फिर बालोत्साह से भर दिया। वह एक पेड़ पर चढ़ गया और अधर से आम तोड़-तोड़कर खाने लगा। सास के वह कठोर शब्द, स्त्री का वह निष्ठुर आघात, वह सारा अपमान उसे भूल गया। उसके पाँव फूल गये थे, तलवों में जलन हो रही थी; पर इस आनंद में उसे किसी बात का ध्यान न था।

सहसा रखवाले ने पुकारा—वह कौन ऊपर चढ़ा है रे? उतर अभी, नहीं तो ऐसा पत्थर खींचकर मारूँगा कि वहीं ठंडे हो जाओगे।

उसने कई गालियाँ भी दीं। इस फटकार और इन गालियों में इस समय हरिधन को अलौकिक आनंद मिल रहा था। वह डालियों में छिप गया, कई आम काट-काट नीचे गिराये, और ज़ोर से ठट्ठा मारकर हँसा। ऐसी उल्लास से भरी हुई हँसी उसने बहुत दिन से न हँसी थी।

रखवाले को यह हँसी परिचित मालूम हुई। मगर हरिधन यहाँ कहाँ? वह ससुराल की रोटियाँ तोड़ रहा है! कैसा हँसोढ़ा था, कितना चिबिल्ला। न जाने बेचारे का क्या हाल हुआ? पेड़ की डाल से तालाब में कूद पड़ता था। अब गाँव में ऐसा कौन है?

डाँटकर बोला—वहाँ से बैठे-बैठे हँसोगे, तो आकर सारी हँसी निकाल दूँगा, नहीं तो सीधे उतर आओ।

वह गालियाँ देते जा रहा था कि एक गुठली आकर उसके सिर पर लगी। सिर सहलाता हुआ बोला—यह कौन शैतान है, नहीं मानता। ठहर तो, मैं आकर तेरी ख़बर लेता हूँ।

उसने अपनी लकड़ी नीचे रख दी और बंदरों की तरह चट-पट ऊपर चढ़

गया। देखा तो हरिधन बैठा मुस्करा रहा है। चकित होकर बोला—अरे हरिधन, तुम यहाँ कब आये? इस पेड़ पर कब से बैठे हो?

दोनों बचपन के सखा वहीं गले मिले।

'यहाँ कब आये? चलो, घर चलो। भले आदमी, क्या वहाँ आम भी मयस्सर न होते थे?'

हरिधन ने मुस्कराकर कहा—मँगरू, इन आमों में जो स्वाद है, वह और कहीं के आमों में नहीं है। गाँव का क्या रंग-ढंग है?

मँगरू—सब चैनचान है भैया! तुमने तो जैसे नाता ही तोड़ लिया। इस तरह कोई अपना गाँव-घर छोड़ देता है? जब से तुम्हारे दादा मरे, सारी गिरस्ती चौपट हो गयी। दो छोटे-छोटे लड़के हैं। उनके किये क्या होता है?

हरिधन—अब उस गिरस्ती से क्या वास्ता है भाई? मैं तो अपना ले-दे चुका। मजूरी तो मिलेगी न? तुम्हारी गैया ही चरा दिया करूँगा; मुझे खाने को दे देना।

मँगरू ने अविश्वास के भाव से कहा—अरे भैया, कैसी बातें करते हो, तुम्हारे लिए जान हाजिर है। क्या ससुराल में अब न रहोगे? कोई चिन्ता नहीं। पहले तो तुम्हारा घर ही है। उसे सँभालो! छोटे-छोटे बच्चे हैं, उनको पालो। तुम नयी अम्माँ से नाहक डरते थे। बड़ी सीधी है बेचारी। बस, अपनी माँ समझो। तुम्हें पाकर तो निहाल हो जायेगी। अच्छा, घरवाली को भी तो लाओगे?

हरिधन—उसका अब मुँह न देखूँगा। मेरे लिए वह मर गयी।

मँगरू—तो दूसरी सगाई हो जायेगी। अबकी ऐसी मेहरिया ला दूँगा कि उसके पैर धो-धो पियोगे, लेकिन कहीं पहली भी आ गयी तो?

हरिधन—वह न आयगी।

7

हरिधन अपने घर पहुँचा तो दोनों भाई, 'भैया आये! भैया आये!' कहकर भीतर दौड़े और माँ को ख़बर दी।

उस घर में कदम रखते ही हरिधन को ऐसी शांत महिमा का अनुभव हुआ मानो वह अपनी माँ की गोद में बैठा हुआ है। इतने दिनों ठोकरें खाने से उसका हृदय कोमल हो गया था। जहाँ पहले अभिमान था, आग्रह था, हेकड़ी थी, वहाँ अब निराशा थी, पराजय और याचना थी। बीमारी का ज़ोर कम हो चला था, अब उस पर मामूली दवा भी असर कर सकती थी। क़िले की दीवारें छिद चुकी थीं। अब उसमें घुस जाना असाध्य न था। वही घर जिससे वह एक दिन विरक्त हो गया था, अब गोद फैलाये उसे आश्रय देने को तैयार था। हरिधन का निरवलम्ब मन यह आश्रय पाकर मानो तृप्त हो गया।

शाम को विमाता ने कहा—बेटा, तुम घर आ गये, हमारे धन्य भाग। अब इन बच्चों को पालो। माँ का नाता न सही, बाप का नाता तो है ही। मुझे एक रोटी दे देना, खाकर एक कोने में पड़ी रहूँगी। तुम्हारी अम्माँ से मेरी बहन का नाता है। उस नाते से तुम लड़के होते हो।

हरिधन ने मातृ-विह्वल आँखों से विमाता के रूप में अपनी माता के दर्शन किये। घर के एक-एक कोने में मातृ-स्मृतियों की छटा चाँदनी की भाँति छिटकी हुई थी, विमाता का प्रौढ़ मुखमंडल भी उसी छटा से रंजित था।

दूसरे दिन हरिधन फिर कंधे पर हल रखकर खेत को चला। उसके मुख पर उल्लास था और आँखों में गर्व। वह अब किसी का आश्रित नहीं, आश्रयदाता था, किसी के द्वार का भिक्षुक नहीं, घर का रक्षक था।

एक दिन उसने सुना, गुमानी ने दूसरा घर कर लिया। माँ से बोला—तुमने सुना काकी! गुमानी ने घर कर लिया।

काकी ने कहा—घर क्या कर लेगी, ठट्ठा है! बिरादरी में ऐसा अँधेर? पंचायत नहीं, अदालत तो है?

हरिधन ने कहा—नहीं काकी, बहुत अच्छा हुआ। ला, महावीरजी को लड्डू चढ़ा आऊँ। मैं तो डर रहा था, कहीं मेरे गले न आ पड़े। भगवान् ने मेरी सुन ली। मैं वहाँ से यही ठानकर चला था, अब उसका मुँह न देखूँगा।

❑❑❑

पूस की रात

हल्कू ने आकर स्त्री से कहा—सहना आया है। लाओ, जो रुपये रखे हैं, उसे दे दूँ, किसी तरह गला तो छूटे।

मुन्नी झाड़ू लगा रही थी। पीछे फिरकर बोली—तीन ही रुपये हैं, दे दोगे तो कम्बल कहाँ से आवेगा? माघ-पूस की रात हार में कैसे कटेगी? उससे कह दो, फ़सल पर दे देंगे। अभी नहीं।

हल्कू एक क्षण अनिश्चित दिशा में खड़ा रहा। पूस सिर पर आ गया, कम्बल के बिना हार में रात को वह किसी तरह सो नहीं सकता। मगर सहना मानेगा नहीं, घुड़कियाँ जमावेगा, गालियाँ देगा। बला से जाड़ों में मरेंगे, बला तो सिर से टल जायेगी। यह सोचता हुआ वह अपना भारी-भरकम डील लिये हुए (जो उसके नाम को झूठ सिद्ध करता था) स्त्री के समीप आ गया और ख़ुशामद करके बोला—ला दे दे, गला तो छूटे। कम्बल के लिए कोई दूसरा उपाय सोचूँगा।

मुन्नी उसके पास से दूर हट गयी और आँखें तरेरती हुई बोली—कर चुके दूसरा उपाय! ज़रा सुनूँ, तो कौन उपाय करोगे? कोई ख़ैरात में देगा कम्बल? न जाने कितना बाक़ी है, जो किसी तरह चुकने ही नहीं आता। मैं कहती हूँ, तुम क्यों नहीं खेती छोड़ देते? मर-मर काम करो, उपज हो तो बाक़ी दे दो, चलो छुट्टी हुई। बाक़ी चुकाने के लिए ही तो हमारा जन्म हुआ है। पेट के लिए मजूरी करो। ऐसी खेती से बाज़ आये। मैं रुपये न दूँगी—न दूँगी!

हल्कू उदास होकर बोला—तो क्या गाली खाऊँ?

मुन्नी ने तड़पकर कहा—गाली क्यों देगा, क्या उसका राज है?

मगर यह कहने के साथ ही उसकी तनी हुई भौंहें ढीली पड़ गयीं। हल्कू के उस वाक्य में जो कठोर सत्य था वह मानो एक भीषण जंतु की भाँति उसे घूर रहा था।

उसने जाकर आले पर से रुपये निकाले और लाकर हल्कू के हाथ पर रख दिये। फिर बोली—तुम छोड़ दो अबकी से खेती। मजूरी में सुख से एक रोटी खाने को तो मिलेगी। किसी की धौंस तो न रहेगी। अच्छी खेती है! मजूरी करके लाओ, वह भी उसी में झोंक दो, उस पर धौंस।

हल्कू ने रुपये लिये और इस तरह बाहर चला, मानो अपना हृदय निकाल कर देने जा रहा हो। उसने मजूरी से एक-एक काट-काटकर तीन रुपये कम्बल के लिए जमा किये थे। वह आज निकले जा रहे थे। एक-एक पग के साथ उसका मस्तक अपनी दीनता के भार से दबा जा रहा था।

2

पूस की अँधेरी रात! आकाश पर तारे भी ठिठुरते हुए मालूम होते थे। हल्कू अपने खेत के किनारे ऊख के पत्तों की एक छतरी के नीचे बाँस के खटोले पर अपनी

पुरानी गाढ़े की चादर ओढ़े पड़ा काँप रहा था। खाट के नीचे उसका संगी कुत्ता जबरा पेट में मुँह डाले सर्दी से कूँ-कूँ कर रहा था। दो में से एक को भी नींद न आती थी।

हल्कू ने घुटनियों को गरदन में चिपकाते हुए कहा—क्यों जबरा, जाड़ा लगता है? कहता तो था, घर में पुआल पर लेट रह, तो यहाँ क्या लेने आये थे। अब खाओ ठंड, मैं क्या करूँ। जानते थे, मैं यहाँ हलुआ-पूरी खाने आ रहा हूँ, दौड़े-दौड़े आगे-आगे चले आये। अब रोओ नानी के नाम को।

जबरा ने पड़े-पड़े दुम हिलायी और अपनी कूँ-कूँ को दीर्घ बनाता हुआ एक बार जम्हाई लेकर चुप हो गया। उसकी श्वान-बुद्धि ने शायद ताड़ लिया, स्वामी को मेरी कूँ-कूँ से नींद नहीं आ रही है।

हल्कू ने हाथ निकालकर जबरा की ठंडी पीठ सहलाते हुए कहा—कल से मत आना मेरे साथ, नहीं तो ठंडे हो जाओगे। यह राँड़ पछुआ न जाने कहाँ से बरफ़ लिये आ रही है। उठूँ, फिर एक चिलम भरूँ। किसी तरह रात तो कटे। आठ चिलम तो पी चुका। यह खेती का मज़ा है! और एक भागवान् ऐसे पड़े हैं, जिनके पास जाड़ा जाए तो गरमी से घबराकर भागे। मोटे-मोटे गद्दे, लिहाफ़, कम्बल। मज़ाल है, जाड़े का गुज़र हो जाए। तक़दीर की ख़ूबी है! मजूरी हम करें, मज़ा दूसरे लूटें।

हल्कू उठा, गड्ढे में से ज़रा-सी आग निकालकर चिलम भरी। जबरा भी उठ बैठा।

हल्कू ने चिलम पीते हुए कहा—पिएगा चिलम, जाड़ा तो क्या जाता है, हाँ, ज़रा मन बदल जाता है।

जबरा ने उसके मुँह की ओर प्रेम से छलकती हुई आँखों से देखा।

हल्कू—आज और जाड़ा खा ले। कल से मैं यहाँ पुआल बिछा दूँगा। उसी में घुसकर बैठना, तब जाड़ा न लगेगा।

जबरा ने अपने पंजे उसकी घुटनियों पर रख दिये और उसके मुँह के पास अपना मुँह ले गया। हल्कू को उसकी गर्म साँस लगी।

चिलम पीकर हल्कू फिर लेटा और निश्चय करके लेटा कि चाहे कुछ हो, अबकी सो जाऊँगा; पर एक ही क्षण में उसके हृदय में कम्पन होने लगा। कभी इस करवट लेटता, कभी उस करवट, पर जाड़ा किसी पिशाच की भाँति उसकी छाती को दबाये हुए था।

जब किसी तरह न रहा गया, तो उसने जबरा को धीरे से उठाया और उसके सिर को थपथपाकर उसे अपनी गोद में सुला लिया। कुत्ते की देह से जाने कैसी दुर्गंध आ रही थी, पर वह उसे अपनी गोद से लिपटाये हुए ऐसे सुख का अनुभव कर रहा था, जो इधर महीनों से उसे न मिला था। जबरा शायद समझ रहा था कि स्वर्ग यही है, और हल्कू की पवित्र आत्मा में तो उस कुत्ते के प्रति घृणा की गंध तक न थी। अपने किसी अभिन्न मित्र या भाई को भी वह इतनी ही तत्परता से गले लगाता। वह अपनी दीनता से आहत न था, जिसने आज उसे इस दशा को पहुँचा दिया। नहीं, इस अनोखी मैत्री ने जैसे उसकी आत्मा के सब द्वार खोल दिये थे और उसका एक-एक अणु प्रकाश से चमक रहा था।

सहसा जबरा ने किसी जानवर की आहट पायी। इस विशेष आत्मीयता ने उसमें एक नयी स्फूर्ति पैदा कर दी थी, जो हवा के ठंडे झोंकों को तुच्छ समझती थी। वह झपटकर उठा और छतरी से बाहर आकर भूँकने लगा। हल्कू ने उसे कई

बार चुमकारकर बुलाया; पर वह उसके पास न आया। हार में चारों तरफ़ दौड़-दौड़कर भूँकता रहा। एक क्षण के लिए आ भी जाता, तो तुरन्त ही फिर दौड़ता। कर्तव्य उसके हृदय में अरमान की भाँति उछल रहा था।

3

एक घंटा और गुज़र गया। रात ने शीत को हवा से धधकाना शुरू किया। हल्कू उठ बैठा और दोनों घुटनों को छाती से मिलाकर सिर को उसमें छिपा लिया, फिर भी ठंड कम न हुई। ऐसा जान पड़ता था, सारा रक्त जम गया है, धमनियों में रक्त की जगह हिम बह रही है। उसने झुककर आकाश की ओर देखा, अभी कितनी रात बाक़ी है। सप्तर्षि अभी आकाश में आधे भी नहीं चढ़े। ऊपर आ जाएँगे तब कहीं सबेरा होगा। अभी पहर से ऊपर रात है।

हल्कू के खेत से कोई एक गोली के टप्पे पर आमों का एक बाग़ था। पतझड़ शुरू हो गयी थी। बाग़ में पत्तियों का ढेर लगा हुआ था। हल्कू ने सोचा, चलकर पत्तियाँ बटोरूँ और उन्हें जलाकर ख़ूब तापूँ। रात को कोई मुझे पत्तियाँ बटोरते देखे तो समझे, कोई भूत है। कौन जाने, कोई जानवर ही छिपा बैठा हो; मगर अब तो बैठे नहीं रहा जाता।

उसने पास के अरहर के खेत में जाकर कई पौधे उखाड़ लिए और उनका एक झाड़ू बनाकर हाथ में सुलगता हुआ उपला लिये बगीचे की तरफ़ चला। जबरा ने उसे आते देखा, पास आया और दुम हिलाने लगा।

हल्कू ने कहा—अब तो नहीं रहा जाता जबरू! चलो बगीचे में पत्तियाँ बटोरकर तापें। टाँठे हो जाएँगे, तो फिर आकर सोयेंगे। अभी तो बहुत रात है।

जबरा ने कूँ-कूँ करके सहमति प्रकट की और आगे बगीचे की ओर चला।

बगीचे में ख़ूब अँधेरा छाया हुआ था और अँधकार में निर्दयी पवन पत्तियों को कुचलता हुआ चला जाता था। वृक्षों से ओस की बूँदें टप-टप नीचे टपक रही थीं।

एकाएक एक झोंका मेहंदी के फूलों की ख़ुशबू लिये हुए आया।

हल्कू ने कहा—कैसी अच्छी महक आयी जबरू! तुम्हारी नाक में कुछ सुगंध आ रही है?

जबरा को कहीं ज़मीन पर एक हड्डी पड़ी मिल गयी थी। उसे चिचोड़ रहा था।

हल्कू ने आग ज़मीन पर रख दी और पत्तियाँ बटोरने लगा। ज़रा देर में पत्तियों का ढेर लग गया। हाथ ठिठुरे जाते थे। नंगे पाँव गले जाते थे। और वह पत्तियों का पहाड़ खड़ा कर रहा था। इसी अलाव में वह ठंड को जलाकर भस्म कर देगा।

थोड़ी देर में अलाव जल उठा। उसकी लौ ऊपरवाले वृक्ष की पत्तियों को छू-छूकर भागने लगी। उस अस्थिर प्रकाश में बगीचे के विशाल वृक्ष ऐसे मालूम होते थे, मानो उस अथाह अंधकार को अपने सिरों पर सँभाले हुए हों। अन्धकार के उस आनंद सागर से यह प्रकाश एक नौका के समान हिलता, मचलता हुआ जान पड़ता था।

हल्कू अलाव के सामने बैठा आग ताप रहा था। अगले क्षण में उसने दोहर उतारकर बगल में दबा ली, दोनों पाँव फैला दिये, मानो ठंड को ललकार रहा हो, 'तेरे जी में जो आये सो कर।' ठंड की असीम शक्ति पर विजय पाकर वह विजय-गर्व को हृदय में छिपा न सकता था।

उसने जबरा से कहा—क्यों जबरा, अब ठंड नहीं लग रही है?

जबरा ने कूँ-कूँ करके मानो कहा—अब क्या ठंड लगती ही रहेगी?

'पहले से यह उपाय न सूझा, नहीं तो इतनी ठंड क्यों खाते।'

जबरा ने पूँछ हिलायी।

'अच्छा आओ, इस अलाव को कूदकर पार करें। देखें, कौन निकल जाता है। अगर जल गये बच्चा, तो मैं दवा न करूँगा।'

जबरा ने उस अग्निराशि की ओर कातर नेत्रों से देखा!

'मुन्नी से कल न कह देना, नहीं तो लड़ाई करेगी।'

यह कहता हुआ वह उछला और उस अलाव के ऊपर से साफ़ निकल गया! पैरों में ज़रा लपट लगी; पर वह कोई बात न थी। जबरा आग के गिर्द घूमकर उसके पास आ खड़ा हुआ।

हल्कू ने कहा—चलो-चलो, यह सही नहीं! ऊपर से कूदकर आओ। वह फिर कूदा और अलाव के इस पार आ गया!

4

पत्तियाँ जल चुकी थीं। बगीचे में फिर अँधेरा छाया था। राख के नीचे कुछ-कुछ आग बाक़ी थी, जो हवा का झोंका आ जाने पर ज़रा जाग उठती थी; पर एक क्षण में फिर आँखें बन्द कर लेती थी।

हल्कू ने फिर चादर ओढ़ ली और गर्म राख के पास बैठा हुआ एक गीत गुनगुनाने लगा। उसके बदन में गर्मी आ गयी थी; पर ज्यों-ज्यों शीत बढ़ती जाती थी, उसे आलस्य दबाए लेता था।

जबरा जोर से भूँककर खेत की ओर भागा। हल्कू को ऐसा मालूम हुआ कि जानवरों का एक झुण्ड उसके खेत में आया है। शायद नीलगायों का झुण्ड था। उनके कूदने-दौड़ने की आवाज़ें साफ़ कानों में आ रही थीं फिर ऐसा मालूम हुआ कि खेत में चर रही हैं। उनके चबाने की आवाज़ चर-चर सुनायी देने लगी।

उसने दिल में कहा कि—नहीं, जबरा के होते कोई जानवर खेत में नहीं आ सकता। नोच ही डाले। मुझे भ्रम हो रहा है। कहाँ! अब तो कुछ नहीं सुनायी देता। मुझे भी कैसा धोखा हुआ!

उसने जोर से आवाज़ लगायी—जबरा, जबरा।

जबरा भूँकता रहा। उसके पास न आया।

फिर खेत के चरे जाने की आहट मिली। अब वह अपने को धोखा न दे सका। उसे अपनी जगह से हिलना ज़हर लग रहा था। कैसा दँदाया हुआ बैठा था। इस जाड़े-पाले में खेत में जाना, जानवरों के पीछे दौड़ना असह्य जान पड़ा। वह अपनी जगह से न हिला।

उसने जोर से आवाज़ लगायी—हिलो! हिलो! हिलो!

जबरा फिर भूँक उठा। जानवर उसका सर्वनाश किये डालते हैं।

हल्कू पक्का इरादा करके उठा और दो-तीन कदम चला; पर एकाएक हवा का ऐसा ठंढा, चुभनेवाला, बिच्छू के डंक का-सा झोंका लगा कि वह फिर बुझते हुए अलाव के पास आ बैठा और राख को कुरेदकर अपनी ठंढी देह को गर्माने लगा।

जबरा अपना गला फाड़े डालता था, नीलगायें खेत का सफ़ाया किये डालती थीं और हल्कू गर्म राख के पास शांत बैठा हुआ था। अकर्मण्यता ने रस्सियों की भाँति उसे चारों तरफ़ से जकड़ रखा था।

उसी राख के पास गर्म ज़मीन पर वह चादर ओढ़कर सो गया।

सवेरे जब उसकी नींद खुली, तब चारों तरफ़ धूप फैल गयी थी और मुन्नी कह रही थी—क्या आज सोते ही रहोगे? तुम यहाँ आकर रम गये और उधर सारा खेत चौपट हो गया।

हल्कू ने उठकर कहा—क्या तू खेत से होकर आ रही है?

मुन्नी बोली—हाँ, सारे खेत का सत्यानाश हो गया। भला, ऐसा भी कोई सोता है। तुम्हारे यहाँ मँड़ैया डालने से क्या हुआ?

हल्कू ने बहाना किया—मैं मरते-मरते बचा, तुझे अपने खेत की पड़ी हैं। पेट में ऐसा दर्द हुआ, ऐसा दर्द हुआ कि मैं ही जानता हूँ!

दोनों फिर खेत के डाँड़ पर आये। देखा, सारा खेत रौंदा पड़ा हुआ है और जबरा मँड़ैया के नीचे चित लेटा है, मानो प्राण ही न हो।

दोनों खेत की दशा देख रहे थे। मुन्नी के मुख पर उदासी छायी थी, पर हल्कू प्रसन्न था।

मुन्नी ने चिंतित होकर कहा—अब मजूरी करके मालगुजारी भरनी पड़ेगी।

हल्कू ने प्रसन्न मुख से कहा—रात को ठंड में यहाँ सोना तो न पड़ेगा।

□□□

झाँकी

कई दिन से घर में कलह मचा हुआ था। माँ अलग मुँह फुलाये बैठी थी, स्त्री अलग। घर की वायु में जैसे विष भरा हुआ था। रात को भोजन नहीं बना, दिन को मैंने स्टोव पर खिचड़ी डाली; पर खाया किसी ने नहीं। बच्चों को भी आज भूख न थी। छोटी लड़की कभी मेरे पास आकर खड़ी हो जाती, कभी माता के पास, कभी दादी के पास; पर कहीं उसके लिए प्यार की बातें न थीं। कोई उसे गोद में न उठाता था, मानो उसने भी कोई अपराध किया हो। लड़का शाम को स्कूल से आया। किसी ने उसे कुछ खाने को न दिया, न उससे बोला, न कुछ पूछा। दोनों बरामदे में मन मारे बैठे हुए थे और शायद सोच रहे थे—घर में आज क्यों लोगों के हृदय उनसे इतने फिर गये हैं। भाई-बहन दिन में कितनी बार लड़ते हैं, रोना-पीटना भी कई बार हो जाता है; पर ऐसा कभी नहीं होता कि घर में खाना न पके या कोई किसी से बोले नहीं। यह कैसा झगड़ा है कि चौबीस घंटे गुज़र जाने पर भी शांत नहीं होता, यह शायद उनकी समझ में न आता था।

झगड़े की जड़ कुछ न थी। अम्माँ ने मेरी बहन के घर तीज भेजने के लिए जिन सामानों की सूची लिखायी, वह पत्नी जी को घर की स्थिति देखते हुए अधिक मालूम हुई। अम्माँ ख़ुद समझदार हैं। उन्होंने थोड़ी-बहुत काट-छाँट कर दी थीं; लेकिन पत्नी के विचार से और काट-छाँट होनी चाहिए थी। पाँच साड़ियों की जगह तीन रहें तो क्या बुराई है! खिलौने इतने क्या होंगे, इतनी मिठाई की क्या जरूरत! उनका कहना था—जब रोज़गार में कुछ मिलता नहीं, दैनिक कार्यों में खींच-तान करनी पड़ती है, दूध-घी के बजट में तकलीफ़ हो गयी, तो फिर तीज में क्यों इतनी उदारता की जाय? पहले घर में दिया जलाकर तब मसजिद में जलाते हैं। यह नहीं कि मसजिद में तो दिया जला दें और घर में अँधेरा पड़ा रहे। इसी बात पर सास-बहू में तक़रार हो गयी, फिर शाखें फूट निकलीं। बात कहाँ-से-कहाँ जा पहुँची, गड़े हुए मुर्दे उखाड़े गये। अन्योक्तियों की बारी आयी, व्यंग्य का दौर शुरू हुआ और मौनालंकार पर समाप्त हो गया।

मैं बड़े संकट में था। अगर अम्माँ की तरफ़ से कुछ कहता हूँ, तो पत्नीजी रोना-धोना शुरू करती हैं, अपने नसीबों को कोसने लगती हैं; पत्नी की-सी कहता हूँ, तो जनमुरीद की उपाधि मिलती है। इसलिए बारी-बारी से दोनों पक्षों का समर्थन करता जाता था; पर स्वार्थवश मेरी सहानुभूति पत्नी के साथ ही थी। मेरे सिनेमा का बजट इधर साल-भर से बिल्कुल ग़ायब हो गया, पान-पत्ते के ख़र्च में भी कमी करनी पड़ी थी, बाज़ार की सैर बंद हो गयी थी। खुलकर तो अम्माँ से कुछ न कह सकता था; पर दिल में समझ रहा था कि ज़्यादती इन्हीं की है। दूकान का यह हाल है कि कभी-कभी बोहनी भी नहीं होती। असामियों से टका वसूल नहीं होता, तो इन पुरानी लक़ीरों को पीटकर क्यों अपनी जान संकट में डाली जाय!

बार-बार इस गृहस्थी के जंजाल पर तबीयत झुँझलाती थी। घर में तीन तो प्राणी हैं और उनमें भी प्रेमभाव नहीं! ऐसी गृहस्थी में तो आग लगा देनी चाहिए। कभी-कभी ऐसी सनक सवार हो जाती थी कि सबको छोड़-छाड़कर कहीं भाग जाऊँ।

जब अपने सिर पड़ेगी, तब इनको होश आयेगा। तब मालूम होगा कि गृहस्थी कैसे चलती है। क्या जानता था कि यह विपत्ति झेलनी पड़ेगी, नहीं विवाह का नाम ही न लेता। तरह-तरह के कुत्सित भाव मन में आ रहे थे। कोई बात नहीं, अम्माँ मुझे परेशान करना चाहती हैं। बहू उनके पाँव नहीं दबाती, उनके सिर में तेल नहीं डालती, तो इसमें मेरा क्या दोष? मैंने उसे मना तो नहीं कर दिया है! मुझे तो सच्चा आनंद होगा, यदि सास-बहू में इतना प्रेम हो जाय; लेकिन यह मेरे वश की बात नहीं कि दोनों में प्रेम डाल दूँ। अगर अम्माँ ने अपनी सास की साड़ी धोई है, उनके पाँव दबाये हैं, उनकी घुड़कियाँ खायी हैं, तो आज वह पुराना हिसाब बहू से क्यों चुकाना चाहती हैं? उन्हें क्यों नहीं दिखाई देता कि अब समय बदल गया है। बहुएँ अब भयवश सास की गुलामी नहीं करतीं। प्रेम से चाहे उनके सिर के बाल नोच लो, लेकिन जो रौब दिखाकर उन पर शासन करना चाहो, तो वह दिन लद गये।

सारे शहर में जन्माष्टमी का उत्सव हो रहा था। मेरे घर में संग्राम छिड़ा हुआ था। संध्या हो गयी थी, पर सारे घर में अँधेरा पड़ा था। मनहूसियत छायी हुई थी। मुझे अपनी पत्नी पर क्रोध आया। लड़ती हो, लड़ो; लेकिन घर में अँधेरा क्यों कर रखा है। जाकर कहा—क्या आज घर में चिराग़ न जलेंगे?

पत्नी ने मुँह फुलाकर कहा—जला क्यों नहीं लेते। तुम्हारे हाथ नहीं हैं?

मेरी देह में आग लग गयी। बोला—तो क्या जब तुम्हारे चरण नहीं आये थे, तब घर में चिराग़ न जलते थे?

अम्माँ ने आग को हवा दी—नहीं, तब सब लोग अँधेरे ही में पड़े रहते थे।

पत्नीजी को अम्माँ की इस टिप्पणी ने जामे के बाहर कर दिया। बोली—जलाते होंगे मिट्टी की कुप्पी! लालटेन तो मैंने नहीं देखी। मुझे इस घर में आये दस साल हो गये।

मैंने डाँटा—अच्छा चुप रहो, बहुत बढ़ो नहीं।

'ओ हो! तुम तो ऐसा डाँट रहे हो, जैसे मुझे मोल लाये हो?'

'मैं कहता हूँ, चुप रहो!'

'क्यों चुप रहूँ? अगर एक कहोगे, तो दो सुनोगे।'

'इसी का नाम पतिव्रता है?'

'जैसा मुँह होता है, वैसे ही बीड़े मिलते हैं।'

मैं परास्त होकर बाहर चला आया, और अँधेरी कोठरी में बैठा हुआ, उस मनहूस घड़ी को कोसने लगा, जब इस कुलच्छनी से मेरा विवाह हुआ था। इस अंधकार में भी दस साल का जीवन सिनेमा-चित्रों की भाँति मेरे स्मृति-नेत्रों के सामने दौड़ गया। उसमें कहीं प्रकाश की झलक न थी, कहीं स्नेह की मृदुता न थी।

2

सहसा मेरे मित्र पंडित जयदेवजी ने द्वार पर पुकारा—अरे, आज यह अँधेरा क्यों कर रखा है जी! कुछ सूझता ही नहीं। कहाँ हो?

मैंने कोई जवाब न दिया। सोचा, यह आज कहाँ से आकर सिर पर सवार

जयदेव ने फिर पुकारा—अरे, कहाँ हो भाई? बोलते क्यों नहीं? कोई घर में है या नहीं?

कहीं से कोई जवाब न मिला।

जयदेव ने द्वार को इतने ज़ोर से झँझोड़ा कि मुझे भय हुआ, कहीं दरवाज़ा चौखट-बाज़ू समेत गिर न पड़े। फिर भी मैं बोला नहीं। उसका आना खल रहा था।

जयदेव चले गये। मैंने आराम की साँस ली। शैतान टला, नहीं घंटों सिर खाता।

मगर पाँच ही मिनट में फिर किसी के पैरों की आहट मिली और अबकी टार्च के तीव्र प्रकाश से मेरा सारा कमरा भर उठा। जयदेव ने मुझे बैठे देखकर कौतूहल से पूछा—तुम कहाँ गये थे जी? घंटों चीखा, किसी ने जवाब तक न दिया। यह आज क्या मामला है? चिराग़ क्यों नहीं जले?

मैंने बहाना किया—क्या जानें, मेरे सिर में दर्द था, दूकान से आकर लेटे, तो नींद आ गयी।

'और सोए तो घोड़ा बेचकर, मुर्दों से शर्त लगाकर?'

'हाँ यार, नींद आ गयी।'

'मगर घर में चिराग़ तो जलाना चाहिए था या उसका रिट्रेंचमेंट कर दिया?'

'आज घर में लोग व्रत से हैं। न हाथ खाली होगा।'

'ख़ैर चलो, कहीं झाँकी देखने चलते हो? सेठ घूरेमल के मंदिर में ऐसी झाँकी बनी है कि देखते ही बनता है। ऐसे-ऐसे शीशे और बिजली के सामान सजाये हैं कि आँखें झपक उठती हैं। अशोक के स्तम्भों में लाल, हरी, नीली बत्तियों की अनोखी बहार है। सिंहासन के ठीक सामने ऐसा फौवारा लगाया है कि उसमें से गुलाब जल की फुहारें निकलती हैं। मेरा तो चोला मस्त हो गया। सीधे तुम्हारे पास दौड़ा आ रहा हूँ। बहुत झाँकियाँ देखी होंगी तुमने, लेकिन यह और ही चीज़ है। आलम फटा पड़ता है। सुनते हैं, दिल्ली से कोई चतुर कारीगर आया है। उसी की यह करामात है।'

मैंने उदासीन भाव से कहा—मेरी तो जाने की इच्छा नहीं है भाई! सिर में ज़ोर का दर्द है।

'तब तो ज़रूर चलो भाई! दर्द भाग न जाय तो कहना।'

'तुम तो यार बहुत ज़िद करते हो। इसी मारे मैं चुपचाप पड़ा था कि किसी तरह यह बला टले; लेकिन तुम फिर सिर पर सवार ही हो गये। कह दिया—मैं न जाऊँगा।

'और मैंने कह दिया—मैं ज़रूर ले जाऊँगा।'

मुझ पर विजय पाने का मेरे मित्रों को बहुत आसान नुस्ख़ा याद है। यों हाथा-पाई, धींगा-मुश्ती, धौल-धप्पे में किसी से पीछे रहनेवाला नहीं हूँ, लेकिन किसी ने मुझे गुदगुदाया और मैं परास्त हुआ। फिर मेरी कुछ नहीं चलती। मैं हाथ जोड़ने लगता हूँ, घिघियाने लगता हूँ और कभी-कभी रोने भी लगता हूँ। जयदेव ने वही नुस्ख़ा आज़माया और उसकी जीत हो गयी। संधि की यही शर्त ठहरी कि मैं चुपके से झाँकी देखने चला चलूँ।

3

सेठ घूरेलाल उन आदमियों में हैं, जिनका प्रातःकाल को नाम ले लो, तो दिन भर भोजन न मिले। उनके मक्खीचूसपन की सैकड़ों ही दंतकथाएँ नगर में प्रचलित हैं। कहते हैं, एक बार मारवाड़ का एक भिखारी उनके द्वार पर डट गया कि भिक्षा लेकर ही जाऊँगा। सेठजी भी अड़ गये कि भिक्षा न दूँगा, चाहे कुछ हो। मारवाड़ी उन्हीं के देश का था। कुछ देर तो उनके पूर्वजों का बखान करता रहा, फिर उनकी निंदा करने लगा, अंत में द्वार पर लेट रहा। सेठजी ने रत्ती-भर परवाह न की। भिक्षुक भी अपनी धुन का पक्का था। सारा दिन द्वार पर बे-दाना-पानी पड़ा रहा और अंत में वहीं पर मर गया। तब सेठजी पसीजे और उसकी क्रिया इतनी धूम-धाम से की कि बहुत कम किसी ने की होगी। एक लाख ब्राह्मणों को भोजन कराया और लाख ही उन्हें दक्षिणा में दिया। भिक्षुक का सत्याग्रह सेठजी के लिए वरदान हो गया। उनके अन्तःकरण में भक्ति का जैसे स्रोत खुल गया। अपनी सारी सम्पत्ति धर्मार्थ अर्पण कर दी।

हम लोग ठाकुरद्वारे में पहुँचे; तो दर्शकों की भीड़ लगी हुई थी। कंधे से कंधा छिलता था। आने और जाने के मार्ग अलग थे, फिर हमें आध घंटे के बाद भीतर जाने का अवसर मिला। जयदेव सजावट देख-देखकर लोट-पोट हुए जाते थे; पर मुझे ऐसा मालूम होता था कि इस बनावट और सजावट के मेले में कृष्ण की आत्मा कहीं खो गयी है। उनकी वह रत्न-जटित, बिजली से जगमगाती मूर्ति देखकर मेरे मन में ग्लानि उत्पन्न हुई। इस रूप में भी प्रेम का निवास हो सकता है? हमने तो रत्नों में दर्प और अहंकार ही भरा देखा है। मुझे उस वक़्त यह याद न रहा, कि यह एक करोड़पति सेठ का मन्दिर है और धनी मनुष्य धन में लोटनेवाले ईश्वर ही की कल्पना कर सकता है। धनी ईश्वर में ही उसकी श्रद्धा हो सकती है। जिसके पास धन नहीं, वह उनकी दया का पात्र हो सकता है, श्रद्धा का कदापि नहीं।

मन्दिर में जयदेव को सभी जानते हैं। उन्हें तो सभी जगह सभी जानते हैं। मन्दिर के आँगन में संगीत-मंडली बैठी हुई थी। केलकरजी अपने गंधर्व-विद्यालय के शिष्यों के साथ तम्बूरा लिये बैठे थे। पखावज, सितार, सरोज, वीणा और जाने कौन-कौन से बाजे, जिनके नाम भी मैं नहीं जानता, उनके शिष्यों के पास थे। कोई गत बजाने की तैयारी हो रही थी। जयदेव को देखते ही केलकरजी ने पुकारा! मैं भी तुफैल में जा बैठा। एक क्षण में गीत शुरू हुआ। समा बँध गया। जहाँ इतना शोर-गुल था कि तोप की आवाज़ भी न सुनाई देती, वहाँ जैसे माधुर्य के उस प्रवाह ने सब किसी को अपने में डुबा लिया। जो जहाँ था, वहीं मंत्र-मुग्ध सा खड़ा था। मेरी कल्पना कभी इतनी सचित्र और सजीव न थी। मेरे सामने न वह बिजली की चकाचौंध थी, न वह रत्नों की जगमगाहट, न वह भौतिक विभूतियों का समारोह। मेरे सामने वही यमुना का तट था, गुल्म-लताओं का घूँघट मुँह पर डाले हुए। वही मोहनी गउएँ थीं, वही गोपियों की जल-क्रीड़ा, वही वंशी की मधुर ध्वनि, वही शीतल चाँदनी और वही प्यारा नन्दकिशोर! जिसकी मुख-छवि में प्रेम और वात्सल्य की ज्योति थी, जिसके दर्शनों ही से हृदय निर्मल हो जाते थे।

4

मैं इसी आनन्द-विस्मृति की दशा में था कि कंसर्ट बन्द हो गया और आचार्य केलकर के एक किशोर शिष्य ने ध्रुपद अलापना शुरू किया। कलाकारों की आदत है कि वह शब्दों को कुछ इस तरह तोड़-मरोड़ देते हैं कि अधिकांश सुननेवालों की समझ में नहीं आता कि क्या गा रहे हैं। इस गीत का एक शब्द भी मेरी समझ में न आया; लेकिन कण्ठ-स्वर में कुछ ऐसा मादकता- भरा लालित्य था कि प्रत्येक स्वर मुझे रोमांचित कर देता था। कंठ-स्वर में इतनी जादू-शक्ति है, इसका मुझे आज कुछ अनुभव हुआ। मन में एक नये संसार की सृष्टि होने लगी, जहाँ आनन्द-ही-आनन्द है, प्रेम-ही-प्रेम, त्याग-ही-त्याग है। ऐसा जान पड़ा, दुःख केवल चित्त की एक वृति है, सत्य है केवल आनन्द। एक स्वच्छ, करुणा-भरी कोमलता, जैसे मन को मसोसने लगी। ऐसी भावना मन में उठी कि वहाँ जितने सज्जन बैठे हुए थे, सब मेरे अपने हैं, अभिन्न हैं। फिर अतीत के गर्भ से मरे भाई की स्मृति-मूर्ति निकल आयी।

मेरा छोटा भाई, बहुत दिन हुए, मुझसे लड़कर, घर की ज़मा-जथा लेकर रंगून भाग गया था, और वहीं उसका देहान्त हो गया था। उसके पाशविक व्यवहारों को याद करके मैं उन्मत्त हो उठता था। उसे जीता पा जाता तो शायद उसका ख़ून पी जाता, पर इस समय स्मृति-मूर्ति को देखकर मेरा मन जैसे मुखरित हो उठा। उसे आलिंगन करने के लिए व्याकुल हो गया। उसने मेरे साथ, मेरी स्त्री के साथ, माता के साथ, मेरे बच्चे के साथ, जो-जो कटु, नीच और घृणास्पद व्यवहार किये थे, वह मुझे भूल गये। मन में केवल यही भावना थी—मेरा भैया कितना दुःखी है। मुझे इस भाई के प्रति कभी इतनी ममता न हुई थी, फिर तो मन की वह दशा हो गयी, जिसे विह्वलता कह सकते हैं। शत्रु-भाव जैसे मन से मिट गया हो। जिन-जिन प्राणियों से मेरा बैर-भाव था, जिनसे गाली-गलौज, मार-पीट मुकद्दमाबाजी—सब हो चुकी थी, वह सभी जैसे मेरे गले में लिपट-लिपटकर हँस रहे थे। फिर विद्या (पत्नी) की मूर्ति मेरे सामने आ खड़ी हुई—वह मूर्ति जिसे दस साल पहले मैंने देखा था—उन आँखों में वही विकल कम्पन था, वही संदिग्ध विश्वास, कपोलों पर वही लज्जा-लालिमा, जैसे प्रेम-सरोवर से निकला हुआ कोई कमल का पुष्प हो। वही अनुराग, वही आवेश, वही याचना-भरी उत्सुकता, जिसमें मैंने उसे न भूलने वाली रात को उसका स्वागत किया था, एक बार फिर मेरे हृदय में जाग उठी। मधुर स्मृत्तियों का जैसे स्रोत-सा खुल गया। जी ऐसा तड़पा कि इसी समय जाकर विद्या के चरणों पर सिर रगड़कर रोऊँ और रोते-रोते बेसुध हो जाऊँ। मेरी आँखें सजल हो गयी। मेरे मुँह से जो कटु शब्द निकले थे, वह सब जैसे मेरे ही हृदय में गड़ने लगे। इसी दशा में, जैसे ममतामयी माता ने आकर मुझे गोद में उठा लिया। बालपन में जिस वात्सल्य का आनंद उठाने की मुझमें शक्ति न थी, वह आनंद आज मैंने उठाया।

गाना बन्द हो गया। सब लोग उठ-उठकर जाने लगे। मैं कल्पना-सागर में ही डूबा बैठा रहा।

सहसा जयदेव ने पुकारा—चलते हो, या बैठे ही रहोगे?

□□□

गुल्ली-डंडा

हमारे अँगरेज़ी दोस्त मानें या न मानें, मैं तो यहीं कहूँगा कि गुल्ली-डंडा सब खेलों का राजा है। अब भी कभी लड़कों को गुल्ली-डंडा खेलते देखता हूँ, तो जी लोट-पोट हो जाता है कि इसके साथ जाकर खेलने लगूँ। न लॉन की ज़रूरत, न कोर्ट की, न नेट की, न थापी की। मज़े से किसी पेड़ से एक टहनी काट ली, गुल्ली बना ली, और दो आदमी भी आ गये, तो खेल शुरू हो गया। विलायती खेलों में सबसे बड़ा ऐब है कि उनके सामान महँगे होते हैं। जब तक कम-से-कम एक सैकड़ा न ख़र्च कीजिए, खिलाड़ियों में शुमार ही नहीं हो सकता। यहाँ गुल्ली-डंडा है कि बिना हर्र-फिटकरी के चोखा रंग देता है; पर हम अँगरेज़ी चीज़ों के पीछे ऐसे दीवाने हो रहे हैं कि अपनी सभी चीज़ों से अरुचि हो गयी है। स्कूलों में हरेक लड़के से तीन-चार रुपये सालाना केवल खेलने की फ़ीस ली जाती है। किसी को यह नहीं सूझता कि भारतीय खेल खिलाये, जो बिना दाम कौड़ी के खेले जाते हैं। अँगरेज़ी खेल उनके लिए हैं, जिनके पास धन है। ग़रीब लड़कों के लिए क्यों यह व्यसन गढ़ते हो? ठीक है, गुल्ली से आँख फूट जाने का भय रहता है, तो क्या क्रिकेट से सिर फूट जाने, तिल्ली फट जाने, टाँग टूट जाने का भय नहीं रहता! अगर हमारे माथे में गुल्ली का दाग़ आज तक बना हुआ है, तो हमारे कई दोस्त ऐसे भी हैं, जो थापी को बैसाखी से बदल बैठे। यह अपनी-अपनी रुचि है। मुझे गुल्ली ही सब खेलों से अच्छी लगती है और बचपन की मीठी स्मृतियों में गुल्ली ही सबसे मीठी है। वह प्रातःकाल घर से निकल जाना, वह पेड़ पर चढ़कर टहनियाँ काटना और गुल्ली-डंडे बनाना, वह उत्साह, वह लगन, वह खिलाड़ियों के जमघट, वह पदना और पदाना, वह लड़ाई-झगड़े, वह सरल स्वभाव, जिसे छूत-अछूत, अमीर-ग़रीब का बिलकुल भेद न रहता था, जिसमें अमीराना चोंचलों की, प्रदर्शन की, अभिमान की गुंजाइश ही न थी, यह उसी वक़्त भूलेगा जब ⋯ जब! घरवाले बिगड़ रहे हों, पिताजी चौके पर बैठे वेग से रोटियों पर अपना क्रोध उतार रहे हों, अम्माँ की दौड़ केवल द्वार तक है, लेकिन उनकी विचार-धारा में मेरा अंधकारमय भविष्य टूटी हुई नौका की तरह डगमगा रहा है; और मैं हूँ कि पदाने में मस्त हूँ। न नहाने की सुधि है, न खाने की। गुल्ली है तो ज़रा-सी, पर उसमें दुनिया भर की मिठाइयों की मिठास और तमाशों का आनंद भरा हुआ है।

मेरे हमजोलियों में एक लड़का गया नाम का था। मुझसे दो-तीन साल बड़ा होगा। दुबला, लम्बा, बंदरों की-सी लम्बी-लम्बी, पतली-पतली, उँगलियाँ, बंदरों की-सी ही चपलता, वही झल्लाहट। गुल्ली कैसी ही हो, उस पर इस तरह लपकता था; जैसे छिपकली कीड़ों पर लपकती है। मालूम नहीं, उसके माँ-बाप थे या नहीं, कहाँ रहता था, क्या खाता था; पर था हमारे गुल्ली-क्लब का चैम्पियन। जिसकी तरफ़ वह आ जाय, उसकी जीत निश्चित थी। हम सब उसे दूर से आते देख, उसका दौड़कर स्वागत करते थे और उसे अपना गोइयाँ बना लेते थे।

एक दिन मैं और गया, दो ही खेल रहे थे, वह पदा रहा था। मैं पद रहा था; मगर कुछ विचित्र बात है कि पदाने में हम दिन-भर मस्त रह सकते है; पदना

एक मिनट का भी अखरता है। मैंने गला छुड़ाने के लिए सब चालें चलीं, जो ऐसे अवसर पर शास्त्र-विहित न होने पर भी क्षम्य हैं, लेकिन गया अपना दाँव लिये बग़ैर मेरा पिंड न छोड़ता था।

अनुनय-विनय का कोई असर न हुआ। मैं घर की ओर भागा।

गया ने मुझे दौड़कर पकड़ लिया और डंडा तानकर बोला—मेरा दाँव देकर जाओ। पदाया तो बड़े बहादुर बनके, पदने के बेर क्यों भागे जाते हो?

'तुम दिन-भर पदाओ तो मैं दिन-भर पदता रहूँ!'

'हाँ, तुम्हें दिन-भर पदना पड़ेगा।'

'न खाने जाऊँ, न पीने जाऊँ?'

'हाँ! मेरा दाव दिये बिना कहीं नहीं जा सकते।'

'मैं तुम्हारा गुलाम हूँ?'

'हाँ, मेरे गुलाम हो।'

'मैं घर जाता हूँ, देखूँ, मेरा क्या कर लेते हो!'

'घर कैसे जाओगे; कोई दिल्लगी है। दाँव दिया है, दाँव लेंगे।'

'अच्छा, कल मैंने अमरूद खिलाया था। वह लौटा दो।'

'वह तो पेट में चला गया।'

'निकालो पेट से। तुमने क्यों खाया मेरा अमरूद?'

'अमरूद तुमने दिया, तब मैंने खाया। मैं तुमसे माँगने न गया था।'

'जब तक मेरा अमरूद न दोगे, मैं दाँव न दूँगा।'

मैं समझता था, न्याय मेरी ओर है। आख़िर मैंने किसी स्वार्थ से ही उसे अमरूद खिलाया होगा। कौन निःस्वार्थ किसी के साथ सलूक करता है। भिक्षा तक तो स्वार्थ के लिए ही देते हैं। जब गया ने अमरूद खाया, तो फिर उसे मुझसे दाँव लेने का क्या अधिकार है? रिश्वत देकर तो लोग ख़ून पचा जाते हैं। यह मेरा अमरूद यों ही हजम कर जाएगा! अमरूद पैसे के पाँच वाले थे, जो गया के बाप को भी नसीब न होंगे। यह सरासर अन्याय था।

गया ने मुझे अपनी ओर खींचते हुए कहा—मेरा दाँव देकर आओ, अमरूद-समरूद मैं नहीं जानता।

मुझे न्याय का बल था। वह अन्याय पर डटा हुआ था। मैं हाथ छुड़ाकर भागना चाहता था। वह मुझे जाने न देता! मैंने उसे गाली दी, उसने उससे कड़ी गाली दी, और गाली ही नहीं, एक चाँटा जमा दिया। मैंने उसे दाँत काट लिया। उसने मेरी पीठ पर डंडा जमा दिया। मैं रोने लगा। गया मेरे इस अस्त्र का मुक़ाबला न कर सका, भागा। मैंने तुरन्त आँसू पोंछ डाले, डंडे की चोट भूल गया और हँसता हुआ घर जा पहुँचा! मैं थानेदार का लड़का, एक नीच जात के लौंडे के हाथों पिट गया, यह मुझे उस समय भी अपमानजनक मालूम हुआ; लेकिन घर में किसी से शिक़ायत न की।

2

उन्हीं दिनों पिताजी का वहाँ से तबादला हो गया। नयी दुनिया देखने की ख़ुशी में ऐसा फूला कि अपने हमजोलियों से बिछुड़ जाने का बिलकुल दुःख न हुआ। पिताजी दुःखी थे। यह बड़ी आमदनी की जगह थी। अम्माँजी भी दुःखी थीं, यहाँ

सब चीज़ सस्ती थी, और मुहल्ले की स्त्रियों से घराव-सा हो गया था; लेकिन मैं मारे ख़ुशी फूला न समाता था। लड़कों से जीट उड़ा रहा था, वहाँ ऐसे घर थोड़े ही होते हैं। ऐसे-ऐसे ऊँचे घर हैं कि आसमान से बातें करते हैं। वहाँ के अंग्रेज़ी स्कूल में कोई मास्टर लड़कों को पीटे, तो उसे जेल हो जाय। मेरे मित्रों की फैली हुई आँखें और चकित मुद्रा बतला रही थी कि मैं उनकी निगाह में कितना ऊँचा उठ गया हूँ। बच्चों में मिथ्या को सत्य बना लेने की वह शक्ति है, जिसे हम, जो सत्य को मिथ्या बना लेते हैं, क्या समझेंगे? उन बेचारों को मुझसे कितनी स्पर्द्धा हो रही थी! मानो कह रहे थे—तुम भगवान् हो भाई, जाओ। हमें तो इसी उजड़ ग्राम में जीना भी है और मरना भी।

बीस साल गुज़र गये। मैंने इंजीनियरी पास की और उसी जिले का दौरा करता हुआ उसी कस्बे में पहुँचा और डाक बंगले में ठहरा। उस स्थान को देखते ही इतनी मधुर बाल-स्मृतियाँ हृदय में जाग उठीं कि मैंने छड़ी उठायी और कस्बे की सैर करने निकल पड़ा। आँखें किसी प्यासे पथिक की भाँति बचपन के उन क्रीड़ा-स्थलों को देखने के लिए व्याकुल हो रही थीं; पर उस परिचित नाम के सिवा वहाँ और कुछ परिचित न था। जहाँ खंडहर था, वहाँ पक्के मकान खड़े थे। जहाँ बरगद का पुराना पेड़ था, वहाँ अब एक सुन्दर बगीचा था। स्थान की कायापलट हो गयी थी। अगर उसके नाम और स्थिति का ज्ञान न होता, तो मैं इसे पहचान भी न सकता। बचपन की संचित और अमर स्मृतियाँ बाँहें खोले अपने उन पुराने मित्रों से गले मिलने को अधीर हो रही थीं; मगर वह दुनिया बदल गयी थी। ऐसा जी होता था कि उस धरती से लिपटकर रोऊँ और कहूँ, तुम मुझे भूल गयी! मैं तो अब भी तुम्हारा वही रूप देखना चाहता हूँ।

सहसा एक खुली हुई जगह में मैंने दो-तीन लड़कों को गुल्ली-डंडा खेलते देखा। एक क्षण के लिए मैं अपने को बिलकुल भूल गया। भूल गया कि मैं एक ऊँचा अफ़सर हूँ, साहबी ठाठ में, रौब और अधिकार के आवरण में।

जाकर एक लड़के से पूछा—क्यों बेटे, यहाँ कोई गया नाम का आदमी रहता है?

एक लड़के ने गुल्ली-डंडा समेटकर सहमे हुए स्वर में कहा—कौन गया? गया चमार?

मैंने यों ही कहा—हाँ-हाँ वही। गया नाम का कोई आदमी है तो? शायद वही हो।

'हाँ, है तो।'

'ज़रा उसे बुला सकते हो?'

लड़का दौड़ता हुआ गया और एक क्षण में एक पाँच हाथ के काले देव को साथ लिये आता दिखाई दिया। मैं दूर ही से पहचान गया। उसकी ओर लपकना चाहता था कि उसके गले लिपट जाऊँ, पर कुछ सोचकर रह गया। बोला—कहो गया, मुझे पहचानते हो?

गया ने झुककर सलाम किया—हाँ मालिक, भला पहचानूँगा क्यों नहीं! आप मज़े में रहे?

'बहुत मज़े में। तुम अपनी कहो?'

'डिप्टी साहब का साईस हूँ।'

'मतई, मोहन, दुर्गा सब कहाँ हैं? कुछ ख़बर है?'

'मतई तो मर गया, दुर्गा और मोहन दोनों डाकिए हो गये हैं। आप?'

'मैं तो ज़िले का इंजीनियर हूँ।'

'सरकार तो पहले ही बड़े ज़हीन थे।'

'अब कभी गुल्ली-डंडा खेलते हो?'

गया ने मेरी ओर प्रश्न-भरी आँखों से देखा—अब गुल्ली-डंडा क्या खेलूँगा सरकार, अब तो धन्धे से छुट्टी नहीं मिलती।

आओ, आज हम तुम खेलें। तुम पदाना, हम पदेंगे। तुम्हारा एक दाँव हमारे ऊपर है। वह आज ले लो।

गया बड़ी मुश्क़िल से राज़ी हुआ। वह ठहरा टके का मज़दूर, मैं एक बड़ा अफ़सर। हमारा और उसका क्या जोड़? बेचारा झेंप रहा था! लेकिन मुझे भी कुछ कम झेंप न थी; इसलिए नहीं कि मैं गया के साथ खेलने जा रहा था, बल्कि इसलिए कि लोग इस खेल को अजूबा समझकर इसका तमाशा बना लेंगे और अच्छी-ख़ासी भीड़ लग जायेगी। उस भीड़ में वह आनंद कहाँ रहेगा, पर खेले बग़ैर तो रहा नहीं जाता। आख़िर निश्चय हुआ कि दोनों जने बस्ती से बहुत दूर एकांत में जाकर खेलें। वहाँ कौन कोई देखनेवाला बैठा होगा। मज़े से खेलेंगे और बचपन की उस मिठाई को ख़ूब रस ले-लेकर खायेंगे। मैं गया को लेकर डाक बंगले पर आया और मोटर में बैठकर दोनों मैदान की ओर चले। साथ में कुल्हाड़ी ले ली। मैं गम्भीर भाव धारण किये हुए था; लेकिन गया इसे अभी तक मज़ाक ही समझ रहा था। फिर भी उसके मुख पर उत्सुकता या आनंद का कोई चिह्न न था। शायद वह, हम दोनों में जो अंतर हो गया था, वही सोचने में मग्न था।

मैंने पूछा—तुम्हें कभी हमारी याद आयी थी गया? सच कहना।

गया झेंपता हुआ बोला—मैं आपको क्या याद करता हुज़ूर, किस लायक हूँ। भाग्य में आपके साथ कुछ दिन खेलना लिखा था, नहीं, मेरी क्या गिनती?

मैंने कुछ उदास होकर कहा—लेकिन मुझे तो बराबर तुम्हारी याद आती थी। तुम्हारा वह डंडा, जो तुमने तानकर जमाया था, याद है न?

गया ने पछताते हुए कहा—वह लड़कपन था सरकार, उसकी याद न दिलाओ।

'वाह! वह मेरे बाल-जीवन की सबसे रसीली याद है। तुम्हारे उस डंडे में जो रस था, वह तो अब न आदर-सम्मान में पाता हूँ, न धन में। कुछ ऐसी मिठास थी उसमें कि आज तक उससे मन मीठा होता रहता है।'

इतनी देर में हम बस्ती से कोई तीन मील निकल आये। चारों तरफ़ सन्नाटा है। पश्चिम ओर कोसों तक भीमताल फैला हुआ है, जहाँ आकर हम किसी समय कमल-पुष्प तोड़ ले जाते थे और उसके झुमके बनाकर कानों में डाल लेते थे। जेठ की संध्या केसर में डूबी चली आ रही है। मैं लपककर एक पेड़ पर चढ़ गया और एक टहनी काट लाया। चटपट गुल्ली-डंडा बन गया।

खेल शुरू हो गया। मैंने गुच्ची में गुल्ली रखकर उछाली। गुल्ली गया के सामने से निकल गयी। उसने हाथ लपकाया, जैसे मछली पकड़ रहा हो। गुल्ली उसके पीछे जाकर गिरी। यह वही गया है, जिसके हाथों में गुल्ली जैसे आप-ही जाकर बैठ जाती थी। वह दाहिने-बाएँ कहीं हो, गुली उसकी हथेलियों में ही पहुँचती थी। जैसे गुल्लियों पर वशीकरण डाल देता हो। नयी गुल्ली, पुरानी गुल्ली, छोटी गुल्ली, बड़ी गुल्ली, नोकदार गुल्ली, सपाट गुल्ली सभी उससे मिल जाती थीं। जैसे उसके हाथों में चुम्बक हो, गुल्लियों को खींच लेता हो; लेकिन आज गुल्ली को उससे वह प्रेम नहीं रहा। फिर तो मैंने पदाना शुरू किया। मैं तरह-

रह की धाँधलियाँ कर रहा था। अभ्यास की कसर बेईमानी से पूरी कर रहा ा। हूच जाने पर भी डंडा खेले जाता था, हालाँकि शास्त्र के अनुसार गया की ारी आनी चाहिए थी। गुल्ली पर जब ओछी चोट पड़ती और वह ज़रा दूर पर ोर पड़ती, तो मैं झटपट उसे ख़ुद उठा लेता और दोबारा टाँड़ लगाता। गया यह ारी बे-क़ायदगियाँ देख रहा था; पर कुछ न बोलता था, जैसे उसे वह सब क़ायदे-ानून भूल गये। उसका निशाना कितना अचूक था। गुल्ली उसके हाथ से निकलकर ्न से डंडे में आकर लगती थी। उसके हाथ से छूटकर उसका काम था डंडे से ्करा जाना; लेकिन आज वह गुल्ली डंडे में लगती ही नहीं! कभी दाहिने जाती ; कभी बाये, कभी आगे, कभी पीछे।

आध घंटे पदाने के बाद एक बार गुल्ली डंडे में आ लगी। मैंने धाँधली की—ुल्ली डंडे में नहीं लगी, बिलकुल पास से गयी; लेकिन लगी नहीं।

गया ने किसी प्रकार का असंतोष नहीं प्रकट किया।

'न लगी होगी।'

'डंडे में लगती तो क्या मैं बेईमानी करता?'

'नहीं भैया, तुम भला बेईमानी करोगे!'

बचपन में मज़ाल था कि मैं ऐसा घपला करके जीता बचता! यही गया गर्दन पर चढ़ बैठता; लेकिन आज मैं उसे कितनी आसानी से धोखा दिये चला जाता था। गधा है! सारी बातें भूल गया।

सहसा गुल्ली फिर डंडे से लगी और इतने ज़ोर से लगी, जैसे बन्दूक़ छूटी हो। इस प्रमाण के सामने अब किसी तरह की धाँधली करने का साहस मुझे इस वक़्त भी न हो सका; लेकिन क्यों न एक बार सच को झूठ बनाने की चेष्टा करूँ? मेरा हरज ही क्या है। मान गया तो वाह-वाह, नहीं तो दो-चार हाथ पदना ही ही तो पड़ेगा। अँधेरे का बहाना करके जल्दी से गला छुड़ा लूँगा। फिर कौन दाँव देने आता है।

गया ने विजय-उल्लास में कहा—लग गयी, लग गयी! टन से बोली।

मैंने अनजान बनने की चेष्टा करके कहा—तुमने लगते देखा? मैंने तो नहीं देखा।

'टन से बोली है सरकार!'

'और जो किसी ईंट में लग गयी हो?'

मेरे मुख से यह वाक्य उस समय कैसे निकला, इसका मुझे ख़ुद आश्चर्य है। इस सत्य को झुठलाना वैसा ही था, जैसे दिन को रात बताना। हम दोनों ने गुल्ली को ठंडे में ज़ोर से लगते देखा था; लेकिन गया ने मेरा कथन स्वीकार कर लिया।

'हाँ, किसी ईंट में ही लगी होगी। डंडे में लगती तो इतनी आवाज़ न आती।'

मैंने फिर पदाना शुरू कर दिया; लेकिन इतनी प्रत्यक्ष धाँधली कर लेने के बाद, गया की सरलता पर मुझे दया आने लगी; इसलिए जब तीसरी बार गुल्ली डंडे में लगी, तो मैंने बड़ी उदारता से दाँव देना तय कर दिया।

गया ने कहा—अब तो अँधेरा हो गया है भैया, कल पर रखो।

मैंने सोचा, कल बहुत-सा समय होगा, यह न जाने कितनी देर पदाये इसलिए इसी वक़्त मुआमला साफ़ कर लेना अच्छा होगा।

'नहीं, नहीं। अभी बहुत उजाला है। तुम अपना

'गुल्ली सूझेगी नहीं।'

'कुछ परवाह नहीं।'

गया ने पदाना शुरू किया; पर उसे अब बिल्कुल अभ्यास न था। उसने दो बार टाँड़ लगाने का इरादा किया; पर दोनों ही बार चूक गया। एक मिनट से कम में वह दाँव पूरा कर चुका। बेचार घंटा-भर पदा; पर एक मिनट ही में अपना दाँव खो बैठा। मैंने अपने हृदय की विशालता का परिचय दिया।

'एक दाँव और खेल लो। तुम तो पहले ही हाथ में चूक गये।'

'नहीं भैया, अब अँधेरा हो गया।'

'तुम्हारा अभ्यास छूट गया। कभी खेलते नहीं?'

'खेलने का समय कहाँ मिलता है भैया!'

हम दोनों मोटर पर जा बैठे और चिराग़ जलते-जलते पड़ाव पर पहुँच गये। गया चलते-चलते बोला—कल यहाँ गुल्ली-डंडा होगा। सभी पुराने खिलाड़ी खेलेंगे। तुम भी आओगे? जब तुम्हें फुरसत हो, तभी खिलाड़ियों को बुलाऊँ।

मैंने शाम का समय दिया और दूसरे दिन मैच देखने गया। कोई दस-दस आदमियों की मंडली थी। कई मेरे लड़कपन के साथी निकले! अधिकांश युवक थे, जिन्हें मैं पहचान न सका। खेल शुरू हुआ। मैं मोटर पर बैठा-बैठा तमाशा देखने लगा। आज गया का खेल, उसका वह नैपुण्य देखकर मैं चकित हो गया। टाँड़ लगाता, तो गुल्ली आसमान से बात करती। कल की-सी वह झिझक, वह हिचकिचाहट, वह बेदिली आज न थी। लड़कपन में जो बात थी, आज उसने प्रौढ़ता प्राप्त कर ली थी। कहीं कल इसने मुझे इस तरह पदाया होता, तो मैं ज़रूर रोने लगता। उसके डंडे की चोट खाकर गुल्ली दो सौ गज की ख़बर लाती थी।

पदनेवालों में एक युवक ने कुछ धाँधली की। उसने अपने विचार में गुल्ली लपक ली थी। गया का कहना था—गुल्ली ज़मीन में लगकर उछली थी। इस पर दोनों में ताल ठोकने की नौबत आयी। युवक दब गया। गया का तमतमाया हुआ चेहरा देखकर डर गया। अगर वह दब न जाता, तो ज़रूर मार-पीट हो जाती। मैं खेल में न था; पर दूसरों के इस खेल में मुझे वही लड़कपन का आनन्द आ रहा था, जब हम सब-कुछ भूलकर खेल में मस्त हो जाते थे। अब मुझे मालूम हुआ कि कल गया ने मेरे साथ खेला नहीं, केवल खेलने का बहाना किया। उसने मुझे दया का पात्र समझा। मैंने धाँधली की, बेईमानी की, पर उसे ज़रा भी क्रोध न आया। इसीलिए कि वह खेल न रहा था, मुझे खिला रहा था, मेरा मन रख रहा था। वह मुझे पदाकर मेरा कचूमर नहीं निकालना चाहता था। मैं अब अफ़सर हूँ। वह अफ़सरी मेरे और उसके बीच में दीवार बन गयी है। मैं अब उसका लिहाज़ पा सकता हूँ, अदब पा सकता हूँ, साहचर्य नहीं पा सकता। लड़कपन था, तब मैं उसका समकक्ष था। हममें कोई भेद न था। यह पद पाकर अब मैं केवल उसकी दया के योग्य हूँ। वह मुझे अपना जोड़ नहीं समझता। वह बड़ा हो गया है, मैं छोटा हो गया हूँ।

❑❑❑

ज्योति

विधवा हो जाने के बाद बूटी का स्वभाव बहुत कटु हो गया था। जब बहुत जी जलता तो अपने मृत पति को कोसती—आप तो सिधार गये, मेरे लिए यह सारा जंजाल छोड़ गये। जब इतनी जल्दी जाना था, तो ब्याह न जाने किस लिए किया। घर में भूनी भाँग नहीं, चले थे ब्याह करने! वह चाहती तो दूसरी सगाई कर लेती। अहीरों में इसका रिवाज़ है। देखने-सुनने में भी बुरी न थी। दो-दो आदमी तैयार भी थे, लेकिन बूटी पतिव्रता कहलाने के मोह को न छोड़ सकी। और यह सारा क्रोध उतरता था, बड़े लड़के मोहन पर, जो अब सोलह साल का था। सोहन अभी छोटा था और मैना लड़की थी। ये दोनों अभी किसी लायक न थे। अगर यह तीनों न होते तो बूटी को क्यों इतना कष्ट होता। जिसका थोड़ा-सा काम कर देती, वही रोटी-कपड़ा दे देता। जब चाहती, किसी के सिर बैठ जाती। अब अगर वह कहीं बैठ जाय, तो लोग यही कहेंगे कि तीन-तीन बच्चों के होते इसे यह क्या सूझी।

मोहन भरसक उसका भार हलका करने की चेष्टा करता। गायों-भैसों की सानी-पानी, दुहना-मथना यह सब कर लेता, लेकिन बूटी का मुँह सीधा न होता था। वह रोज़ एक-न-एक खुचड़ निकालती रहती और मोहन ने भी उसकी घुड़कियों की परवाह करना छोड़ दिया था। पति उसके सिर गृहस्थी का यह भार पटककर क्यों चला गया, उसे यही गिला था। बेचारी का सर्वनाश ही कर दिया। न खाने का सुख मिला, न पहनने-ओढ़ने का, न और किसी बात का। इस घर में क्या आयी, मानो भट्टी में पड़ गयी। उसकी वैधव्य-साधना और अतृप्त भोग-लालसा में सदैव द्वन्द्व-सा मचा रहता था और उसकी जलन में उसके हृदय की सारी मृदुता जलकर भस्म हो गयी थी। पति के पीछे और कुछ नहीं तो बूटी के पास चार-पाँच सौ के गहने थे, लेकिन एक-एक करके सब उसके हाथ से निकल गये।

उसी मुहल्ले में उसकी बिरादरी में, कितनी ही औरतें थीं, जो उससे जेठी होने पर भी गहने झमकाकर, आँखों में काजल लगाकर, माँग में सिन्दूर की मोटी-सी रेखा डालकर मानो उसे जलाया करती थीं! इसलिए जब उनमें से कोई विधवा हो जाती, तो बूटी को ख़ुशी होती और यह सारी जलन वह लड़कों पर निकालती, विशेषकर मोहन पर। वह शायद सारे संसार की स्त्रियों को अपने ही रूप में देखना चाहती थी। ग़ुस्से में उसे विशेष आनंद मिलता था। उसकी वंचित लालसा, जल न पाकर ओस चाट लेने ही में संतुष्ट होती थी, फिर यह कैसे सम्भव था कि वह मोहन के विषय में कुछ सुने और पेट में डाल ले। ज्यों ही मोहन संध्या समय दूध बेचकर घर आया, बूटी ने कहा—देखती हूँ, तू अब साँड़ बनने पर उतारू हो गया।

मोहन ने प्रश्न के भाव से देखा—कैसा साँड़! बात क्या है?

'तू रुपिया से छिप-छिपकर नहीं हँसता-बोलता? उस पर कहता है कैसा साँड़? तुझे लाज नहीं आती। घर में पैसे-पैसे की तंगी है और वहाँ उसके लिए पान लाये जाते हैं, कपड़े रँगाये जाते हैं।'

मोहन ने विद्रोह का भाव धारण किया—अगर उसने मुझसे चार पैसे के पान माँगे तो क्या करता? कहता कि पैसे दे, तो लाऊँगा। अपनी धोती रँगाने को दी, उससे रँगाई माँगता?

'मुहल्ले में एक तू ही बड़ा धन्नासेठ है! और किसी से उसने क्यों न कहा?

'यह वह जाने, मैं क्या बताऊँ।'

'तुझे अब छैला बनने की सूझती है। घर में भी कभी एक पैसे का पान लाया?'

'यहाँ पान किसके लिए लाता?'

'क्या तेरे लिए घर में सब मर गये?'

'मैं न जानता था, तुम पान चाहती हो।'

'संसार में एक रुपिया ही पान खाने जोग है?'

'शौक-सिंगार की भी तो उमिर होती है।'

बूटी जल उठी। उसे बुढ़िया कह देना उसकी सारी साधना पर पानी फेर देना था। बुढ़ापे में उन साधनों का महत्त्व ही क्या। जिस त्याग-कल्पना के बल पर वह स्त्रियों के सामने सिर उठाकर चलती थी, उस पर इतना कठोर आघात! इन्हीं लड़कों के पीछे उसने अपनी जवानी धूल में मिला दी। उसके आदमी को मरे आज पाँच साल हुए। तब उसकी चढ़ती जवानी थी। तीन बच्चे भगवान् ने उसके गले मढ़ दिये, नहीं अभी वह है कै दिन की। चाहती तो आज वह भी ओंठ लाल किये, पाँव में महावर लगाये, अनवट-बिछुए पहने मटकती फिरती। यह सब कुछ उसने इन लड़कों के कारन त्याग दिया और आज मोहन उसे बुढ़िया कहता है! रुपिया उसके सामने खड़ी कर दी जाए, तो चुहिया-सी लगे। फिर भी वह जवान है, और बूटी बुढ़िया है!

बोली—हाँ और क्या। मेरे लिए तो अब फटे चीथड़े पहनने के दिन हैं। जब तेरा बाप मरा तो मैं रुपिया से दो ही चार साल बड़ी थी। उस वक़्त कोई घर कर लेती, तो तुम लोगों का कहीं पता न लगता। गली-गली भीख माँगते-फिरते। लेकिन मैं कहे देती हूँ, अगर तू फिर उससे बोला तो या तो तू ही घर में रहेगा या मैं ही रहूँगी।

मोहन ने डरते-डरते कहा—मैं उसे बात दे चुका हूँ अम्माँ!

'कैसी बात?'

'सगाई की।'

'अगर रुपिया मेरे घर में आयी तो झाड़ू मारकर निकाल दूँगी। यह सब उसकी माँ की माया है। वह कुटनी मेरे लड़के को मुझसे छीने लेती है। राँड़ से इतना भी नहीं देखा जाता। चाहती है कि उसे सौत बनाकर छाती पर बैठा दे।'

मोहन ने व्यथित कंठ से कहा—अम्माँ, ईश्वर के लिए चुप रहो। क्यों अपना पानी आप खो रही हो। मैंने तो समझा था, चार दिन में मैना अपने घर चली जायेगी, तुम अकेली पड़ जाओगी। इसलिए उसे लाने की बात सोच रहा था। अगर तुम्हें बुरा लगता है तो जाने दो।

'तू आज से यहीं आँगन में सोया कर।'

'और गायें-भैसें बाहर पड़ी रहेंगी?'

'पड़ी रहने दे, कोई डाका नहीं पड़ा जाता।'

'मुझ पर तुझे इतना सन्देह है?'

'हाँ!'

'तो मैं यहाँ न सोऊँगा।'

'तो निकल जा मेरे घर से।'

'हाँ, तेरी यही इच्छा है तो निकल जाऊँगा।'

मैना ने भोजन पकाया। मोहन ने कहा, मुझे भूख नहीं है। बूटी उसे मनाने न आयी। मोहन का युवक-हृदय माता के इस कठोर शासन को किसी तरह स्वीकार नहीं कर सकता। उसका घर है, ले ले। अपने लिए वह कोई दूसरा ठिकाना ढूँढ़ निकालेगा। रुपिया ने उसके रूखे जीवन में एक स्निग्धता भर दी थी। जब वह एक अव्यक्त कामना से चंचल हो रहा था, जीवन कुछ सूना-सूना लगता था, रुपिया ने नव-बंसत की भाँति आकर उसे पल्लवित कर दिया। मोहन को जीवन में एक मीठा स्वाद मिलने लगा। कोई काम करता होता, पर ध्यान रुपिया की ओर लगा रहता। सोचता, उसे क्या दे दें कि वह प्रसन्न हो जाय! अब वह कौन मुँह लेकर उसके पास जाय? क्या उससे कहे कि अम्माँ ने मुझे तुझसे मिलने को मना किया है? अभी कल ही तो बरगद के नीचे दोनों में कैसी-कैसी बातें हुई थीं। मोहन ने कहा था, रूपा तुम इतनी सुन्दर हो, तुम्हारे सौ ग्राहक निकल आयेंगे। मेरे घर में तुम्हारे लिए क्या रखा है? इस पर रुपिया ने जो जवाब दिया था, वह तो संगीत की तरह अब भी उसके प्राणों में बसा हुआ था—मैं तो तुमको चाहती हूँ मोहन, अकेले तुमको। परगने के चौधरी हो जाओ, तब भी मोहन हो; मजूरी करने लगो, तब भी मोहन हो। उसी रुपिया से आज वह जाकर कहे—मुझे अब तुमसे कोई सरोकार नहीं है।

नहीं, यह नहीं हो सकता। उसे घर की परवाह नहीं है। वह रुपिया के साथ माँ से अलग रहेगा। इस जगह न सही, किसी दूसरे मुहल्ले में सही। इस वक़्त भी रुपिया उसकी राह देख रही होगी। कैसे अच्छे बीड़े लगाती है। कहीं अम्माँ सुन पावें कि यह रात को रुपिया के द्वार पर गया था, तो प्रान ही दे दें। दे दें प्रान! अपने भाग तो नहीं बखानतीं कि ऐसी देवी बहू मिली जाती है। न जाने क्यों रुपिया से इतना चिढ़ती हैं। वह ज़रा पान खा लेती है, ज़रा साड़ी रँगकर पहनती है। बस यही तो।

चूड़ियों की झंकार सुनाई दी। रुपिया आ रही है! हाँ, वही है।

रुपिया उसके सिरहाने आकर बोली—सो गये क्या मोहन? घड़ी-भर से तुम्हारी राह देख रही हूँ। आये क्यों नहीं?

मोहन नींद का मक्कर किये पड़ा रहा।

रुपिया ने उसका सिर हिलाकर फिर कहा—क्या सो गये मोहन?

उन कोमल उँगलियों के स्पर्श में क्या सिद्धि थी, कौन जाने। मोहन की सारी आत्मा उन्मत्त हो उठी। उसके प्राण मानो बाहर निकलकर रुपिया के चरणों में समर्पित हो जाने के लिए उछल पड़े। देवी वरदान के लिए सामने खड़ी है। सारा विश्व जैसे नाच रहा है। उसे मालूम हुआ, जैसे उसका शरीर लुप्त हो गया है, केवल वह एक मधुर स्वर की भाँति विश्व की गोद से चिमटा हुआ उसके साथ नृत्य कर रहा है।

रुपिया ने फिर कहा—अभी से सो गये क्या जी?

मोहन बोला—हाँ, ज़रा नींद आ गयी थी रूपा। तुम इस वक़्त क्या करने आयीं? कहीं अम्माँ देख लें, तो मुझे मार ही डालें।

'तुम आज आये क्यों नहीं?'

'आज अम्माँ से लड़ाई हो गयी।'

'क्या कहती थीं?'

'कहती थीं, रुपिया से बोलेगा तो मैं परान दे दूँगी।'

'तुमने पूछा नहीं, रुपिया से क्यों चिढ़ती हो?'

'अब उनकी बात क्या कहूँ रूपा। वह किसी का खाना-पहनना नहीं देख सकतीं। अब मुझे तुमसे दूर रहना पड़ेगा।'

'मेरा जी तो न मानेगा।'

'ऐसी बात करोगी, तो मैं तुम्हें लेकर भाग जाऊँगा।'

'तुम मेरे पास एक बार रोज आया करो। बस, और मैं कुछ नहीं चाहती।'

'और अम्माँ जो बिगड़ेंगी।'

'तो मैं समझ गयी। तुम मुझे प्यार नहीं करते।'

'मेरा बस होता, तो तुमको अपने परान में रख लेता।'

इसी समय घर के किवाड़ खटके। रुपिया भाग गयी।

2

मोहन दूसरे दिन सोकर उठा तो उसके हृदय में आनंद का सागर-सा भरा हुआ था। वह सोहन को बराबर डाँटता रहता था। सोहन आलसी था। घर के काम-धंधे में जी न लगाता था। आज भी वह आँगन में बैठा अपनी धोती में साबुन लगा रहा था। मोहन को देखते ही वह साबुन छिपाकर भाग जाने का अवसर खोजने लगा।

मोहन ने मुस्कराकर कहा—धोती बहुत मैली हो गयी है सोहन? धोबी को क्यों नहीं देते?

सोहन को इन शब्दों में स्नेह की गंध आयी।

'धोबिन पैसे माँगती है।'

'तो पैसे अम्माँ से क्यों नहीं माँग लेते?'

'अम्माँ कौन पैसे दिये देती हैं।'

'तो मुझसे ले लो।'

यह कहकर उसने एक इकन्नी उसकी ओर फेंक दी। सोहन प्रसन्न हो गया। भाई और माता, दोनों ही उसे धिक्कारते रहते थे। बहुत दिनों बाद आज उसे स्नेह की मधुरता का स्वाद मिला। इकन्नी उठा ली और धोती को वहीं छोड़कर गाय को खोलकर ले चला।

मोहन ने कहा—रहने दो, मैं इसे लिये जाता हूँ।

सोहन ने पगहिया भाई को देकर फिर पूछा—तुम्हारे लिए चिलम रख लाऊँ?

जीवन में आज पहली बार सोहन ने भाई के प्रति ऐसा सद्भाव प्रकट किया था। इसमें क्या रहस्य है, यह मोहन की समझ में न आया। बोला—आग हो तो रख लाओ।

मैना सिर के बाल खोले आँगन में बैठी घरौंदा बना रही थी। मोहन को देखते ही उसने घरौंदा बिगाड़ दिया और आँचल से बाल छिपाकर रसोईघर में बरतन उठाने चली।

मोहन ने पूछा—क्या खेल रही थी मैना?

मैना डरी हुई बोली—कुछ तो नहीं।

'तू तो बहुत अच्छे घरौंदे बनाती है। जरा बना, देखूँ।'

मैना का रुआँसा चेहरा खिल उठा। प्रेम के शब्द में कितना जादू है! मुँह से निकलते ही जैसे सुगंध फैल गयी। जिसने सुना, उनका हृदय खिल उठा। जहाँ भय था, वहाँ विश्वास चमक उठा। जहाँ कटुता थी, वहाँ अपनापन छलक पड़ा। चारों ओर

चेतनता दौड़ गयी। कहीं आलस्य नहीं, कहीं खिन्नता नहीं। मोहन का हृदय आज प्रेम से भरा हुआ है। उसमें सुगंध का विकर्षण हो रहा है।

मैना घरौंदा बनाने बैठ गयी।

मोहन ने उसके उलझे हुए बालों को सुलझाते हुए कहा–तेरी गुड़िया का ब्याह कब होगा मैना, नेवता दे, कुछ मिठाई खाने को मिले।

मैना का मन आकाश में उड़ने लगा। अब भैया पानी माँगें, तो वह लोटे को राख से ख़ूब चमाचम करके पानी ले जायेगी।

'अम्माँ पैसे नहीं देतीं। गुड्डा तो ठीक हो गया है। टीका कैसे भेजूँ।'

'कितने पैसे लेगी?'

'एक पैसे के बतासे लूँगी और एक पैसे का रंग। जोड़े तो रँगे जायेंगे कि नहीं।

'तो दो पैसे में तेरा काम चल जायेगा?'

'हाँ, दो पैसे दे दो भैया, तो मेरी गुड़िया का ब्याह धूमधाम से हो जाये।'

मोहन ने दो पैसे हाथ में लेकर मैना को दिखाया। मैना लपकी, मोहन ने ऊपर हाथ उठाया, मैना ने हाथ पकड़कर नीचे खींचना शुरू किया। मोहन ने उसे गोद में उठा लिया। मैना ने पैसे ले लिये और नीचे उतरकर नाचने लगी। फिर अपनी सहेलियों को विवाह का नेवता देने के लिए भागी।

उसी वक़्त बूटी गोबर का झौवा लिए आ पहुँची। मोहन को खड़े देखकर कठोर स्वर में बोली–अभी तक मटरगश्ती ही हो रही है। भैंस कब दुही जायेगी?

आज बूटी को मोहन ने विद्रोह-भरा जवाब न दिया। जैसे उसके मन में माधुर्य का कोई सोता-सा खुल गया हो। माता को गोबर का बोझ लिए देखकर उसने झौवा उसके सिर से उतार लिया।

बूटी ने कहा–रहने दे, रहने दे, जाकर भैंस दुह, मैं तो गोबर लिए जाती हूँ।

'तुम इतना भारी बोझ क्यों उठा लेती हो, मुझे क्यों नहीं बुला लेतीं?'

'माता का हृदय वात्सल्य से गद्‌गद् हो उठा।'

'तू जा अपना काम देख। मेरे पीछे क्यों पड़ता है!'

'गोबर निकालने का काम मेरा है।'

'और दूध कौन दुहेगा?'

'वह भी मैं करूँगा!'

'तू इतना बड़ा जोधा है कि सारे काम कर लेगा!'

'जितना कहता हूँ, उतना कर लूँगा।'

'तो मैं क्या करूँगी?'

'तुम लड़कों से काम लो, जो तुम्हारा धर्म है।'

'मेरी सुनता है कोई?'

3

आज मोहन बाज़ार से दूध पहुँचाकर लौटा तो पान, कत्था, सुपारी, एक छोटा-सा पानदान और थोड़ी-सी मिठाई लाया। बूटी बिगड़कर बोली–आज पैसे कहीं फालतू मिल गये थे क्या? इस तरह उड़ायेगा तो कितने दिन निर्बाह होगा?

'मैंने तो एक पैसा भी नहीं उड़ाया अम्माँ। पहले मैं समझता था, तुम पान खाती ही नहीं।'

'तो अब मैं पान खाऊँगी!'

'हाँ, और क्या! जिसके दो-दो जवान बेटे हों, क्या वह इतना शौक भी न करे।'

बूटी के सूखे कठोर हृदय में कहीं से कुछ हरियाली निकल आयी, एक नन्हीं-सी कोपल थी लेकिन उसके अंदर कितना जीवन, कितना रस था। उसने मैना और सोहन को एक-एक मिठाई दे दी और मोहन को देने लगी।

'मिठाई तो लड़कों के लिए लाया था अम्माँ।'

'और तू तो बूढ़ा हो गया, क्यों?'

'इन लड़कों के सामने तो बूढ़ा ही हूँ।'

'लेकिन मेरे सामने तो लड़का ही है।'

मोहन ने मिठाई ले ली। मैना ने मिठाई पाते ही गप से मुँह में डाल ली थी। वह केवल मिठाई का स्वाद जीभ पर छोड़कर कब की ग़ायब हो चुकी थी। मोहन की मिठाई को ललचाई आँखों से देखने लगी। मोहन ने आधा लड्डू तोड़कर मैना को दे दिया। एक मिठाई दोने में बची थी। बूटी ने उसे मोहन की तरफ़ बढ़ाकर कहा—लाया भी तो इतनी-सी मिठाई। यह ले ले।

मोहन ने आधी मिठाई मुँह में डालकर कहा—वह तुम्हारा हिस्सा है अम्माँ।

'तुम्हें खाते देखकर मुझे जो आनंद मिलता है, उसमें मिठास से ज़्यादा स्वाद है।'

उसने आधी मिठाई सोहन और आधी मोहन को दे दी; फिर पानदान खोलकर देखने लगी। आज जीवन में पहली बार उसे यह सौभाग्य प्राप्त हुआ। धन्य भाग कि पति के राज में जिस विभूति के लिए तरसती रही, वह लड़के के राज में मिली। पानदान में कई कुल्हियाँ हैं। और देखो, दो छोटी-छोटी चिमनियाँ भी हैं; ऊपर कड़ा लगा हुआ है, जहाँ चाहो, लटकाकर ले जाओ। ऊपर की तश्तरी में पान रखे जाएँगे।

ज्यों ही मोहन बाहर चला गया, उसने पानदान को माँज-धोकर उसमें चूना, कत्था भरा, सुपारी काटी, पान को भिगोकर तश्तरी में रखा। तब एक बीड़ा लगाकर खाया। उस बीड़े के रस ने जैसे उसके वैधव्य की कटुता को स्निग्ध कर दिया। मन की प्रसन्नता व्यवहार में उदारता बन जाती है। अब वह घर में नहीं बैठ सकती। उसका मन इतना गहरा नहीं कि इतनी बड़ी विभूति उसमें जाकर गुम हो जाय। एक पुराना आइना पड़ा हुआ था। उसने उसमें मुँह देखा। ओंठों पर लाली है। मुँह लाल करने के लिए उसने थोड़े ही पान खाया है।

धनिया ने आकर कहा—काकी, तनिक रस्सी दे दो, मेरी रस्सी टूट गयी है।

कल बूटी ने साफ़ कह दिया होता, मेरी रस्सी गाँव-भर के लिए नहीं है। रस्सी टूट गयी है तो बनवा लो। आज उसने धनिया को रस्सी निकालकर प्रसन्न मुख से दे दी और सद्भाव से पूछा—लड़के के दस्त बंद हुए कि नहीं धनिया?

धनिया ने उदास मन से कहा—'नहीं काकी, आज तो दिन-भर दस्त आये। जाने दाँत आ रहे हैं।'

'पानी भर ले तो चल जरा देखूँ, दाँत ही हैं कि कुछ और फ़साद है। किसी की नजर-वजर तो नहीं लगी?'

'अब क्या जाने काकी, कौन जाने किसी की आँख फूटी हो?'

'चंचल लड़कों को नजर का बड़ा डर रहता है।'

'जिसने चुमकारकर बुलाया, झट उसकी गोद में चला जाता है। ऐसा हँसता है कि तुमसे **क्या कहूँ!'**

'कभी-कभी माँ की नज़र भी लग जाया करती है।'

'ऐ नौज काकी, भला कोई अपने लड़के को नज़र लगायेगा!'

'यही तो तू समझती नहीं। नज़र आप-ही लग जाती है।'

धनिया पानी लेकर आयी, तो बूटी उसके साथ बच्चे को देखने चली।

'तू अकेली है। आजकल घर के काम-धंधे में बड़ा अंडस होता होगा।'

'नहीं काकी, रुपिया आ जाती है, घर का कुछ काम कर देती है, नहीं तो मेरी मरन हो जाती।'

बूटी को आश्चर्य हुआ। रुपिया को उसने केवल तितली समझ रखा था।

'रुपिया!'

'हाँ काकी, बेचारी बड़ी सीधी है। झाड़ू लगा देती है, चौका-बरतन कर देती है, लड़के को सँभालती है। गाढ़े समय कौन किसी की बात पूछता है काकी।'

'उसे तो अपने मिस्सी-काजल से छुट्टी न मिलती होगी।'

'यह तो अपनी-अपनी रुचि है काकी! मुझे तो इस मिस्सी-काजलवाली ने जितना सहारा दिया, उतना किसी भक्तिन ने न दिया। बेचारी रात-भर जागती रही। मैंने कुछ दे तो नहीं दिया। हाँ, जब तक जीऊँगी, उसका जस गाऊँगी।'

'तू उसके गुन अभी नहीं जानती धनिया। पान के लिए पैसे कहाँ से आते हैं? किनारदार साड़ियाँ कहाँ से आती हैं?'

'मैं इन बातों में नहीं पड़ती काकी! फिर शौक-सिंगार करने को किसका जी नहीं चाहता? खाने-पहनने की यही तो उमिर है।'

धनिया का घर आ गया। आँगन में रुपिया बच्चे को गोद में लिये थपक रही थी। बच्चा सो गया था।

धनिया ने बच्चे को खटोले पर सुला दिया। बूटी ने बच्चे के सिर पर हाथ रखा, पेट में धीरे-धीरे उँगली गड़ाकर देखा। नाभि पर हींग का लेप करने को कहा। रुपिया बेनिया लाकर उसे झलने लगी।

बूटी ने कहा—ला धनिया मुझे दे दे।

'मैं डुला दूँगी तो क्या छोटी हो जाऊँगी?'

'तू दिन-भर यहाँ काम-धंधा करती है। थक गयी होगी।'

'तुम इतनी भलीमानस हो, और यहाँ लोग कहते थे, वह बिना गाली के बात नहीं करती। मारे डर के तुम्हारे पास न आयी।'

बूटी मुस्करायी।

'लोग झूठ तो नहीं कहते।'

'मैं आँखों की देखी मानूँ कि कानों की सुनी?'

आज भी रुपिया आँखों में काजल लगाये, पान खाये, रँगी साड़ी पहने हुए थी; किन्तु आज बूटी को मालूम हुआ, इस फूल में केवल रंग नहीं है, सुगंध भी है। उसके मन में रुपिया से घृणा हो गयी थी, वह किसी दैवी मन्त्र से धुल-सी गयी। कितनी सुशील लड़की है, कितनी लजाधुर। बोली कितनी मीठी है। आजकल की लड़कियाँ अपने बच्चों की तो परवाह नहीं करतीं, दूसरों के लिए कौन मरता है! सारी रात धनिया के लड़के को लिये जागती रही! मोहन ने कल की बात इससे कह तो दी होगी। दूसरी लड़की होती, तो मेरी ओर से मुँह फेर लेती। मुझे जलाती, मुझसे ऐंठती। इसे तो जैसे कुछ मालूम ही न हो। हो सकता है कि मोहन ने इससे कुछ कहा ही न हो। हाँ, यही बात है।

आज रुपिया बूटी को बड़ी सुन्दर लगी। ठीक तो है, अभी शौक-सिंगार न करेगी तो कब करेगी? शौक-सिंगार इसलिए बुरा लगता है कि ऐसे आदमी अपने भोग-विलास में मस्त रहते हैं। किसी के घर में आग लग जाय, उनसे मतलब नहीं। उनका काम तो खाली दूसरों को रिझाना है। जैसे अपने रूप की दूकान सजाये, राह चलतों को बुलाते हों कि ज़रा इस दूकान की सैर भी करते जाइये। ऐसे उपकारी प्राणियों का सिंगार बुरा नहीं लगता। नहीं, बल्कि और अच्छा लगता है। इससे मालूम होता है कि इसका रूप जितना सुन्दर है, उतना ही मन भी सुन्दर है; फिर कौन नहीं चाहता कि लोग उनके रूप का बखान करें। किसे दूसरों की आँखों में छुप जाने की लालसा नहीं होती? बूटी का यौवन कब का विदा हो चुका; फिर भी यह लालसा उसे बनी हुई है। कोई उसे रसभरी आँखों से देख लेता है, तो उसका मन कितना प्रसन्न हो जाता है। ज़मीन पर पाँव नहीं पड़ते। फिर रूपा तो अभी जवान है।

उस दिन से रूपा प्रायः दो-एक बार नित्य बूटी के घर आती। बूटी ने मोहन से आग्रह करके उसके लिए अच्छी-सी साड़ी मँगवा दी। अगर रूपा कभी बिना काजल लगाये या बेरँगी साड़ी पहने आ जाती, तो बूटी कहती—बहू-बेटियों को यह जोगिया भेस अच्छा नहीं लगता। यह भेस तो हम-जैसी बूढ़ियों के लिए है।

रूपा ने एक दिन कहा—तुम बूढ़ी काहे को हो गयीं अम्माँ! लोगों को इशारा मिल जाय, तो भौंरों की तरह तुम्हारे द्वार पर धरना देने लगें।

बूटी ने मीठे तिरस्कार से कहा—चल, मैं तेरी माँ की सौत बनकर जाऊँगी?

'अम्माँ तो बूढ़ी हो गयीं।'

'तो क्या तेरे दादा अभी जवान बैठे हैं?'

'हाँ ऐसा, बड़ी अच्छी मिट्टी है उनकी।'

बूटी ने उसकी ओर रस-भरी आँखों से देखकर पूछा—अच्छा बता, मोहन से तेरा ब्याह कर दूँ?

रूपा लजा गयी? मुख पर गुलाब की आभा दौड़ गयी।

आज मोहन दूध बेचकर लौटा तो बूटी ने कहा—कुछ रुपये-पैसे जुटा, मैं रूपा से तेरी बातचीत कर रही हूँ।

❑❑❑

दिल की रानी

जिन वीर तुर्कों के प्रखर प्रताप से ईसाई-दुनिया कांप रही थी, उन्हीं का रक्त आज कुस्तुंतुनिया की गलियों में बह रहा है। वही कुस्तुंतुनिया जो सौ साल पहले तुर्कों के आतंक से आहत हो रहा था, आज उनके गर्म रक्त से अपना कलेजा ठण्डा हो रहा है। सत्तर हज़ार तुर्क योद्धाओं की लाशें बास-फ़रस की लहरों पर तैर रही हैं और तुर्की सेनापति एक लाख सिपाहियों के साथ तैमूरी तेज़ के सामने अपनी किस्मत का फ़ैसला सुनने के लिए खड़ा है।

तैमूर ने विजय से भरी आँखें उठायी और सेनापति यज़दानी की ओर देख कर सिंह के समान गरज़ा—'क्या चाहते हो; ज़िन्दगी या मौत?'

यज़दानी ने गर्व से सिर उठाकर कहा—इज़्ज़त की ज़िन्दगी मिले तो ज़िन्दगी वरना मौत।

तैमूर का क्रोध प्रचंड हो उठा। उसने बड़े-बड़े अभिमानियों का सिर नीचा कर दिया था। वह जवाब इस अवसर पर सुनने की उसे ताव न थी। इन एक लाख आदमियों की जान उसकी मुट्ठी में है। इन्हें वह एक क्षण में मसल सकता है। उस पर भी इतना अभिमान! इज़्ज़त की ज़िन्दगी! इसका यही तो अर्थ है कि ग़रीबों का जीवन अमीरों के भोग-विलास पर बलिदान किया जाय। वही शराब की मजलिसें, वही अरमीनियाँ और काफ की परियाँ।··· नहीं, तैमूर ने ख़लीफ़ा बायज़ीद का घमंड इसलिए नहीं तोड़ा है कि तुर्कों को फिर उसी मदांध स्वाधीनता में इस्लाम का नाम डुबाने को छोड़ दे। तब उसे इतना रक्त बहाने की क्या ज़रूरत थी? मानव रक्त का प्रवाह संगीत का प्रवाह नहीं—एक वीभत्स दृश्य है, जिसे देखकर आँखें मुँह फेर लेती हैं, दृश्य सिर झुका लेता है। तैमूर हिंसक पशु नहीं है, जो यह दृश्य देखने के लिए अपने जीवन की बाज़ी लगा दे।

वह अपने शब्दों में धिक्कार भरकर बोला—जिसे तुम इज़्ज़त की ज़िन्दगी कहते हो, वह ग़ुनाह और जहन्नुम की ज़िन्दगी है।

यज़दानी को तैमूर से दया या क्षमा की आशा न थी। उसकी या उसके योद्धाओं की जान किसी तरह नहीं बच सकती। फिर वह क्यों दबे और क्यों न जान पर खेलकर तैमूर के प्रति उसके मन में जो घृणा है, उसे प्रकट कर दे? उसने एक बार कातर नेत्रों से उस रूपवान युवक की ओर देखा, जो उसके पीछे खड़ा, जैसे अपनी जवानी की लगाम खींच रहा था। सान पर चढ़े हुए, इस्पात के समान उसके अंग-अंग से अतुल क्रोध की चिनगारियाँ निकल रही थीं। यज़दानी ने उसकी सूरत देखी और जैसे अपनी खींची हुई तलवार म्यान में कर ली और ख़ून के घूँट पीकर बोला—'जहाँपनाह इस वक़्त फ़तहमंद हैं; लेकिन अपराध क्षमा हो तो कह दूँ कि अपने जीवन के विषय में तुर्कों को तातारियों से उपदेश लेने की ज़रूरत नहीं पड़ी। पर जहाँ ख़ुदा ने नेमतों की वर्षा की हो, वहाँ उन नेमतों का भोग न करना नाशुक्री है। अगर तलवार ही सभ्यता की सनद होती, तो गाल क़ौम रोमनों से कहीं ज़्यादा सभ्य होती।

तैमूर ज़ोर से हँसा और उसके सिपाहियों ने तलवारों पर हाथ रख लिए। तैमूर का ठहाका मौत का ठहाका था या गिरनेवाले वज्र का तड़ाका।

'तातारवाले पशु हैं, क्यों?'

'मैं यह नहीं कहता।'

'तुम कहते हो, ख़ुदा ने तुम्हें ऐश करने के लिए पैदा किया है। मैं कहता हूँ, यह कुफ्र है। ख़ुदा ने इनसान को बन्दग़ी के लिए पैदा किया है और इसके खिलाफ़ जो कोई कुछ करता है, वह काफ़िर है, जहन्नुमी! रसूलेपाक़ हमारी जिन्दगी को पाक़ करने के लिए, हमें सच्चा इनसान बनाने के लिए आये थे, हमें हराम की तालीम देने नहीं! तैमूर दुनिया को इस कुफ्र से पाक़ कर देने का बीड़ा उठा चुका है। रसूलेपाक़ के कदमों की क़सम, मैं बेरहम नहीं हूँ, जालिम नहीं हूँ, ख़ूँख़्वार नहीं हूँ; लेकिन कुफ्र की सजा मेरे ईमान में मौत के सिवा कुछ नहीं है।'

उसने तातारी सिपहसालार की तरफ़ क़ातिल नजरों से देखा और तत्क्षण एक देव-सा आदमी तलवार खींचकर यजदानी के सिर पर आ पहुँचा। तातार सेना भी तलवारें खींच-खींचकर तुर्की सेना पर टूट पड़ी और दम-के-दम में कितनी ही लाशें जमीन पर फड़कने लगीं।

2

सहसा वही रूपवान युवक, जो यजदानी से पीछे खड़ा था, आगे बढ़कर तैमूर के सामने आया और जैसे मौत को अपनी बँधी हुई मुट्ठियों में मसलता हुआ बोला—'ऐ अपने को मुसलमान कहनेवाले बादशाह! क्या यही वह इस्लाम है, जिसकी तबलीग़ का तूने बीड़ा उठाया है?' इस्लाम की यही तालीम है कि तू उन बहादुरों का इस बेदर्दी से ख़ून बहाये, जिन्होंने इसके सिवा कोई गुनाह नहीं किया कि अपने खलीफ़ा और अपने मुल्क़ की हिमायत की?

चारों तरफ़ सन्नाटा छा गया। एक युवक, जिसकी अभी मसें भी न भींगी थीं, तैमूर जैसे तेजस्वी बादशाह का इतने खुले हुए शब्दों में तिरस्कार करे और उसकी जबान तालू से न खिंचवा ली जाय! सभी स्तम्भित हो रहे थे और तैमूर सम्मोहित-सा बैठा, उस युवक की ओर ताक रहा था।

युवक ने तातारी सिपाहियों की तरफ़, जिनके चेहरों पर कौतूहलमय प्रोत्साहन झलक रहा था, देखा और बोला—तू इन मुसलमानों को काफ़िर कहता है। और समझता है कि तू इन्हें क़त्ल करके ख़ुदा और इस्लाम की खिदमत कर रहा है? मैं तुझसे पूछता हूँ, अगर वह लोग, जो ख़ुदा के सिवा और किसी के सामने सिजदा नहीं करते, जो रसूलेपाक़ को अपना रहबर समझते हैं, मुसलमान नहीं हैं तो कौन मुसलमान है? मैं कहता हूँ, हम काफ़िर सही; लेकिन तेरे क़ैदी तो हैं? क्या इस्लाम जंजीर में बँधे हुए क़ैदियों के क़त्ल की इजाजत देता है? ख़ुदा ने अगर तुझे ताकत दी है, अख़्तियार दिया है, तो क्या इसीलिए कि तू ख़ुदा के बन्दों का ख़ून बहाए? क्या गुनहग़ारों को क़त्ल करके तू उन्हें सीधे रास्ते पर ले जायेगा? तूने कितनी बेरहमी से सत्तर हजार बहादुर तुर्कों को धोखा देकर सुरंग से उड़वा दिया और उनके मासूम बच्चों और निरपराध स्त्रियों को अनाथ कर दिया, तुझे कुछ अनुमान है? क्या यही कारनामे हैं, जिन पर तू अपने मुसलमान होने का गर्व करता है? क्या इसी क़त्ल, ख़ून और जुल्म की स्याही से तू दुनिया में अपना नाम रोशन करेगा? तूने तुर्कों के ख़ून के बहते दरिया में अपने घोड़ों के सुम नहीं भिगोए हैं, बल्कि इस्लाम को जड़ से खोदकर फेंक दिया है। यह वीर तुर्कों का ही आत्मोत्सर्ग

है, जिसने यूरोप में इस्लाम की तौहीद फैलायी। आज सोफ़िया के गिरजे में तुझे अल्लाहो-अकबर की सदा सुनाई दे रही है, सारा यूरोप इस्लाम का स्वागत करने को तैयार है। क्या यह कारनामे इसी लायक हैं कि उनका यह इनाम मिले? इस ख़याल को दिल से निकाल दे कि तू ख़ूँरेजी से इस्लाम की ख़िदमत कर रहा है। एक दिन तुझे भी परवरदिगार के सामने कर्मों का जवाब देना पड़ेगा और तेरा कोई उज्र न सुना जाएगा; क्योंकि अगर तुझमें अब भी नेक और बद की तमीज बाक़ी है, तो अपने दिल से पूछ! तूने यह जिहाद ख़ुदा की राह में किया या अपनी हविस के लिए, और मैं जानता हूँ, तुझे जो जवाब मिलेगा, वह तेरी गर्दन शर्म से झुका देगा।

ख़लीफ़ा अभी सिर झुकाये ही था कि यजदानी ने काँपते हुए शब्दों में अर्ज की—जहाँपनाह, यह गुलाम का लड़का है। इसके दिमाग़ में कुछ फ़ित्तूर है। हुजूर इसकी गुस्ताख़ियों को मुआफ़ करें। मैं उसकी सज़ा झेलने को तैयार हूँ।

तैमूर उस युवक के चेहरे की तरफ़ स्थिर नेत्रों से देख रहा था। आज जीवन में पहली बार उसे निर्भीक शब्दों के सुनने का अवसर मिला। उसके सामने बड़े-बड़े सेनापतियों, मन्त्रियों और बादशाहों की जबान न खुलती थी। वह जो कुछ कहता था, वही क़ानून था; किसी को उसमें चूँ करने की ताक़त न थी। उनकी ख़ुशामदों ने उसकी अहम्मन्यता को आसमान पर चढ़ा दिया था। उसे विश्वास हो गया था कि ख़ुदा ने इस्लाम को जगाने और सुधारने के लिए ही उसे दुनिया में भेजा है। उसने पैगम्बरी का दावा तो नहीं किया, पर उसके मन में यह भावना दृढ़ हो गयी थी, इसलिए जब आज एक युवक ने प्राणों का मोह छोड़कर उसकी कीर्ति का पर्दा खोल दिया, तो उसकी चेतना जैसे जाग उठी। उसके मन में क्रोध और हिंसा की जगह श्रद्धा का उदय हुआ। उसकी आँखों का एक इशारा इस युवक की ज़िन्दगी का चिराग़ गुल कर सकता था! उसकी संसार-विजयिनी शक्ति के सामने दुधमुँहा बालक मानो अपने नन्हें-नन्हें हाथों से समुद्र के प्रवाह को रोकने के लिए खड़ा हो। कितना हास्यास्पद साहस था; उसके साथ ही कितना आत्मविश्वास से भरा हुआ! तैमूर को ऐसा जान पड़ा कि इस निहत्थे बालक के सामने वह कितना निर्बल है। मनुष्य में ऐसे साहस का एक ही स्रोत हो सकता है, और वह सत्य पर अटल विश्वास है। उसकी आत्मा दौड़कर उस युवक के दामन में चिपट जाने के लिए अधीर हो गयी। वह दार्शनिक न था, जो सत्य में शंका करता है। वह सरल सैनिक था, जो असत्य को भी अपने विश्वास से सत्य बना देता है।

यजदानी ने उसी स्वर में कहा—'जहाँपनाह, इसकी बदजबानी का ख़याल न फ़रमावें।'

तैमूर ने तुरंत तख़्त से उठकर यजदानी को गले लगा लिया और बोला—काश, ऐसी गुस्ताख़ियों और बदजबानियों के सुनने का पहले इत्तफ़ाक होता, तो आज इतने बेगुनाहों का ख़ून मेरी गर्दन पर न होता। मुझे इस जवान में किसी फरिश्ते की रूह का जलवा नज़र आता है, जो मुझ-जैसे गुमराहों को सच्चा रास्ता दिखाने के लिए भेजी गयी है। मेरे दोस्त, तुम ख़ुशनसीब हो कि ऐसे फरिश्ता सिफ़त बेटे के बाप हो। क्या मैं उसका नाम पूछ सकता हूँ?

यजदानी पहले आतशपरस्त था, पीछे मुसलमान हो गया था; पर अभी तक कभी-कभी उसके मन में शंकाएँ उठती रहती थीं कि उसने क्यों इस्लाम कबूल

किया। जो क़ैदी फ़ाँसी के तख़्ते पर खड़ा सूखा जा रहा था कि एक क्षण में रस्सी उसकी गर्दन में पड़ेगी और वह लटकता रह जाएगा, उसे जैसे किसी फरिश्ते ने गोद में ले लिया। वह गद्‌गद् कंठ से बोला—उसे हबीब कहते हैं।

तैमूर ने युवक के सामने जाकर उसका हाथ पकड़ लिया और उसे आँखों से लगाता हुआ बोला—मेरे जवान दोस्त, तुम सचमुच ख़ुदा के हबीब हो; मैं वह गुनहगार हूँ, जिसने अपनी जहालत में हमेशा अपने गुनाहों को सबाब समझा, इसलिए कि मुझसे कहा जाता था, तेरी जात बे ऐब है। आज मुझे मालूम हुआ कि मेरे हाथों इस्लाम को कितना नुकसान पहुँचा। आज से मैं तुम्हारा ही दामन पकड़ता हूँ! तुम्हीं मेरे ख़िज्र, तुम्हीं मेरे रहनुमा हो। मुझे यक़ीन हो गया कि तुम्हारे ही वसीले से मैं ख़ुदा की दरग़ाह तक पहुँच सकता हूँ।

यह कहते हुए उसने युवक के चेहरे पर नजर डाली, तो उस पर शर्म की लाली छायी हुई थी। उस कठोरता की जगह मधुर संकोच झलक रहा था।

युवक ने सिर झुकाकर कहा—यह हुजूर की क़दरदानी है, वरना मेरी क्या हस्ती है!

तैमूर ने उसे खींचकर अपनी बगल में तख़्त पर बिठा दिया और अपने सेनापति को हुक़्म दिया, सारे तुर्क क़ैदी छोड़ दिये जाएँ, उनके हथियार वापस कर दिये जाएँ और जो माल लूटा गया है, वह सिपाहियों में बराबर बाँट दिया जाये।

वजीर तो उधर इस हुक़्म की तामिल करने लगा, इधर तैमूर हबीब का हाथ पकड़े हुए अपने खेमे में गया और दोनों मेहमानों की दावत का प्रबन्ध करने लगा। और जब भोजन समाप्त हो गया, तो उसने अपने जीवन की सारी कथा रो-रोकर कह सुनायी, जो आदि से अंत तक मिश्रित पशुता और बर्बरता के कृत्यों से भरी हुई थी। और उसने यह सब कुछ इस भ्रम में किया कि वह ईश्वरीय आदेश का पालन कर रहा है। वह ख़ुदा को कौन मुँह दिखाएगा? रोते-रोते उसकी हिचकियाँ बँध गयीं।

अंत में उसने हबीब से कहा—'मेरे जवान दोस्त, अब मेरा बेड़ा आप ही पार लगा सकते हैं। आपने राह दिखायी है तो मंजिल पर पहुँचाइए। मेरी बादशाहत को अब आप ही सँभाल सकते हैं। मुझे अब मालूम हो गया कि मैं उसे तबाही के रास्ते पर लिए जाता था। मेरी आपसे यही इल्तमास (प्रार्थना) है कि आप उसकी वजारत क़बूल करें। देखिए, ख़ुदा के लिए इनकार न कीजिएगा, वरना मैं कहीं का न रहूँगा।

यज़दानी ने अरज़ की—हुजूर इतनी क़दरदानी फरमाते हैं, यह आपकी इनायत है, लेकिन अभी इस लड़के की उम्र ही क्या है। वजारत की ख़िदमत यह क्या अंजाम दे सकेगा! अभी तो इसकी तालीम के दिन हैं।

इधर से इनकार होता रहा और उधर तैमूर आग्रह करता रहा। यज़दानी इनकार तो कर रहे थे; पर छाती फूली जाती थी। मूसा आग लेने गये थे, पैगम्बरी मिल गयी। कहाँ मौत के मुँह में जा रहे थे, वजारत मिल गयी; लेकिन यह शंका भी थी कि ऐसे अस्थिर-चित्त आदमी का क्या ठिकाना? आज ख़ुश हुए, वजारत देने को तैयार हैं; कल नाराज़ हो गये, तो जान की ख़ैरियत नहीं। उन्हें हबीब की लियाक़त पर भरोसा था, फिर भी जी डरता था कि बिराने देश में न जाने कैसी पड़े, कैसी न पड़े। दरबारवालों में षड्यंत्र होते ही रहते हैं। हबीब नेक है, समझदार है, अवसर पहचानता है; लेकिन वह तजुरबा कहाँ से लायेगा, जो उम्र ही से आता है।

उन्होंने इस प्रश्न का विचार करने के लिए एक दिन की मुहलत माँगी और रुख़सत हुए।

3

हबीब यज़दानी का लड़का नहीं, लड़की थी। उसका नाम उम्मतुल हबीब था। जिस वक़्त यज़दानी और उसकी पत्नी मुसलमान हुए, तो लड़की की उम्र कुल बारह साल की थी; पर प्रकृति ने उसे बुद्धि और प्रतिभा के साथ विचार-स्वतंत्रता भी प्रदान किया था। वह जब तक सत्यासत्य की परीक्षा न कर लेती, कोई बात स्वीकार न करती। माँ-बाप के धर्म-परिवर्तन से उसे अशांति तो हुई; पर जब तक इस्लाम का अच्छी तरह अध्ययन न कर ले, वह केवल माँ-बाप को ख़ुश करने के लिए इस्लाम की दीक्षा न ले सकती थी। माँ-बाप भी उस पर किसी तरह का दबाव न डालना चाहते थे। जैसे उन्हें अपने धर्म को बदल देने का अधिकार है, वैसे ही उसे अपने धर्म पर आरूढ़ रहने का भी अधिकार है। लड़की को संतोष हुआ; लेकिन उसने इस्लाम और जरतुश्त धर्म—दोनों ही का तुलनात्मक अध्ययन आरम्भ किया, और पूरे दो साल के अन्वेषण और परीक्षण के बाद उसने भी इस्लाम की दीक्षा ले ली। माता-पिता फूले न समाये। लड़की उनके दबाव से मुसलमान नहीं हुई है; बल्कि स्वेच्छा से, स्वाध्याय से और ईमान से। दो साल तक उन्हें जो एक शंका घेरे रहती थी, वह मिट गयी।

यज़दानी के कोई पुत्र न था और उस युग में, जब कि आदमी की तलवार ही सबसे बड़ी अदालत थी, पुत्र का न रहना संसार का सबसे बड़ा दुर्भाग्य था। यजदानी बेटे का अरमान बेटी से पूरा करने लगा। लड़कों ही की भाँति उसकी शिक्षा-दीक्षा होने लगी। वह बालकों के-से कपड़े पहनती, घोड़े पर सवार होती, शस्त्र-विद्या सीखती और अपने बाप के साथ अकसर खलीफ़ा बायज़ीद के महलों में जाती और राजकुमारी के साथ शिकार खेलने जाती! इसके साथ ही वह दर्शन, काव्य, विज्ञान और अध्यात्म का भी अभ्यास करती थी। यहाँ तक कि सोलहवें वर्ष में वह फौजी विद्यालय में दाख़िल हो गयी और दो साल के अन्दर वहाँ की सबसे ऊँची परीक्षा पास करके फौज में नौकर हो गयी। शस्त्र-विद्या और सेना-संचालन-कला में वह इतनी निपुण थी और खलीफ़ा बायजीद उसके चरित्र से इतना प्रसन्न था कि पहले ही पहल उसे एक हजारी मनसब मिल गया।

ऐसी युवती के चाहनेवालों की क्या कमी? उसके साथ के कितने ही अफ़सर, राज-परिवार के कितने ही युवक उस पर प्राण देते थे, पर कोई उसकी नजरों में न जँचता था। नित्य ही निक़ाह के पैग़ाम आते थे; पर वह हमेशा इनकार कर देती थी। वैवाहिक जीवन ही से उसे अरुचि थी। उसकी स्वाधीन प्रकृति इस बन्धन में न पड़ना चाहती थी। फिर नित्य ही वह देखती थी कि युवतियाँ कितने अरमानों से ब्याह कर लायी जाती हैं और फिर कितने निरादर से महलों में बन्द कर दी जाती हैं। उनका भाग्य पुरुषों की दया के अधीन है। अक्सर ऊँचे घरानों की महिलाओं से उसको मिलने-जुलने का अवसर मिलता था। उनके मुख से उनकी करुण-कथा सुनकर वह वैवाहिक पराधीनता से और भी घृणा करने लगी थी। और यज़दानी उसकी स्वाधीनता में बिलकुल बाधा न देता था। लड़की स्वाधीन है। उसकी इच्छा हो, विवाह करे या क्वाँरी रहे, वह अपनी-आप मुख़तार है। उसके पास पैगाम आते,

तो वह साफ़ जवाब दे देता—मैं इस बारे में कुछ नहीं जानता। इसका फ़ैसला वही करेगी।

यद्यपि एक युवती का पुरुष वेष में रहना, युवकों से मिलना-जुलना, समाज में आलोचना का विषय था, पर यज़दानी और उसकी स्त्री, दोनों ही को उसके सतीत्व पर विश्वास था। हबीब के व्यवहार और आचार में उन्हें कोई ऐसी बात नज़र न आती थी, जिससे उन्हें किसी तरह की शंका होती। यौवन की आँधी और लालसाओं के तूफ़ान में वह चौबीस वर्षों की वीरबाला अपने हृदय की सम्पत्ति लिये अटल और अजेय खड़ी थी, मानो सभी युवक उसके सगे भाई हैं।

4

कुस्तुंतुनिया में कितनी ख़ुशियाँ मनायी गयी, हबीब का कितना सम्मान और स्वागत हुआ, उसे कितनी बधाइयाँ मिलीं, यह सब लिखने की बात नहीं। शहर तबाह हुआ जाता था। सम्भव था, आज उसके महलों और बाज़ारों से आग की लपटें निकलती होतीं। राज्य और नगर को उस कल्पनातीत विपत्ति से बचानेवाला आदमी कितने आदर, प्रेम, श्रद्धा और उल्लास का पात्र होगा, इसकी तो कल्पना भी नहीं की जा सकती। उस पर कितने फूलों और कितने लाल-जवाहरों की वर्षा हुई, इसका अनुमान तो कोई कवि ही कर सकता है और नगर की महिलाएँ हृदय के अक्षय भंडार से असीसें निकाल-निकालकर उस पर लुटाती थीं, और गर्व से फूली हुई उसका मुँह निहारकर अपने को धन्य मानती थीं। उसने देवियों का मस्तक ऊँचा कर दिया।

रात को तैमूर के प्रस्ताव पर विचार होने लगा। सामने गद्देदार कुर्सी पर यज़दानी था—सौम्य, विशाल और तेजस्वी। उसकी दाहिनी तरफ़ उसकी पत्नी थी, ईरानी लिबास में, आँखों में दया और विश्वास की ज्योति भरे हुए। बायीं तरफ़ उम्मुतुल हबीब थी, जो इस समय रमणी-वेष में मोहिनी बनी हुई थी, ब्रह्मचर्य के तेज से दीप्त।

यज़दानी ने प्रस्ताव का विरोध करते हुए कहा—मैं अपनी तरफ़ से कुछ नहीं कहना चाहता; लेकिन यदि मुझे सलाह देने का अधिकार है, तो मैं स्पष्ट कहता हूँ कि तुम्हें इस प्रस्ताव को कभी स्वीकार न करना चाहिए; तैमूर से यह बात बहुत दिन तक छिपी नहीं रह सकती कि तुम क्या हो। उस वक़्त क्या परिस्थिति होगी, मैं नहीं कहता और यहाँ इस विषय में जो कुछ टीकाएँ होंगी, वह तुम मुझसे ज़्यादा जानती हो। यहाँ मैं मौजूद था और कुत्सा को मुँह खोलने देता था, पर वहाँ तुम अकेली रहोगी और कुत्सा को मनमाने आरोप करने का अवसर मिलता रहेगा।

उसकी पत्नी स्वेच्छा को इतना महत्त्व न देना चाहती थी! बोली—मैंने सुना है, तैमूर निगाहों का अच्छा आदमी नहीं है। मैं किसी तरह तुझे न जाने दूँगी। कोई बात हो जाय तो सारी दुनिया हँसे। यों ही हँसनेवाले क्या कम हैं?

इसी तरह स्त्री-पुरुष बड़ी देर तक ऊँच-नीच सुझाते और तरह-तरह की शंकाएँ करते रहे लेकिन हबीब मौन साधे बैठी हुई थी। यज़दानी ने समझा, हबीब भी उनसे सहमत है। इनकार की सूचना देने के लिए ही था कि हबीब ने पूछा—आप तैमूर से क्या कहेंगे?

'यही, जो यहाँ तय हुआ।'

'मैंने तो अभी कुछ नहीं कहा।'

'मैंने तो समझा, तुम भी हमसे सहमत हो?'

'जी नहीं। आप उनसे जाकर कह दें, मैं स्वीकार करती हूँ।'

माता ने छाती पर हाथ रखकर कहा—'यह क्या गजब करती है बेटी! सोच तो, दुनिया क्या कहेगी?'

यज़दानी भी सिर थामकर बैठ गये, मानो हृदय में गोली लग गयी हो। मुँह से एक शब्द भी न निकला।

हबीब त्योरियों पर बल डालकर बोली—अम्मीजान, मैं आपके हुक़्म से जौ-भर भी मुँह नहीं फेरना चाहती। आपको पूरा अख्तियार है, मुझे जाने दें या न जाने दें; लेकिन मुल्क की ख़िदमत का ऐसा मौक़ा शायद मुझे ज़िंदगी में फिर न मिले। इस मौक़े को हाथ से खो देने का अफ़सोस मुझे उम्र-भर रहेगा। मुझे यक़ीन है कि अमीन तैमूर को मैं अपनी दियानत, बेगरज़ी और सच्ची वफ़ादारी से इनसान बना सकती हूँ और शायद उसके हाथों ख़ुदा के बंदों का ख़ून इतनी कसरत से न बहे। वह दिलेर है; मगर बेरहम नहीं। कोई दिलेर आदमी बेरहम नहीं हो सकता। उसने अब तक जो कुछ किया है, मज़हब के अंधे जोश में किया है। आज ख़ुदा ने मुझे वह मौक़ा दिया है कि मैं उसे दिखा दूँ कि मज़हब ख़िदमत का नाम है, लूट और क़त्ल का नहीं। अपने बारे में मुझे मुतलक़ अंदेशा नहीं है। मैं अपनी हिफ़ाज़त आप कर सकती हूँ। मुझे दावा है कि अपने फ़र्ज़ को नेकनीयती से अदा करके मैं दुश्मनों की ज़बान भी बन्द कर सकती हूँ और मान लीजिए, मुझे नाकामी भी हो, तो क्या सचाई और हक़ के लिए कुर्बान हो जाना ज़िन्दगी की सबसे शानदार फ़तह नहीं है? अब तक मैंने जिस उसूल पर ज़िन्दगी बसर की है, उसने मुझे धोखा नहीं दिया और उसी के फ़ैज़ से आज मुझे यह दर्जा हासिल हुआ है, जो बड़ों-बड़ों के लिए ज़िन्दगी का ख़्वाब है। ऐसे आज़माये हुए दोस्त मुझे कभी धोखा नहीं दे सकते। तैमूर पर मेरी हक़ीक़त खुल भी जाए, तो क्या ख़ौफ़? मेरी तलवार मेरी हिफ़ाज़त कर सकती है। शादी पर मेरे ख़याल आपको मालूम हैं। अगर मुझे कोई ऐसा आदमी मिलेगा, जिसे मेरी रूह कबूल करती हो, जिसकी ज़ात अपनी हस्ती को खोकर मैं अपनी रूह को ऊँचा उठा सकूँ, तो मैं उसके कदमों पर गिरकर अपने को उसकी नज़र कर दूँगी।

यज़दानी ने ख़ुश होकर बेटी को गले लगा लिया। उसकी स्त्री इतनी जल्द आश्वस्त न हो सकी। वह किसी तरह बेटी को अकेली न छोड़ेगी। उसके साथ वह भी जाएगी।

5

कई महीने गुज़र गये। युवक हबीब तैमूर का वज़ीर है; लेकिन वास्तव में वही बादशाह है। तैमूर उसी की आँखों से देखता है, उसी के कानों से सुनता है और उसी की अक्ल से सोचता है। वह चाहता है, हबीब आठों पहर उसके पास रहे। उसके सामीप्य में उसे स्वर्ग का-सा सुख मिलता है। समरकंद में एक प्राणी भी ऐसा नहीं, जो उससे जलता हो। उसके बर्ताव ने सभी को मुग्ध कर लिया है, क्योंकि वह इन्साफ़ से जौ-भर भी कदम नहीं हटाता। जो लोग उसके हाथों चलती हुई न्याय की चक्की में पिस जाते हैं, वे भी उससे सद्भाव ही रखते हैं, क्योंकि वह न्याय को ज़रूरत से ज़्यादा कटु नहीं होने देता।

संध्या हो गयी थी। राज्य-कर्मचारी जा चुके थे। शमादान में मोम की बत्तियाँ जल रही थीं। अगर की सुगंध से सारा दीवानख़ाना महक रहा था। हबीब भी उठने ही को था कि चोबदार ने ख़बर दी—हुज़ूर, जहाँपनाह तशरीफ़ ला रहे हैं।

हबीब इस ख़बर से कुछ प्रसन्न नहीं हुआ। अन्य मंत्रियों की भाँति वह तैमूर की सोहबत का भूखा नहीं था। वह हमेशा तैमूर से दूर रहने की चेष्टा करता है। ऐसा शायद ही कभी हुआ हो कि उसने शाही दस्तरख़ान पर भोजन किया हो। तैमूर की मजलिसों में भी वह कभी शरीक़ नहीं होता। उसे जब शांति मिलती है, तब एकांत में अपनी माता के पास बैठकर। दिन-भर का माजरा उससे कहता है और वह उस पर अपनी पसंद की मुहर लगा देती है।

उसने द्वार पर जाकर तैमूर का स्वागत किया। तैमूर ने मसनद पर बैठते हुए कहा—मुझे ताज्जुब होता है कि तुम इस जवानी में ज़ाहिदों की-सी ज़िंदगी कैसे बसर करते हो हबीब! ख़ुदा ने तुम्हें वह हुस्न दिया है कि हसीन-से-हसीन नाज़नीन भी तुम्हारी माशूक़ बनकर अपने को ख़ुशनसीब समझेगी। मालूम नहीं, तुम्हें ख़बर है या नहीं, जब तुम अपने मुश्क़ी घोड़े पर सवार होकर निकलते हो, तो समरकंद की खिड़कियों पर हज़ारों आँखें तुम्हारी एक झलक देखने के लिए मुंतज़िर बैठी रहती हैं; पर तुम्हें किसी तरफ़ आँखें उठाते नहीं देखा। मेरा ख़ुदा गवाह है, मैं कितना चाहता हूँ कि तुम्हारे कदमों के नक़्शे पर चलूँ। मैं चाहता हूँ, जैसे तुम दुनिया में रहकर भी दुनिया से अलग रहते हो, वैसे मैं भी रहूँ लेकिन मेरे पास न वह दिल है, न वह दिमाग़। मैं हमेशा अपने-आप पर, सारी दुनिया पर दाँत पीसता रहता हूँ। जैसे मुझे हरदम ख़ून की प्यास लगी रहती है, जिसे तुम बुझने नहीं देते, और यह जानते हुए भी कि तुम जो कुछ करते हो, उससे बेहतर कोई दूसरा नहीं कर सकता, मैं अपने ग़ुस्से को काबू में नहीं कर सकता। तुम जिधर से निकलते हो, मुहब्बत और रोशनी फैला देते हो। जिसको तुम्हारा दुश्मन होना चाहिए, वह भी तुम्हारा दोस्त है। मैं जिधर से निकलता हूँ, नफ़रत और शुबहा फैलाता हुआ निकलता हूँ। जिसे मेरा दोस्त होना चाहिए, वह भी मेरा दुश्मन है। दुनिया में बस यही एक जगह है, जहाँ मुझे आफ़ियत मिलती है। अगर तुम समझते हो, यह ताज और तख़्त मेरे रास्ते के रोड़े हैं, तो ख़ुदा की क़सम, मैं आज इन पर लात मार दूँ। मैं आज तुम्हारे पास यही दरख़्वास्त लेकर आया हूँ कि तुम मुझे वह रास्ता दिखाओ, जिससे मैं सच्ची ख़ुशी पा सकूँ। मैं चाहता हूँ, तुम इसी महल में रहो ताकि मैं तुमसे सची ज़िन्दगी का सबक सीखूँ।

हबीब का हृदय धक् से हो उठा। कहीं अमीन पर उसके नारीत्व का रहस्य खुल तो नहीं गया? उसकी समझ में न आया कि उसे क्या जवाब दे? उसका कोमल हृदय तैमूर की इस करुण आत्मग्लानि पर द्रवित हो गया। जिसके नाम से दुनिया काँपती है, वह उसके सामने एक दयनीय प्रार्थी बना हुआ उसके प्रकाश की भिक्षा माँग रहा है! तैमूर की उस कठोर, विकृत, शुष्क, हिंसात्मक मुद्रा में उसे एक स्निग्ध मधुर ज्योति दिखायी दी, मानो उसका जागृत विवेक भीतर से झाँक रहा हो। उसे अपना स्थिर जीवन, जिसमें ऊपर उठने की स्फूर्ति ही न रही थी, इस विफल उद्योग के सामने तुच्छ जान पड़ा।

उसने मुग्ध कंठ से कहा—हुज़ूर इस गुलाम की इतनी क़द्र करते हैं, यह मेरी ख़ुशनसीबी है, लेकिन मेरा शाही महल में रहना मुनासिब नहीं।

तैमूर ने पूछा—क्यों?

'इसलिए कि जहाँ दौलत ज़्यादा होती है, वहाँ डाके पड़ते हैं और जहाँ क़द्र ज़्यादा होती है, वहाँ दुश्मन भी ज़्यादा होते हैं।'

'तुम्हारा दुश्मन भी कोई हो सकता है?'

'मैं ख़ुद अपना दुश्मन हो जाऊँगा। आदमी का सबसे बड़ा दुश्मन गरूर है।'

तैमूर को जैसे कोई रत्न मिल गया। उसे अपनी मन-तुष्टि का आभास हुआ। 'आदमी का सबसे बड़ा दुश्मन गरूर है' इस वाक्य को मन-ही-मन दोहराकर उसने कहा—तुम मेरे काबू में कभी न आओगे हबीब। तुम वह परिन्दें हो, जो आसमान में ही उड़ सकता है। उसे सोने के पिंजड़े में भी रखना चाहो तो फड़फड़ाता रहेगा। ख़ैर, ख़ुदा हाफ़िज़!

वह तुरंत अपने महल की ओर चला, मानो उस रत्न को सुरक्षित स्थान में रख देना चाहता हो। यह वाक्य पहली बार उसने न सुना था; पर आज इसमें जो ज्ञान, जो आदेश, जो सद्प्रेरणा उसे मिली, वह कभी न मिली थी।

6

इस्तख़र के इलाक़ से बग़ावत की ख़बर आयी है। हबीब को शंका है कि तैमूर वहाँ पहुँचकर कहीं क़त्लेआम न कर दे। वह शांतिमय उपायों से इस विद्रोह को ठंडा करके तैमूर को दिखाना चाहता है कि सद्भावना में कितनी शक्ति है। तैमूर उसे इस मुहिम पर नहीं भेजना चाहता; लेकिन हबीब के आग्रह के सामने बेबस है। हबीब को जब और कोई युक्ति न सूझी, तो उसने कहा—गुलाम के रहते हुए हुज़ूर अपनी जान ख़तरे में डालें, यह नहीं हो सकता।

तैमूर मुस्कराया—मेरी जान की तुम्हारी जान के मुक़ाबले में कोई हक़ीक़त नहीं है हबीब। फिर मैंने तो कभी जान की परवाह न की। मैंने दुनिया में क़त्ल और लूट के सिवा और क्या यादगार छोड़ी? मेरे मर जाने पर दुनिया मेरे नाम को रोयेगी नहीं, यकीन मानो। मेरे जैसे लुटेरे हमेशा पैदा होते रहेंगे; लेकिन ख़ुदा न करे, तुम्हारे दुश्मनों को कुछ हो गया, तो यह सल्तनत ख़ाक में मिल जायेगी, और तब मुझे भी सीने में खंज़र चुभा लेने के सिवा और कोई रास्ता न रहेगा। मैं नहीं कह सकता हबीब, तुमसे मैंने कितना पाया। काश, दस-पाँच साल पहले तुम मुझे मिल जाते, तो तैमूर तारीख़ में इतना रुपियाह न होता। आज अगर ज़रूरत पड़े, तो मैं अपने जैसे सौ तैमूरों को तुम्हारे ऊपर निसार कर दूँ। यही समझ लो कि तुम मेरे रूह को अपने साथ लिये जा रहे हो। आज मैं तुमसे कहता हूँ हबीब कि मुझे तुमसे इश्क़ है, वह इश्क़, जो मुझे आज तक किसी हसीना से नहीं हुआ। इश्क़ क्या चीज़ है इसे मैं अब जान पाया हूँ। मगर इसमें क्या बुराई है कि मैं तुम्हारे साथ चलूँ?

हबीब ने धड़कते हुए हृदय से कहा—अगर मैं आपकी ज़रूरत समझूँगा, तो इतला दूँगा।

तैमूर ने दाढ़ी पर हाथ रखकर कहा—जैसी तुम्हारी मर्ज़ी; लेकिन रोजाना क़ासिद भेजते रहना, वरना शायद मैं बेचैन होकर चला आऊँ।

तैमूर ने कितनी मुहब्बत से हबीब के सफ़र की तैयारियाँ की। तरह-तरह के आराम और तकल्लुफ़ी की चीजें उसके लिए जमा कीं। उस कोहिस्तान में यह चीजें कहाँ मिलेंगी। वह ऐसा संलग्न था, मानो माता अपनी लड़की को ससुराल भेज रही हो।

जिस वक़्त हबीब फ़ौज के साथ चला, तो सारा समरकंद उसके साथ था और तैमूर आँखों पर रूमाल रखे, अपने तख़्त पर ऐसे सिर झुकाए बैठा था, मानो कोई पक्षी आहत हो गया हो।

7

इस्तख़र अरमीनी ईसाइयों का इलाक़ा था। मुसलमानों ने उन्हें परास्त करके वहाँ अपना अधिकार जमा लिया था और ऐसे नियम बना दिये थे, जिससे ईसाइयों को पग-पग पर अपनी पराधीनता का स्मरण होता रहता था। पहला नियम जज़िये का था, जो हरेक ईसाई को देना पड़ता था, जिससे मुसलमान मुक्त थे। दूसरा नियम यह था कि गिरजों में घंटा न बजे! तीसरा नियम मदिरा का था, जिसे मुसलमान हराम समझते थे। ईसाइयों ने इन नियमों का क्रियात्मक विरोध किया और जब मुसलमान अधिकारियों ने शस्त्र-बल से काम लेना चाहा, तो ईसाइयों ने बग़ावत कर दी; मुसलमान सूबेदार को क़ैद कर लिया और क़िले पर सलीबी झंडा उड़ने लगा।

हबीब को यहाँ आज दूसरा दिन है, पर इस समस्या को कैसे हल करे।

उसका उदार हृदय कहता था, ईसाइयों पर इन बंधनों का कोई अर्थ नहीं। हरेक धर्म का समान रूप से आदर होना चाहिए लेकिन मुसलमान इन क़ायदों को उठा देने पर कभी राज़ी न होंगे। और यह लोग मान भी जाएँ, तो तैमूर क्यों मानने लगा? उसके धार्मिक विचारों में कुछ उदारता आयी है, फिर भी वह इस क़ायदों को उठाना कभी मंजूर न करेगा। लेकिन क्या वह इसलिए ईसाइयों को सज़ा दे कि वे अपनी धार्मिक स्वाधीनता के लिए लड़ रहे हैं। जिसे वह सत्य समझता है, उसकी हत्या कैसे करे? नहीं, उसे सत्य का पालन करना होगा, चाहे इसका नतीजा कुछ भी हो। अमीन समझेंगे, मैं ज़रूरत से ज़्यादा बढ़ा जा रहा हूँ। कोई मुज़ायका नहीं।

दूसरे दिन हबीब ने प्रातःकाल डंके की चोट ऐलान कराया—जज़िया माफ़ गया, शराब और घण्टों पर कोई क़ैद नहीं है।

मुसलमानों में तहलका पड़ गया। यह कुफ़्र है, हरामपरस्ती है। अमीन तैमूर ने जिस इस्लाम को अपने ख़ून से सींचा, उसकी जड़ उन्हीं के वज़ीर हबीब पाशा के हाथों खुद रही है! पासा पलट गया। शाही फौज मुसलमानों से जा मिली। हबीब ने इस्तख़र के क़िले में पनाह ली। मुसलमानों की ताक़त शाही फौज के मिल जाने से बहुत बढ़ गयी थी। उन्होंने क़िला घेर लिया और यह समझकर कि हबीब ने तैमूर से बग़ावत की है, तैमूर के पास इसकी सूचना देने और परिस्थिति समझाने के लिए क़ासिद भेजा।

8

आधी रात गुज़र चुकी थी। तैमूर को दो दिनों से इस्तख़र की कोई ख़बर न मिली थी। तरह-तरह की शंकाएँ हो रही थीं। मन में पछतावा हो रहा था कि उसने क्यों हबीब को अकेला जाने दिया। माना कि वह बड़ा नीतिकुशल है; पर बग़ावत कहीं ज़ोर पकड़ गयी, तो मुट्ठी-भर आदमियों से वह क्या कर सकेगा? और बग़ावत यकीनन ज़ोर पकड़ेगी। वहाँ के ईसाई बला के सरकश हैं। जब उन्हें मालूम होगा

कि तैमूर की तलवार में जंग लग गया और उसे अब महलों की ज़िन्दगी पसन्द है, तो उनकी हिम्मतें दूनी हो जाएँगी। हबीब कहीं दुश्मनों से घिर गया, तो बड़ा गज़ब हो जाएगा।

उसने अपने जानू पर हाथ मारा और पहलू बदलकर अपने ऊपर झुँझलाया। वह इतना पस्तहिम्मत क्यों हो गया? क्या उसका तेज़ और शौर्य उससे विदा हो गया? जिसका नाम सुनकर दुश्मनों में कम्पन पड़ जाता था, वह आज अपना मुँह छिपाकर महलों में बैठा हुआ है। दुनिया की आँखों में इसका यही अर्थ हो सकता है कि तैमूर अब मैदान का शेर नहीं, कालीन का शेर हो गया। हबीब फ़रिश्ता है, जो इनसान की बुराइयों से वाकिफ़ नहीं। जो रहम, साफ़दिली और बेगरज़ी का देवता है, वह क्या जाने इनसान कितना शैतान हो सकता है। अमन के दिनों में तो ये बातें कौम और मुल्क को तरक़्क़ी के रास्ते पर ले जाती हैं; पर जंग में, जबकि शैतानी जोश का तूफ़ान उठता है, इन ख़ूबियों की गुंजाइश नहीं। उस वक़्त तो उसी की जीत होती है, जो इनसानी ख़ून का रंग खेले, खेतों-खलिहानों को जलाये, जंगलों को बसाये और बस्तियों को वीरान करे। अमन का क़ानून जंग के क़ानून से जुदा है।

सहसा चोबदार ने इस्तख़र से एक क़ासिद के आने की ख़बर दी। क़ासिद ने ज़मीन चूमी और एक किनारे अदब से खड़ा हो गया। तैमूर का रौब ऐसा छा गया कि जो कुछ कहने आया था, वह भूल गया।

तैमूर ने त्योरियाँ चढ़ाकर पूछा—क्या ख़बर लाया है? तीन दिन के बाद आया भी तो इतनी रात गये?

क़ासिद ने फिर ज़मीन चूमी और बोला—ख़ुदाबन्द, वज़ीर साहब ने जज़िया मुआफ़ कर दिया।

तैमूर गरज उठा—क्या कहता है, जज़िया माफ़ कर दिया।

'हाँ ख़ुदाबन्द।'

'किसने?'

'वज़ीर साहब ने।'

'किसके हुक़्म से?'

'अपने हुक़्म से हुज़ूर!'

'हूँ!'

'और हुज़ूर, शराब का भी ~~हुक़्म दे~~ दिया।'

'हूँ।'

'गिरजों में घण्टे बजने का भी हुक़्म हो गया है।'

'हूँ।'

'और ख़ुदाबन्द ईसाइयों से मिलकर मुसलमानों पर हमला कर दिया।'

'तो मैं क्या करूँ?'

'हुज़ूर हमारे मालिक हैं। अगर हमारी कुछ मदद न हुई, तो वहाँ एक मुसलमान भी ज़िन्दा न बचेगा।'

'हबीब पाशा इस वक़्त कहाँ हैं?'

'इस्तख़र के क़िले में हुज़ूर।'

'और मुसलमान क्या कर रहे हैं?'

'हमने ईसाइयों को क़िले में घेर लिया है।'

'उन्हीं के साथ हबीब को भी?'

'हाँ, हुजूर, वह हुजूर से बाग़ी हो गये।'

'और इसलिए मेरे वफादार इस्लाम के खादिमों ने उन्हें क़ैद कर रखा है। मुमकिन है, मेरे पहुँचते-पहुँचते उन्हें क़त्ल भी कर दें। बदज़ात, दूर हो जा मेरे सामने से! मुसलमान समझते हैं, हबीब मेरा नौकर है और मैं उसका आक़ा हूँ। यह ग़लत है, झूठ है। इस सल्तनत का मालिक हबीब है, तैमूर उसका अदना गुलाम है। उसके फ़ैसले में तैमूर दस्तंदाजी नहीं कर सकता। बेशक जज़िया मुआफ़ होना चाहिए। मुझे मज़ाल नहीं कि दूसरे मज़हबवालों से उनके ईमान का तावान लूँ। कोई मज़ाल नहीं है; अगर मस्जिद में अजान होती है, तो कलीसा में घंटा क्यों न बजे? घंटे की आवाज़ में कुफ़्र नहीं है। सुनता है बदज़ात! घंटे की आवाज़ में कुफ़्र नहीं है। काफ़िर वह है, जो दूसरों का हक़ छीन ले, जो ग़रीबों को सताए, दग़ाबाज़ हो, ख़ुदगरज़ हो। काफ़िर वह नहीं, जो मिट्टी या पत्थर के एक टुकड़े में ख़ुदा का नूर देखता हो, जो नदियों और पहाड़ों में, दरख़्तों और झाड़ियों में ख़ुदा का जलवा पाता हो। वह हमसे और तुझसे ज़्यादा ख़ुदापरस्त है, जो मस्जिद में ख़ुदा को बंद समझता है! तू समझता है, मैं कुफ़्र बक रहा हूँ? किसी को काफ़िर समझना ही कुफ़्र है। हम सब ख़ुदा के बंदे हैं, सब! बस, जा और उन बाग़ी मुसलमानों से कह दे, अगर फौरन मुहासरा न उठा लिया गया, तो तैमूर क़यामत की तरह आ पहुँचेगा।

क़ासिद हतबुद्धि-सा खड़ा ही था कि बाहर खतरे का बिगुल बज उठा और फ़ौजें किसी समर-यात्रा की तैयारी करने लगीं।

9

तीसरे दिन तैमूर इस्तख़र पहुँचा, तो क़िले का मुहासरा उठ चुका था। क़िले की तोपों ने उसका स्वागत किया। हबीब ने समझा, तैमूर ईसाइयों को सज़ा देने आ रहा है। ईसाइयों के हाथ-पाँव फूले हुए थे, मगर हबीब मुक़ाबले के लिए तैयार था। ईसाइयों के सत्व्य की रक्षा में यदि उसकी जान भी जाये, तो कोई गम नहीं। इस मुआमले पर किसी तरह का समझौता नहीं हो सकता। तैमूर अगर तलवार से काम लेना चाहता है, तो उसका जवाब तलवार से दिया जाएगा।

मगर यह क्या बात है! शाही फ़ौज सफ़ेद झंडा दिखा रही है। तैमूर लड़ने नहीं, सुलह करने आया है। उसका स्वागत दूसरी तरह का होगा। ईसाई सरदारों को साथ लिये हबीब क़िले के बाहर निकला। तैमूर अकेला घोड़े पर सवार चला आ रहा था। हबीब घोड़े से उतरकर आदाब बजा लाया। तैमूर घोड़े से उतर पड़ा और हबीब का माथा चूम लिया और बोला—मैं सब सुन चुका हूँ हबीब! तुमने बहुत अच्छा किया और वही किया, जो तुम्हारे सिवा दूसरा नहीं कर सकता था। मुझे जज़िया लेने का या ईसाइयों के मज़हबी हक़ छीनने का कोई मज़ाल न था। मैं आज दरबार करके इन बातों की तसदीक़ कर दूँगा और तब मैं एक ऐसी तज़बीज़ बनाऊँगा, जो कई दिन से मेरे ज़हन में आ रही है और मुझे उम्मीद है कि तुम उसे मंजूर कर लोगे। मंजूर करना पड़ेगा।

हबीब के चेहरे का रंग-उड़ रहा था। कहीं हक़ीक़त खुल तो नहीं गयी? वह क्या तज़बीज़ है, उसके मन में खलबली पड़ गयी।

तैमूर ने मुस्कराकर पूछा—तुम मुझसे लड़ने को तैयार थे?

हबीब ने शरमाते हुए कहा—हक़ के सामने अमीन तैमूर की भी कोई हक़ीक़त नहीं।

'बेशक, बेशक! तुममें फरिश्तों का दिल है, तो शेरों की हिम्मत भी है; लेकिन अफ़सोस यही है कि तुमने यह गुमान ही क्यों किया कि तैमूर तुम्हारे फ़ैसले को मंसूख़ कर सकता है? यह तुम्हारी जीत है, जिसने मुझे बतलाया है कि सल्तनत किसी आदमी की जायदाद नहीं; बल्कि एक ऐसा दरख़्त है, जिसकी हरेक शाखा और पत्ती एक-सी ख़ुराक पाती है।'

दोनों क़िले में दाख़िल हुए। सूरज डूब चुका था। आन-की-आन में दरबार लग गया और उसमें तैमूर ने ईसाइयों के धार्मिक अधिकारों को स्वीकार किया।

चारों तरफ़ से आवाज़ आयी—ख़ुदा हमारे शहंशाह की उम्र दराज़ करे।

तैमूर ने उसी सिलसिले में कहा—दोस्तों, मैं इस दुआ का हक़दार नहीं हूँ। जो चीज़ मैंने आपसे जबरन ली थी, उसे आपको वापस देकर मैं दुआ का काम नहीं कर रहा हूँ। इससे कहीं ज़्यादा मुनासिब यह है कि आप मुझे लानत दें कि मैंने इतने दिनों तक आपके हक़ों से आपको महरुम रखा।

चारों तरफ़ से आवाज आयी—मरहबा! महरबा!!

'दोस्तो, उन हकों के साथ-साथ मैं आपकी सल्तनत भी आपको वापस करता हूँ, क्योंकि ख़ुदा की निग़ाह में सभी इनसान बराबर हैं और किसी कौम या शख़्स को दूसरी कौम पर हकूमत करने का अख़्तियार नहीं है। आज से आप अपने बादशाह हैं। मुझे उम्मीद है कि आप भी मुस्लिम आबादी को उसके जायज़ हकों से महरुम न करेंगे। अगर कभी ऐसा मौका आये कि कोई ज़ाबिर कौम आपकी आज़ादी छीनने की कोशिश करे तो तैमूर आपकी मदद करने को हमेशा तैयार रहेगा।'

10

क़िले में जश्न ख़तम हो चुका है, उमरा और हुक्काम रुख़सत हो चुके हैं। दीवाने-ख़ास में सिर्फ़ तैमूर और हबीब रह गये हैं। हबीब के मुख पर आज स्मित हास्य की वह छटा है, जो सदैव गम्भीरता के नीचे दबी रहती थी। आज उसके कपोलों पर जो लाली, आँखों में जो नशा, अंगों में जो चंचलता है, वह और कभी नजर न आयी थी। वह कई बार तैमूर से शोख़ियाँ कर चुका है, कई बार हँसी कर चुका है, उसकी युवती-चेतना, पद और अधिकार को भूलकर चहकती फिरती है।

सहसा तैमूर ने कहा—हबीब, मैंने आज तक तुम्हारी हरेक बात मानी है। अब मैं तुमसे यह तजवीज़ करता हूँ, जिसका मैंने जिक्र किया था, उसे तुम्हें क़बूल करना पड़ेगा।

हबीब ने धड़कते हुए हृदय से सिर झुकाकर कहा—फ़रमाइए।

'पहले वादा करो कि तुम कबूल करोगे?'

'मैं तो आपका गुलाम हूँ!'

'नहीं, तुम मेरे मालिक हो, मेरी ज़िन्दगी की रोशनी हो, तुमसे मैंने जितना फैज़ पाया है, उसका अंदाज़ा नहीं कर सकता। मैंने अब तक सल्तनत को अपनी ज़िन्दगी की सबसे प्यारी चीज़ समझा था। इसके लिए मैंने सब कुछ किया, जो मुझे न करना चाहिए था। अपनों के ख़ून से भी इन हाथों को दाग़दार किया; ग़ैरों के ख़ून से भी। मेरा काम अब ख़तम हो चुका। मैंने बुनियाद जमा दी। इस पर महल बनाना तुम्हारा काम है। मेरी यही इल्तजा है कि आज से तुम इस बादशाहत के अमीन हो जाओ, मेरी ज़िन्दगी में भी और मेरे मरने के बाद भी।'

हबीब ने आकाश में उड़ते हुए कहा—इतना बड़ा बोझ! मेरे कंधे इतने मज़बूत नहीं हैं।

तैमूर ने दीन आग्रह के स्वर में कहा—नहीं, मेरे प्यारे दोस्त, मेरी यह इल्तज़ा तुम्हें माननी पड़ेगी।

हबीब की आँखों में हँसी थी, अधरों पर संकोच। उसने आहिस्ता से कहा—मंजूर है।

तैमूर ने प्रफुल्लित स्वर में कहा—ख़ुदा तुम्हें सलामत रखे।

'लेकिन अगर आपको मालूम हो जाए कि हबीब एक कच्ची अक्ल की क्वाँरी बालिका है तो?'

'तो वह मेरी बादशाहत के साथ मेरे दिल की भी रानी हो जाएगी।'

'आपको बिलकुल ताज्जुब नहीं हुआ?'

'मैं जानता था।'

'कब से?'

'जब तुमने पहली बार अपनी ज़ालिम आँखों से मुझे देखा।'

'मगर आपने छिपाया ख़ूब!'

'तुम्हीं ने तो सिखाया। शायद मेरे सिवा यहाँ किसी को यह बात मालूम नहीं।'

'आपने कैसे पहचान लिया?'

तैमूर ने मतवाली आँखों से देखकर कहा—यह न बताऊँगा।

यही हबीब तैमूर की बेगम 'हमीदा' के नाम से मशहूर है।

□□□

धिक्कार

अनाथ और विधवा मानी के लिए जीवन में अब रोने के सिवा दूसरा अवलम्ब न था। यह पाँच ही वर्ष की थी, जब पिता का देहांत हो गया। माता ने किसी तरह उसका पालन किया। सोलह वर्ष की अवस्था में मुहल्लेवालों की मदद से उसका विवाह भी हो गया; पर साल के अंदर ही माता और पति दोनों विदा हो गये! इस विपत्ति में उसे अपने चाचा वंशीधर के सिवा और कोई ऐसा नज़र न आया, जो उसे आश्रय देता। वंशीधर ने अब तक जो व्यवहार किया था, उससे यह आशा न हो सकती थी कि वहाँ वह शांति के साथ रह सकेगी; पर वह सब कुछ सहने और सब कुछ करने को तैयार थी। वह गाली, झिड़की, मारपीट, सब सह लेगी, कोई उस पर संदेह तो न करेगा, उस पर मिथ्या लांछन तो न लगेगा, शोहदों और लुच्चों से तो उसकी रक्षा होगी। वंशीधर को कुल-मर्यादा की कुछ चिन्ता हुई। मानी की याचना को अस्वीकार न कर सके।

लेकिन दो-चार महीने में ही मानी को मालूम हो गया कि इस घर में बहुत दिनों तक उसका निबाह न होगा। वह घर का सारा काम करती, इशारों पर नाचती, सबको ख़ुश करने की कोशिश करती; पर न जाने क्यों चाचा और चाची दोनों उससे जलते रहते। उसके आते ही महरी अलग कर दी गयी। नहलाने-धुलाने के लिए एक लौंडा था, उसे भी जवाब दे दिया गया; पर मानी से इतना उबार होने पर भी चाचा और चाची न जाने क्यों उससे मुँह फुलाये रहते। कभी चाचा घुड़कियाँ जमाते, कभी चाची कोसतीं, यहाँ तक कि उसकी चचेरी बहन ललिता भी बात-बात पर उसे गालियाँ देती। घर-भर में केवल उसके चचेरे भाई गोकुल ही को उससे सहानुभूति थी। उसी की बातों में कुछ आत्मीयता, कुछ स्नेह का परिचय मिलता था। वह अपनी माता का स्वभाव जानता था। अगर वह उसे समझाने की चेष्टा करता या खुल्लमखुल्ला मानी का पक्ष लेता, तो मानी को एक घड़ी घर में रहना कठिन हो जाता, इसलिए उसकी सहानुभूति मानी ही को दिलासा देने तक रह जाती थी। वह कहता—बहन, मुझे कहीं नौकर हो जाने दो, फिर तुम्हारे कष्टों का अंत हो जाएगा। तब देखूँगा, कौन तुम्हें तिरछी आँखों से देखता है। जब तक पढ़ता हूँ, तभी तक तुम्हारे बुरे दिन हैं। मानी ये स्नेह में डूबी हुई बात सुनकर पुलकित हो जाती और उसका रोआँ-रोआँ गोकुल को आशीर्वाद देने लगता।

आज ललिता का विवाह है। सवेरे से ही मेहमानों का आना शुरू हो गया है। गहनों की झनकार से घर गूँज रहा है। मानी भी मेहमानों को देख-देखकर ख़ुश हो रही है। उसकी देह पर कोई आभूषण नहीं है और न उसे सुन्दर कपड़े ही दिये गये हैं, फिर भी उसका मुख प्रसन्न है।

आधी रात हो गयी थी। विवाह का मुहूर्त निकट आ गया था। जनवासे से पहनावे की चीजें आयीं! सभी औरतें उत्सुक हो-होकर उन चीज़ों को देखने लगीं। ललिता को आभूषण पहनाये जाने लगे। मानी के हृदय में बड़ी इच्छा हुई कि जाकर वधू को देखे। अभी कल जो बालिका थी, उसे आज वधू-वेष में देखने की इच्छा न रोक सकी। वह मुस्कराती हुई कमरे में घुसी। सहसा उसकी चाची ने झिड़ककर कहा—तुझे यहाँ किसने बुलाया था, निकल जा यहाँ से!

मानी ने बड़ी-बड़ी यातनाएँ सही थीं, पर आज की वह झिड़की उसके हृदय में बाण की तरह चुभ गयी। उसका मन उसे धिक्कारने लगा। 'तेरे छिछोरेपन का यही पुरस्कार है। यहाँ सुहागिनों के बीच में तेरे आने की क्या ज़रूरत थी।' वह खिसियाई हुई कमरे से निकली और एकांत में बैठकर रोने के लिए ऊपर जाने लगी। सहसा जीने पर उसकी इंद्रनाथ से मुठभेड़ हो गयी। इंद्रनाथ गोकुल का सहपाठी और परम मित्र था। वह भी न्योते में आया हुआ था। इस वक़्त गोकुल को खोजने के लिए ऊपर आया था। मानी को वह दो-एक बार देख चुका था और यह भी जानता था कि यहाँ उसके साथ बड़ा दुर्व्यवहार किया जाता है। चाची की बातों की भनक उसके कान में भी पड़ गयी थी। मानी को ऊपर जाते देखकर वह उसके चित्त का भाव समझ गया और उसे सांत्वना देने के लिए ऊपर आया; मगर दरवाज़ा भीतर से बंद था। उसने किवाड़ की दरार से भीतर झाँका। मानी मेज़ के पास खड़ी रो रही थी।

उसने धीरे से कहा–मानी, द्वार खोल दो।

मानी उसकी आवाज़ सुनकर कोने में छिप गयी और गम्भीर स्वर में बोली–क्या काम है?

इन्द्रनाथ ने गद्‌गद स्वर में कहा–तुम्हारे पैरों पड़ता हूँ मानी, खोल दो।

यह स्नेह में डूबा हुआ विनय मानी के लिए अभूतपूर्व था। इस निर्दय संसार में कोई उससे ऐसे विनती भी कर सकता है, इसकी उसने स्वप्न में भी कल्पना न की थी। मानी ने काँपते हुए हाथों से द्वार खोल दिया। इन्द्रनाथ झपटकर कमरे में घुसा, देखा कि छत के पंखे के कड़े से एक रस्सी लटक रही है। उसका हृदय काँप उठा। उसने तुरन्त जेब से चाकू निकालकर रस्सी काट दी और बोला–क्या करने जा रही थी मानी? जानती हो, इस अपराध का क्या दंड है?

मानी ने गर्दन झुकाकर कहा–इस दंड से कोई और दंड कठोर हो सकता है? जिसकी सूरत से लोगों को घृणा है, उसे मरने पर भी अगर कठोर दंड दिया जाए, तो मैं यही कहूँगी कि ईश्वर के दरबार में न्याय का नाम भी नहीं है। तुम मेरी दशा का अनुभव कर सकते।

इन्द्रनाथ की आँखें सजल हो गयीं। मानी की बातों में कितना कठोर सत्य भरा हुआ था। बोला–सदा ये दिन नहीं रहेंगे मानी! अगर तुम यह समझ रही हो कि संसार में तुम्हारा कोई नहीं है, तो यह तुम्हारा भ्रम है। संसार में कम-से-कम एक मनुष्य ऐसा है, जिसे तुम्हारे प्राण अपने प्राणों से भी प्यारे हैं।

सहसा गोकुल आता हुआ दिखायी दिया। मानी कमरे से निकल गयी। इन्द्रनाथ के शब्दों ने उसके मन में एक तूफ़ान-सा उठा दिया। उसका क्या आशय है, यह उसकी समझ में न आया। फिर भी आज उसे अपना जीवन सार्थक मालूम हो रहा था। उसके अन्धकारमय जीवन में एक प्रकाश का उदय हो गया था।

2

इन्द्रनाथ को वहाँ बैठे और मानी को कमरे से जाते देखकर गोकुल कुछ खटक गया। उसकी त्योरिया बदल गयीं। कठोर स्वर में बोला–तुम यहाँ कब आये?

इन्द्रनाथ ने अविचलित भाव से कहा–तुम्हीं को खोजता हुआ यहाँ आया था। तुम यहाँ न मिले तो नीचे लौटा जा रहा था; अगर चला गया होता तो इस वक़्त

तुम्हें यह कमरा बन्द मिलता और पंखे के कड़े में एक लाश लटकती हुई नज़र आती।

गोकुल ने समझा, यह अपने अपराध को छिपाने के लिए कोई बहाना निकाल रहा है। तीव्र कंठ से बोला—तुम यह विश्वासघात करोगे, मुझे ऐसी आशा न थी।

इन्द्रनाथ का चेहरा लाल हो गया। वह आवेश में आकर खड़ा हो गया और बोला—न मुझे यह आशा थी कि तुम मुझ पर इतना बड़ा लांछन रख दोगे। मुझे न मालूम था कि तुम मुझे इतना नीच और कुटिल समझते हो। मानी तुम्हारे लिए तिरस्कार की वस्तु हो, मेरे लिए वह श्रद्धा की वस्तु है और रहेगी। मुझे तुम्हारे सामने अपनी सफ़ाई देने की जरूरत नहीं है; लेकिन मानी मेरे लिए उससे कहीं पवित्र है, जितनी तुम समझते हो। मैं नहीं चाहता था कि इस वक़्त तुमसे ये बात कहूँ। इसके लिए और अनुकूल परिस्थितियों की राह देख रहा था; लेकिन मुआमला आ पड़ने पर कहना ही पड़ रहा है। मैं यह तो जानता था कि मानी का तुम्हारे घर में कोई आदर नहीं, लेकिन तुम लोग उसे इतना नीच और त्याज्य समझते हो, यह आज तुम्हारी माताजी की बातें सुनकर मालूम हुआ। केवल इतनी-सी बात के लिए कि वह चढ़ावे के गहने देखने चली गयी थी, तुम्हारी माता ने उसे इस बुरी तरह झिड़का, जैसे कोई कुत्ते को भी न झिड़केगा। तुम कहोगे, इसमें मैं क्या करूँ, मैं कर ही क्या सकता हूँ! जिस घर में एक अनाथ स्त्री पर इतना अत्याचार हो, उस घर का पानी पीना भी हराम है। अगर तुमने अपनी माता को पहले ही दिन समझा दिया होता, तो आज यह नौबत न आती। तुम इस इल्ज़ाम से नहीं बच सकते। तुम्हारे घर में आज उत्सव है, मैं तुम्हारे माता-पिता से बातचीत नहीं कर सकता; लेकिन तुमसे कहने में संकोच नहीं है कि मैं मानी को अपनी जीवन सहचरी बनाकर अपने को धन्य समझूँगा। मैंने समझा था, अपना कोई ठिकाना करके तब यह प्रस्ताव करूँगा; पर मुझे भय है कि और विलम्ब करने में शायद मानी से हाथ धोना पड़े, इसलिए तुम्हें और तुम्हारे घर वालों को चिन्ता से मुक्त करने के लिए मैं आज ही यह प्रस्ताव किये देता हूँ।

गोकुल के हृदय में इन्द्रनाथ के प्रति ऐसी श्रद्धा कभी नहीं हुई थी। उस पर ऐसा सन्देह करके वह बहुत ही लज्जित हुआ। उसने यह अनुभव भी किया कि माता के भय से मैं मानी के विषय में तटस्थ रहकर कायरता का दोषी हुआ हूँ। यह केवल कायरता थी और कुछ नहीं। कुछ झेंपता हुआ बोला—अगर अम्माँ ने मानी को इस बात पर झिड़का, तो यह उनकी मूर्खता है। मैं उनसे अवसर मिलते ही पूछूँगा।

इन्द्रनाथ—अब पूछने-पाछने का समय निकल गया। मैं चाहता हूँ कि तुम मानी से इस विषय में सलाह करके मुझे बतला दो। मैं नहीं चाहता कि अब वह यहाँ क्षण-भर भी रहे। मुझे आज मालूम हुआ कि वह गर्विणी प्रकृति की स्त्री है और सच पूछो तो मैं उसके स्वभाव पर मुग्ध हो गया हूँ। ऐसी स्त्री अत्याचार नहीं सह सकती!

गोकुल ने डरते-डरते कहा—लेकिन तुम्हें मालूम है, वह विधवा है।

जब हम किसी के हाथों अपना असाधारण हित होते देखते हैं, तो हम अपनी सारी बुराइयाँ उसके सामने खोलकर रख देते हैं। हम उसे दिखाना चाहते हैं कि हम आपकी इस कृपा के सर्वथा अयोग्य नहीं हैं।

इन्द्रनाथ ने मुस्कराकर कहा—जानता हूँ, सुन चुका हूँ और इसीलिए तुम्हारे बाबूजी से कुछ कहने का मुझे अब तक साहस न हुआ! लेकिन न जानता तो भी

इसका मेरे निश्चय पर कोई असर न पड़ता। मानी विधवा ही नहीं, अछूत हो, उससे भी गयी-बीती अगर कुछ हो सकती है, वह भी हो, फिर भी मेरे लिए वह रमणी, रत्न है। हम छोटे-छोटे कामों के लिए तजुर्बेकार आदमी खोजते हैं; जिसके साथ हमें जीवन-यात्रा करनी है, उसमें तजुर्बे का होना ऐब समझते हैं। मैं न्याय का गला घोंटनेवालों में नहीं हूँ। विपत्ति से बढ़कर तजर्बा सिखानेवाला कोई विद्यालय आज तक नहीं खुला। जिसने इस विद्यालय में डिग्री ले ली, उसके हाथों में हम निश्चिंत होकर जीवन की बागडोर दे सकते हैं। किसी रमणी का विधवा होना मेरी आँखों में दोष नहीं, गुण है।

गोकुल ने प्रसन्न होकर कहा– 'लेकिन तुम्हारे घर के लोग?'

इन्द्रनाथ ने दृढ़ता से कहा–मैं अपने घरवालों को इतना मूर्ख नहीं समझता कि इस विषय में आपत्ति करें; लेकिन वे आपत्ति करें भी तो मैं अपनी क़िस्मत अपने हाथ में ही रखना पसन्द करता हूँ। मेरे बड़ों को मुझ पर अनेक अधिकार हैं। बहुत-सी बातों में मैं उनकी इच्छा को क़ानून समझता हूँ; लेकिन जिस बात को मैं अपनी आत्मा के विकास के लिए शुभ समझता हूँ, उसमें मैं किसी से दबना नहीं चाहता। मैं इस गर्व का आनन्द उठाना चाहता हूँ कि मैं स्वयं अपने जीवन का निर्माता हूँ।

गोकुल ने कुछ शंकित होकर कहा–और अगर मानी न मंजूर करे!

इन्द्रनाथ को यह शंका बिल्कुल निर्मूल जान पड़ी। बोले–तुम इस समय बच्चों की-सी बात कर रहे हो गोकुल। यह मानी हुई बात है कि मानी आसानी से मंजूर न करेगी। वह इस घर में ठोकरें, झिड़कियाँ सहेगी, गालियाँ सुनेगी, पर इसी घर में रहेगी। युगों के संस्कारों को मिटा देना आसान नहीं है; लेकिन हमें उसको राज़ी करना पड़ेगा। उसके मन में संचित संस्कारों को निकालना पड़ेगा। मैं विधवाओं के पुनर्विवाह के पक्ष में नहीं हूँ। मेरा ख़याल है कि पतिव्रता का यह अलौकिक आदर्श संसार का अमूल्य रत्न है और हमें बहुत सोच-समझकर उस पर आघात करना चाहिए; लेकिन मानी के विषय में यह बात नहीं उठती। प्रेम और भक्ति नाम से नहीं, व्यक्ति से होती है। जिस पुरुष की उसने सूरत भी नहीं देखी, उससे उसे प्रेम नहीं हो सकता। केवल रस्म की बात है। इस आडम्बर की, इस दिखावे की, हमें परवाह न करनी चाहिए। देखो, शायद कोई तुम्हें बुला रहा है। मैं भी जा रहा हूँ। दो-तीन दिन में फिर मिलूँगा; मगर ऐसा न हो कि तुम संकोच में पड़कर सोचते-विचारते रह जाओ और दिन निकलते चले जाएँ।

गोकुल ने उसके गले में हाथ डालकर कहा–मैं परसों ख़ुद ही आऊँगा।

3

बारात विदा हो गयी थी। मेहमान भी रुख़सत हो गये थे। रात के नौ बज गये थे। विवाह के बाद की नींद मशहूर है। घर के सभी लोग सरेशाम से सो रहे थे। कोई चारपाई पर, कोई तख़्त पर, कोई ज़मीन पर, जिसे जहाँ जगह मिल गयी, वहीं सो रहा था। केवल मानी घर की देख-भाल कर रही थी और ऊपर गोकुल अपने कमरे में बैठा हुआ समाचार पढ़ रहा था।

सहसा गोकुल ने पुकारा–मानी, एक गिलास ठंडा पानी तो लाना, बड़ी प्यास लगी है।

मानी पानी लेकर ऊपर गयी और मेज़ पर पानी रखकर लौटना ही चाहती थी कि गोकुल ने कहा–ज़रा ठहरो मानी, तुमसे कुछ कहना है।

मानी ने कहा—अभी फ़ुरसत नहीं है भाई; सारा घर सो रहा है। कहीं कोई घुस आये तो लोटा-थाली भी न बचे!

गोकुल ने कहा—घुस आने दो, मैं तो तुम्हारी जगह होता, तो चोरों से मिलकर चोरी करवा देता। मुझे इसी वक़्त इन्द्रनाथ से मिलना है। मैंने उससे आज मिलने का वचन दिया है। देखो संकोच मत करना, जो बात पूछ रहा हूँ, उसका जल्द उत्तर देना। देर होगी तो वह घबराएगा। इन्द्रनाथ को तुमसे प्रेम है, यह तुम जानती हो न?

मानी ने मुँह फेरकर कहा—यही बात कहने के लिए मुझे बुलाया था? मैं कुछ नहीं जानती।

गोकुल—ख़ैर, यह वह जाने और तुम जानो। वह तुमसे विवाह करना चाहता है। वैदिक रीति से विवाह होगा। तुम्हें स्वीकार है?

मानी की गर्दन शर्म से झुक गयी। वह कुछ जवाब न दे सकी।

गोकुल ने फिर कहा—दादा और अम्माँ से यह बात नहीं कही गयी, इसका कारण तुम जानती ही हो। वह तुम्हें घुड़कियाँ दे-देकर, जला-जलाकर चाहे मार डालें; पर विवाह करने की सम्मति कभी न देंगे। इससे उनकी नाक कट जाएगी। इसलिए अब इसका निर्णय तुम्हारे ही ऊपर है। मैं समझता हूँ, तुम्हें स्वीकार कर लेना चाहिए। इन्द्रनाथ तुमसे प्रेम तो करता ही है, यों भी निष्कलंक चरित्र का आदमी और बला का दिलेर है। भय तो उसे छू ही नहीं गया। तुम्हें सुखी देखकर मुझे सच्चा आनन्द होगा।

मानी के हृदय में एक वेग उठ रहा था; मगर मुँह से आवाज़ न निकली।

गोकुल ने अबकी खीझकर कहा—देखो मानी, यह चुप रहने का समय नहीं है। सोचती क्या हो?

मानी ने काँपते हुए स्वर में कहा—हाँ।

गोकुल के हृदय का बोझ हलका हो गया। मुस्कराने लगा। मानी शर्म के मारे वहाँ से भाग गयी।

4

शाम को गोकुल ने अपनी माँ से कहा—अम्माँ, इन्द्रनाथ के घर आज कोई उत्सव है। उसकी माता अकेली घबरा रही थी कि कैसे सब काम होगा? मैंने कहा, मैं मानी को भेज दूँगा। तुम्हारी आज्ञा हो, तो मैं मानी को पहुँचा दूँ। कल- परसों तक चली आएगी।

मानी उस वक़्त वहाँ आ गयी; गोकुल ने उसकी ओर कनखियों से ताका। मानी लज्जा से गड़ गयी। भागने का रास्ता न मिला।

माँ ने कहा—मुझसे क्या पूछते हो, वह जाये तो ले जाओ!

गोकुल ने मानी से कहा—कपड़े पहनकर तैयार हो जाओ, तुम्हें इन्द्रनाथ के घर चलना है।

मानी ने आपत्ति की—मेरा जी अच्छा नहीं है, मैं न जाऊँगी।

गोकुल की माँ ने कहा—चली क्यों नहीं जाती, क्या वहाँ कोई पहाड़ खोदना है?

मानी एक सफ़ेद साड़ी पहनकर ताँगे पर बैठी, तो उसका हृदय काँप रहा

था और बार-बार आँखों में आँसू भर आते थे। उसका हृदय बैठा जाता था, मानो नदी में डूबने जा रही हो।

ताँगा कुछ दूर निकल गया तो उसने गोकुल से कहा—भैया, मेरा जी न जाने कैसा हो रहा है। घर लौट चलो, तुम्हारे पैर पड़ती हूँ।

गोकुल ने कहा—तू पागल है। वहाँ सब लोग तेरी राह देख रहे हैं और तू कहती है लौट चलो।

मानी—मेरा मन कहता है, कोई अनिष्ट होनेवाला है।

गोकुल—और मेरा मन कहता है तू रानी बनने जा रही है।

मानी—दस-पाँच दिन ठहर क्यों नहीं जाते? कह देना, मानी बीमार है।

गोकुल—पागलों की-सी बातें न करो।

मानी—लोग कितना हँसेंगे!

गोकुल—मैं शुभ कार्य में किसी की हँसी की परवाह नहीं करता।

मानी—अम्माँ तुम्हें घर में घुसने न देंगी। मेरे कारण तुम्हें भी झिड़कियाँ मिलेंगी।

गोकुल—इसकी कोई परवाह नहीं है। उनकी तो यह आदत ही है।

ताँगा पहुँच गया। इन्द्रनाथ की माता विचारशील महिला थीं। उन्होंने आकर वधू को उतारा और भीतर ले गयीं।

5

गोकुल यहाँ से घर चला तो ग्यारह बज रहे थे। एक ओर तो शुभ कार्य के पूरा करने का आनंद था, दूसरी ओर भय था कि कल मानी न जाएगी, तो लोगों को क्या जवाब दूँगा। उसने निश्चय किया, चलकर सब साफ़-साफ़ कह दूँ। छिपाना व्यर्थ है। आज नहीं कल, कल नहीं परसों तो सब-कुछ कहना ही पड़ेगा। आज ही क्यों न कह दूँ?

यह निश्चय करके वह घर में दाख़िल हुआ।

माता ने किवाड़ खोलते हुए कहा—इतनी रात तक क्या करने लगे? उसे भी क्यों न लेते आये? कल सवेरे चौका-बर्तन कौन करेगा?

गोकुल ने सिर झुकाकर कहा—वह तो अब शायद लौटकर न आये अम्माँ! उसके वहीं रहने का प्रबंध हो गया है।

माता ने आँखें फाड़कर कहा—क्या कहता है? भला वहाँ वह कैसे रहेगी?

गोकुल—इन्द्रनाथ से उसका विवाह हो गया।

माता मानो आकाश से गिर पड़ीं। उन्हें कुछ सुध न रही कि मेरे मुँह से क्या निकल रहा है, कुलांगार, भड़वा, हरामजादा, और न जाने क्या-क्या कहा। यहाँ तक कि गोकुल का धैर्य चरम सीमा का उल्लंघन कर गया। उसका मुँह लाल हो गया, त्योरियाँ चढ़ गयीं। बोला—अम्माँ, बस करो, अब मुझमें इससे ज़्यादा सुनने की सामर्थ्य नहीं है। अगर मैंने कोई अनुचित कर्म किया होता, तो आपकी जूतियाँ खाकर भी सिर न उठाता; मगर मैंने कोई अनुचित कर्म नहीं किया। मैंने वही किया, जो ऐसी दशा में मेरा कर्तव्य था और जो हर एक भले आदमी को करना चाहिए! तुम मूर्ख हो, तुम्हें कुछ नहीं मालूम कि समय की क्या प्रगति है। इसीलिए अब

तक मैंने धैर्य के साथ तुम्हारी गालियाँ सुनीं। तुमने, और मुझे दुःख के साथ कहना पड़ रहा है कि पिताजी ने भी, मानी के जीवन को नारकीय बना रक्खा था। तुमने उसे ऐसी-ऐसी ताड़नाएँ दीं, जो कोई अपने शत्रु को भी न देगा। इसीलिए न कि वह तुम्हारी आश्रित थी? इसी लिए न कि वह अनाथिनी थी? अब वह तुम्हारी गालियाँ खाने न आवेगी। जिस दिन तुम्हारे घर विवाह का उत्सव हो रहा था, तुम्हारे ही एक कठोर वाक्य से आहत होकर वह आत्महत्या करने जा रही थी। इन्द्रनाथ उस समय ऊपर न पहुँच जाते तो आज हम, तुम-सारा घर हवालात में बैठा होता।

माता ने आँखें मटकाकर कहा—आहा! कितने सपूत बेटे हो तुम, कि सारे घर को संकट से बचा लिया। क्यों न हो? अभी बहन की बारी है। कुछ दिन में मुझे ले जाकर किसी के गले बाँध आना। फिर तुम्हारी चाँदी हो जाएगी। यह रोज़गार सबसे अच्छा है। पढ़-लिखकर क्या करोगे?

गोकुल मर्म-वेदना से तिलमिला उठा। व्यथित कंठ से बोला—ईश्वर न करे कि कोई बालक तुम जैसी माता के गर्भ से जन्म ले। तुम्हारा मुँह देखना भी पाप है।

यह कहता हुआ वह घर से निकल पड़ा और उन्मत्तों की तरह एक तरफ़ चल खड़ा हुआ। ज़ोर के झोंके चल रहे थे; पर उसे ऐसा मालूम हो रहा था कि साँस लेने के लिए हवा नहीं है।

6

एक सप्ताह बीत गया; पर गोकुल का कहीं पता नहीं। इन्द्रनाथ को बम्बई में एक जगह मिल गयी थी। वह वहाँ चला गया था। वहाँ रहने का प्रबंध करके वह अपनी माता को तार देगा और तब सास और बहू वहाँ चली जाएँगी! वंशीधर को पहले संदेह हुआ कि गोकुल इन्द्रनाथ के घर छिपा होगा, पर वहाँ पता न चला तो उन्होंने सारे शहर में खोज-पूछ शुरू की। जितने मिलनेवाले, मित्र, स्नेही, सम्बन्धी थे, सभी के घर गये, पर सब जगह से साफ़ जवाब पाया। दिन-भर दौड़धूप कर शाम को घर आते, तो स्त्री को आड़े हाथों लेते—और कोसो लड़के को, पानी पी पीकर कोसो। न जाने तुम्हें कभी बुद्धि आएगी या नहीं। गयी थी चुड़ैल, जाने देती। एक बोझ सिर से टला। एक महरी रख लो, काम चल जाएगा। जब वह न थी, तो घर क्या भूखों मरता था? विधवाओं के पुनर्विवाह चारों ओर तो हो रहे हैं, यह कोई अनहोनी बात नहीं है। हमारे वश की बात होती, तो इन विधवा-विवाह के पक्षपातियों को देश से निकाल देते, शाप देकर जला देते; लेकिन यह हमारे वश की बात नहीं। फिर तुमसे इतना भी न हो सका कि मुझसे तो पूछ लेतीं। मैं जो उचित समझता, करता। क्या तुमने यह समझा था, मैं दफ़्तर से लौटकर आऊँगा ही नहीं, वहीं अंत्येष्टि हो जाएगी। बस, लड़के पर टूट पड़ीं। अब रोओ, ख़ूब दिल खोलकर।

संध्या हो गयी थी। वंशीधर स्त्री को फटकारें सुनाकर द्वार पर उद्वेग की दशा में टहल रहे थे। रह-रहकर मानी पर क्रोध आता था। इसी राक्षसी के कारण मेरे घर का सर्वनाश हुआ। न जाने किस बुरी साइत में आयी कि घर को मिटाकर छोड़ा! वह न आयी होती, तो आज क्यों यह बुरे दिन देखने पड़ते! कितना होनहार, कितना प्रतिभाशाली लड़का था। न जाने कहाँ गया?

एकाएक एक बुढ़िया उनके समीप आयी और बोली—बाबू साहब, यह ख़त लायी हूँ, ले लीजिए।

वंशीधर ने लपककर बुढ़िया के हाथ से पत्र ले लिया; उनकी छाती आशा से धक्-धक् करने लगी। गोकुल ने शायद यह पत्र लिखा होगा। अँधेरे में कुछ न सूझा। पूछा—कहाँ से लायी है?

बुढ़िया ने कहा—वह जो बाबू हुसेनगंज में रहते हैं, जो बम्बई नौकर हैं, उन्हीं की बहू ने भेजा है।

वंशीधर ने कमरे में जाकर लैम्प जलाया और पत्र पढ़ने लगे। मानी का खत था। लिखा था—

'पूज्य चाचाजी, अभागिनी का प्रणाम स्वीकार कीजिए।'

मुझे यह सुनकर अत्यन्त दुःख हुआ कि गोकुल भैया कहीं चले गये और अब तक उनका पता नहीं है। मैं ही इसका कारण हूँ। यह कलंक मेरे ही मुख पर लगना था, वह भी लग गया। मेरे कारण आपको इतना शोक हुआ, इसका मुझे दुःख है; मगर भैया आएँगे अवश्य, इसका मुझे विश्वास है। मैं भी नौ बजे वाली गाड़ी से बम्बई जा रही हूँ। मुझसे जो कुछ अपराध हुआ है, उसे क्षमा कीजिएगा और चाची से मेरा प्रणाम कहिएगा। मेरी ईश्वर से यही प्रार्थना है कि गोकुल भैया सकुशल घर लौट आएँ। ईश्वर की इच्छा हुई तो भैया के विवाह में आपके चरणों के दर्शन करूँगी।'

वंशीधर ने पत्र को फाड़कर पुर्जे-पुर्जे कर डाला। घड़ी में देखा तो आठ बज रहे थे। तुरन्त कपड़े पहने, सड़क पर आकर इक्का किया और स्टेशन चले।

7

बम्बई मेल प्लेटफॉर्म पर खड़ा था। मुसाफ़िरों में भगदड़ मची हुई थी। खोमचे वालों की चीख-पुकार से कान में पड़ी आवाज़ न सुनाई देती थी। गाड़ी छूटने में थोड़ी ही देर थी। मानी और उसकी सास एक जनाने डिब्बे में बैठी हुई थीं। मानी सजल नेत्रों से सामने ताक रही थी। अतीत चाहे दुःखद ही क्यों न हो, उसकी स्मृतियाँ मधुर होती हैं। मानी आज उन बुरे दिनों को स्मरण करके सुखी हो रही थी। गोकुल से अब न जाने कब भेंट होगी। चाचाजी आ जाते तो उनके दर्शन कर लेती। कभी-कभी बिगड़ते थे तो क्या, उसके भले ही के लिए तो डाँटते थे! वह आएँगे नहीं, अब तो गाड़ी छूटने में थोड़ी ही देर है। कैसे आएँ, समाज में हलचल न मच जाएगी। भगवान् की इच्छा होगी, तो अबकी जब यहाँ आऊँगी, तो ज़रूर उनके दर्शन करूँगी।

एकाएक उसने लाला वंशीधर को आते देखा। वह गाड़ी से निकलकर बाहर खड़ी हो गयी और चाचाजी की ओर बढ़ी। उनके चरणों पर गिरना चाहती थी कि वह पीछे हट गये और आँखें निकालकर बोले—मुझे मत छू, दूर रह, अभगिनी कहीं की! मुँह में कालिख लगाकर मुझे पत्र लिखती है। तुझे मौत नहीं आयी! तूने मेरे कुल का सर्वनाश कर दिया। आज तक गोकुल का पता नहीं है। तेरे कारण वह घर से निकला और तू अभी तक मेरी छाती पर मूँग दलने को बैठी है। तेरे लिए क्या गंगा में पानी नहीं है? मैं तुझे ऐसी कुलटा, ऐसी हरजाई समझता, तो पहले दिन तेरा गला घोंट देता। अब मुझे अपनी भक्ति दिखलाने चली है? तेरे जैसी पापिष्ठाओं का मरना ही अच्छा है; पृथ्वी का बोझ कम हो जाएगा?

प्लेटफॉर्म पर सैकड़ों आदमियों की भीड़ लग गयी थी और वंशीधर निर्लज्ज

भाव से गालियों की बौछार कर रहे थे। किसी की समझ में न आता था, क्या माजरा है; पर मन में सब लाला को धिक्कार रहे थे।

मानी पाषाण-मूर्ति के समान खड़ी थी, मानो वहीं जम गयी हो। उसका सारा अभिमान चूर-चूर हो गया। ऐसा जी चाहता था, धरती फट जाय और मैं समा जाऊँ, कोई वज्र गिरकर उसके जीवन—अधम जीवन का अन्त कर दे। इतने आदमियों के सामने उसका पानी उतर गया! उसकी आँखों से आँसू की एक बूँद भी न निकली। हृदय में आँसू न थे। उसकी जगह एक दावानल-सा दहक रहा था, जो मानो वेग से मस्तिष्क की ओर बढ़ता चला जाता था। संसार में कौन जीवन इतना अधम होगा।

सास ने पुकारा—बहू, अन्दर आ जाओ।

8

गाड़ी चली तो माता ने कहा—ऐसा बेशर्म आदमी नहीं देखा। मुझे तो ऐसा क्रोध आ रहा था कि उसका मुँह नोच लूँ।

मानी ने सिर ऊपर न उठाया।

माता फिर बोली—न जाने इन सड़ियलों को बुद्धि कब आएगी, अब तो मरने के दिन भी आ गये। पूछो, तेरा लड़का भाग गया तो हम क्या करें; अगर ऐसे पापी न होते तो यह वज्र ही क्यों गिरता?

मानी ने फिर भी मुँह न खोला। शायद उसे कुछ सुनाई ही न देता था। शायद उसे अपने अस्तित्व का ज्ञान भी न था। वह टकटकी लगाये खिड़की की ओर ताक रही थी। उस अंधकार में जाने क्या सूझ रहा था।

कानपुर आया। माता ने पूछा—बेटी, कुछ खाओगी? थोड़ी-सी मिठाई खा लो; दस कब के बज गये।

मानी ने कहा—अभी तो भूख नहीं है अम्माँ, फिर खा लूँगी।

माताजी सोयीं। मानी भी लेटी; पर चाचा की वह सूरत आँखों के सामने खड़ी थी और उनकी बातें कानों में गूँज रही थीं—आह! मैं इतनी नीच हूँ, ऐसी पतित कि मेरे मर जाने से पृथ्वी का भार हलका हो जायेगा? क्या कहा था, तू अपने माँ-बाप की बेटी है तो फिर मुँह मत दिखाना! न दिखाऊँगी, जिस मुँह पर ऐसी कालिमा लगी हुई है, उसे किसी को दिखाने की इच्छा भी नहीं है।

गाड़ी अंधकार को चीरती हुई चली जा रही थी। मानी ने अपना ट्रंक खोला और अपने आभूषण निकालकर उसमें रख दिये। फिर इन्द्रनाथ का चित्र निकालकर उसे देर तक देखती रही। उसकी आँखों से गर्व की एक झलक-सी दिखाई दी। उसने तस्वीर रख दी और आप-ही-आप बोली—नहीं-नहीं, मैं तुम्हारे जीवन को कलंकित नहीं कर सकती। तुम देवतुल्य हो, तुमने मुझ पर दया की है। मैं अपने पूर्व-संस्कारों का प्रायश्चित कर रही थी। तुमने मुझे उठा कर हृदय से लगा लिया; लेकिन मैं तुम्हें कलंकित न करूँगी। तुम्हें मुझसे प्रेम है। तुम मेरे लिए अनादर, अपमान, निन्दा सब सह लोगे, पर मैं तुम्हारे जीवन का भार न बनूँगी।

गाड़ी अन्धकार को चीरती चली जा रही थी। मानी आकाश की ओर इतनी देर तक देखती रही कि सारे तारे अदृश्य हो गये और अंधकार में उसे अपनी माता का स्वरूप दिखाई दिया—ऐसा उज्ज्वल, ऐसा प्रत्यक्ष कि उसने चौंककर आँखें बन्द कर ली। फिर कमरे के अन्दर देखा तो माताजी सो रही थीं।

9

न जाने कितनी रात गुज़र चुकी थी। दरवाज़ा खुलने की आहट से माताजी की आँखें खुल गयीं। गाड़ी तेज़ी से चली जा रही थी; मगर बहू का पता न था। वह आँखें मलकर उठ बैठीं और पुकारा—बहू! बहू! कोई जवाब न मिला।

उनका हृदय धक्-धक् करने लगा। ऊपर के बर्थ पर नज़र डाली, पेशाबख़ाने में देखा, बेंचों के नीचे देखा, बहू कहीं न थी। तब वह द्वार पर आकर खड़ी हो गयी। शंका हुई, यह द्वार किसने खोला? कोई गाड़ी में तो नहीं आया! उनका जी घबराने लगा। उन्होंने किवाड़ बन्द कर दिये और ज़ोर-ज़ोर से रोने लगीं। किससे पूछें? डाकगाड़ी अब न जाने कितनी देर में रुकेगी! कहती थी, बहू मर्दाने डिब्बे में बैठो। मेरा कहना न माना कहने लगी, अम्माँ जी, आपको सोने की तकलीफ़ होगी। यही आराम दे गयी!

सहसा उसे खतरे की जंज़ीर याद आयी। उसने ज़ोर-ज़ोर से कई बार जंज़ीर खींची। कई मिनट के बाद गाड़ी रुकी, गार्ड आया। पड़ोस के डिब्बे से दो-चार आदमी और भी आये। फिर लोगों ने सारा डिब्बा तलाश किया। नीचे तख़्ते को ध्यान से देखा। रक्त का कोई चिह्न न था। असबाब की जाँच की। बिस्तर, संदूक, संदूकची, बर्तन सब मौजूद थे। ताले भी सबके बंद थे। कोई चीज़ ग़ायब न थी। अगर बाहर से कोई आदमी आता, तो चलती गाड़ी से जाता कहाँ? एक स्त्री को लेकर गाड़ी से कूद जाना असम्भव था। अब लोग इन लक्षणों से इसी नतीजे पर पहुँचे कि मानी द्वार खोलकर बाहर झाँकने लगी होगी और मुट्ठियाँ हाथ से छूट जाने के कारण गिर पड़ी होगी। गार्ड भला आदमी था। उसने नीचे उतरकर एक मील तक सड़क के दोनों तरफ़ तलाश किया। मानी का कोई निशान न मिला। रात को इससे ज़्यादा और क्या किया जा सकता था? माताजी को आग्रहपूर्वक कुछ लोग मर्दाने डिब्बे में ले गये। यह निश्चय हुआ कि माताजी अगले स्टेशन पर उतर पड़ें और सवेरे इधर-उधर दूर तक देख-भाल की जाए। विपत्ति में हम पर मुखापेक्षी हो जाते हैं। माताजी कभी इसका मुँह देखतीं, कभी उसका। उनकी याचना से भरी हुई आँखें, मानो सबसे कह रही थीं—कोई मेरी बच्ची को ख़ोज क्यों नहीं लाता? हाय! अभी तो बेचारी की चुँदरी भी नहीं मैली हुई! कैसे-कैसे साधों और अरमानों से भरी पति के पास जा रही थी! कोई उस दुष्ट वंशीधर से जाकर कहता क्यों नहीं—ले तेरी मनोभिलाषा पूरी हो गयी—जो तू चाहता था, वह पूरा हो गया। क्या अब भी तेरी छाती नहीं जुड़ाती?

वृद्धा बैठी रो रही थी और गाड़ी अंधकार को चीरती चली जाती थी।

10

रविवार का दिन था। संध्या समय इन्द्रनाथ दो-तीन मित्रों के साथ अपने घर की छत पर बैठा हुआ था। आपस में हास-परिहास हो रहा था। मानी का आगमन इस परिहास का विषय था।

एक मित्र बोले—क्यों इंद्र, तुमने तो वैवाहिक जीवन का कुछ अनुभव किया है, हमें क्या सलाह देते हो? बनाये कहीं घोंसला, या यों ही डालियों पर बैठे-बैठे दिन काटे? पत्र-पत्रिकाओं को देखकर तो यही मालूम होता है कि वैवाहिक जीवन और नर्क में कुछ थोड़ा ही-सा अंतर है।

इन्द्रनाथ ने मुस्कराकर कहा—यह तो तक़दीर का खेल है भाई, सोलहों आना तक़दीर का। अगर एक दशा में वैवाहिक जीवन नरकतुल्य है, तो दूसरी दशा में स्वर्ग से कम नहीं।

दूसरे मित्र बोले—इतनी आज़ादी तो भला क्या रहेगी?

इन्द्रनाथ—इतनी क्या इसकी शतांश भी न रहेगी। अगर तुम रोज़ सिनेमा देखकर बारह बजे घर लौटना चाहते हो, नौ बजे सोकर उठना चाहते हो और दफ़्तर से चार बजे लौटकर ताश खेलना चाहते हो, तो तुम्हें विवाह करने से कोई सुख न होगा। और जो हर महीने सूट बनवाते हो, तब शायद साल भर भी न बनवा सको।

'श्रीमतीजी तो आज रात की गाड़ी से आ रही हैं?'

'हाँ, मेल से। मेरे साथ चलकर उन्हें रिसीव करोगे न?'

'यह भी पूछने की बात है। अब घर कौन जाता है, मगर कल दावत खिलानी पड़ेगी।'

सहसा तार के चपरासी ने आकर इन्द्रनाथ के हाथ में तार का लिफ़ाफ़ा रख दिया।

इन्द्रनाथ का चेहरा खिल उठा। झट तार खोलकर पढ़ने लगा। एक बार पढ़ते ही उसका हृदय धक् हो गया, साँस रुक गयी, सिर घूमने लगा। आँखों की रोशनी लुप्त हो गयी जैसे विश्व पर काला परदा पड़ गया हो। उसने तार को मित्रों के सामने फेंक दिया और दोनों हाथों से मुँह ढाँपकर फूट-फूटकर रोने लगा। दोनों मित्रों ने घबराकर तार उठा लिया और उसे पढ़ते ही हतबुद्धि से हो दीवार की ओर ताकने लगे। क्या सोच रहे थे क्या हो गया!

तार में लिखा था—मानी गाड़ी से कूद पड़ी। उसकी लाश लालपुर से तीन मील पर पायी गयी। मैं लालपुर में हूँ तुरन्त आओ।

एक मित्र ने कहा—किसी शत्रु ने झूठी ख़बर न भेज दी हो?

दूसरे मित्र बोले—हाँ, कभी-कभी लोग ऐसी शरारतें करते हैं।

इन्द्रनाथ ने शून्य नेत्रों से उनकी ओर देखा; पर मुँह से कुछ बोले नहीं।

कई मिनट तीनों आदमी निर्वाक्-निस्पंद बैठे रहे। एकाएक इन्द्रनाथ खड़े हो गये और बोले—मैं इस गाड़ी से जाऊँगा।

बम्बई से नौ बजे रात को गाड़ी छूटती थी। दोनों ने चटपट बिस्तर आदि बाँधकर तैयार कर दिया। एक ने बिस्तर उठाया, दूसरे ने ट्रंक। इन्द्रनाथ ने चटपट कपड़े पहने और स्टेशन चले। निराशा आगे थी; आशा रोती हुई पीछे।

11

एक सप्ताह गुज़र गया था। लाला वंशीधर दफ़्तर से आकर द्वार पर बैठे ही थे कि इन्द्रनाथ ने आकर प्रणाम किया। वंशीधर उसे देखकर चौंक पड़े, उसके अनपेक्षित आगमन पर नहीं, उसकी विकृत दशा पर; मानो वीतराग शोक सामने खड़ा हो, मानो कोई हृदय से निकली हुई आह मूर्तिमान हो गयी हो।

वंशीधर ने पूछा—तुम तो बम्बई चले गये थे न?

इन्द्रनाथ ने जवाब दिया—जी हाँ, आज ही आया हूँ।

वंशीधर ने तीखे स्वर में कहा—गोकुल को तो तुम ले बीते!

इंद्र ने अपनी अँगूठी की ओर ताकते हुए कहा—वह मेरे घर पर हैं।

वंशीधर के उदास मुख पर हर्ष का प्रकाश दौड़ गया। बोले—तो यहाँ क्यों नहीं आये? तुमसे कहाँ उसकी भेंट हुई? क्या बम्बई चला गया था?

'जी नहीं, कल मैं गाड़ी से उतरा तो स्टेशन पर मिल गये।'

'तो जाकर लिवा आओ न, जो किया अच्छा किया।'

यह कहते हुए वह घर में दौड़े। एक क्षण में गोकुल की माता ने उसे अंदर बुलाया।

वह अंदर गया तो माता ने उसे सिर से पाँव तक देखा—तुम बीमार थे क्या भैया? चेहरा क्यों इतना उतरा हुआ है?

इन्द्रनाथ से कुछ उत्तर न दिया?

गोकुल की माता ने लोटे का पानी रखकर कहा—हाथ-मुँह धो डालो बेटा! गोकुल है तो अच्छी तरह? कहाँ रहा इतने दिन? तब से सैकड़ों मन्नतें मान डालीं। आया क्यों नहीं।

इन्द्रनाथ ने हाथ-मुँह धोते हुए कहा—मैंने तो कहा था, चलो; लेकिन डर के मारे नहीं आते।

'और था कहाँ इतने दिन?'

'कहते थे, देहातों में घूमता रहा।'

'तो क्या तुम अकेले बम्बई से आये हो?'

'जी नहीं, अम्माँ भी आयी हैं।'

'गोकुल की माता ने कुछ सकुचाकर पूछा—मानी तो अच्छी तरह है?'

इन्द्रनाथ ने हँसकर कहा—जी हाँ, अब वह बड़े सुख से है। संसार के बंधनों से छूट गयी।

माता ने अविश्वास करके कहा—चल, नटखट कहीं का! बेचारी को कोस रहा है; मगर जल्दी बम्बई से लौट क्यों आये?

इन्द्रनाथ ने मुस्कराते हुए कहा—क्या करता! आताजी का तार बम्बई में मिला कि मानी ने गाड़ी से कूदकर प्राण दे दिये। वह लालपुर में पड़ी हुई थीं, दौड़ा हुआ आया। वहीं दाह-क्रिया की। आज घर चला आया। अब मेरा अपराध क्षमा कीजिए।

वह और कुछ न कह सका। आँसुओं के वेग ने गला बंद कर दिया। जेब से एक पत्र निकालकर माता के सामने रखता हुए बोला—उसके संदूक में यही पत्र मिला है।

गोकुल की माता कई मिनट तक मर्माहत-सी बैठी ज़मीन की ओर ताकती रही। शोक और उससे अधिक पश्चात्ताप ने सिर को दबा रक्खा था। फिर पत्र उठाकर पढ़ने लगी—

'स्वामी'

जब यह पत्र आपके हाथों में पहुँचेगा, तब तक मैं इस संसार से विदा हो जाऊँगी। मैं बड़ी अभागिनी हूँ। मेरे लिए इस संसार में स्थान नहीं है। आपको भी मेरे कारण क्लेश और निंदा ही मिलेगी। मैंने सोचकर देखा और यही निश्चय किया कि मेरे लिए मरना ही अच्छा है। मुझ पर आपने जो दया की थी, उसके लिए आपको क्या प्रतिदान करूँ? जीवन में मैंने कभी किसी वस्तु की इच्छा नहीं की; परंतु मुझे दुःख है कि आपके चरणों पर सिर रखकर न मर सकी। मेरी अंतिम याचना है कि मेरे लिए आप शोक न कीजिएगा। ईश्वर आपको सदा सुखी रखें।

माताजी ने पत्र रख दिया और आँखों से आँसू बहने लगे। बरामदे में वंशीधर निस्पंद खड़े थे और जैसे मानी लज्ञानत उनके सामने खड़ी थी।

❑❑❑

कायर

युवक का नाम केशव था, युवती का प्रेमा। दोनों एक ही कॉलेज के और एक ही क्लास के विद्यार्थी थे। केशव नये विचारों का युवक था, जात-पाँत के बन्धनों का विरोधी। प्रेमा पुराने संस्कारों की कायल थी, पुरानी मर्यादाओं और प्रथाओं में पूरा विश्वास रखनेवाली; लेकिन फिर भी दोनों में गाढ़ा प्रेम हो गया था और बात सारे कॉलेज में मशहूर थी। केशव ब्राह्मण होकर भी वैश्य-कन्या प्रेमा से विवाह करके अपना जीवन सार्थक करना चाहता था। उसे अपने माता-पिता की परवाह न थी। कुल-मर्यादा का विचार भी उसे स्वाँग-सा लगता था। उसके लिए सत्य कोई वस्तु थी तो प्रेमा, किन्तु प्रेमा के लिए माता-पिता और कुल-परिवार के आदेश के विरुद्ध एक कदम बढ़ाना भी असम्भव था।

संध्या का समय है। विक्टोरिया-पार्क के एक निर्जन स्थान में दोनों आमने-सामने हरियाली पर बैठे हुए हैं। सैर करनेवाले एक-एक करके विदा हो गये किन्तु ये दोनों अभी वहीं बैठे हुए हैं। उनमें एक ऐसा प्रसंग छिड़ा हुआ है, जो किसी तरह समाप्त नहीं होता है।

केशव ने झुंझलाकर कहा—इसका यह अर्थ है कि तुम्हें मेरी परवाह नहीं है।

प्रेमा ने शान्त करने की चेष्टा करके कहा—'तुम मेरे साथ अन्याय कर रहे हो, केशव! लेकिन मैं इस विषय को माता-पिता के सामने कैसे छेड़ूँ, यह मेरी समझ में नहीं आता। वे लोग पुरानी रूढ़ियों के भक्त हैं। मेरी तरफ़ से कोई ऐसी बात सुनकर उसके मन में जो-जो शंकाएँ होंगी उनकी कल्पना कर सकते हो?'

केशव ने उग्र भाव से पूछा—'तो तुम भी उन्हीं पुरानी रूढ़ियों की ग़ुलाम हो?'

प्रेमा ने अपनी बड़ी-बड़ी आँखों से मृदु स्नेह भरकर कहा—'नहीं, मैं उनकी ग़ुलाम नहीं हूँ, लेकिन माता-पिता की इच्छा मेरे लिए और सब चीज़ों से अधिक मान्य है।'

'तुम्हारा व्यक्तित्व कुछ नहीं है?'

'ऐसा ही समझ लो।'

'मैं तो समझता था कि वे ढकोसले मूर्खों के लिए ही हैं; लेकिन अब मालूम हुआ कि तुम जैसी विदुषियाँ भी उनकी पूजा करती हैं। जब मैं तुम्हारे लिए संसार को छोड़ने पर तैयार हूँ, तो मैं तुमसे भी यही आशा करता हूँ।'

प्रेमा ने मन में सोचा, मेरा अपनी देह पर क्या अधिकार है। जिन माता-पिता ने अपने रक्त से मेरी सृष्टि की है और अपने स्नेह से मुझे पाला है, उनकी मरज़ी के ख़िलाफ़ कोई काम करने का मुझे कोई हक़ नहीं।

उसने दीनता के साथ केशव से कहा—क्या प्रेम स्त्री और पुरुष के रूप ही में रह सकता है, मैत्री के रूप में नहीं? मैं तो प्रेम को आत्मा का बन्धन समझती हूँ।

केशव ने कठोर भाव से कहा—'इन दार्शनिक विचारों से तुम मुझे पागल

कर दोगी, प्रेमा! बस, इतना ही समझ लो कि मैं निराश होकर जिन्दा नहीं रह सकता। मैं प्रत्यक्षवादी हूँ और कल्पनाओं के संसार में अप्रत्यक्ष का आनंद उठाना मेरे लिए असम्भव है।'

यह कहकर, उसने प्रेमा का हाथ पकड़कर, अपनी ओर खींचने की चेष्टा की। प्रेमा ने झटके से हाथ छुड़ा लिया और बोली—नहीं केशव, मैं कह चुकी हूँ कि मैं स्वतंत्र नहीं हूँ। तुम मुझसे वह चीज न माँगो, जिस पर मेरा कोई अधिकार नहीं है।

केशव को अगर प्रेमा ने कठोर शब्द कहे होते, तो भी उसे इतना दुःख न हुआ होता। एक क्षण तक वह मन मारे बैठा रहा, फिर उठकर निराशा भरे स्वर में बोला—'जैसी तुम्हारी इच्छा!' और आहिस्ता-आहिस्ता कदम उठाता हुआ वहाँ से चला गया! प्रेमा अब भी वहीं बैठी आँसू बहाती रही।

2

रात को भोजन करके प्रेमा जब अपनी माँ के साथ लेटी, तो उसकी आँखों में नींद न थी। केशव ने उसे एक ऐसी बात कह दी थी, जो चंचल पानी में पड़ने वाली छाया की तरह उसके दिल पर छायी हुई थी। प्रतिक्षण उसका रूप बदलता था। वह उसे स्थिर न कर सकती थी। माता से इस विषय में कुछ कहे तो कैसे? लज्जा मुँह बंद कर देती थी। उसने सोचा, अगर केशव के साथ मेरा विवाह न हुआ, तो उस समय मेरा कर्तव्य क्या होगा! अगर केशव ने कुछ उद्दंडता कर डाली तो मेरे लिए संसार में फिर क्या रह जायेगा, लेकिन मेरा बस ही क्या है? इन भाँति-भाँति के विचारों में एक बात जो उसके मन में निश्चित हुई, वह यह थी कि केशव के सिवा वह और किसी से विवाह न करेगी।

उसकी माता ने पूछा—'क्या तुझे अब तक नींद न आयी? मैंने तुझसे कितनी बार कहा कि थोड़ा-बहुत घर का काम-काज किया कर; लेकिन तुझे किताबों ही से फुरसत नहीं मिलती। चार दिन में तू पराये घर जायेगी, कौन जाने, कैसा घर मिले! अगर कुछ काम करने की आदत न रही, तो कैसे निबाह होगा?'

प्रेमा ने भोलेपन से कहा—'मैं पराये घर जाऊँगी ही क्यों?'

माता ने मुस्कराकर कहा—'लड़कियों के लिए यही तो सबसे बड़ी विपत्ति है, बेटी। माँ-बाप की गोद में पलकर ज्यों ही सयानी हुई, दूसरों की हो जाती हैं। अगर अच्छा प्राणी मिल गया, तो जीवन आराम से कट गया, नहीं रो-रोकर दिन काटने पड़ते हैं। सब कुछ भाग्य के अधीन है। अपनी बिरादरी में तो मुझे कोई घर नहीं भाता। कहीं लड़कियों का आदर नहीं लेकिन करना तो बिरादरी में ही पड़ेगा। न जाने, यह जात-पाँत का बंधन कब टूटेगा?'

प्रेमा डरते-डरते बोली—'कहीं-कहीं तो बिरादरी के बाहर भी विवाह होने लगे हैं।'

उसने कहने को कह दिया; लेकिन उसका हृदय काँप रहा था कि माताजी कुछ भाँप न जायँ।

माता ने विस्मय के साथ पूछा—'क्या हिन्दुओं में ऐसा हुआ है?'

फिर उसने आप आप-ही-आप उस प्रश्न का जवाब भी दिया—अगर दो-चार जगह ऐसा भी हो गया, तो उससे क्या होता है?

प्रेमा ने इसका कुछ जवाब न दिया। भय हुआ कि माता कहीं उसका आशय न समझ जायँ। उसका भविष्य एक अँधेरी खाई की तरह उसके सामने मुँह खोले खड़ा था, मानो उसे निगल जायेगा।

उसे न जाने कब नींद आ गयी।

3

प्रातःकाल प्रेमा सोकर उठी, तो उसके मन में एक विचित्र साहस का उदय हो गया था। सभी महत्त्वपूर्ण फ़ैसले हम आकस्मिक रूप से कर लिया करते हैं, मानो कोई दैवी शक्ति हमें उनकी ओर खींच ले जाती है; वही हालत प्रेमा की थी। कल तक वह माता-पिता के निर्णय को मान्य समझती थी; पर संकट को सामने देखकर उसमें उस वायु की हिम्मत पैदा हो गयी थी, जिसके सामने कोई पर्वत आ गया हो। वही मंद वायु प्रबल वेग से पर्वत के मस्तक पर चढ़ जाती है और उसे कुचलती हुई दूसरी तरफ़ जा पहुँचती है। प्रेमा मन में सोच रही थी—माना, यह देह माता-पिता की है, किंतु आत्मा को जो कुछ भुगतना पड़ेगा, वह इसी देह से तो भुगतना पड़ेगा। अब वह इस विषय में संकोच करना अनुचित ही नहीं, घातक समझ रही थी। अपने जीवन को क्यों एक झूठे सम्मान पर बलिदान करे? उसने सोचा, विवाह का आधार अगर प्रेम न हो, तो वह तो देह का विक्रय है। आत्मसमर्पण क्या बिना प्रेम के भी हो सकता है? इस कल्पना ही से कि न जाने किस अपरिचित युवक से उसका ब्याह हो जायेगा, उसका हृदय विद्रोह कर उठा।

वह अभी नाश्ता करके कुछ पढ़ने जा रही थी कि उसके पिता ने प्यार से पुकारा—मैं कल तुम्हारे प्रिंसिपल के पास गया था, वे तुम्हारी बड़ी तारीफ़ कर रहे थे।

प्रेमा ने सरल भाव से कहा—आप तो यों ही कहा करते हैं।

'नहीं, सच।'

यह कहते हुए उन्होंने अपनी मेज की दराज़ खोली और मख़मली चौखटों में जड़ी हुई एक तस्वीर निकालकर उसे दिखाते हुए बोले—यह लड़का आयी. सी. एस. के इम्तहान में प्रथम आया है। इसका नाम तो तुमने सुना होगा?

बूढ़े पिता ने ऐसी भूमिका बाँधी थी कि प्रेमा उनका आशय समझ न सके; लेकिन प्रेमा भाँप गयी। उसका मन तीर की भाँति लक्ष्य पर जा पहुँचा। उसने बिना तस्वीर की ओर देखे ही कहा—नहीं, मैंने तो उसका नाम नहीं सुना।

पिता ने बनावटी आश्चर्य से कहा—क्या? तुमने उसका नाम ही नहीं सुना? आज के दैनिक-पत्र में उसका चित्र और जीवन-वृत्तान्त छपा है।

प्रेमा ने रुखाई से जवाब दिया—'होगा; मगर मैं तो इस परीक्षा का कोई महत्त्व नहीं समझती। मैं तो समझती हूँ, जो लोग इस परीक्षा में बैठते हैं, वे परले सिरे के स्वार्थी होते है। आख़िर उनका उद्देश्य इसके सिवा और क्या होता है कि अपने ग़रीब, निर्धन, दलित भाइयों पर शासन करें और ख़ूब धन-संचय करें। यह तो जीवन का कोई ऊँचा उद्देश्य नहीं है।

इस आपत्ति में जलन थी, अन्याय था, निर्दयता थी। पिताजी ने समझा था, प्रेमा वह बखान सुनकर लट्टू हो जायेगी। यह जबान सुनकर तीखे स्वर में बोले—

'तू तो ऐसी बात कर रही है, जैसे तेरे लिए धन और अधिकार का कोई मूल्य ही नहीं।'

प्रेमा ने ढिठाई से कहा—'हाँ, मैं तो इसका मूल्य नहीं समझती; मैं तो आदमी में त्याग देखती हूँ। मैं ऐसे युवकों को जानती हूँ, जिन्हें यह पद जबर्दस्ती भी दिया जाय, तो स्वीकार न करेंगे।'

पिता ने उपहास के ढंग से कहा—यह तो आज मैंने नयी बात सुनीं। मैं तो देखता हूँ कि छोटी-छोटी नौकरियों के लिए लोग मारे-मारे फिरते हैं। मैं ज़रा उस लड़के की सूरत देखना चाहता हूँ, जिसमें इतना त्याग हो। मैं तो उसकी पूजा करूँगा।

शायद किसी दूसरे अवसर पर ये शब्द सुनकर प्रेमा लज्जा से सिर झुका लेती; पर इस समय की दशा उस सिपाही की-सी थी, जिसके पीछे गहरी खाई हो। आगे बढ़ने के सिवा उसके लिए और कोई मार्ग न था। अपने आवेश को संयम से दबाती हुई, आँखों में विद्रोह भरे, वह अपने कमरे में गयी और केशव के कई चित्रों में से वह एक चित्र चुनकर लायी, जो उसकी निग़ाह में सबसे ख़राब था और पिता के सामने रख दिया। बूढ़े पिताजी ने चित्र को उपेक्षा के भाव से देखना चाहा, लेकिन पहली ही दृष्टि में उसने उन्हें आकर्षित कर लिया। ऊँचा क़द था और दुर्बल होने पर भी उसका गठन, स्वास्थ्य और संयम का परिचय दे रहा था। मुख पर प्रतिभा का तेज न था; पर विचारशीलता का कुछ ऐसा प्रतिबिम्ब था, जो उसके प्रति मन में विश्वास पैदा करता था।

उन्होंने उस चित्र को देखते हुए पूछा—यह किसका चित्र है?

प्रेमा ने संकोच से सिर झुकाकर कहा—यह मेरे ही क्लास में पढ़ते हैं।

'अपनी ही बिरादरी का है?'

प्रेमा की मुखमुद्रा धूमिल हो गयी। इसी प्रश्न के उत्तर पर उसकी क़िस्मत का फ़ैसला हो जायेगा। उसके मन में पछतावा हुआ कि व्यर्थ में इस चित्र को यहाँ लायी। उसमें एक क्षण के लिए जो दृढ़ता आयी थी, वह इस पैने प्रश्न के सामने कातर हो उठी। दबी हुई आवाज़ में बोली—'जी नहीं, वह ब्राह्मण हैं।' और यह कहने के साथ ही वह क्षुब्ध होकर कमरे से बाहर निकल गयी; मानो यहाँ की वायु में उसका गला घुटा जा रहा हो और दीवार की आड़ में खड़ी होकर रोने लगी।

लालाजी को तो पहले ऐसा क्रोध आया कि प्रेमा को बुलाकर साफ़-साफ़ कह दे कि यह असम्भव है। वे उसी ग़ुस्से में दरवाज़े तक आये; लेकिन प्रेमा को रोते देखकर नम्र हो गये। इस युवक के प्रति प्रेमा के मन में क्या भाव थे? यह उनसे छिपा न रहा। वे स्त्री-शिक्षा के पूरे समर्थक थे; लेकिन इसके साथ ही कुल-मर्यादा की रक्षा भी करना चाहते थे। अपनी ही जाति के सुयोग्य वर के लिए अपना सर्वस्व अर्पण कर सकते थे, लेकिन उस क्षेत्र के बाहर कुलीन-से-कुलीन और योग्य-से-योग्य वर की कल्पना भी उनके लिए असह्य थी। इससे बड़ा अपमान वे सोच ही न सकते थे।

उन्होंने कठोर स्वर में कहा—आज से कॉलेज जाना बन्द कर दो। अगर शिक्षा कुल-मर्यादा को डुबाना ही सिखाती है, तो वह कु-शिक्षा है।

प्रेमा ने कातर कंठ से कहा—परीक्षा तो समीप आ गयी है।

लालाजी ने दृढ़ता से कहा—आने दो।

और फिर अपने कमरे में जाकर विचारों में डूब गये।

4

छः महीने गुज़र गये।

लालाजी ने घर में आकर पत्नी को एकांत में बुलाया और बोले—जहाँ तक मुझे मालूम हुआ है, केशव बहुत ही सुशील और प्रतिभाशाली युवक है। मैं तो समझता हूँ, प्रेमा इस शोक में घुल-घुलकर प्राण दे देगी। तुमने भी समझाया, मैंने भी समझाया, दूसरों ने भी समझाया; पर उस पर कोई असर ही नहीं होता। ऐसी दशा में हमारे लिए क्या उपाय है?

उनकी पत्नी ने चिंतित भाव से कहा—कर तो दोगे; लेकिन रहोगे कहाँ? न-जाने कहाँ से यह कुलच्छनी मेरी कोख में आयी?

लालाजी ने भँवें सिकोड़कर तिरस्कार के साथ कहा—यह तो हजार दफ़ा सुन चुका; लेकिन कुल-मर्यादा के नाम को कहाँ तक रोयें। चिड़िया का पर खोलकर यह आशा करना, कि तुम्हारे आँगन में ही फुदकती रहेगी, भ्रम है। मैंने इस प्रश्न पर ठंडे दिल से विचार किया है और इस नतीजे पर पहुँचा हूँ कि हमें इस आपद्धर्म को स्वीकार कर लेना ही चाहिए। कुल-मर्यादा के नाम पर मैं प्रेमा की हत्या नहीं कर सकता। दुनिया हँसती हो, हँसे; मगर वह ज़माना बहुत जल्द आनेवाला है, जब ये सभी बंधन टूट जायेंगे। आज भी सैकड़ों विवाह जात-पाँत के बंधनों को तोड़कर हो चुके हैं। अगर विवाह का उद्देश्य स्त्री और पुरुष का सुखमय जीवन है, तो हम प्रेमा की उपेक्षा नहीं कर सकते।

वृद्धा ने क्षुब्ध होकर कहा—जब तुम्हारी यही इच्छा है, तो मुझसे क्या पूछते हो? लेकिन मैं कहे देती हूँ कि मैं इस विवाह के नज़दीक न जाऊँगी, न कभी इस छोकरी का मुँह देखूँगी। समझ लूँगी, जैसे और सब लड़के मर गये, वैसे यह भी मर गयी।

'तो फिर आख़िर तुम क्या करने को कहती हो?'

'क्यों नहीं उस लड़के से विवाह कर देते, उसमें क्या बुराई है? वह दो साल में सिविल सर्विस पास करके आ जायेगा। केशव के पास क्या रखा है? बहुत होगा, किसी दफ़्तर में क्लर्क हो जायेगा!'

'और अगर प्रेमा प्राण-हत्या कर ले, तो?'

'तो कर ले, तुम तो उसे और शह देते हो। जब उसे हमारी परवाह नहीं है, तो हम उसके लिए अपने नाम को क्यों कलंकित करें? प्राणहत्या करना कोई खेल नहीं है। यह सब धमकी है। मन घोड़ा है, जब तक उसे लगाम न दो, तो पुट्ठे पर हाथ न रखने देगा। जब उसके मन का यह हाल है, तो कौन कहे, वह केशव के साथ ही ज़िन्दगी-भर निबाह करेगी। जिस तरह आज उससे प्रेम है, उसी तरह कल दूसरे से हो सकता है। तो क्या पत्ते पर अपना मांस बिकवाना चाहते हो?'

लालाजी ने स्त्री को प्रश्नसूचक दृष्टि से देखकर कहा—और अगर वह कल ख़ुद जाकर केशव से विवाह कर ले, तो तुम क्या कर लोगी? फिर तुम्हारी कितनी इज़्ज़त रह जायेगी! चाहे वह संकोचवश या हम लोगों के लिहाज़ से यों ही बैठी रहे, पर यदि ज़िद पर कमर बाँध ले, तो हम-तुम कुछ नहीं कर सकते।

इस समस्या का ऐसा भीषण अंत भी हो सकता है, यह इस वृद्धा के ध्यान में भी न आया था। यह प्रश्न बम के गोले की तरह उसके मस्तिष्क पर गिरा। एक क्षण तक वह अवाक् बैठी रह गयी, मानो इस आघात ने उसकी बुद्धि की

धज्जियाँ उड़ा दी हों। फिर पराभूत होकर बोली—तुम्हें अनोखी ही कल्पनाएँ सूझती हैं! मैंने तो आज तक कभी भी नहीं सुना कि किसी कुलीन कन्या ने अपनी इच्छा से विवाह किया है।

'तुमने न सुना हो; लेकिन मैंने सुना है, और देखा है कि ऐसा होना बहुत सम्भव है।'

'जिस दिन ऐसा होगा, उस दिन तुम मुझे जीती न देखोगे।'

'मैं यह नहीं कहता कि ऐसा होगा ही; लेकिन होना सम्भव है।'

'तो जब ऐसा होना है, तो इससे तो यही अच्छा है कि हमीं इसका प्रबंध करें। जब नाक ही कट रही है, तो तेज़ छुरी से क्यों न कटे। कल केशव को बुलाकर देखो, क्या कहता है।'

5

केशव के पिता सरकारी पेंशनर थे, मिजाज़ के चिड़चिड़े और कृपण। धर्म के आडम्बरों में ही उनके चित्त को शांति मिलती थी। कल्पनाशक्ति का अभाव था। किसी के मनोभावों का सम्मान न कर सकते थे। वे अब भी उस संसार में रहते थे, जिसमें उन्होंने अपने बचपन और जवानी के दिन काटे थे। नवयुग की बढ़ती हुई लहर को वे सर्वनाश कहते थे, और कम- से-कम अपने घर को दोनों हाथों और दोनों पैरों का ज़ोर लगाकर उसमें से बचाये रखना चाहते थे; इसलिए जब एक दिन प्रेमा के पिता उनके पास पहुँचे और केशव से प्रेमा के विवाह का प्रस्ताव किया, तो बूढ़े पंडितजी अपने आपे में न रह सके। धुँधली आँखें फाड़कर बोले—आप भंग तो नहीं खा गये हैं? इस तरह का सम्बंध और चाहे जो कुछ हो, विवाह नहीं है। मालूम होता है, आपको भी नये ज़माने की हवा लग गयी।

बूढ़े बाबूजी ने नम्रता से कहा—मैं ख़ुद ऐसा सम्बंध पसन्द नहीं करता। इस विषय में मेरे विचार वही हैं, जो आपके; पर बात ऐसी आ पड़ी है कि मुझे विवश होकर आपकी सेवा में आना पड़ा। आजकल के लड़के और लड़कियाँ कितने स्वेच्छाचारी हो गये हैं, यह तो आप जानते ही हैं। हम बूढ़े लोगों के लिए अब अपने सिद्धांतों की रक्षा करना कठिन हो गया है। मुझे भय है कि कहीं ये दोनों निराश होकर अपनी जान पर न खेल जायँ।

बूढ़े पंडितजी ज़मीन पर पाँव पटकते हुए गरज़ उठे—आप क्या कहते हैं, साहब! आपको शर्म नहीं आती? हम ब्राह्मण हैं और ब्राह्मणों में भी कुलीन। ब्राह्मण कितने ही पतित हो गये हों, इतने मर्यादाशून्य नहीं हुए हैं कि बनिए-बक्कालों की लड़की से विवाह करते फिरें! जिस दिन कुलीन ब्राह्मणों में लड़कियाँ न रहेंगी, उस दिन यह समस्या उपस्थित हो सकती है। मैं कहता हूँ, आपको मुझसे यह बात कहने का साहस कैसे हुआ?

बूढ़े बाबूजी जितना ही दबते थे, उतना ही पंडितजी बिगड़ते थे। यहाँ तक कि लालाजी अपना अपमान ज़्यादा न सह सके और अपनी तक़दीर को कोसते हुए चले गये।

उसी वक़्त केशव कॉलेज से आया। पंडितजी ने तुरंत उसे बुलाकर कठोर कंठ से कहा—मैंने सुना है, तुमने किसी बनिए की लड़की से अपना विवाह करने का निश्चय कर लिया है। यह ख़बर कहाँ तक सही है?

केशव ने अनजान बनकर पूछा—आपसे किसने कहा?

'किसी ने कहा। मैं पूछता हूँ, यह बात ठीक है, या नहीं? अगर ठीक है, और तुमने अपनी मर्यादा को डुबाना निश्चय कर लिया है, तो तुम्हारे लिए हमारे घर में कोई स्थान नहीं। तुम्हें मेरी कमाई का एक धेला भी नहीं मिलेगा। मेरे पास जो कुछ है, वह मेरी अपनी कमाई है। मुझे अख़्तियार है कि मैं उसे जिसे चाहूँ दे दूँ। तुम यह अनीति करके मेरे घर में कदम नहीं रख सकते।'

केशव पिता के स्वभाव से परिचित था। प्रेमा से उसे प्रेम था, वह गुप्त रूप से प्रेमा से विवाह कर लेना चाहता था। बाप हमेशा तो बैठे न रहेंगे। माता के स्नेह पर उसे विश्वास था। उस प्रेम की तरंग में वह सारे कष्टों को झेलने के लिए तैयार मालूम होता था; लेकिन जैसे कोई कायर सिपाही बन्दूक़ के सामने जाकर हिम्मत खो बैठता है और कदम पीछे हटा लेता है, वही दशा केशव की हुई। वह साधारण युवकों की तरह सिद्धांतों के लिए बड़े-बड़े तर्क कर सकता था, जबान से उनमें अपनी भक्ति की दोहाई दे सकता था; लेकिन इसके लिए यातनाएँ झेलने की सामर्थ्य उसमें न थी। अगर वह अपनी जिद्द पर अड़ा और पिता ने भी अपनी टेक रखी, तो उसका कहाँ ठिकाना लगेगा? उसका जीवन ही नष्ट हो जायेगा।

उसने दबी ज़बान से कहा—जिसने आपसे यह कहा है, बिलकुल झूठ कहा है।

पंडितजी ने तीव्र नेत्रों से देखकर कहा—तो यह ख़बर बिलकुल ग़लत है?

'जी हाँ, बिलकुल ग़लत।'

'तो तुम आज ही इसी वक़्त उस बनिए को ख़त लिख दो और याद रखो कि अगर इस तरह की चर्चा फिर कभी उठी, तो मैं तुम्हारा सबसे बड़ा शत्रु होऊँगा। बस, जाओ।'

केशव और कुछ न कह सका। वह वहाँ से चला, तो ऐसा मालूम होता था कि पैरों में दम नहीं है।

7

दूसरे दिन प्रेमा ने केशव के नाम यह पत्र लिखा :—

'प्रिय केशव!'

'तुम्हारे पूज्य पिताजी ने लालाजी के साथ जो अशिष्ट और अपमानजनक व्यवहार किया है, उसका हाल सुनकर मेरे मन में बड़ी शंका उत्पन्न हो रही है। शायद उन्होंने तुम्हें भी डाँट-फटकार बतायी होगी। ऐसी दशा में मैं तुम्हारा निश्चय सुनने के लिए विकल हो रही हूँ। मैं तुम्हारे साथ हर तरह का कष्ट झेलने को तैयार हूँ। मुझे तुम्हारे पिताजी की सम्पत्ति का मोह नहीं है, मैं तो केवल तुम्हारा प्रेम चाहती हूँ और उसी में प्रसन्न हूँ। आज शाम को यहीं आकर भोजन करो। दादा और माँ, दोनों तुमसे मिलने के लिए बहुत इच्छुक हैं। मैं वह स्वप्न देखने में मग्न हूँ, जब हम दोनों उस सूत्र में बँध जायेंगे, जो टूटना नहीं जानता; जो बड़ी-से-बड़ी आपत्ति में भी अटूट रहता है।'

तुम्हारी,
प्रेमा।

संध्या हो गयी और इस पत्र का कोई जवाब न आया। उसकी माता बार-बार पूछती थी—केशव आये नहीं? बूढ़े लाला भी द्वार की ओर आँखें लगाये बैठे थे। यहाँ तक कि रात के नौ बज गये; पर न तो केशव ही आये, न उनका पत्र।

प्रेमा के मन में भाँति-भाँति के संकल्प-विकल्प उठ रहे थे; कदाचित् उन्हें पत्र लिखने का अवकाश न मिला होगा, या आज आने की फ़ुरसत न मिली होगी, कल अवश्य आ जायेंगे। केशव ने पहले उसके पास जो प्रेम-पत्र लिखे थे, उन सबको उसने फिर पढ़ा। उनके एक-एक शब्द से कितना अनुराग टपक रहा था, उनमें कितना कम्पन था, कितनी विकलता, कितनी तीव्र आकाँक्षा! फिर उसे केशव के वे वाक्य याद आये, जो उसने सैकड़ों ही बार कहे थे। कितनी बार वह उसके सामने रोया था। इतने प्रमाणों के होते हुए निराशा के लिए कहाँ स्थान था; मगर फिर भी सारी रात उसका मन जैसे सूली पर टँगा रहा।

प्रातःकाल केशव का जवाब आया। प्रेमा ने काँपते हुए हाथों से पत्र लेकर पढ़ा। पत्र हाथ से गिर गया। ऐसा जान पड़ा, मानो उसके देह का रक्त स्थिर हो गया हो, लिखा था :

'मैं बड़े संकट में हूँ कि तुम्हें क्या जवाब दूँ! मैंने इधर इस समस्या पर ख़ूब ठंडे दिल से विचार किया है और इस नतीजे पर पहुँचा हूँ कि वर्तमान दशाओं में मेरे लिए पिता की आज्ञा की उपेक्षा करना दुःसह है। मुझे कायर न समझना। मैं स्वार्थी भी नहीं हूँ; लेकिन मेरे सामने जो बाधाएँ हैं, उन पर विजय पाने की शक्ति मुझमें नहीं है। पुरानी बातों को भूल जाओ। उस समय मैंने इन बाधाओं की कल्पना न की थी!'

प्रेमा ने एक लम्बी, गहरी, जलती हुई साँस खींची और उस ख़त को फाड़कर फेंक दिया। उसकी आँखों से अश्रुधार बहने लगी। जिस केशव को उसने अपने अंतःकरण से वर मान लिया था, वह इतना निष्ठुर हो जायेगा, इसकी उसको रत्ती-भर भी आशा न थी। ऐसा मालूम पड़ा, मानो अब तक वह कोई सुनहरा स्वप्न देख रही थी; पर आँखें खुलने पर सब कुछ अदृश्य हो गया। जीवन में जब आशा ही लुप्त हो गयी, तो अब अंधकार के सिवा और क्या रहा! अपने हृदय की सारी सम्पत्ति लगाकर उसने एक नाव लदवायी थी, वह नाव जलमग्न हो गयी। अब दूसरी नाव कहाँ से लदवाये; अगर वह नाव डूबी है, तो उसके साथ ही वह भी डूब जायेगी।

माता ने पूछा—क्या केशव का पत्र है?

प्रेमा ने भूमि की ओर ताकते हुए कहा—हाँ, उनकी तबीयत अच्छी नहीं है। इसके सिवा वह और क्या कहे? केशव की निष्ठुरता और बेवफ़ाई का समाचार कहकर लज्जित होने का साहस उसमें न था।

दिन भर वह घर के काम-धंधों में लगी रही, मानो उसे कोई चिन्ता ही नहीं है। रात को उसने सबको भोजन कराया, ख़ुद भी भोजन किया और बड़ी देर तक हारमोनियम पर गाती रही।

मगर सवेरा हुआ, तो उसके कमरे में उसकी लाश पड़ी हुई थी। प्रभात की सुनहरी किरणें उसके पीले मुख को जीवन की आभा प्रदान कर रही थीं!

❑❑❑

शिकार

फटे वस्त्रों वाली मुनिया ने रानी वसुधा के चाँद-से मुखड़े की ओर सम्मान-भरी आँखों से देखकर राजकुमार को गोद में उठाते हुए कहा—हम ग़रीबों का इस तरह कैसे निबाह हो सकता है महारानी! मेरी तो अपने आदमी से एक दिन न पटे। मैं उसे घर में बैठने न दूँ। ऐसी-ऐसी गालियाँ सुनाऊँ कि छठी का दूध याद आ जाय।

रानी वसुधा ने गम्भीर विनोद के भाव से कहा—क्यों, वह कहेगा नहीं, तू मेरे बीच में बोलनेवाली कौन है? मेरी जो इच्छा होगी, वह करूँगा। तू अपना रोटी-कपड़ा मुझसे लिया कर। तुझे मेरी दूसरी बातों से क्या मतलब? मैं तेरा ग़ुलाम नहीं हूँ।

मुनिया तीन ही दिन से यहाँ लड़कों को खिलाने के लिए नौकर हुई थी। पहले दो-चार घरों में चौका-बरतन कर चुकी थी; पर रानियों से अदब के साथ बात करना कभी न सीख पायी थी। उसका सूखा हुआ साँवला चेहरा उत्तेजित हो उठा। कर्कश स्वर में बोली—जिस दिन ऐसी बातें मुँह से निकालेगा, मूँछें उखाड़ लूँगी! सरकार! वह मेरा ग़ुलाम नहीं है, तो क्या मैं उसकी लौंडी हूँ? अगर वह मेरा ग़ुलाम है, तो मैं उसकी लौंडी हूँ। मैं आप नहीं खाती, उसे खिला देती हूँ, क्योंकि वह मर्द का बच्चा है। पल्लेदारी में उसे बहुत कसाला करना पड़ता है। आप चाहे फटे पहनूँ, पर उसे फटे-पुराने नहीं पहनने देती। जब मैं उसके लिए इतना करती हूँ, तो मजाल है कि वह मुझे आँख दिखाये। अपने घर को आदमी इसीलिए तो छाता-छोपता है कि उससे बरखा-बूँदी में बचाव हो। अगर यह डर रहे कि घर न जाने कब गिर पड़ेगा, तो ऐसे घर में कौन रहेगा? उससे तो रूख की छाँह ही कहीं अच्छी। कल न जाने कहाँ बैठा गाता-बजाता रहा। दस बजे रात को घर आया। मैं रात-भर उससे बोली नहीं। लगा पैरों पड़ने, घिघियाने, तब मुझे दया आ गयी! यही मुझमें एक बुराई है। मुझसे उसकी रोनी सूरत नहीं देखी जाती। इसी से वह कभी-कभी बहक जाता हैं; पर अब मैं पक्की हो गयी हूँ, फिर किसी दिन झगड़ा किया तो या वही रहेगा, या मैं ही रहूँगी। क्यों किसी की धौंस सहूँ सरकार! जो बैठकर खाये, वह धौंस सहे! यहाँ तो बराबर की कमाई करती हूँ।

वसुधा ने उसी गम्भीर भाव से फिर पूछा—अगर वह तुझे बिठाकर खिलाता, तब तो उसकी धौंस सहती?

मुनिया जैसे लड़ने पर उतारू हो गयी। बोली—बैठाकर कोई क्या खिलायेगा सरकार? मर्द बाहर काम करता है, तो हम भी घर में काम करती हैं, कि घर के काम में कुछ लगता ही नहीं? बाहर के काम से तो रात को छुट्टी मिल जाती है। घर के काम से तो रात को भी छुट्टी नहीं मिलती। पुरुष यह चाहे कि मुझे घर में बैठाकर आप सैर-सपाटा करे, तो मुझसे तो न सहा जाय। यह कहती हुई मुनिया राजकुमार को लिये हुए बाहर चली गयी।

वसुधा ने थकी हुई, रुआँसी आँखों से खिड़की की ओर देखा। बाहर हरा-भरा बाग़ था, जिसके रंग-बिरंगे फूल यहाँ से साफ़ नज़र आ रहे थे और पीछे

एक विशाल मन्दिर आकाश में अपना सुनहला मस्तक उठाए, सूर्य से आँखें मिला रहा था। स्त्रियाँ रंग-बिरंगे वस्त्राभूषण पहने पूजन करने आ रही थीं। मन्दिर के दाहिनी तरफ़ तालाब में कमल प्रभात के सुनहले आनन्द से मुस्करा रहे थे और कार्तिक की शीतल रवि-छवि जीवन-ज्योति लुटाती फिरती थी, पर प्रकृति की वह सुरम्य शोभा वसुधा को कोई हर्ष न प्रदान कर सकी। उसे जान पड़ा, प्रकृति उसकी दशा पर व्यंग्य से मुस्करा रही है। उसी सरोवर के तट पर केवट का एक टूटा-फूटा झोंपड़ा किसी अभागिन वृद्धा की भाँति रो रहा था। वसुधा की आँखें सजल हो गयीं। पुष्प और उद्यान के मध्य में खड़ा वह सूना झोंपड़ा उसके विलास और ऐश्वर्य से घिरे हुए मन का सजीव चित्र था। उसके जी में आया, जाकर झोपड़े के गले लिपट जाऊँ और ख़ूब रोऊँ!

वसुधा को इस घर में आये पाँच वर्ष हो गये। पहले उसने अपने भाग्य को सराहा था। माता-पिता के छोटे-से कच्चे आनन्दहीन घर को छोड़कर वह एक विशाल भवन में आयी थी, जहाँ सम्पत्ति उसके पैरों को चूमती हुई जान पड़ती थी। उस समय सम्पत्ति ही उसकी आँखों में सब कुछ थी। पति-प्रेम गौण-सी वस्तु थी; पर उसका लोभी मन सम्पत्ति पर सन्तुष्ट न रह सका; पति-प्रेम के लिए हाथ फैलाने लगा। कुछ दिनों में उसे मालूम हुआ, मुझे प्रेम रत्न भी मिल गया; पर थोड़े ही दिनों में यह भ्रम जाता रहा। कुँवर गजराजसिंह रूपवान थे, उदार थे, बलवान् थे, शिक्षित थे, विनोदप्रिय थे, और प्रेम का अभिनय करना जानते थे; पर उनके जीवन में प्रेम से कम्पित होनेवाला तार न था। वसुधा का खिला हुआ यौवन और देवताओं को लुभानेवाला रूप-रंग केवल विनोद का सामान था। घुड़दौड़ और शिकार, सट्टे और मकार जैसे सनसनी पैदा करनेवाले मनोरंजन में प्रेम दबकर पीला और निर्जीव हो गया था और प्रेम से वंचित होकर वसुधा की प्रेम-तृष्णा अब अपने भाग्य को रोया करती थी। दो पुत्र-रत्न पाकर भी वह सुखी न थी। कुँवर साहब, एक महीने से ज़्यादा हुआ, शिकार खेलने गये और अभी तक लौटकर नहीं आये। और यह ऐसा पहला ही अवसर न था। हाँ, अब उनकी अवधि बढ़ गयी थी। पहले वह एक सप्ताह में लौट आते थे, फिर दो सप्ताह का नम्बर चला और अब कई बार से एक-एक महीने में ख़बर लेने लगे। साल में तीन-चार महीने शिकार की भेंट हो जाते थे। शिकार से लौटते तो घुड़दौड़ का राग छिड़ता। कभी मेरठ, कभी पूना, कभी बम्बई, कभी कलकत्ता। घर पर कभी रहते, तो अधिकतर लम्पट रईसजादों के साथ गप्पें उड़ाया करते। पति के यह रंग-ढंग देखकर वसुधा मन-ही-मन कुढ़ती और घुलती जाती थी। कुछ दिनों से हल्का-हल्का ज्वर भी रहने लगा था।

वसुधा बड़ी देर तक बैठी उदास आँखों से यह दृश्य देखती रही। फिर टेलीफ़ोन पर आकर उसने रियासत के मैनेजर से पूछा—कुँवर साहब का कोई पत्र आया?

फ़ोन ने जवाब दिया—जी हाँ, अभी ख़त आया है। कुँवर साहब ने एक बहुत बड़े शेर को मारा है।

वसुधा ने जलकर कहा—मैं यह नहीं पूछती! आने को कब लिखा है?

'आने के बारे में तो कुछ नहीं लिखा।'

'यहाँ से उनका पड़ाव कितनी दूर है?'

'यहाँ से! दो सौ मील से कम न होगा। पीलीभीत के जंगलों में शिकार हो रहा है।'

'मेरे लिए दो मोटरों का इंतज़ाम कर दीजिए। मैं आज वहाँ जाना चाहती हूँ।'

फ़ोन ने कई मिनट के बाद जवाब दिया—एक मोटर तो वे साथ ले गये हैं। एक हाकिम ज़िला के बँगले पर भेज दी गयी, तीसरी बैंक के मैनेजर की सवारी में। चौथी की मरम्मत हो रही है।

वसुधा का चेहरा क्रोध से तमतमा उठा। बोली—किसके हुक्म से बैंक के मैनेजर और हाकिम ज़िला को मोटरें भेजी गईं? आप दोनों मँगवा लीजिए। मैं आज ज़रूर जाऊँगी।

'उन दोनों साहबों के पास हमेशा मोटरें भेजी जाती रही हैं, इसलिए मैंने भेज दीं। अब आप हुक्म दे रही हैं, तो मँगवा लूँगा।'

वसुधा ने फ़ोन से आकर सफ़र का सामान ठीक करना शुरू किया। उसने उसी आवेश में आकर अपना भाग्य-निर्णय करने का निश्चय कर लिया था। परित्यक्ता की भाँति पड़ी रहकर वह जीवन समाप्त न करना चाहती थी। वह जाकर कुँवर साहब से कहेगी, अगर आप यह समझते हैं कि मैं आपकी सम्पत्ति की लौंडी बनकर रहूँ, तो यह मुझसे न होगा। आपकी सम्पत्ति आपको मुबारक हो! मेरा अधिकार आपकी सम्पत्ति पर नहीं, आपके ऊपर है। अगर आप मुझसे जौ-भर हटना चाहते हैं, तो मैं आपसे हाथ-भर हट जाऊँगी। इस तरह की और कितनी ही विराग-भरी बातें उसके मन में बगूलों की भाँति उठ रही थीं।

डॉक्टर साहब ने द्वार पर पुकारा—मैं अन्दर आऊँ?

वसुधा ने नम्रता से कहा—आज क्षमा कीजिए, मैं ज़रा पीलीभीत जा रही हूँ।

डॉक्टर ने आश्चर्य से कहा—आप पीलीभीत जा रही हैं। आपका ज्वर बढ़ जायेगा। इस दशा में मैं आपको जाने की सलाह न दूँगा।

वसुधा ने विरक्त स्वर में कहा—बढ़ जायेगा, बढ़ जाय; मुझे इसकी चिन्ता नहीं है।

वृद्ध डॉक्टर परदा उठाकर अन्दर आ गया और वसुधा के चेहरे की ओर ताकता हुआ बोला—लाइए, मैं टेम्परेचर ले लूँ। अगर टेम्परेचर बढ़ा होगा, तो मैं आपको हरगिज़ न जाने दूँगा।

'टेम्परेचर लेने की ज़रूरत नहीं। मेरा इरादा पक्का हो गया है।'

'स्वास्थ्य पर ध्यान रखना आपका पहला कर्तव्य है।'

वसुधा ने मुस्कराकर कहा—आप निश्चिन्त रहिए, मैं इतनी जल्द मरी नहीं जा रही हूँ। फिर अगर किसी बीमारी की दवा मौत ही हो, तो आप क्या करेंगे?

डॉक्टर ने दो-एक बार और आग्रह किया, फिर विस्मय से सिर हिलाता चला गया।

2

रेलगाड़ी से जाने में आख़िरी स्टेशन से दस कोस तक जंगली सुनसान रास्ता तय करना पड़ता था, इसलिए कुँवर साहब बराबर मोटर पर ही जाते थे। वसुधा ने भी उसी मार्ग से जाने का निश्चय किया। दस बजते-बजते दोनों मोटरें आयीं। वसुधा ने ड्राइवरों पर ग़ुस्सा उतारा—अब मेरे हुक्म के बग़ैर कहीं मोटर ले गये, तो मोटर

का किराया तुम्हारी तलब से काट लूँगी। अच्छी दिल्लगी है! घर की रोयें; बन की खायें! हमने अपने आराम के लिए मोटरें रखी हैं, किसी की ख़ुशामद करने के लिए नहीं। जिसे मोटर पर सवार होने का शौक हो, मोटर ख़रीदे। यह नहीं कि हलवाई की दूकान देखी और दादे का फ़ातिहा पढ़ने बैठ गये।

वह चली, तो दोनों बच्चे कुनमुनाये; मगर जब मालूम हुआ कि अम्माँ बड़ी दूर कौवा को मारने जा रही हैं तो उनका यात्रा-प्रेम ठंडा पड़ा। वसुधा ने आज सुबह से उन्हें प्यार न किया था। उसने जलन में सोचा—मैं ही क्यों इन्हें प्यार करूँ, क्या मैंने ही इनका ठेका लिया है! वह तो वहाँ जाकर चैन करें और मैं यहाँ इन्हें छाती से लगाये बैठी रहूँ, लेकिन चलते समय माता का हृदय पुलक उठा। दोनों को बारी-बारी से गोद में लिया, चूमा, प्यार किया और घंटे-भर में लौट आने का वचन देकर वह सजल नेत्रों के साथ घर से निकली। मार्ग में भी उसे बच्चों की याद बार-बार आती रही। रास्ते में कोई गाँव आ जाता और छोटे-छोटे बालक मोटर की दौड़ देखने के लिए घरों से निकल आते और सड़क पर खड़े होकर तालियाँ बजाते हुए मोटर का स्वागत करते, तो वसुधा का जी चाहता, इन्हें गोद में उठाकर प्यार कर लूँ। मोटर जितने वेग से जा रही थी, उतने ही वेग से उसका मन सामने के वृक्ष-समूहों के साथ पीछे की ओर उड़ा जा रहा था। कई बार इच्छा हुई, घर लौट चलूँ। जब उन्हें मेरी रत्ती भर परवाह नहीं है तो मैं ही क्यों उनकी फ़िक्र में प्राण दूँ? जी चाहे आयें, या न आयें; लेकिन एक बार पति से मिलकर उनसे खरी-खरी बात करने के प्रलोभन को वह न रोक सकी। सारी देह थककर चूर-चूर हो रही थी, ज्वर भी हो आया था, सिर पीड़ा से फटा पड़ता था; पर वह संकल्प से सारी बाधाओं को दबाये आगे बढ़ती जाती थी! यहाँ तक कि जब वह दस बजे रात को जंगल के उस डाक-बँगले में पहुँची, तो उसे तन-बदन की सुधि न थी, ज़ोर का ज्वर चढ़ा हुआ था।

3

शोफ़र की आवाज़ सुनते ही कुँवर साहब निकल आये और पूछा—तुम यहाँ कैसे आये जी? कुशल तो है?

शोफ़र ने समीप आकर कहा—रानी साहब आयी हैं हुज़ूर! रास्ते में बुख़ार हो आया। बेहोश पड़ी हुई हैं।

कुँवर साहब ने वहीं खड़े, कठोर स्वर में पूछा—तो तुम उन्हें वापस क्यों न ले गये? क्या तुम्हें मालूम नहीं था, यहाँ कोई वैद्य-हकीम नहीं है?

शोफ़र ने सिटपिटाकर जवाब दिया—हुज़ूर वह किसी तरह मानती ही न थीं, तो मैं क्या करता?

कुँवर साहब ने डाँटा—चुप रहो जी, बातें न बनाओ! तुमने समझा होगा, शिकार की बहार देखेंगे और पड़े-पड़े सोयेंगे। तुमने वापस चलने को कहा ही न होगा।

शोफ़र—वह मुझे डाँटती थीं हुज़ूर!

'तुमने कहा था?'

'मैंने कहा तो नहीं हुज़ूर?'

'बस तो चुप रहो। मैं तुमको ख़ूब पहचानता हूँ। तुम्हें मोटर लेकर इसी वक़्त लौटना पड़ेगा। और कौन-कौन साथ हैं?'

शोफ़र ने दबी हुई आवाज में कहा—एक मोटर पर बिस्तर और कपड़े हैं। एक पर ख़ुद रानी साहब हैं।

'यानी और कोई साथ नहीं है?'

'हुजूर! मैं तो हुक्म का ताबेदार हूँ।'

'बस, चुप रहो!'

'यों झल्लाते हुए कुँवर साहब वसुधा के पास गये और आहिस्ता से पुकारा। जब कोई जवाब न मिला, तो उन्होंने धीरे से उसके माथे पर हाथ रखा। सिर गर्म तवा हो रहा था। उस ताप ने मानो उनकी सारी क्रोध-ज्वाला को खींच लिया। लपककर बँगले में आये, सोये हुए आदमियों को जगाया, पलंग बिछवाया, अचेत वसुधा को गोद में उठाकर कमरे में लाये और लिटा दिया। फिर उसके सिरहाने खड़े होकर उसे व्यथित नेत्रों से देखने लगे। उस धूल से भरे मुख-मंडल और बिखरे हुए रज-रंजित केशों में आज उन्होंने आग्रहमय प्रेम की झलक देखी। अब तक उन्होंने वसुधा को विलासिनी के रूप में देखा था, जिसे उनके प्रेम की परवाह न थी, जो अपने बनाव-सिंगार ही में मगन थी, आज धूल के पाउडर और पोमेड में वह उसके नारीत्व का दर्शन कर रहे थे। उसमें कितना आग्रह था। कितनी लालसा थी, अपनी उड़ान के आनंद में डूबी हुई; अब वह पिंजरे के द्वार पर आकर पंख फड़फड़ा रही थी। पिंजरे का द्वार खुलकर क्या उसका स्वागत न करेगा?

रसोइए ने पूछा—क्या सरकार अकेले आयी हैं?

कुँवर साहब ने कोमल कंठ से कहा—हाँ जी, और क्या। इतने आदमी हैं, किसी को साथ न लिया। आराम से रेलगाड़ी से आ सकती थीं। यहाँ से मोटर भेज दी जाती। मन ही तो है। कितने ज़ोर का बुख़ार है कि हाथ नहीं रखा जाता। ज़रा-सा पानी गर्म करो और देखो, कुछ खाने को बना लो।

रसोइए ने ठकुरसोहाती की—सौ कोस की दौड़ बहुत होती है सरकार! सारा दिन बैठे-बैठे बीत गया।

कुँवर साहब ने वसुधा के सिर के नीचे तकिया सीधा करके कहा—कचूमर तो हम लोगों का निकल जाता है। दो दिन तक कमर नहीं सीधी होती, फिर इनकी क्या बात है। ऐसी बेहूदा सड़क दुनिया में न होगी।

यह कहते हुए उन्होंने एक शीशी से तेल निकाला और वसुधा के सिर में मलने लगे।

4

वसुधा का ज्वर इक्कीस दिन तक न उतरा। घर के डॉक्टर आये। दोनों बालक, मुनिया, नौकर-चाकर, सभी आ गये। जंगल में मंगल हो गया।

वसुधा खाट पर पड़े-पड़े कुँवर साहब की शुश्रुषा में अलौकिक आनंद और संतोष का अनुभव किया करती। वह दोपहर दिन चढ़े तक सोने के आदी थे, कितने सवेरे उठते, उसके पथ्य और आराम की ज़रा-ज़रा-सी बातों का कितना ख़याल रखते। ज़रा देर के लिए स्नान और भोजन करने जाते, फिर आकर बैठ जाते। एक तपस्या-सी कर रहे थे। उनका स्वास्थ्य बिगड़ता जाता था, चेहरे पर वह स्वास्थ्य की लाली न थी। कुछ व्यस्त-से रहते थे।

एक दिन वसुधा ने कहा—तुम आजकल शिकार खेलने क्यों नहीं जाते? मैं

तो शिकार खेलने ही आयी थी; मगर न जाने किस बुरी साइत से चली कि तुम्हें इतनी तपस्या करनी पड़ गयी। अब मैं बिल्कुल अच्छी हूँ। ज़रा आयीने में अपनी सूरत तो देखो!

कुँवर साहब को इतने दिनों शिकार का कभी ध्यान ही न आया था। इसकी चर्चा ही न होती थी। शिकारियों का आना-जाना, मिलना-जुलना बंद था। एक बार साथ के एक शिकारी ने किसी शेर का ज़िक्र किया था। कुँवर साहब ने उसकी ओर कुछ ऐसी कड़वी आँखों से देखा कि वह सूख-सा गया। वसुधा के पास बैठने, उससे कुछ बातें करने, उसका मन बहलाने, दवा और पथ्य बनाने में उन्हें आनंद मिलता था। उनका भोग-विलास, जीवन के इस कठोर व्रत में जैसे बुझ गया। वसुधा की एक हथेली पर अँगुलियों से रेखा खींचने में मग्न थे। शिकार की बात किसी और के मुँह से सुनी होती, तो फिर उन्हीं आग्नेय नेत्रों से देखते। वसुधा के मुँह से यह चर्चा सुनकर उन्हें दुःख हुआ। वह उन्हें इतना शिकार का आसक्त समझती है! अमर्ष भरे स्वर में बोले—हाँ, शिकार खेलने का इससे अच्छा और कौन अवसर मिलेगा।

वसुधा ने आग्रह किया—मैं तो अब अच्छी हूँ, सच! देखो (आयीने की ओर दिखाकर) मेरे चेहरे पर पीलापन नहीं रहा। तुम अलबत्ता बीमार-से होते जा रहे हो। ज़रा मन बहल जायेगा। बीमार के पास बैठने से आदमी सचमुच बीमार हो जाता है।

वसुधा ने तो साधारण-सी बात कही थी; पर कुँवर साहब के हृदय पर वह चिनगारी के सामान लगी। इधर वह अपने शिकार के ख़ब्त पर कई बार पछता चुके थे। अगर वह शिकार के पीछे यों न पड़ते, तो वसुधा यहाँ क्यों आती और क्यों बीमार पड़ती? उन्हें मन-ही-मन इसका बड़ा दुःख था। इस वक़्त कुछ न बोले। शायद कुछ बोला ही न गया। फिर वसुधा की हथेली पर रेखाएँ बनाने लगे।

वसुधा ने उसी सरल भाव से कहा—अब की तुमने क्या-क्या तोहफ़े जमा किये, ज़रा मँगाओ, देखूँ। उनमें से जो सबसे अच्छा होगा, उसे मैं ले लूँगी। अबकी मैं भी तुम्हारे साथ शिकार खेलने चलूँगी। बोलो, मुझे ले चलोगे न? मैं मानूँगी नहीं। बहाने मत करने लगना।

अपने शिकारी तोहफ़े दिखाने का कुँवर साहब को मरज था। सैकड़ों ही खालें ज़मा कर रखी थीं। उनके कई कमरों में फ़र्श, गद्दे, कोच, कुर्सियाँ, मोढ़े सब खालों ही के थे। ओढ़ना और बिछौना भी खालों ही का था। बाघम्बरों के कई सूट बनवा रखे थे। शिकार में वही सूट पहनते थे। अबकी भी बहुत से सींग, सिर, पंजे, खालें जमा कर रखी थीं। वसुधा का इन चीजों से अवश्य मनोरंजन होगा। यह न समझे कि वसुधा ने सिंहद्वार से प्रवेश न पाकर चोर दरवाज़े से घुसने का प्रयत्न किया है। जाकर वह चीज़ें उठवा लाये; लेकिन आदमियों को परदे की आड़ में खड़ा करके पहले अकेले ही उसके पास गये! डरते थे, कहीं मेरी उत्सुकता वसुधा को बुरी न लगे।

वसुधा ने उत्सुक होकर पूछा—चीज़ें लाये?

'लाया हूँ, मगर कहीं डॉक्टर साहब न आ जायें।'

'डॉक्टर ने पढ़ने-लिखने को मना किया था।'

तोहफ़े लाये गये। कुँवर साहब एक-एक चीज निकालकर दिखाने लगे। वसुधा के चेहरे पर हर्ष की ऐसी लाली हफ़्तों से न दिखी थी, जैसे कोई बालक तमाशा देखकर मगन हो रहा हो। बीमारी के बाद हम बच्चों की तरह ज़िद्दी, उतने ही आतुर,

उतने ही सरल हो जाते हैं। जिन किताबों में कभी मन न लगा हो, वह बीमारी के बाद पढ़ी जाती हैं। वसुधा जैसे उल्लास की गोद में खेलने लगी। शेरें की खालें थीं, बाघों की, मृगों की, शूकरों की। वसुधा हर खाल को नयी उमंग से देखती, जैसे बायस्कोप के एक चित्र के बाद दूसरा आ रहा हो, कुँवर साहब एक-एक तोहफ़े का इतिहास सुनाने लगे। यह जानवर कैसे मारा गया, उसके मारने में क्या-क्या बाधाएँ पड़ीं, क्या-क्या उपाय करने पड़े, पहले कहाँ गोली लगी आदि। वसुधा हरेक की कथा आँखें फाड़-फाड़कर सुन रही थी। इतनी सजीवता, स्फूर्ति, आनन्द उसे आज तक किसी कविता, संगीत या आमोद में भी न मिला था। सबसे सुन्दर एक सिंह की खाल थी। यही उसने छाँटी!

कुँवर साहब की यह सबसे बहुमूल्य वस्तु थी। इसे अपने कमरे में लटकाने को रखे हुए थे। बोले—तुम बाघम्बरों में से कोई ले लो। यह तो कोई अच्छी चीज़ नहीं है।

वसुधा ने खाल को अपनी ओर खींचकर कहा—रहने दीजिए अपनी सलाह। मैं ख़राब ही लूँगी।

कुँवर साहब ने जैसे अपनी आँखों से आँसू पोंछकर कहा—तुम वही ले लो, मैं तो तुम्हारे ख़याल से कह रहा था। मैं फिर वैसे ही मार लूँगा।

'तो तुम मुझे चकमा क्यों देते थे?'

'चकमा कौन देता था?'

'अच्छा खाओ मेरे सिर की क़सम, कि यह सबसे सुन्दर खाल नहीं है?' कुँवर साहब ने हार की हँसी हँसकर कहा—क़सम क्यों खाएँ, इस एक खाल के लिए? ऐसी-ऐसी एक लाख खालें हों, तो तुम्हारे ऊपर न्योछावर कर दूँ।

जब शिकारी सब खालें लेकर चला गया, तो कुँवर साहब ने कहा—मैं इस खाल पर काले ऊन से अपना समर्पण लिखूँगा।

वसुधा ने थकान से पँलग पर लेटते हुए कहा—अब मैं भी शिकार खेलने चलूँगी।

फिर वह सोचने लगी, वह भी कोई शेर मारेगी और उसकी खाल पतिदेव को भेंट करेगी। उस पर लाल ऊ से लिखा जायेगा—प्रियतम!

जिस ज्योति के मंद पड़ जाने से हरेक व्यापार, हरेक व्यंजन पर अंधकार-सा छा गया था, वह ज्योति अब प्रदीप्त होने लगी थी।

5

शिकारों का वृत्तांत सुनने की वसुधा को चाट-सी पड़ गयी। कुँवर साहब को कई-कई बार अपने अनुभव सुनाने पड़े। उसका सुनने से जी ही न भरता था। अब तक कुँवर साहब का संसार अलग था, जिसके दुःख-सुख, हानि-लाभ, आशा-निराशा से वसुधा को कोई सरोकार न था। वसुधा को इस संसार के व्यापार से कोई रुचि न थी, बल्कि अरुचि थी। कुँवर साहब इस पृथक् संसार की बातें उससे छिपाते थे; पर अब वसुधा उनके इस संसार में एक उज्ज्वल प्रकाश, एक वरदानोंवाली देवी के समान हो गयी थी।

एक दिन वसुधा ने आग्रह किया—मुझे बंदूक़ चलाना सिखा दो।

डॉक्टर साहब की अनुमति मिलने में विलम्ब न हुआ। वसुधा स्वस्थ हो गयी

थी। कुँवर साहब ने शुभ मुहुर्त में उसे दीक्षा दी। उस दिन से जब देखो, वृक्षों की छाँह में खड़ी निशाने का अभ्यास कर रही है और कुँवर साहब खड़े उसकी परीक्षा ले रहे हैं।

जिस दिन उसने पहली चिड़िया मारी, कुँवर साहब हर्ष से उछल पड़े। नौकरों को इनाम दिये गये; ब्राह्मणों को दान दिया गया। इस आनंद की शुभ स्मृति में उस पक्षी की ममी बनाकर रखी गयी।

वसुधा के जीवन में अब एक नया उत्साह, एक नया उल्लास, एक नयी आशा थी। पहले की भाँति उसका वंचित हृदय अशुभ कल्पनाओं से त्रस्त न था। अब उसमें विश्वास था, बल था, अनुराग था।

6

कई दिनों के बाद वसुधा की साध पूरी हुई। कुँवर साहब उसे साथ लेकर शिकार खेलने पर राजी हुए और शिकार था शेर का और शेर भी वह, जिसने इधर एक महीने से आसपास के गाँवों में तहलका मचा दिया था।

चारों तरफ़ अंधकार था, ऐसा सघन कि पृथ्वी उसके भार से कराहती हुई जान पड़ती थी। कुँवर साहब और वसुधा एक ऊँचे मचान पर बंदूकें लिए दम साधे बैठे हुए थे। यह भयंकर जंतु था। अभी पिछली रात को वह एक सोते हुए आदमी को खेत में मचान पर से खींचकर ले भागा था। उसकी चालाकी पर लोग दाँतों तले अँगुली दबाते थे। मचान इतना ऊँचा था कि शेर उछलकर न पहुँच सकता था। हाँ, उसने यह देख लिया कि वह आदमी मचान पर बाहर की तरफ़ सिर किये सो रहा था। दुष्ट को एक चाल सूझी। वह पास के गाँव में गया और वहाँ से एक लम्बा बाँस उठा लाया। बाँस के एक सिरे को उसने दाँतों से कुचला और जब उसकी कूँची-सी बन गयी, तो उसे न जाने अगले पंजों या दाँतों से उठाकर सोनेवाले आदमी के बालों में फिराने लगा। वह जानता था, बाल बाँस के रेशों में फँस जाएँगे। एक झटके में वह अभागा आदमी नीचे आ रहा। इसी मानुस-भक्षी शेर की घात में दोनों शिकारी बैठे हुए थे। नीचे कुछ, दूर पर भैंसा बाँध दिया गया था और शेर के आने की रहा देखी जा रही थी। कुँवर साहब शांत थे; पर वसुधा की छाती धड़क रही थी। जरा-सा पत्ता भी खड़कता तो वह चौंक पड़ती और बंदूक़ सीधी करने के बदले चौंककर कुँवर साहब से चिमट जाती। कुँवर साहब बीच-बीच में उसको हिम्मत बँधाते जाते थे।

'ज्यों ही भैंसे पर आया, मैं उसका काम तमाम कर दूँगा। तुम्हारी गोली की नौबत ही न आने पायेगी।'

वसुधा ने सिहरकर कहा—और जो कहीं निशाना चूक गया तो उछलेगा?

'तो फिर दूसरी गोली चलेगी। तीनों बन्दूक़े तो भरी तैयार रखी हैं। तुम्हारा जी घबड़ाता तो नहीं?'

'बिलकुल नहीं। मैं तो चाहती हूँ, पहला मेरा निशाना होता।'

पत्ते खड़खड़ा उठे। वसुधा चौंककर पति के कंधों से लिपट गयी। कुँवर साहब ने उसकी गर्दन में हाथ डालकर कहा—दिल मज़बूत करो प्रिये! वसुधा ने लज्जित होकर कहा—नहीं-नहीं, मैं डरती नहीं, ज़रा चौंक पड़ी थी?

सहसा भैंसे के पास दो चिनगारियाँ-सी चमक उठीं। कुँवर साहब ने धीरे

से वसुधा का हाथ दबाकर शेर के आने की सूचना दी और सतर्क हो गये। जब शेर भैंसे पर आ गया, तो उन्होंने निशाना मारा। खाली गया। दूसरा फैर किया, शेर जख़्मी तो हुआ, पर गिरा नहीं। क्रोध से पागल होकर इतने ज़ोर से गरजा कि वसुधा का कलेजा दहल उठा। कुँवर साहब तीसरा फैर करने जा रहे थे कि शेर ने मचान पर जस्त मारी। उसके अगले पंजों के धक्के से मचान ऐसा हिला कि कुँवर साहब हाथ में बंदूक़ लिए झोंके से नीचे गिर पड़े। कितना भीषण अवसर था! अगर एक पल का भी विलम्ब होता, तो कुँवर साहब की ख़ैरियत न थी। शेर की जलती हुई आँखें वसुधा के सामने चमक रही थीं। उसकी दुर्गन्धमय साँस देह में लग रही थी। हाँथ-पाँव फूले हुए थे। आखें भीतर को सिकुड़ी जा रही थीं; पर इस ख़तरे ने जैसे उसकी नाड़ियों में बिजली भर दी। उसने अपनी बंदूक़ सँभाली। शेर के और उसके बीच में दो हाथ से ज़्यादा अंतर न था। वह उचककर आना ही चाहता था वसुधा ने बंदूक़ की नली उसकी आँखों में डालकर बंदूक़ छोड़ी। धायँ! शेर के पंजे ढीले पड़े। नीचे गिर पड़ा। अब समस्या और भीषण थी। शेर से तीन ही चार कदम पर कुँवर साहब गिरे थे। शायद चोट ज़्यादा आयी हो। शेर में अगर अभी दम है, तो वह उन पर ज़रूर वार करेगा। वसुधा के प्राण आँखों में थे और बल कलाइयों में। इस वक़्त कोई उसकी देह में भाला भी चुभा देता, तो उसे ख़बर न होती। वह अपने होश में न थी। उसकी मूर्च्छा ही चेतना का काम कर रही थी। उसने बिजली की बत्ती जलायी। देखा, शेर उठने की चेष्टा कर रहा है। दूसरी गोली सिर पर मारी और उसके साथ ही रिवाल्वर लिये नीचे कूदी। शेर ज़ोर से गुर्राया, वसुधा ने उसके मुँह के सामने रिवाल्वर खाली कर दिया। कुँवर साहब सँभलकर खड़े हो गये। दौड़कर उसे छाती से चिपटा लिया। अरे! यह क्या! वसुधा बेहोश थी। भय उसके प्राणों को मुट्ठी में लिये उसकी आत्म-रक्षा कर रहा था। भय के शांत होते ही मूर्च्छा आ गयी।

7

तीन घंटे के बाद वसुधा की मूर्च्छा टूटी। उसकी चेतना अब भी उसी भयप्रद परिस्थितियों में विचर रही थी। उसने धीरे से डरते-डरते आँखें खोलीं। कुँवर साहब ने पूछा—'कैसा जी है प्रिये?'

वसुधा ने उनकी रक्षा के लिए दोनों हाथों का घेरा बनाते हुए कहा—वहाँ से हट जाओ। ऐसा न हो, झपट पड़े।

कुँवर साहब ने हँसकर कहा—शेर कब का ठंडा हो गया। वह बरामदे में पड़ा है। ऐसे डील-डौल का, और इतना भयंकर शेर मैंने नहीं देखा।

वसुधा—तुम्हें चोट तो नहीं आयी?

कुँवर—बिलकुल नहीं। तुम कूद क्यों पड़ीं? पैरों में बड़ी चोट आयीं होगी। तुम कैसे बचीं, यह आश्चर्य है। मैं तो इतनी ऊँचाई से कभी न कूद सकता।

वसुधा ने चकित होकर कहा—मैं! मैं कहाँ कूदी? शेर मचान पर आया, इतना याद है। इसके बाद क्या हुआ, मुझे कुछ याद नहीं।

कुँवर को भी विस्मय हुआ—वाह! तुमने उस पर दो गोलियाँ चलायीं। जब वह नीचे गिरा, तो तुम भी कूद पड़ीं और उसके मुँह में रिवाल्वर की नली ठूँस दी, बस, वहीं ठंडा हो गया। बड़ा बेहया जानवर था। अगर तुम चूक जातीं, तो

वह नीचे आते ही मुझ पर ज़रूर चोट करता। मेरे पास तो छुरी भी न थी। बंदूक़ हाथ से छूटकर दूसरी तरफ़ गिर गयी थी। अँधेरे में कुछ सुझाई न देता था। तुम्हारे ही प्रसाद से इस वक़्त मैं यहाँ खड़ा हूँ। तुमने मुझे प्राणदान दिया।

दूसरे दिन प्रातःकाल यहाँ से कूच हुआ।

जो घर वसुधा को फाड़े खाता था, उसमें आज जाकर ऐसा आनंद आया, जैसे किसी बिछुड़े मित्र से मिली हो। हरेक वस्तु उसका स्वागत करती हुई मालूम होती थी। जिन नौकरों और लौंडियों से वह महीनों से सीधे मुँह न बोली थी, उनसे वह आज हँस-हँसकर कुशल पूछती और गले मिलती थी, जैसे अपनी पिछली रुखाइयों की पटौती कर रही हो।

संध्या का सूर्य, आकाश के स्वर्ण-सागर में अपनी नौका खेता हुआ चला जा रहा था। वसुधा खिड़की के सामने कुरसी पर बैठकर सामने का दृश्य देखने लगी। उस दृश्य में आज जीवन था, विकास था, उन्माद था। केवट का वह सूना झोंपड़ा भी आज कितना सुहावना लग रहा था। प्रकृति में मोहनी भरी हुई थी।

मन्दिर के सामने मुनिया राजकुमारों को खिला रही थी। वसुधा के मन में आज कुलदेव के प्रति श्रद्धा जागृत हुई, जो बरसों से पड़ी सो रही थी। उसने पूजा के सामान मँगवाये और पूजा करने चली। आनंद से भरे भंडार से अब वह दान भी कर सकती थी। जलते हुए हृदय से ज्वाला के सिवा और क्या निकलती!

उसी वक़्त कुँवर साहब आकर बोले—अच्छा, पूजा करने जा रही हो। मैं भी वहीं जा रहा था। मैंने एक मनौती मान रखी है।

वसुधा ने मुस्कराती हुई आँखों से पूछा—कैसी मनौती है?

कुँवर साहब ने हँसकर कहा—यह न बताऊँगा।

❑❑❑

सुभागी

और लोगों के यहाँ चाहे जो होता हो, तुलसी महतो अपनी लड़की सुभागी को लड़के रामू से जौ-भर भी कम प्यार न करते थे। रामू जवान होकर भी कुछ काठ का उल्लू था। सुभागी ग्यारह साल की बालिका होकर भी घर के काम में इतनी चतुर और खेती-बारी के काम में इतनी निपुण थी कि उसकी माँ लक्ष्मी दिल में डरती रहतीं कि कहीं लड़की पर देवताओं की आँख न पड़ जाय। अच्छे बालकों से भगवान् को भी तो प्रेम है। कोई सुभागी का बखान न करे, इसलिए वह अनायास ही उसे डाँटती रहती थीं। बखान से बच्चे बिगड़ जाते हैं, यह भय तो न था, भय था—नज़र का! वही सुभागी आज ग्यारह साल की उम्र में विधवा हो गयी।

घर में कुहराम मचा हुआ था। लक्ष्मी पछाड़ खाती थी। तुलसी सिर पीटते थे। उन्हें रोते देख, सुभागी भी रोती थी। बार-बार माँ से पूछती—क्यों रोती हो अम्माँ, मैं तुम्हें छोड़कर कहीं न जाऊँगी, तुम क्यों रोती हो?' उसकी भोली बातें सुनकर माता का दिल और भी फटा जाता था। वह सोचती थी—ईश्वर, तुम्हारी यही लीला है! जो खेल खेलते हो, वह दूसरों को दुःख देकर! ऐसा तो पागल करते हैं। आदमी पागलपन करे, तो उसे पागलखाने में भेजते हैं; मगर तुम जो पागलपन करते हो, उसका कोई दण्ड नहीं। ऐसा खेल किस काम का कि दूसरे रोयें और तुम हँसो। तुम्हें लोग दयालु कहते हैं। यही तुम्हारी दया है?

और सुभागी क्या सोच रही थी? उसके पास कोठरी-भर रुपये होते, तो वह उन्हें छिपाकर रख देती। फिर एक दिन चुपके से बाजार चली जाती और अम्माँ के लिए अच्छे-अच्छे कपड़े लाती; दादा, जब बाक़ी माँगने आते, तो चट रुपये निकालकर दे देती. अम्माँ-दादा कितने ख़ुश होते!

2

जब सुभागी जवान हुई तो लोग तुलसी महतो पर दबाव डालने लगे कि लड़की का कहीं घर कर दो। जवान लड़की का यों फिरना ठीक नहीं। जब हमारी बिरादरी में इसकी कोई निंदा नहीं है, तो क्यों सोच-विचार करते हो?

तुलसी ने कहा—'भाई, मैं तो तैयार हूँ; लेकिन जब सुभागी भी माने। यह तो किसी तरह राजी नहीं होती।'

हरिहर ने सुभागी को समझाकर कहा—'बेटी, हम तेरे ही भले की कहते हैं। माँ-बाप अब बूढ़े हुए, उनका क्या भरोसा? तुम इस तरह कब तक बैठी रहोगी?'

सुभागी ने सिर झुकाकर कहा—'चाचा, मैं तुम्हारी बात समझ रही हूँ, लेकिन मेरा मन घर करने को नहीं कहता। मुझे आराम की चिन्ता नहीं है। मैं सब कुछ झेलने को तैयार हूँ। और जो काम तुम कहो, वह सिर आँखों के बल करूँगी; मगर घर बसाने को मुझसे न कहो। जब मेरी चाल-कुचाल देखना, तो मेरा सिर काट लेना। अगर मैं सच्चे बाप की बेटी हूँगी, तो बात की भी पक्की हूँगी। फिर लज्जा रखनेवाले तो भगवान् हैं, मेरी क्या हस्ती है कि अभी कुछ कहूँ।'

उजड्ड रामू बोला—'तुम अगर सोचती हो कि भैया कमाएँगे और मैं बैठी मौज़ करूँगी, तो इस भरोसे न रहना। यहाँ किसी ने जन्म-भर का ठेका नहीं लिया है!'

रामू की दुल्हन रामू से भी दो अँगुल ऊँची थी। मटककर बोली—हमने किसी का कर्ज़ थोड़े ही खाया है कि जन्म-भर बैठे भरा करें। यहाँ तो खाने को भी महीन चाहिए, पहनने को भी महीन चाहिए, यह हमारे बूते की बात नहीं है। सुभागी ने गर्व से भरे हुए स्वर में कहा—भाभी, मैंने तो तुम्हारा आसरा भी नहीं किया और भगवान् ने चाहा तो कभी करूँगी भी नहीं। तुम अपनी देखो, मेरी चिन्ता न करो।

रामू की दुल्हन को जब मालूम हो गया कि सुभागी घर न करेगी, तो और भी उसके सिर हो गयी। हमेशा एक-न-एक खुचड़ लगाए रहती। उसे रुलाने में जैसे उसको मज़ा आता था। वह बेचारी पहर रात से उठकर कूटने-पीसने में लग जाती, चौका-बरतन करती, गोबर पाथती, फिर खेत में काम करने चली जाती। दोपहर को आकर जल्दी-जल्दी खाना पकाकर सबको खिलाती। रात को कभी माँ के सिर में तेल डालती, कभी उसकी देह दबाती। तुलसी चिलम के भक्त थे। उन्हें बार-बार चिलम पिलाती। जहाँ तक उसका बस चलता, माँ-बाप को कोई काम न करने देती। हाँ, भाई को न रोकती। सोचती, यह तो जवान आदमी है; यह न काम करेंगे, तो गृहस्थी कैसे चलेगी।

मगर रामू को यह बुरा लगता। अम्माँ और दादा को तिनका तक नहीं उठाने देती और मुझे पीसना चाहती है। यहाँ तक कि एक दिन वह जामे से बाहर हो गया। सुभागी से बोला—अगर उन लोगों का बड़ा मोह है, तो क्यों नहीं अलग लेकर रहती हो। तब सेवा करो तो मालूम हो कि सेवा कड़वी लगती है कि मीठी। दूसरों के बल पर वाहवाही लेना आसान है। बहादुर वह है, जो अपने बल पर काम करे।

सुभागी ने तो कुछ जवाब न दिया। बात बढ़ जाने का भय था। मगर उसके माँ-बाप बैठे सुन रहे थे। महतो से न रहा गया। बोले—क्या है रामू, उस गरीबिन से क्यों लड़ते हो?

रामू पास आकर बोला—तुम क्यों बीच में कूद पड़े, मैं तो उसको कहता था।

तुलसी—जब तक मैं जीता हूँ, तुम उसे कुछ नहीं कह सकते। मेरे पीछे जो चाहे करना। बेचारी का घर में रहना मुश्क़िल कर दिया।

रामू—आपको बेटी बहुत प्यारी है, तो उसे गले बाँधकर रखिए। मुझसे तो नहीं सहा जाता।

तुलसी—अच्छी बात है। अगर तुम्हारी यही मरज़ी है, तो यही होगा। मैं कल गाँव के आदमियों को बुलाकर बँटवारा कर दूँगा। तुम चाहे छूट जावो, सुभागी नहीं छूट सकती।

रात को तुलसी लेटे तो वह पुरानी बात याद आयी, जब रामू के जन्मोत्सव में उन्होंने रुपये कर्ज़ लेकर जलसा किया था, और सुभागी पैदा हुई, तो घर में रुपये रहते हुए भी उन्होंने एक कौड़ी न ख़र्च की। पुत्र को रत्न समझा था, पुत्री को पूर्व जन्म के पापों का दंड। वह रत्न कितना कठोर निकला और वह दंड कितना मंगलमय।

3

दूसरे दिन महतो ने गाँव के आदमियों को ज़मा करके कहा—पंचों, अब रामू का और मेरा एक में निबाह नहीं होता। मैं चाहता हूँ कि तुम लोग इन्साफ़ से जो कुछ मुझे दे दो, वह लेकर अलग हो जाऊँ। रात-दिन की किचकिच अच्छी नहीं है।

गाँव के मुख़्तार बाबू सजनसिंह बड़े सज्जन पुरुष थे। उन्होंने रामू को बुलाकर पूछा—क्यों जी, तुम अपने माँ-बाप से अलग रहना चाहते हो? तुम्हें शर्म नहीं आती कि औरत के कहने से माँ-बाप को अलग किये देते हो? राम! राम!

रामू ने ढिठाई के साथ कहा—जब एक में न गुज़र हो, तो अलग हो जाना ही अच्छा है।

सजनसिंह—तुमको एक में क्या कष्ट होता है?

रामू—एक बात हो तो बताऊँ।

सजनसिंह—कुछ तो बताओ।

रामू—साहब, एक में मेरा इनके साथ निबाह न होगा। बस, मैं और कुछ नहीं जानता।

यह कहता हुआ रामू वहाँ से चलता बना।

तुलसी—देख लिया आप लोगों ने इसका मिज़ाज! आप चाहे चार हिस्सों में तीन हिस्से उसे दे दें, पर अब मैं इस दुष्ट के साथ न रहूँगा। भगवान् ने बेटी को दुःख दे दिया, नहीं, मुझे खेती-बारी लेकर क्या करना था। जहाँ रहता, वहीं कमाता खाता! भगवान् ऐसा बेटा सातवें बैरी को भी न दें। 'लड़के से लड़की भली, जो कुलवन्ती होय।'

सहसा सुभागी आकर बोली—दादा, यह सब बाँट-बखरा मेरे ही कारण तो हो रहा है, मुझे क्यों नहीं अलग कर देते? मैं मेहनत-मजूरी करके अपना पेट पाल लूँगी। अपने से जो कुछ बन पड़ेगा, तुम्हारी सेवा करती रहूँगी, पर रहूँगी अलग। यों घर का बारा-बाँट होना मुझसे नहीं देखा जाता। मैं अपने माथे पर यह कलंक नहीं लेना चाहती।

तुलसी ने कहा—बेटी, हम तुझे न छोड़ेंगे, चाहे संसार छूट जाय! रामू का मैं मुँह नहीं देखना चाहता, उसके साथ तो रहना दूर रहा।

रामू की दुल्हन बोली—तुम किसी का मुँह नहीं देखना चाहते, तो हम भी तुम्हारी पूजा करने को व्याकुल नहीं हैं।

महतो दाँत पीसते हुए उठे कि बहू को मारें; मगर लोगों ने पकड़ लिया।

4

बँटवारा होते ही महतो और लक्ष्मी को मानो पेंशन मिल गयी। पहले तो दोनों सारे दिन, सुभागी के मना करने पर भी कुछ-न-कुछ करते ही रहते थे; पर अब उन्हें पूरा विश्राम था। पहले दोनों दूध-घी को तरसते थे। अब सुभागी ने कुछ रुपये बचाकर एक भैंस ले ली। बूढ़े आदमियों की जान, तो उनका भोजन है। अच्छा भोजन न मिले, तो वे किसके आधार पर रहें। चौधरी ने बहुत विरोध किया। कहने लगे, घर का काम यों ही क्या कम है कि तू नया झंझट पाल रही है। सुभागी उन्हें बहलाने के लिए कहती—दादा, मुझे दूध के बिना खाना नहीं अच्छा लगता।

लक्ष्मी ने हँसकर कहा—बेटी, तू झूठ कब से बोलने लगी? कभी दूध हाथ से तो छूती नहीं, खाने की कौन कहे। सारा दूध हम लोगों के पेट में ठूँस देती है।

गाँव में जहाँ देखो, सबके मुँह से सुभागी की तारीफ़। लड़की नहीं, देवी है, दो मरदों का काम भी करती है, उस पर माँ-बाप की सेवा भी किये जाती है। सजनसिंह तो कहते, यह उस जन्म की देवी है।

मगर शायद महतो को यह सुख बहुत दिन तक भोगना न लिखा था।

सात-आठ दिन से महतो को ज़ोर का ज्वर चढ़ा हुआ था। देह पर कपडो का तार भी नहीं रहने देते। लक्ष्मी पास बैठी रो रही थी। सुभागी पानी लिये खड़ी है। अभी एक क्षण पहले महतो ने पानी माँगा था; पर जब तक वह पानी लाये, उनका जी डूब गया और हाथ-पाँव ठंडे हो गये। सुभागी उनकी यह दशा देखते ही रामू के घर गयी और बोली—भैया, चलो देखो, आज दादा न जाने कैसे हुए जाते हैं। सात दिन से ज्वर नहीं उतरा।

रामू ने चारपाई पर लेटे-लेटे कहा—तो क्या मैं डॉक्टर-हकीम हूँ कि देखने चलूँ? जब तक अच्छे थे, तब तक तो तुम उनके गले की हार बनी हुई थीं। अब जब मरने लगे, तो मुझे बुलाने आयी हो!

उसी वक़्त उसकी दुल्हन अन्दर से निकल आयी और सुभागी से पूछा—दादा को क्या हुआ दीदी?

सुभागी के पहले रामू बोल उठा—हुआ क्या है, अभी कोई मरे थोड़े ही जाते हैं।

सुभागी ने फिर उससे कुछ न कहा, सीधे सजनसिंह के पास गयी। उसके जाने के बाद रामू हँसकर स्त्री से बोला—त्रियाचरित्र इसी को कहते हैं।

स्त्री—इसमें त्रियाचरित्र की कौन-सी बात है? चले क्यों नहीं जाते?

रामू—मैं नहीं जाने का। जैसे उसे लेकर अलग हुए थे, वैसे उसे लेकर रहें। मर भी जायँ तो न जाऊँ।

स्त्री—(हँसकर) मर जायेंगे तो आग देने तो जाओगे, तब कहाँ भागोगे?

रामू—कभी नहीं। सब-कुछ उनकी प्यारी सुभागी कर लेगी।

स्त्री—तुम्हारे रहते वह क्यों करने लगी।

रामू—जैसे मेरे रहते उसे लेकर अलग हुए, और कैसे!

स्त्री—नहीं जी, यह अच्छी बात नहीं है। चलो, देख आयें। कुछ भी हो, बाप ही तो हैं। फिर गाँव में कौन-सा मुँह दिखाओगे?

रामू—चुप रहो, मुझे उपदेश मत दो।

उधर बाबू साहब ने ज्यों ही महतो की हालत सुनी, तुरंत सुभागी के साथ चले आये। यहाँ पहुँचे तो महतो की दशा और भी ख़राब हो चुकी थी। नाड़ी देखी, तो बहुत धीमी थी। समझ गये कि जिन्दगी के दिन पूरे हो गये। मौत का आतंक छाया हुआ था। सजल नेत्र होकर बोले—महतो भाई, कैसा जी है?

महतो जैसे नींद से जागकर बोले—बहुत अच्छा है भैया! अब तो चलने की बेला है। सुभागी के पिता अब तुम्हीं हो। उसे तुम्हीं को सौंपे जाता हूँ।

सजनसिंह ने रोते हुए कहा—भैया महतो, घबड़ाओ मत! भगवान् ने चाहा तो तुम अच्छे हो जाओगे। सुभागी को तो मैंने हमेशा अपनी बेटी समझा है और जब तक जिऊँगा, ऐसा ही समझता रहूँगा। तुम निश्चिंत रहो, मेरे रहते सुभागी या लक्ष्मी को कोई तिरछी आँख से न देखेगा। और इच्छा हो, तो वह भी कह दो।

महतो ने विनीत नेत्रों से देखकर कहा—और कुछ नहीं कहूँगा भैया! भगवान् तुम्हें सदा सुखी रखे।

सजनसिंह—रामू को बुलाकर लाता हूँ। उससे जो भूल-चूक हुई हो, क्षमा कर दो।

महतो—नहीं भैया। उस पापी हत्यारे का मुँह मैं नहीं देखना चाहता। इसके बाद गोदान की तैयारियाँ होने लगीं।

5

रामू को गाँव-भर ने समझाया; पर वह अंत्येष्टि करने पर राजी न हुआ। कहा, जिस पिता ने मरते समय भी मेरा मुँह देखना स्वीकार न किया, न वह मेरा पिता है, न मैं उसका पुत्र।

लक्ष्मी ने दाह-क्रिया की। इन थोड़े से दिनों में सुभागी ने न जाने कैसे रुपये जमा कर लिये थे कि जब तेरहवीं का सामान आने लगा, तो गाँव वालों की आँखें खुल गयीं। बरतन, कपड़े, घी, शक्कर, सभी सामान इफ़रात से जमा हो गये। रामू देख-देखकर जलता था और सुभागी उसे जलाने ही के लिए सबको यह सामान दिखाती थी।

लक्ष्मी ने कहा—बेटी, घर देखकर ख़र्च करो। अब कोई कमानेवाला नहीं बैठा है। आप ही कुआँ खोदना और पानी पीना है।

सुभागी बोली—बाबूजी का काम तो धूम-धाम से ही होगा अम्माँ, चाहे घर रहे या जाय। बाबूजी फिर थोड़े ही आयेंगे। मैं भैया को दिखा देना चाहती हूँ कि अबला क्या कर सकती है! वह समझते होंगे, इन दोनों के किये कुछ न होगा। उनका यह घमंड तोड़ दूँगी।

लक्ष्मी चुप हो रही। तेरहवीं के दिन आठ गाँव के ब्राह्मणों का भोज हुआ। चारों तरफ़ वाह-वाह मच गयी।

पिछले पहर का समय था; लोग भोजन करके चले गये थे। लक्ष्मी थककर सो गयी थी। केवल सुभागी बची हुई चीजें उठा-उठाकर रख रही थी कि ठाकुर सजनसिंह ने आकर कहा—अब तुम भी आराम करो बेटी। सवेरे यह सब काम कर लेना।

सुभागी ने कहा—अभी थकी नहीं हूँ दादा! आपने जोड़ लिया, कुल कितने रुपये उठे?

सजनसिंह—वह पूछकर क्या करोगी बेटी?

'कुछ नहीं, यों ही पूछती थी।'

'कोई तीन सौ रुपये उठे होंगे।'

सुभागी ने सकुचाते हुए कहा—मैं इन रुपयों की देनदार हूँ।

'तुमसे तो मैं माँगता नहीं। महतो मेरे मित्र और भाई थे। उनके साथ कुछ मेरा तो भी धर्म है।'

'आपकी यही दया क्या कम है कि आपने मेरे ऊपर इतना विश्वास किया, मुझे कौन 300 रुपये दे देता।'

सजनसिंह सोचने लगे, इस अबला की धर्म-बुद्धि का कहीं वारपार भी है या नहीं।

6

लक्ष्मी उन स्त्रियों में थी, जिनके लिए पति-वियोग जीवन-स्रोत का बन्द हो जाना है। पचास वर्ष के चिर सहवास के बाद अब यह एकान्त जीवन उसके लिए पहाड़ हो गया। उसे अब ज्ञात हुआ कि मेरी बुद्धि, मेरा बल, मेरी सुमति, मानो सबसे मैं वंचित हो गयी।

उसने कितनी बार ईश्वर से विनती की थी, मुझे स्वामी के सामने उठा लेना; मगर उसने यह विनती स्वीकार न की। मौत पर अपना काबू नहीं, तो क्या जीवन पर भी काबू नहीं है?

वह लक्ष्मी, जो गाँव में अपनी बुद्धि के लिए मशहूर थी, जो दूसरों को सीख दिया करती थी, अब बौरही हो गयी है। सीधी-सी बात करते नहीं बनती।

लक्ष्मी का दाना-पानी उसी दिन से छूट गया। सुभागी के आग्रह पर चौके में जाती; मगर कौर कंठ के नीचे न उतरता। पचास वर्ष हुए, एक दिन भी ऐसा न हुआ कि पति के बिना खाये उसने ख़ुद खाया हो। अब उस नियम को कैसे तोड़े?

आख़िर उसे खाँसी आने लगी। दुर्बलता ने जल्द ही खाट पर डाल दिया। सुभागी अब क्या करे! ठाकुर साहब के रुपये चुकाने के लिए दिलोजान से काम करने की जरूरत थी। यहाँ माँ बीमार पड़ गयी। अगर बाहर जाय, तो माँ अकेली रहती है। उसके पास बैठे, तो बाहर का काम कौन करे? माँ की दशा देखकर सुभागी समझ गयी कि इनका परवाना भी आ पहुँचा। महतो को भी तो यही ज्वर था!

गाँव में और किसे फ़ुरसत थी कि दौड़-धूप करता। सजनसिंह दोनों वक़्त आते, लक्ष्मी को देखते, दवा पिलाते, सुभागी को समझाते और चले जाते; मगर लक्ष्मी की दशा बिगड़ती जाती थी। यहाँ तक कि पन्द्रहवें दिन वह भी संसार से सिधार गयी। अन्तिम समय रामू आया और उसके पैर छूना चाहता था; पर लक्ष्मी ने उसे ऐसी झिड़की दी कि वह उसके समीप न जा सका। सुभागी को उसने आशीर्वाद दिया—तुम्हारी जैसी बेटी पाकर तर गयी। मेरा क्रिया-कर्म तुम्हीं करना। मेरी भगवान् से यही अरजी है कि उस जन्म में भी तुम मेरी कोख पवित्र करो।

7

माता के देहान्त के बाद सुभागी के जीवन का केवल एक लक्ष्य रह गया— सजनसिंह के रुपये चुकाना। 300 रुपये पिता के क्रिया-कर्म में लगे थे। लगभग 200 रुपये माता के काम में लगे। 500 रुपये का ऋण था और उसकी जान! मगर वह हिम्मत न हारती थी। तीन साल तक सुभागी ने रात-को-रात और दिन-को-दिन न समझा! उसकी कार्य-शक्ति और पौरुष देखकर लोग दाँतों तले उँगली दबाते थे। दिन-भर खेती-बारी का काम करने के बाद वह रात को चार-चार पसेरी आटा पीस डालती। तीसवें दिन 15 रुपये लेकर वह सजनसिंह के पास पहुँच जाती। इनमें कभी नागा न पड़ता। यह मानो प्रकृति का अटल नियम था।

अब चारों ओर से उसकी सगाई के पैगाम आने लगे। सभी उसके लिए मुँह फैलाये हुए थे। जिसके घर सुभागी जायेगी, उसके भाग्य फिर जायेंगे। सुभागी यही जवाब देती—अभी वह दिन नहीं आया।

जिस दिन सुभागी ने आख़िरी क़िश्त चुकायी, उस दिन उसकी ख़ुशी का ठिकाना न था। आज उसके जीवन का कठोर व्रत पूरा हो गया।

वह चलने लगी तो सजनसिंह ने कहा—बेटी, तुमसे मेरी एक प्रार्थना है, कहो कहूँ, को न कहूँ, मगर वचन दो कि मानोगी।

सुभागी ने कृतज्ञ भाव से देखकर कहा—दादा, आपकी बात न मानूँगी तो किसकी बात मानूँगी? मेरा रोयाँ-रोयाँ आपका ग़ुलाम है।

सजनसिंह—अगर तुम्हारे मन में यह भाव है, तो मैं न कहूँगा। मैंने अब तक तुमसे इसलिए नहीं कहा कि तुम अपने को देनदार समझ रही थीं। अब रुपये चुक गये। मेरा तुम्हारे ऊपर कोई एहसान नहीं हैं, रत्ती-भर भी नहीं। बोलो कहूँ?

सुभागी—आपकी जो आज्ञा हो।

सजनसिंह—देखो इनकार न करना, नहीं, मैं फिर तम्हें अपना मुँह न दिखाऊँगा।

सुभागी—क्या आज्ञा है?

सजनसिंह—मेरी इच्छा है कि तुम मेरी बहू बनकर मेरे घर को पवित्र करो। मैं जात-पाँत का कायल हूँ, मगर तुमने मेरे सारे बन्धन तोड़ दिए। मेरा लड़का तुम्हारे नाम का पुजारी है। तुमने उसे बारहा देखा। बोलो, मंजूर करती हो?

सुभागी—दादा, इतना सम्मान पाकर पागल हो जाऊँगी।

सजनसिंह—तुम्हारा सम्मान भगवान् कर रहे हैं! तुम साक्षात् भगवती का अवतार हो।

सुभागी—मैं तो आपको अपना पिता समझती हूँ। आप जो कुछ करेंगे, मेरे भले के लिए करेंगे! आपके हुक़्म को कैसे इनकार कर सकती हूँ।

सजनसिंह ने उसके माथे पर हाथ रखकर कहा—बेटी, तुम्हारा सुहाग अमर हो। तुमने मेरी बात रख ली। मुझ-सा भाग्यशाली संसार में और कौन होगा।

अनुभव

प्रियतम को एक वर्ष की सज़ा हो गयी। और अपराध केवल इतना था, कि तीन दिन पहले जेठ की तपती दोपहरी में उन्होंने राष्ट्र के कई सेवकों को शर्बत-पान से सत्कार किया था। मैं उस वक़्त अदालत में खड़ी थी। कमरे के बाहर सारे नगर की राजनीतिक चेतना किसी बन्दी पशु की भाँति खड़ी चीत्कार कर रही थी। मेरे प्राणधन हथकड़ियों से जकड़े हुए लाये गये। चारों ओर सन्नाटा छा गया। मेरे भीतर हाहाकार मचा हुआ था, मानो प्राण पिघले जा रहे हों। आवेश की लहरें-सी उठ-उठकर समस्त शरीर को रोमांचित किये देती थीं। ओह! इतना गर्व मुझे कभी न हुआ था। वह अदालत, कुर्सी पर बैठा हुआ अंग्रेज़ अफ़सर, लाल ज़रीदार पगड़ियाँ बाँधे हुए पुलिस के कर्मचारी, सब मेरी आँखों से तुच्छ जान पड़ते थे। बार-बार जी में आता था, दौड़कर जीवनधन के चरणों से लिपट जाऊँ और उसी दशा में प्राण त्याग दूँ। कितनी शांत, अविचलित, तेज़ और स्वाभिमान से प्रदीप्त मूर्ति थी। ग्लानि, विषाद या शोक की छाया भी न थी। नहीं, उन ओंठों पर एक स्फूर्ति से भरी हुई, मनोहारिणी, ओजस्वी मुस्कान थी। इस अपराध के लिए एक वर्ष का कठिन कारावास! वाह रे न्याय! तेरी बलिहारी है। मैं ऐसे हज़ार अपराध करने को तैयार थी। प्राणनाथ ने चलते समय एक बार मेरी ओर देखा; कुछ मुस्कराये, फिर उनकी मुद्रा कठोर हो गयी। अदालत से लौटकर मैंने पाँच रुपये की मिठाई मँगवायी और स्वयंसेवकों को बुलाकर खिलायी और संध्या समय मैं पहली बार कांग्रेस के जलसे में शरीक़ हुई;—शरीक़ ही नहीं हुई, मंच पर जाकर बोली और सत्याग्रह की प्रतिज्ञा ले ली। मेरी आत्मा में इतनी शक्ति कहाँ से आ गयी, नहीं कह सकती। सर्वस्व लुट जाने के बाद फिर किसका डर? विधाता का कठोर-से-कठोर आघात भी अब मेरा क्या अहित कर सकता था?

2

दूसरे दिन मैंने दो तार दिये—एक पिताजी को, दूसरा ससुरजी को। ससुरजी पेंशन पाते थे। पिताजी जंगल के महक़मे में अच्छे पद पर थे; पर सारा दिन गुज़र गया, तार का जवाब नदारद! दूसरे दिन भी कोई जवाब नहीं। तीसरे दिन दोनों महाशयों के पत्र आये। दोनों ज़ामे के बाहर थे। ससुरजी ने लिखा—आशा थी, तुम लोग बुढ़ापे में मेरा पालन करोगे। तुमने उस आशा पर पानी फेर दिया। क्या अब चाहती हो, मैं भिक्षा माँगू? मैं सरकार से पेंशन पाता हूँ। तुम्हें आश्रय देकर मैं अपनी पेंशन से हाथ नहीं धो सकता। पिताजी के शब्द इतने कठोर न थे; पर भाव लगभग ऐसा ही था। इसी साल उन्हें ग्रेड मिलनेवाला था। वह मुझे बुलायेंगे, तो सम्भव है, ग्रेड से वंचित होना पड़े। हाँ, वह मेरी सहायता मौखिक रूप से करने को तैयार थे। मैंने दोनों पत्र फाड़कर फेंक दिये और फिर उन्हें कोई पत्र न लिखा। हा स्वार्थ! तेरी माया कितनी प्रबल है। अपना ही पिता, केवल स्वार्थ में बाधा पड़ने के भय

से, लड़कों की तरफ़ से इतना निर्दय हो जाय? अपना ही ससुर, अपनी बहू की ओर से इतना उदासीन हो जाय! मगर अभी मेरी उम्र ही क्या है? अभी तो सारी दुनिया देखने को पड़ी है।

अब तक मैं अपने विषय में निश्चिंत थी; लेकिन अब यह नयी चिंता सवार हुई। इस निर्जन घर में, निराधार, निराश्रय, कैसे रहूँगी; मगर जाऊँगी कहाँ! अगर कोई मर्द होती, तो कांग्रेस के आश्रय में चली जाती या कोई मजदूरी कर लेती। मेरे पैरों में नारीत्व की बेड़ियाँ पड़ी हुई थीं। अपनी रक्षा की इतनी चिंता न थी, जितनी अपने नारीत्व की रक्षा की। अपनी जान की फ़िक्र न थी; पर नारीत्व की ओर किसी की आँख भी न उठनी चाहिए।

किसी की आहट पाकर मैंने नीचे देखा। दो आदमी खड़े थे। जी में आया, पूछूँ, तुम कौन हो! यहाँ क्यों खड़े हो? मगर फिर ख़याल आया, मुझे यह पूछने का क्या हक़? आम रास्ता है। जिसका जी चाहे, खड़ा हो।

पर मुझे खटका हो गया। उस शंका को किसी तरह दिल से न निकाल सकती थी। वह एक चिनगारी की भाँति हृदय के अंदर समा गयी थी।

गर्मी से देह फुँकी जाती थी, पर मैंने कमरे का द्वार भीतर से बन्द कर लिया। घर में एक बड़ा-सा चाकू था। उसे निकालकर सिरहाने रख लिया। वह शंका सामने बैठी घूरती हुई मालूम होती थी।

किसी ने पुकारा। मेरे रोएँ खड़े हो गये! मैंने द्वार से कान लगाया। कोई मेरी कुंडी खटखटा रहा था। कलेजा धक्-धक् करने लगा। वही दोनों बदमाश होंगे। क्यों कुंडी खड़खड़ा रहे हैं? मुझसे क्या काम है? मुझे झुँझलाहट आ गयी। मैंने द्वार न खोला और छज्जे पर खड़ी होकर जोर से बोली—कौन कुण्डी खड़खड़ा रहा है?

आवाज़ सुनकर मेरी शंका शांत हो गयी। कितना ढारस हो गया! यह बाबू ज्ञानचन्द थे। मेरे पति के मित्रों में इनसे ज़्यादा सज्जन दूसरा नहीं है। मैंने नीचे जाकर द्वार खोल दिया। देखा तो एक स्त्री भी थी। वह मिसेज ज्ञानचन्द थीं। यह मुझसे बड़ी थीं। पहले-पहल मेरे घर आयी थीं। मैंने उनके चरण-स्पर्श किये! हमारे यहाँ मित्रता मर्दों ही तक रहती है, औरतों तक नहीं जाने पाती।

दोनों जने ऊपर आये। ज्ञान बाबू एक स्कूल में मास्टर हैं। बड़े उदार, विद्वान्, निष्कपट; पर आज मुझे मालूम हुआ कि उनकी पथ-प्रदर्शिका उनकी स्त्री हैं। वह दोहरे बदन की, प्रतिभाशाली महिला थीं। चेहरे पर ऐसा रौब था, मानो कोई रानी हों। सिर से पाँव तक गहनों से लदी हुई। मुख सुन्दर न होने पर भी आकर्षक था। शायद मैं उन्हें कहीं और देखती, तो मुँह फेर लेती। गर्व की सजीव प्रतिमा थीं; पर बाहर जितनी कठोर, भीतर उतनी ही दयालु।

'घर कोई पत्र लिखा?'—यह प्रश्न उन्होंने कुछ हिचकते हुए किया।

मैंने कहा—'हाँ, लिखा था।'

'कोई लेने आ रहा है?'

'जी नहीं। न पिताजी अपने पास रखना चाहते हैं, न ससुरजी।'

'तो फिर?'

'फिर क्या; अभी तो यहीं पड़ी हूँ।'

'तो मेरे घर क्यों नहीं चलतीं। अकेले तो इस घर में मैं न रहने दूँगी।'

'ख़ुफ़िया के दो आदमी इस वक़्त भी डटे हुए हैं।'

'मैं पहले ही समझ गयी थी, दोनों ख़ुफ़िया के आदमी होंगे।'

ज्ञान बाबू ने पत्नी की ओर देखकर, मानो उसकी आज्ञा से कहा—तो मैं जाकर ताँगा लाऊँ?

देवीजी ने इस तरह देखा, मानो कह रही हों, क्या अभी तुम यहीं खड़े हो?

मास्टर साहब चुपके से द्वार की ओर चले।

'ठहरो!' देवीजी बोलीं—'कै ताँगे लाओगे?'

'कै!' मास्टर साहब घबड़ा गए।

'हाँ कै! एक ताँगे पर दो-तीन सवारियाँ ही बैठेंगी। सन्दूक, बिछावन, बर्तन-भाँड़े क्या मेरे सिर पर जाएँगे?'

'तो दो लेता आऊँगा।'—मास्टर साहब डरते-डरते बोले।

'एक ताँगे में कितना सामान भर दोगे?'

'तो तीन लेता आऊँ?'

'अरे, तो जाओगे भी। ज़रा-सी बात के लिए घंटा भर लगा दिया।'

मैं कुछ कहने न पायी थी कि ज्ञान बाबू चल दिये। मैंने सकुचाते हुए कहा—बहन, तुम्हें मेरे जाने से कष्ट होगा और···

देवीजी ने तीक्ष्ण स्वर में कहा—हाँ, होगा तो अवश्य। तुम दोनों जून दो-तीन पाव आटा खाओगी, कमरे के एक कोने में अड्डा जमा लोगी, सिर में दो-तीन आने का तेल डालोगी। यह क्या थोड़ा कष्ट है!

मैंने झेंपते हुए कहा—आप तो मुझे बना रही हैं।

देवीजी ने सहृदय भाव से मेरा कन्धा पकड़कर कहा—जब तुम्हारे बाबूजी लौट आयें, तो मुझे भी अपने घर मेहमान रख लेना। मेरा घाटा पूरा हो जायेगा। अब तो राजी हुईं। चलो, असबाब बाँधो। खाट-वाट कल मँगवा लेंगे।

3

मैंने ऐसी सहृदय, उदार, मीठी बातें करनेवाली स्त्री नहीं देखी। मैं उनकी छोटी बहन होती, तो भी शायद इससे अच्छी तरह न रखतीं। चिन्ता या क्रोध को तो जैसे उन्होंने जीत लिया हो। सदैव उनके मुख पर मधुर विनोद खेला करता था। कोई लड़का-बाला न था, पर मैं उन्हें कभी दुःखी नहीं देखा। ऊपर के काम के लिए एक लौंडा रख लिया था। भीतर का सारा काम ख़ुद करतीं। इतना कम खाकर और इतनी मेहनत करके वह कैसे इतनी हृष्ट-पुष्ट थीं, मैं नहीं कह सकती। विश्राम तो जैसे उनके भाग्य ही में नहीं लिखा था। जेठ की दुपहरी में भी न लेटती थीं। हाँ, मुझे कुछ न करने देतीं, उस पर जब देखो, कुछ खिलाने को सिर पर सवार। मुझे यहाँ बस यही एक तकलीफ़ थी।

मगर आठ ही दिन गुजरे थे कि एक दिन मैंने उन्हीं दोनों ख़ुफ़ियों को नीचे बैठा देखा। मेरा माथा ठनका। यह अभागे यहाँ भी मेरे पीछे पड़े हैं। मैंने तुरन्त बहनजी से कहा—वे दोनों बदमाश यहाँ भी मँडरा रहे हैं।

उन्होंने हिक़ारत से कहा—कुत्ते हैं! फिरने दो।

मैं चिन्तित होकर बोली—कोई स्वाँग न खड़ा करें।

उसी बेपरवाही से बोलीं—भौंकने के सिवा और क्या कर सकते हैं?

मैंने कहा—काट भी तो सकते हैं!

हँसकर बोलीं—इसके डर से कोई भाग तो नहीं जाता न?

मगर मेरी दाल में मक्खी पड़ गयी। बार-बार छज्जे पर जाकर उन्हें टहलते देख आती। यह सब क्यों मेरे पीछे पड़े हुए हैं? आख़िर मैं नौकरशाही का क्या बिगाड़ सकती हूँ। मेरी सामर्थ्य ही क्या है? क्या यह सब इस तरह मुझे यहाँ से भगाने पर तुले हुए हैं? इससे उन्हें क्या मिलेगा? यही तो कि मैं मारी-मारी फिरूँ! कितनी नीची तबीयत है।

एक हफ़्ता और गुज़र गया। ख़ुफ़िया ने पिंड न छोड़ा। मेरे प्राण सूखते जाते थे। ऐसी दशा में यहाँ रहना मुझे अनुचित मालूम होता था; पर देवीजी से कुछ कह न सकती थी।

एक दिन शाम को ज्ञान बाबू आये, तो घबड़ाए हुए थे। मैं बरामदे में थी। परवल छील रही थी। ज्ञान बाबू ने कमरे में जाकर देवीजी को इशारे से बुलाया।

देवीजी ने बैठे-बैठे कहा—पहले कपड़े-वपड़े तो उतारो, मुँह-हाथ धोओ, कुछ खाओ, फिर जो कहना हो, कह लेना।

ज्ञान बाबू को धैर्य कहाँ? पेट में बात की गन्ध तक न पचती थी। आग्रह से बुलाया—तुमसे उठा नहीं जाता? मेरी जान आफ़त में है।

देवीजी ने बैठे-बैठे कहा—तो कहते क्यों नहीं, क्या कहना है?

'यहाँ आओ।'

'क्या यहाँ और कोई बैठा हुआ है?'

मैं वहाँ से चली। बहन ने मेरा हाथ पकड़ लिया। मैं ज़ोर करने पर भी न छुड़ा सकी। ज्ञान बाबू मेरे सामने न कहना चाहते थे, पर इतना सब्र भी न था कि ज़रा देर रुक जाते। बोले—प्रिंसिपल से मेरी लड़ाई हो गयी।

देवी ने बनावटी गम्भीरता से कहा—सच! तुमने उसे ख़ूब पीटा न?

'तुम्हें दिल्लगी सूझी है। यहाँ नौकरी जा रही है।'

'जब यह डर था, तो लड़े क्यों?'

'मैं थोड़ा ही लड़ा। उसने मुझे बुलाकर डाँटा।'

'बेकसूर?'

'अब तुमसे क्या कहूँ।'

'फिर वही पर्दा। मैं कह चुकी, यह मेरी बहन है। मैं इससे कोई पर्दा नहीं रखना चाहती।'

'और जो इन्हीं के बारे में कोई बात हो, तो?'

देवीजी ने जैसे पहेली बूझकर कहा—अच्छा! समझ गयी। कुछ ख़ुफ़ियों का झगड़ा होगा। पुलिस ने तुम्हारे प्रिंसिपल से शिक़ायत की होगी।

ज्ञान बाबू ने इतनी आसानी से अपनी पहेली का बूझा जाना स्वीकार न किया।

बोले—पुलिस ने प्रिंसिपल से नहीं, हाकिम-ज़िला से कहा—उसने प्रिंसिपल को बुलाकर मुझसे जवाब तलब करने का हुक्म दिया।

देवी ने अन्दाज़ से कहा—समझ गयी। प्रिंसिपल ने तुमसे कहा होगा कि उस स्त्री को घर से निकाल दो।

'हाँ, यही समझ लो।'

'तो तुमने क्या जवाब दिया?'

'अभी कोई जवाब नहीं दिया। वहाँ खड़े-खड़े क्या कहता!'

देवीजी ने उन्हें आड़े हाथों लिया—जिस प्रश्न का एक ही जवाब हो, उसमें सोच-विचार कैसा?

ज्ञान बाबू सिटपिटाकर बोले—लेकिन कुछ सोचना तो ज़रूरी था।

देवीजी की त्योरियाँ बदल गयीं। आज मैंने पहली बार उनका यह रूप देखा। बोलीं—तुम उस प्रिंसिपल से जाकर कह दो, मैं उसे किसी तरह नहीं छोड़ सकता, और न माने, तो इस्तीफ़ा दे दो, अभी जाओ। लौटकर हाथ-मुँह धोना।

मैंने रोकर कहा—बहन, मेरे लिए ···

देवी ने डाँट बतायी—तू चुप रह, नहीं कान पकड़ लूँगी। क्यों बीच में कूदती है? रहेंगे तो साथ रहेंगे, मरेंगे तो साथ मरेंगे। इस मर्दुए को मैं क्या कहूँ। आधी उम्र बीत गयी और बात करना न आया। (पति से) खड़े सोच क्या रहे हो? तुम्हें डर लगता है, तो मैं जाकर कह आऊँ?

ज्ञान बाबू ने खिसियाकर कहा—तो कल कह दूँगा, इस वक़्त कहाँ होगा, कौन जाने!

4

रात-भर मुझे नींद नहीं आयी। बाप और ससुर जिसका मुँह नहीं देखना चाहते, उसका यह आदर! राह की भिखारिन का यह सम्मान! देवी, तू सचमुच देवी है।

दूसरे दिन ज्ञान बाबू चले, तो देवी ने फिर कहा—फ़ैसला करके घर आना। यह न हो कि सोचकर जवाब देने की ज़रूरत पड़े।

ज्ञान बाबू के चले जाने के बाद मैंने कहा—तुम मेरे साथ बड़ा अन्याय कर रही हो बहनजी! मैं यह कभी नहीं देख सकती कि मेरे कारण तुम्हें यह विपत्ति झेलनी पड़े।

देवी ने हास्य-भाव से कहा—कह चुकी, या कुछ और कहना है?

'कह चुकी; मगर अभी बहुत कुछ कहूँगी।'

'अच्छा, बता तेरे प्रियतम क्यों जेल गये? इसीलिए तो कि स्वयंसेवकों का सत्कार किया था। स्वयंसेवक कौन हैं? वे हमारी सेना के वीर हैं, जो हमारी लड़ाइयाँ लड़ रहे हैं। स्वयंसेवकों के भी तो बाल-बच्चे होंगे, माँ-बाप होंगे, वह भी तो कोई कारोबार करते होंगे; पर देश की लड़ाई लड़ने के लिए, उन्होंने सब कुछ त्याग दिया है। ऐसे वीरों का सत्कार करने के लिए, जो आदमी जेल में डाल दिया जाय, उसकी स्त्री के दर्शनों से भी आत्मा पवित्र होती है। मैं तुझ पर एहसान नहीं कर रही हूँ, तू मुझ पर एहसान कर रही है।'

मैं इस दया-सागर में डुबकियाँ खाने लगी। बोलती क्या?

शाम को जब ज्ञान बाबू लौटे, तो उनके मुख पर विजय का आनन्द था।

देवी ने पूछा—हार कि जीत?

ज्ञान बाबू ने अकड़कर कहा—जीत! मैंने इस्तीफ़ा दे दिया, तो चक्कर में आ गया। उसी वक़्त हाकिम ज़िला के पास गया। वहाँ न जाने मोटर पर बैठकर दोनों में क्या बातें हुईं। लौटकर मुझसे बोला—आप पोलिटिकल जलसों में तो नहीं जाते?

मैंने कहा—कभी भूलकर भी नहीं।

'काँग्रेस के मेम्बर तो नहीं हैं?'

मैंने कहा—मेम्बर क्या, मेम्बर का दोस्त भी नहीं।

'काँग्रेस-फंड में चन्दा तो नहीं देते?'

मैंने कहा—कानी कौड़ी भी कभी नहीं देता।

'तो हमें आपसे कुछ नहीं कहना है। मैं आपका इस्तीफ़ा वापस करता हूँ।'

देवीजी ने मुझे गले लगा लिया।

❑❑❑

लांछन

अगर संसार में ऐसा प्राणी होता, जिसकी आँखें लोगों के हृदयों के भीतर घुस सकतीं, तो ऐसे बहुत कम स्त्री या पुरुष होंगे, जो उसके सामने सीधी आँखें करके ताक सकते। महिला आश्रम की जुगनूबाई के विषय में लोगों की धारणा कुछ-ऐसी ही हो गयी थी। वह बेपढ़ी-लिखी, ग़रीब, बूढ़ी औरत थीं; देखने में बड़ी सरल, बड़ी हँसमुख; लेकिन जैसे किसी चतुर प्रूफरीडर की निग़ाह ग़लतियों ही पर जा पड़ती है, उसी तरह उसकी आँखें भी बुराइयों ही पर पहुँच जाती थीं। शहर में ऐसी कोई महिला न थी, जिसके विषय में दो-चार लुकी-छिपी बातें उसे न मालूम हों। उसका ठिगना, स्थूल शरीर, सिर के खिचड़ी बाल, गोल मुँह, फूले-फूले गाल, छोटी-छोटी आँखें, उसके स्वभाव की प्रखरता और तेजी पर परदा-सा डाले रहती थीं; लेकिन जब वह किसी की कुत्सा करने लगती, तो उसकी आकृति कठोर हो जाती, आँखें फैल जातीं और कंठ-स्वर कर्कश हो जाता। उसकी चाल में बिल्लियों का-सा संयम था, दबे पाँव धीरे-धीरे चलती; पर शिकार की आहट पाते ही, जस्त मारने को तैयार हो जाती थी। उसका काम था, महिला-आश्रम में महिलाओं की सेवा-टहल करना; पर महिलाएँ उसकी सूरत से काँपती थीं। उसका ऐसा आतंक था कि ज्यों ही वह कमरे में कदम रखती, ओंठों पर खेलती हुई हँसी जैसे रो पड़ती थी, चहकनेवाली आवाज़ें जैसे बुझ जाती थीं, मानो उनके मुख पर लोगों को अपने पिछले रहस्य अंकित नज़र आते हों। पिछले रहस्य! कौन हैं, जो अपने अतीत को किसी भयंकर जन्तु के समान कठघरों में बन्द करके न रखना चाहता हो? धनियों को चोरों के भय से निद्रा नहीं आती। मानियों को उसी भाँति मान की रक्षा करनी पड़ती है। वह जन्तु, जो पहले कीट के समान अल्पाकार रहा होगा, दिनों के साथ दीर्घ और सबल होता जाता है, यहाँ तक कि हम उसकी याद ही से काँप उठते हैं। और, अपने ही कारनामों की बात होती, तो अधिकाँश देवियाँ जुगनू को दुत्कारतीं। पर यहाँ तो मैके, ससुराल, ननिहाल, ददियाल, फुफियाल और मौसियाल, चारों ओर की रक्षा करनी थी और जिस क़िले में इतने द्वार हों, उसकी रक्षा कौन कर सकता है? वहाँ तो हमला करनेवाले के सामने मस्तक झुकाने में ही कुशल है। जुगनू के दिल में हज़ारों मुर्दे गड़े पड़े थे और वह ज़रूरत पड़ने पर उन्हें उखाड़ दिया करती थी। जहाँ किसी महिला ने दून की ली या शान दिखायी, वहाँ जुगनू की त्योरियाँ बदलीं। उसकी एक कड़ी निग़ाह अच्छे-अच्छों को दहला देती थी; मगर यह बात न थी कि स्त्रियाँ उससे घृणा करती हों। नहीं, सभी बड़े चाव से उससे मिलतीं और उसका आदर-सत्कार करतीं। अपने पड़ोसियों की निन्दा सनातन से मनुष्य के लिए मनोरंजन का विषय रही है और जुगनू के पास इसका काफ़ी सामान था।

2

नगर में इंदुमती-महिला-पाठशाला नाम का एक लड़कियों का हाईस्कूल था। हाल में मिस खुरशेद उसकी हैड मिस्ट्रेस होकर आयी थीं। शहर में महिलाओं का दूसरा

क्लब न था! मिस खुरशेद एक दिन आश्रम में आयीं। ऐसी ऊँचे दर्जे की शिक्ष पायी हुई आश्रम में कोई देवी न थी। उनकी बड़ी आवभगत हुई। पहले ही दि मालूम हो गया, मिस खुरशेद के आने से आश्रम में एक नये जीवन का संचा होगा। वह इस तरह दिल खोलकर हरेक से मिलीं, कुछ ऐसी दिलचस्प बातें व कि सभी देवियाँ मुग्ध हो गयीं। गाने में भी चतुर थीं। व्याख्यान भी ख़ूब देती ह और अभिनय-कला में तो उन्होंने लन्दन में नाम कमा लिया था। ऐसी सर्वगुण सम्पन्ना देवी का आना आश्रम का सौभाग्य था। गुलाबी-गोरा रंग, कोमल गाल मदभरी आँखें, नये फ़ैशन के कटे हुए केश, एक-एक अंग साँचे में ढला हुअ मादकता की इससे अच्छी प्रतिमा न बन सकती थी।

चलते समय मिस खुरशेद ने मिसेज़ टण्डन को, जो आश्रम की प्रधान थं एकान्त में बुलाकर पूछा—वह बुढ़िया कौन है?

जुगनू कई बार कमरे में आकर मिस खुरशेद को अन्वेषण की आँखों र देख चुकी थी, मानो कोई शहसवार किसी नयी घोड़ी को देख रहा हो।

मिसेज़ टण्डन ने मुस्कराकर कहा—यहाँ ऊपर का काम करने के लिए नौक है। कोई काम हो, तो बुलाऊँ? मिस खुरशेद ने धन्यवाद देकर कहा—जी नहीं, को विशेष काम नहीं है। मुझे चालबाज़ मालूम होती है। यह भी देख रही हूँ कि यह की वह सेविका नहीं, स्वामिनी है। मिसेज़ टण्डन तो जुगनू से जली बैठी थीं। इनवे वैधव्य को लांछित करने के लिए, वह उन्हें सदा-सुहागिन कहा करती थी। मिर खुरशेद से उसकी जितनी बुराई हो सकी, वह की, और उससे सचेत रहने क आदेश दिया।

मिस खुरशेद ने गम्भीर होकर कहा—तब तो भयंकर स्त्री है। तभी सब देवियाँ इससे काँपती हैं। आप इसे निकाल क्यों नहीं देतीं? ऐसी चुड़ैल को एक दिन भी न रखना चाहिए।

मिसेज़ टण्डन ने अपनी मजबूरी बतायी—निकाल कैसे दूँ, ज़िन्दा रहना मुश्किल हो जाय। हमारा भाग्य उसकी मुट्ठी में है। आपको दो-चार दिन में उसके जौहर दिखेंगे। मैं तो डरती हूँ, कहीं आप भी उसके पंजे में न फँस जायँ। उसके सामने भूलकर भी किसी पुरुष से बातें न कीजिएगा। इसके गोयंदे न जाने कहाँ-कहाँ लगे हुए हैं। नौकरों से मिलकर भेद यह ले, डाकियों से मिलकर चिट्ठियाँ यह देखे, लड़कों को फुसलाकर घर का हाल यह पूछे। इस राँड़ को खुफ़िया पुलिस में जान चाहिए था! यहाँ न जाने क्यों आ मरी!

मिस खुरशेद चिन्तित हो गयीं, मानो इस समस्या को हल करने की फ़िक्र में हों। एक क्षण बाद बोलीं—अच्छा, मैं इसे ठीक करूँगी, अगर निकाल न दूँ तो कहना।

मिसेज़ टण्डन—निकाल देने ही से क्या होगा! उसकी जुबान तो बन्द न होगी तब तो वह और निडर होकर कीचड़ फेंकेगी।

मिस खुरशेद ने निश्चिंत स्वर में कहा—मैं उसकी जुबान भी बन्द कर दूँग बहन! आप देख लीजिएगा। टके की औरत, यहाँ बादशाहत कर रही है। मैं या बर्दाश्त नहीं कर सकती।

वह चली गयी, तो मिसेज़ टण्डन ने जुगनू को बुलाकर कहा—इन नयी मिर साहब को देखा, यहाँ प्रिंसिपल हैं।

जुगनू ने द्वेष से भरे हुए स्वर में कहा—आप देखें। मैं ऐसी सैकड़ों छोकरिय देख चुकी हूँ। आँखों का पानी जैसे मर गया हो।

मिसेज़ टण्डन धीरे से बोलीं—तुम्हें कच्चा ही खा जायेंगी। उनसे डरती रहना। कह गयी हैं, मैं इसे ठीक करके छोड़ूँगी। मैंने सोचा, तुम्हें चेता दूँ। ऐसा न हो, उनके सामने कुछ ऐसी-वैसी बातें कह बैठो।

जुगनू ने मानो तलवार खींचकर कहा—मुझे चेताने का काम नहीं,उन्हें चेता दीजिएगा। यहाँ का आना न बन्द कर दें, तो अपने बाप की नहीं। वह घूमकर दुनिया देख आयी है, तो यहाँ घर बैठे दुनिया देख चुकी हूँ।

मिसेज़ टण्डन ने पीठ ठोंकी—मैंने समझा दिया भाई, आगे तुम जानो, तुम्हारा काम जाने।

जुगनू—आप चुपचाप देखती जाइएं, कैसा तिगनी का नाच नचाती हूँ। इसने अब तक ब्याह क्यों नहीं किया? उमर तो तीस के लगभग होगी?

मिसेज़ टण्डन ने रद्दा जमाया—कहती है, मैं शादी करना ही नहीं चाहती। किसी पुरुष के हाथ क्यों अपनी आज़ादी बेचूँ!

जुगनू ने आँखें नचाकर कहा—कोई पूछता ही न होगा। ऐसी बहुत-सी क्वाँरियाँ देख चुकी हूँ। सत्तर चूहे खाकर, बिल्ली चली हज्ज को।

और कई लेडियाँ आ गयीं और बात का सिलसिला बन्द हो गया।

3

दूसरे दिन सवेरे जुगनू मिस खुरशेद के बँगले पर पहुँची। मिस खुरशेद हवा खाने गयी हुई थीं। खानसामा ने पूछा—कहाँ से आती हो?

जुगनू—यहीं रहती हूँ बेटा। मेम साहब कहाँ से आयी हैं, तुम तो इनके पुराने नौकर होगे?

खान०—नागपुर से आयी हैं। मेरा घर भी वहीं है। दस साल से इनके साथ हूँ।

जुगनू—किसी ऊँचे खानदान की होंगी? वह तो रंग-ढंग से ही मालूम होता है।

खान०—खानदान तो कुछ ऐसा ऊँचा नहीं है। हाँ, तक़दीर की अच्छी हैं। इनकी माँ अभी तक मिशन में 30 रु. पाती हैं। यह पढ़ने में तेज़ थीं, वज़ीफ़ा मिल गया, विलायत चली गयीं, बस तक़दीर खुल गयी। अब तो अपनी माँ को बुलानेवाली हैं, लेकिन वह बुढ़िया शायद ही आये। यह गिरजे-विरजे नहीं जातीं इससे दोनों में पटती नहीं।

जुगनू—मिज़ाज की तेज़ मालूम होती हैं!

खान०—नहीं, यों तो बहुत नेक हैं, गिरजे नहीं जातीं। तुम क्या नौकरी की तलाश में हो? करना चाहो, तो कर लो। एक आया रखना चाहती हैं।

जुगनू—नहीं बेटा, मैं अब क्या नौकरी करूँगी। इस बँगले में पहले जो मेम साहब रहती थीं, वह मुझ पर बड़ी निगाह रखती थीं। मैंने समझा, चलूँ, नयी मेम साहब को आशीर्वाद दे आऊँ।

खान०—यह आशीर्वाद लेनेवाली मेम साहब नहीं हैं। ऐसों से बहुत चिढ़ती हैं। कोई मँगता आया और उसे डाँट बताई। कहती हैं, बिना काम किये किसी को ज़िन्दा रहने का हक़ नहीं है। भला चाहती हो, तो चुपके से राह लो।

जुगनू—तो यह कहो, इनका कोई धरम-करम नहीं है। फिर भला ग़रीबों पर क्यों दया करने लगीं!

जुगनू को अपनी दीवार खड़ी करने के लिए काफ़ी सामान मिल गया—नीच खानदान की है, माँ से नहीं पटती, धर्म से विमुख है। पहले धावे में इतनी सफलता कुछ कम न थी। चलते-चलते खानसामा से इतना और पूछा—इनके साहब क्या करते हैं? खानसामा ने मुस्कराकर कहा—इनकी तो अभी शादी ही नहीं हुई। साहब कहाँ से होंगे!

जुगनू ने बनावटी आश्चर्य से कहा—अरे, अब तक ब्याह नहीं हुआ! हमारे यहाँ तो दुनिया हँसने लगे।

खान०—अपना-अपना रिवाज़ है। इनके यहाँ तो कितनी ही औरतें उम्रभर ब्याह नहीं करतीं।

जुगनू ने मार्मिक भाव से कहा—ऐसी क्वाँरियों को मैं भी बहुत देख चुकी। हमारी बिरादरी में कोई इस तरह रहे, तो थुड़ी-थुड़ी हो जाय। मुदा इनके यहाँ जो जी में आवे करें, कोई नहीं पूछता।

इतने में मिस खुरशेद आ पहुँचीं। गुलाबी जाड़ा पड़ने लगा था। मिस साहब साड़ी के ऊपर ओवर कोट पहने हुए थीं। एक हाथ में छतरी थी, दूसरे में छोटे कुत्ते की जंजीर। प्रभात की शीतल वायु में व्यायाम ने कपोलों को ताज़ा और सुर्ख़ कर दिया था। जुगनू ने झुककर सलाम किया; पर उन्होंने उसे देखकर भी न देखा। अन्दर जाते ही खानसामा को बुलाकर पूछा—यह औरत क्या करने आयी है?

खानसामा ने जूते का फ़ीता खोलते हुए कहा—भिखारिन है, हुजूर! पर औरत समझदार है! मैंने कहा, यहाँ नौकरी करेगी, तो राजी नहीं हुई। पूछने लगी, इनके साहब क्या करते हैं। जब मैंने बता दिया, तो राज़ी नहीं हुई। जब मैंने बता दिया, तो इससे बड़ा ताज्जुब हुआ और होना ही चाहिए। हिन्दुओं में तो दुधमुँहे बालकों तक का विवाह हो जाता है।

खुरशेद ने जाँच की—और क्या कहती थी?

'और तो कोई बात नहीं हुजूर!'

'अच्छा, उसे मेरे पास भेज दो।'

4

जुगनू ने ज्यों ही कमरे में कदम रखा, मिस खुरशेद ने कुर्सी से उठकर स्वागत किया—आइये माँ जी! मैं ज़रा सैर करने चली गयी थी! आपके आश्रम में तो सब कुशल है?

जुगनू एक कुर्सी का तकिया पकड़कर खड़ी-खड़ी बोली—कुशल है मिस साहब! मैंने कहा, आपको आशीर्वाद दे आऊँ। मैं आपकी चेली हूँ। जब कोई काम पड़े, मुझे याद कीजिएगा। यहाँ अकेले तो हुजूर को अच्छा न लगता होगा।

मिस०—मुझे अपने स्कूल की लड़कियों के साथ बड़ा आनन्द मिलता है, वह सब मेरी ही लड़कियाँ हैं।

जुगनू ने मातृ-भाव से सिर हिलाकर कहा—यह ठीक है मिस साहब; पर अपना—अपना ही है। दूसरा अपना हो जायगा तो अपनों के लिए कोई क्यों रोये?

सहसा एक सुन्दर सजीला युवक रेशमी सूट धारण किये जूते चरमर करता हुआ अन्दर आया। मिस खुरशेद ने इस तरह दौड़कर प्रेम से उसका अभिवादन किया, मानो जामे में फूली न समाती हों। जुगनू उसे देखकर कोने में दुबक गयी।

खुरशेद ने युवक से गले मिलकर कहा—प्यारे! मैं कब से तुम्हारी राह देख रही हूँ। (जुगनू से) माँ जी, आप जाएँ, फिर कभी आना। यह हमारे परम मित्र विलियम किंग हैं। हम और यह, बहुत दिनों तक साथ-साथ पढ़े हैं।

जुगनू चुपके से निकलकर बाहर आयी। ख़ानसामा खड़ा था। पूछा—यह लौंडा कौन है?

ख़ानसामा ने सिर हिलाया—मैंने इसे आज ही देखा है। शायद अब क्वाँरेपन से जी ऊबा! अच्छा तरहदार जवान है।

जुगनू—दोनों इस तरह टूटकर गले मिले हैं कि मैं तो लाज के मारे गड़ गयी! ऐसी चूमा-चाटी तो जोरू-ख़सम में भी नहीं होती। दोनों लिपट गये। लौंडा तो मुझे देखकर कुछ झिझकता था; पर तुम्हारी मिस साहब तो जैसे मतवाली हो गयी थीं।

ख़ानसामा ने मानो अमंगल आभास से कहा—मुझे तो कुछ बेढब मामला नजर आता है।

जुगनू तो यहाँ से सीधे मिसेज़ टंडन के घर पहुँची। इधर मिस खुरशेद और युवक में बातें होने लगीं।

मिस खुरशेद ने कहकहा मारकर कहा—तुमने अपना पार्ट ख़ूब खेला लीला, बुढ़िया सचमुच चौंधिया गयी।

लीला—मैं तो डर रही थी कि कहीं बुढ़िया भाँप न जाये।

मिस खुरशेद—मुझे विश्वास था, वह आज ज़रूर आयेगी। मैंने दूर ही से उसे बरामदे में देखा और तुम्हें सूचना दी। आज आश्रम में बड़े मजे रहेंगे। जी चाहता है, महिलाओं की कनफुसकियाँ सुनती। देख लेना, सभी उसकी बातों पर विश्वास करेंगी।

लीला—तुम भी तो जान-बूझकर दलदल में पाँव रख रही हो।

मिस खुरशेद—मुझे अभिनय में मज़ा आता है बहन! दिल्लगी रहेगी। बुढ़िया ने बड़ा जुल्म कर रखा है। ज़रा उसे सबक देना चाहती हूँ। कल तुम इसी वक़्त, इसी ठाट से फिर आ जाना। बुढ़िया कल फिर आयेगी। उसके पेट में पानी न हज़म होगा। नहीं, ऐसा क्यों? जिस वक़्त वह आयेगी, मैं तुम्हें ख़बर दूँगी। बस, तुम छैला बनी हुई पहुँच जाना।

5

आश्रम में उस दिन जुगनू को दम मारने की फुर्सत न मिली। उसने सारा वृत्तांत मिसेज़ टंडन से कहा। मिसेज़ टंडन दौड़ी हुई आश्रम पहुँचीं और अन्य महिलाओं को ख़बर सुनाई। जुगनू उसकी तसदीक़ करने के लिए बुलायी गयी। जो महिला आती, वह जुगनू के मुँह से यह कथा सुनती। हर एक रिहर्सल में कुछ-कुछ रंग और चढ़ जाता। यहाँ तक कि दोपहर होते-होते सारे शहर के सभ्य समाज में यह ख़बर गूँज़ उठी।

एक देवी ने पूछा—यह युवक है कौन?

मि. टंडन—सुना तो, उनके साथ का पढ़ा हुआ है। दोनों में पहले से कुछ बातचीत रही होगी। वही तो मैं कहती थी कि इतनी उम्र हो गयी, यह क्वाँरी कैसे बैठी है? अब कलई खुली।

जुगनू—और कुछ हो या न हो, जवान तो बाँका है।

मि०टंडन—यह हमारी विद्वान् बहनों का हाल है।

जुगनू—मैं तो उसकी सूरत देखते ही ताड़ गयी थी। धूप में बाल नहीं सफ़ेद किये हैं।

टंडन—कल फिर जाना।

जुगनू—कल नहीं, मैं आज रात ही को जाऊँगी।

लेकिन रात को जाने के लिए कोई बहाना ज़रूरी था। मिसेज़ टंडन ने आश्रम के लिए एक किताब मँगवा भेजी। रात को नौ बजे जुगनू मिस ख़ुरशेद के बँगले पर पहुँची। संयोग से लीलावती उस वक़्त मौजूद थी। बोली—बुढ़िया तो बेतरह पीछे पड़ गयी।

मि. ख़ुरशेद—मैंने तुमसे कहा था, उसके पेट में पानी न पचेगा। तुम जाकर रूप भर आओ। तब तक इसे मैं बातों में लगाती हूँ। शराबियों की तरह अंट-संट बकना शुरू करना। मुझे भगा ले जाने का प्रस्ताव भी करना। बस यों बन जाना, जैसे अपने होश में नहीं हो।

लीला मिशन में डॉक्टर थी। उसका बँगला भी पास ही था। वह चली गयी, तो मि. ख़ुरशेद ने जुगनू को बुलाया।

जुगनू ने एक पुर्ज़ा देखकर कहा—मिसेज़ टंडन ने यह किताब माँगी है। मुझे आने में देर हो गयी। मैं इस वक़्त आपको कष्ट न देती; पर सवेरे ही वह मुझसे माँगेंगी। हज़ारों रुपये महीने की आमदनी है मिस साहब, मगर एक-एक कौड़ी दाँत से पकड़ती हैं। इनके द्वार पर भिखारी को भीख तक नहीं मिलती।

मि. ख़ुरशेद ने पुर्ज़ा देखकर कहा—इस वक़्त तो यह किताब नहीं मिल सकती, सुबह ले जाना। तुमसे कुछ बातें करनी हैं। बैठो, मैं अभी आती हूँ।

वह परदा उठाकर पीछे के कमरे में चली गयी और वहाँ से कोई पन्द्रह मिनट में एक सुन्दर रेशमी साड़ी पहने, इत्र में बसी हुई, मुँह पर पाउडर लगाये निकली। जुगनू ने उसे आँखें फाड़कर देखा। ओ हो! यह श्रृंगार! शायद इस समय वह लौंडा आनेवाला होगा। तभी ये तैयारियाँ हैं। नहीं तो सोने के समय क्वाँरियों के बनाव-सँवार की क्या ज़रूरत है? जुगनू की नीति में स्त्रियों के श्रृंगार का केवल एक उद्देश्य था, पति को लुभाना। इसलिए सुहागिनों के सिवा, श्रृंगार और सभी के लिए वर्जित था। अभी ख़ुरशेद कुर्सी पर बैठने भी न पायी थी कि जूतों का चरमर सुनाई दिया और एक क्षण में विलियम किंग ने कमरे में कदम रखा। उसकी आँखें चढ़ी हुई मालूम होती थीं और कपड़ों से शराब की गंध आ रही थी। उसने बेधड़क मिस ख़ुरशेद को छाती से लगा लिया और बार-बार उसके कपोलों के चुम्बन लेने लगा।

मिस ख़ुरशेद ने अपने को उसके बाहु-पाश से छुड़ाने की चेष्टा करके कहा—चलो हटो, शराब पीकर आये हो।

किंग ने उसे और चिमटाकर कहा—आज तुम्हें भी पिलाऊँगा प्रिये! तुमको पीना होगा। फिर हम दोनों लिपटकर सोएँगे। नशे में प्रेम कितना सजीव हो जाता है, इसकी परीक्षा कर लो।

मिस ख़ुरशेद ने इस तरह जुगनू की उपस्थिति का उसे संकेत किया कि जुगनू की नज़र पड़ जाये, पर किंग नशे में मस्त था। जुगनू की तरफ़ देखा ही नहीं।

मिस खुरशेद ने रोष के साथ अपने को अलग करके कहा—तुम इस वक़्त आपे में नहीं हो। इतने उतावले क्यों हुए जाते हो? क्या मैं कहीं भागी जा रही हूँ!

किंग—इतने दिनों चोरों की तरह आया हूँ, आज से मैं खुले खजाने आऊँगा?

खुरशेद—तुम तो पागल हो रहे हो। देखते नहीं हो, कमरे में कौन बैठा हुआ है?

किंग ने हकबकाकर जुगनू की तरफ़ देखा और झिझककर बोला—यह बुढ़िया यहाँ कब आयी? तुम यहाँ क्यों आयी बुड्ढी! शैतान की बच्ची! यहाँ भेद लेने आती है! हमको बदनाम करना चाहती है? मैं तेरा गला घोंट दूँगा। ठहर, भागती कहाँ है? मैं तुझे ज़िंदा न छोड़ूँगा!

जुगनू बिल्ली की तरह कमरे से निकली और सिर पर पाँव रखकर भागी! उधर कमरे से कहकहे उठ-उठकर छत को हिलाने लगे।

जुगनू उसी वक़्त मिसेज़ टंडन के घर पहुँची। उसके पेट में बुलबुले उठ रहे थे, पर मिसेज टंडन सो गयी थीं। वहाँ से निराश होकर उसने कई दूसरे घरों की कुण्डी खटखटायी, पर कोई द्वार न खुला और दुखिया को सारी रात इसी तरह काटनी पड़ी, मानो कोई रोता हुआ बच्चा गोद में हो। प्रातःकाल वह आश्रम में जा कूदी।

कोई आधे घण्टे में मिसेज़ टंडन भी आयीं। उन्हें देखकर उसने मुँह फेर लिया।

मि. टंडन ने पूछा—रात तुम मेरे घर गयी थीं? इस वक़्त मुझसे महाराज ने कहा।

जुगनू ने विरक्त भाव से कहा—प्यासा ही तो कुएँ के पास जाता है। कुआँ थोड़े ही प्यासे के पास आता है। मुझे आग में झोंककर आप दूर हट गयीं। भगवान् ने मेरी रक्षा की, नहीं कल जान ही गयी थी।

मि. टंडन ने उत्सुकता से कहा—हुआ क्या? कुछ कहो। मुझे तुमने जगा क्यों न लिया? तुम तो जानती हो, मेरी आदत सवेरे सो जाने की है।

'महाराज ने घर में घुसने ही न दिया। जगा कैसे लेती! आपको इतना तो सोचना चाहिए था कि वह वहाँ गयी है, तो आती होगी! घड़ी भर बाद सोतीं तो क्या बिगड़ जाता; पर आपको किसी की क्या परवाह!'

'तो क्या हुआ? मिस खुरशेद मारने दौड़ी।'

'वह नहीं मारने दौड़ीं, उनका वह खसम है, वह मारने दौड़ा। लाल आँखें निकाले आया और मुझसे कहा—निकल जा। जब तक मैं निकलूँ-निकलूँ, तब तक हंटर खींचकर दौड़ ही तो पड़ा। मैं सिर पर पाँव रखकर न भागती, तो चमड़ी उधेड़ डालता। और वह राँड़ बैठी तमाशा देखती रही। दोनों में पहले से सधी-बदी थी। ऐसी कुलटाओं का मुँह देखना पाप है। वेसवा भी इतनी निर्लज्ज न होगी।

ज़रा देर में और भी देवियाँ आ पहुँचीं। यह सुनने के लिए सभी उत्सुक हो रही थीं। जुगनू की कैंची अविश्रान्त रूप से चलती रही। महिलाओं को इस वृत्तांत में इतना आनन्द आ रहा था कि कुछ न पूछो। एक-एक बात को खोद-खोदकर पूछती थीं। घर के काम-धंधे भूल गये, खाने-पीने की सुधि भी न रही और एक बार सुनकर उनकी तृप्ति न होती थी, बार-बार वही कथा नए आनन्द से सुनती थीं।

मिसेज़ टंडन ने अंत में कहा—हमें आश्रम में ऐसी महिलाओं को लाना अनुचित है। आप लोग इस प्रश्न पर विचार करें।

मिसेज़ पंड्या ने समर्थन किया—हम आश्रम को आदर्श से गिराना नहीं चाहते। मैं तो कहती हूँ, ऐसी औरत किसी संस्था की प्रिंसिपल बनने के योग्य नहीं।

मिसेज़ बाँगड़ा ने फ़रमाया—जुगनूबाई ने ठीक कहा था, ऐसी औरत का मुँह देखना भी पाप है। उससे साफ़ कह देना चाहिए, आप यहाँ तशरीफ़ न लाएँ।

अभी यही खिचड़ी पक ही रही थी कि आश्रम के सामने एक मोटर आकर रुकी। महिलाओं ने सिर उठा-उठाकर देखा, गाड़ी में मिस खुरशेद और विलियम किंग हैं।

जुगनू ने मुँह फैलाकर हाथ से इशारा किया, वही लौंडा है! महिलाओं का सम्पूर्ण समूह चिक के सामने आने के लिए विकल हो गया।

मिस खुरशेद ने मोटर से उतरकर हुड बन्द कर दिया और आश्रम के द्वार की ओर चलीं। महिलाएँ भाग-भागकर अपनी-अपनी जगह आ बैठीं।

मिस खुरशेद ने कमरे में कदम रक्खा। किसी ने स्वागत न किया। मिस खुरशेद ने जुगनू की ओर निस्संकोच आँखों से देखकर मुस्कराते हुए कहा—कहिए बाईजी, रात आपको चोट तो नहीं आयी?

जुगनू ने बहुतेरी दीदा-दिलेर स्त्रियाँ देखी थीं; पर इस ढिठाई ने उसे चकित कर दिया। चोर हाथ में चोरी का माल लिये, साह को ललकार रहा था।

जुगनू ने ऐंठकर कहा—जी न भरा हो, तो अब पिटवा दो। सामने ही तो हैं।

खुरशेद—वह इस वक़्त तुमसे अपना अपराध क्षमा कराने आये हैं। रात वह नशे में थे।

जुगनू ने मिसेज़ टंडन की ओर देखकर कहा—और आप भी तो कुछ कम नशे में नहीं थीं।

खुरशेद ने व्यंग्य समझकर कहा—मैंने आज तक कभी नहीं पी। मुझ पर झूठा इलज़ाम मत लगाओ।

जुगनू ने लाठी मारी—शराब से भी बड़े नशे की चीज़ है कोई, वह उसी का नशा होगा। उन महाशय को परदे में क्यों ढक दिया? देवियाँ भी तो उनकी सूरत देखतीं।

मिस खुरशेद ने शरारत की—सूरत तो उनकी लाख-दो लाख में एक है।

मिसेज़ टंडन ने आशंकित होकर कहा—नहीं, उन्हें यहाँ लाने की ज़रूरत नहीं। आश्रम को हम बदनाम नहीं करना चाहते।

मिस खुरशेद ने आग्रह किया—मामले को साफ़ करने के लिए उनका आप लोगों के सामने आना ज़रूरी है। एक तरफ़ा फ़ैसला आप क्यों करती हैं?

मिसेज़ टंडन ने टालने के लिए कहा—यहाँ कोई मुकद्दमा थोड़े ही पेश है!

मिस खुरशेद—वाह! मेरी इज़्ज़त में बट्टा लगा जा रहा है, और आप कहती हैं, कोई मुकद्दमा नहीं है? मिस्टर किंग आयेंगे और आपको उनका बयान सुनना होगा।

मिसेज़ टंडन को छोड़कर और सभी महिलाएँ किंग को देखने के लिए उत्सुक थीं। किसी ने विरोध न किया!

खुरशेद ने द्वार पर आकर ऊँची आवाज़ से कहा—तुम ज़रा यहाँ चले आओ।

हुड खुला और मिस लीलावती रेशमी साड़ी पहने मुस्कराती हुई निकल आयीं।

आश्रम में सन्नाटा छा गया। देवियाँ विस्मित आँखों से लीलावती को देखने लगीं।

जुगनू ने आँखें चमकाकर कहा—उन्हें कहाँ छिपा दिया आपने?

खुरशेद—छूमंतर से उड़ गये। जाकर गाड़ी देख लो।

जुगनू लपककर गाड़ी के पास गयी और ख़ूब देख-भालकर मुँह लटकाये हुए लौटी।

मिस खुरशेद ने पूछा—क्या हुआ, मिला कोई?

जुगनू—मैं यह तिरिया-चरित्र क्या जानूँ। (लीलावती को गौर से देखकर) और मरदों को साड़ी पहनाकर आँखों में धूल झोंक रही हो। यही तो हैं वह मतवाले साहब!

खुरशेद—ख़ूब पहचानती हो?

जुगनू—हाँ-हाँ, क्या अंधी हूँ?

मिसेज़ टंडन—क्या पागलों-सी बातें करती हो जुगनू, यह तो डॉक्टर लीलावती हैं।

जुगनू—(उँगली चमकाकर) चलिए, चलिए, लीलावती हैं। साड़ी पहनकर औरत बनते लाज भी नहीं आती! तुम रात को नहीं इनके घर थे?

लीलावती ने विनोद-भाव से कहा—मैं कब इनकार कर रही हूँ? इस वक़्त लीलावती हूँ। रात को विलियम किंग बन जाती हूँ। इसमें बात ही क्या है?

देवियों को अब यथार्थ की लालिमा दिखाई दी। चारों तरफ़ कहकहे पड़ने लगे। कोई तालियाँ बजाती थी, कोई डॉक्टर लीलावती की गर्दन से लिपटी जाती थी, कोई मिस खुरशेद की पीठ पर थपकियाँ देती थी। कई मिनट तक हू-हक मचता रहा। जुगनू का मुँह उस लालिमा में बिलकुल ज़रा-सा निकल आया। ज़बान बन्द हो गयी। ऐसा चरका उसने कभी न खाया था। इतनी ज़लील कभी न हुई थी।

मिसेज मेहरा ने डाँट बताई—अब बोलो दाई, लगी मुँह में कालिख कि नहीं?

मिसेज़ बाँगड़ा—इसी तरह यह सबको बदनाम करती है।

लीलावती—आप लोग भी तो, वह जो कहती है, उस पर विश्वास कर लेती हैं।

इस हड़बोंग में जुगनू को किसी ने जाते न देखा। अपने सिर पर यह तूफ़ान उठते देखकर उसे चुपके से सरक जाने ही में अपनी कुशल मालूम हुई। पीछे के द्वार से निकली और गलियों-गलियों भागी।

मिस खुरशेद ने कहा—ज़रा उससे पूछो, मेरे पीछे क्यों पड़ गयी?

मिसेज टंडन ने पुकारा, पर जुगनू कहाँ! तलाश होने लगी। जुगनू ग़ायब!

उस दिन से शहर में फिर किसी ने जुगनू की सूरत नहीं देखी। आश्रम के इतिहास में यह मामला आज भी उल्लेख और मनोरंजन का विषय बना हुआ है।

❑❑❑

आख़िरी हीला

यद्यपि मेरी स्मरण-शक्ति पृथ्वी के इतिहास की सारी स्मरणीय तारीख़ें भूल गयी, वे तारीख़ें जिन्हें रातों को जागकर और मस्तिष्क को खपाकर याद किया था; मगर विवाह की तिथि समतल भूमि में एक स्तम्भ की भाँति अटल है। न भूलता हूँ, न भूल सकता हूँ। उससे पहले और पीछे की सारी घटनाएँ दिल से मिट गयीं, उनका निशान तक बाक़ी नहीं। वह सारी अनेकता एक एकता में मिश्रित हो गयी है और वह मेरे विवाह की तिथि है। चाहता हूँ, उसे भूल जाऊँ; मगर जिस तिथि का नित्यप्रति सुमिरन किया जाता हो, वह कैसे भूल जाय? नित्यप्रति सुमिरन क्यों करता हूँ, यह उस विपत्ति-मारे से पूछिए, जिसे भगवद्-भजन के सिवा जीवन के उद्धार का कोई आधार न रहा हो।

लेकिन क्या मैं वैवाहिक जीवन से इसलिए भागता हूँ कि मुझमें रसिकता का अभाव है और मैं कोमल वर्ग की मोहिनी शक्ति से निर्लिप्त हूँ और अनासक्ति का पद प्राप्त कर चुका हूँ? क्या मैं नहीं चाहता कि जब मैं सैर करने निकलूँ तो हृदयेश्वरी भी मेरे साथ विराजमान हों? विलास- वस्तुओं की दूकानों पर उनके साथ जाकर थोड़ी देर के लिए रसमय आग्रह का आनन्द उठाऊँ। मैं उस गर्व और आनंद और महत्त्व को अनुमान कर सकता हूँ, जो मेरे अन्य भाइयों की भाँति मेरे हृदय में भी आन्दोलित होगा, लेकिन मेरे भाग्य में वह ख़ुशियाँ—वह रँगरेलियाँ नहीं हैं।

क्योंकि चित्र का दूसरा पक्ष भी तो देखता हूँ। एक पक्ष जितना ही मोहक और आकर्षक है, दूसरा उतना ही हृदयविदारक और भयंकर। शाम हुई और आप बदनसीब बच्चे को गोद में लिये तेल या ईंधन की दूकान पर खड़े हैं। अँधेरा हुआ और आप आटे की पोटली बगल में दबाये गलियों में यों कदम बढ़ाये हुए निकल जाते हैं, मानो चोरी की है। सूर्य निकला और बालकों को गोद में लिये होम्योपैथ डॉक्टर की दूकान में टूटी कुर्सी पर आरूढ़ हैं। किसी खोमचेवाले की रसीली आवाज़ सुनकर बालक ने गगनभेदी विलाप आरम्भ किया और आपके प्राण सूखे। ऐसे बापों को भी देखा है, जो दफ़्तर से लौटते हुए पैसे-दो पैसे की मूँगफली या रेवड़ियाँ लेकर लज्जास्पद शीघ्रता के साथ मुँह में रखते चले जाते हैं कि घर पहुँचते-पहुँचते बालकों के आक्रमण से पहले ही यह पदार्थ समाप्त हो जाय। कितना निराशाजनक होता है यह दृश्य, जब देखता हूँ कि मेले में बच्चा किसी खिलौने की दूकान के सामने मचल रहा है और पिता महोदय ऋषियों की-सी विद्वता के साथ उनकी क्षणभंगुरता का राग अलाप रहे हैं।

चित्र का पहला रुख़ तो मेरे लिए एक मादक स्वप्न है, दूसरा रुख़ एक भयंकर सत्य। इस सत्य के सामने मेरी सारी रसिकता अन्तर्धान हो जाती है। मेरी सारी मौलिकता, सारी रचनाशीलता इसी दाम्पत्य के फन्दों से बचने में प्रयुक्त हुई है। जानता हूँ कि जाल के नीचे जाना है, मगर जाल जितना ही रंगीन और ग्राहक है, दाना उतना ही घातक और विषैला। इस जाल में पक्षियों को तड़पते और फड़फड़ाते देखता हूँ और फिर डाली पर जा बैठता हूँ।

लेकिन इधर कुछ दिनों से श्रीमतीजी ने अविश्रांत रूप से आग्रह करना शुरू किया है कि मुझे बुला लो। पहले जब छुट्टियों में जाता था, तो मेरा केवल 'कहाँ चलोगी' कह देना उनकी चित्तशांति के लिए काफ़ी होता था, फिर मैंने 'झंझट है' कहकर तसल्ली देनी शुरू की। इसके बाद गृहस्थ-जीवन की असुविधाओं से डराया, किन्तु अब कुछ दिनों से उनका अविश्वास बढ़ता जाता है। अब मैंने छुट्टियों में भी उनके आग्रह के भय से घर जाना बन्द कर दिया है कि कहीं वह मेरे साथ न चल खड़ी हों और नाना प्रकार के बहानों से उन्हें आशंकित करता रहता हूँ।

मेरा पहला बहाना पत्र-सम्पादकों के जीवन की कठिनाइयों के विषय में था। कभी बारह बजे रात को सोना नसीब होता है, कभी रतजगा करना पड़ जाता है। सारे दिन गली-गली ठोकरें खानी पड़ती हैं। इस पर तुर्रा यह है कि हमेशा सिर पर नंगी तलवार लटकती रहती है। न जाने कब गिरफ़्तार हो जाऊँ, कब ज़मानत तलब हो जाय। ख़ुफ़िया पुलिस की एक फ़ौज हमेशा पीछे पड़ी रहती है। कभी बाज़ार में निकल जाता हूँ, तो लोग उँगलियाँ उठाकर कहते हैं—वह जा रहा है अख़बारवाला। मानो संसार में जितनी दैविक, आधिदैविक, भौतिक, आधिभौतिक बाधाएँ हैं, उनका उत्तरदायी मैं हूँ। मानो मेरा मस्तिष्क झूठी ख़बरें गढ़ने का कार्यालय है। सारा दिन अफ़सरों की सलाम और पुलिस की ख़ुशामद में गुज़र जाता है। कान्स्टेबलों को देखा और प्राण-पीड़ा होने लगी। मेरी तो यह हालत, और हुक्काम हैं कि मेरी सूरत से काँपते हैं। एक दिन दुर्भाग्यवश एक अंग्रेज़ के बँगले की तरफ़ जा निकला। साहब ने पूछा—क्या काम करता है? मैंने गर्व के साथ कहा—पत्र का सम्पादक हूँ। साहब तुरन्त अन्दर घुस गये और कपाट बंद कर लिये। फिर मेम साहब और बाबा लोगों को खिड़कियों से झाँकते देखा, मानो कोई भयंकर जन्तु है। एक बार रेलगाड़ी में सफ़र कर रहा था। साथ और भी कई मित्र थे, इसलिए अपने पद का सम्मान निभाने के लिए सेकंड क्लास का टिकट लेना पड़ा। गाड़ी में बैठा तो एक साहब ने मेरे सूटकेस पर मेरा नाम और पेशा देखते ही तुरन्त अपना सन्दूक खोला और रिवाल्वर निकालकर मेरे सामने गोलियाँ भरीं, जिसमें मुझे मालूम हो जाय कि वह मुझसे सचेत हैं। मैंने देवीजी से अपनी आर्थिक कठिनाइयों की भी चर्चा नहीं की; क्योंकि मैं रमणियों के सामने यह ज़िक्र करना अपनी मर्यादा के विरुद्ध समझता हूँ हालाँकि यह चर्चा करता, तो देवीजी की दया का अवश्य पात्र बन जाता।

मुझे विश्वास था कि श्रीमतीजी फिर यहाँ आने का नाम न लेंगी। मगर यह मेरा भ्रम था। उनके आग्रह पूर्ववत् होते रहे!

तब मैंने दूसरा बहाना सोचा। शहर बीमारियों के अड्डे हैं। हर एक खाने-पीने की चीज़ में विष की शंका, दूध में विष, घी में विष, फलों में विष, शाक-भाजी में विष, हवा में विष, पानी में विष। यहाँ मनुष्य का जीवन पानी की लकीर है। जिसे आज देखो, वह कल ग़ायब। अच्छे-ख़ासे बैठे हैं, हृदय की गति बन्द हो गयी। घर से सैर को निकले, मोटर से टकराकर सुरपुर की राह ली। अगर कोई शाम को सांगोपांग घर आ जाय, तो उसे भाग्यवान् समझो। मच्छर की आवाज़ कान में आयी, दिल बैठा; मक्खी नज़र आयी और हाथ-पाँव फूले। चूहा बिल से निकला और जान निकल गयी। जिधर देखिए, यमराज की अमलदारी है। अगर मोटर और ट्राम से बचकर आ गये, तो मच्छर और मक्खी के शिकार हुए। बस, यही समझ लो कि मौत हरदम सिर पर खेलती रहती है। रात-भर मच्छरों से लड़ता हूँ, दिन-भर मक्खियों से। नन्हीं-सी जान को किन-किन दुश्मनों से बचाऊँ। साँस भी मुश्किल से लेता हूँ कि कहीं क्षय के कीटाणु फेफड़े में न पहुँच जायँ।

देवीजी को फिर मुझ पर विश्वास न आया। दूसरे पत्र में भी वही आरज़ू थी। लिखा था, तुम्हारे पत्र ने और चिन्ता बढ़ा दी। अब प्रतिदिन पत्र लिखा करना, नहीं, मैं एक न सुनूँगी और सीधे चली आऊँगी। मैंने दिल में कहा—चलो, सस्ते छूटे।

मगर यह खटका लगा हुआ था कि न जाने कब उन्हें शहर आने की सनक सवार हो जाय। इसलिए मैंने तीसरा बहाना सोच निकाला। यहाँ मित्रों के मारे नाकों दम रहता है, आकर बैठ जाते हैं तो उठने का नाम भी नहीं लेते, मानो अपना घर बेच आये हैं। अगर घर से टल जाओ, तो आकर बेधड़क कमरे में बैठ जाते हैं और नौकर से जो चीज़ चाहते हैं, उधार मँगवा लेते हैं। देना मुझे पड़ता है। कुछ लोग तो हफ़्तों पड़े रहते हैं, टलने का नाम भी नहीं लेते। रोज़ उनका सेवा-सत्कार करो, रात को थिएटर या सिनेमा दिखाओ, फिर सवेरे तक ताश या शतरंज खेलो। अधिकांश तो ऐसे हैं, जो शराब के बग़ैर ज़िन्दा ही नहीं रह सकते। अकसर तो बीमार होकर आते हैं; बल्कि अधिकतर बीमार हो आते हैं। अब रोज़ डॉक्टर को बुलाओ, सेवा-शुश्रूषा करो, रात-भर सिरहाने बैठे पंखा झलते रहो, उस पर यह शिकायत भी सुनते रहो कि यहाँ कोई हमारी बात भी नहीं पूछता! मेरी घड़ी महीनों से मेरी कलाई पर नहीं आयी। दोस्तों के साथ जलसों में शरीक़ हो रही है। अचकन है, वह एक साहब के पास है, कोट दूसरे साहब ले गये। जूते और एक बाबू ले उड़े। मैं वही रद्दी कोट और वही चमरौधा जूता पहनकर दफ़्तर जाता हूँ। मित्र-वृन्द ताड़ते रहते हैं कि कौन-सी नयी वस्तु लाया। कोई चीज़ लाता हूँ, तो मारे डर के सन्दूक में बन्द कर देता हूँ, किसी की निग़ाह पड़ जाय, तो कहीं-न-कहीं न्योता खाने की धुन सवार हो जाय। पहली तारीख़ को वेतन मिलता है, तो चोरों की तरह दबे पाँव घर आता हूँ कि कहीं कोई महाशय रुपयों की प्रतीक्षा में द्वार पर धरना जमाये न बैठे हों। मालूम नहीं, उनकी सारी आवश्यकताएँ पहली ही तारीख़ की बाट क्यों जोहती रहती हैं? एक दिन वेतन लेकर बारह बजे रात को लौटा, मगर देखा तो आधे दर्जन मित्र उस वक़्त भी डटे हुए थे। माथा ठोक लिया। कितने ही बहाने करूँ, उनके सामने एक नहीं चलती। मैं कहता हूँ, घर से पत्र आया है, माताजी बहुत बीमार हैं। जवाब देते हैं, अजी, बूढ़े इतनी जल्द नहीं मरते। मरना ही होता, तो इतने दिन जीवित क्यों रहतीं? देख लेना, दो-चार दिन में अच्छी हो जायँगी, और अगर मर भी जायँ, तो वृद्धजनों की मृत्यु का शोक ही क्या, वह तो और ख़ुशी की बात है। कहता हूँ, लगान का बड़ा तकाजा हो रहा है। जवाब मिलता है, आजकल लगान तो बन्द ही हो रहा है। लगान देने की ज़रूरत ही नहीं। अगर किसी संस्कार का बहाना करता हूँ, तो फ़रमाते हैं तुम भी विचित्र जीव हो। इन कुप्रथाओं की लकीर पीटना तुम्हारी शान के ख़िलाफ़ है। अगर तुम उनका मूलोच्छेद न करोगे, तो वह लोग क्या आकाश से आयेंगे? गरज़ यह कि किसी तरह प्राण नहीं बचते।

मैंने समझा कि हमारा यह बहाना निशाने पर बैठेगा। ऐसे घर में कौन रमणी रहना पसन्द करेगी, जो मित्रों पर ही अर्पित हो गया हो। किन्तु मुझे फिर भ्रम हुआ। उत्तर में फिर वही आग्रह था।

तब मैंने चौथा हीला सोचा। यहाँ मकान हैं कि चिड़ियों के पिंजरे, न हवा, न रोशनी। वह दुर्गन्ध उड़ती है कि खोपड़ी भन्ना जाती है। कितने ही को तो इसी दुर्गन्ध के कारण विशूचिका, टाइफाइड, यक्ष्मा आदि रोग हो जाते हैं। वर्षा हुई और

मकान टपकने लगा। पानी चाहे घण्टे-भर बरसे, मकान रात-भर बरसता रहता है। ऐसे बहुत कम घर होंगे, जिनमें प्रेत-बाधाएँ न हों। लोगों को डरावने स्वप्न दिखाई देते है। कितनों ही को उन्माद-रोग हो जाता है। आज नये घर में आये, कल ही उसे बदलने की चिन्ता सवार हो गयी। कोई ठेला असबाब से लदा हुआ जा रहा है, कोई आ रहा है। जिधर देखिए, ठेले-ही-ठेले नज़र आते हैं। चोरियाँ तो इस कसरत से होती हैं कि अगर कोई रात कुशल से बीत जाय, तो देवताओं की मनौती की जाती है। आधी रात हुई और 'चोर-चोर! पकड़ो-पकड़ो' की आवाज़ें आने लगीं। लोग दरवाजों पर मोटे-मोटे लकड़ी फट्टे या जूते या चिमटे लिये खड़े रहते हैं; फिर भी चोर इतने कुशल हैं कि आँख बचाकर अन्दर पहुँच ही जाते हैं। एक मेरे बेतकल्लुफ़ दोस्त हैं। स्नेहवश मेरे पास बहुत देर तक बैठे रहते हैं। रात-अँधेरे में बर्तन खड़के, तो मैंने बिजली की बत्ती जलायी। देखा, तो वही महाशय बर्तन समेट रहे हैं। मेरी आवाज़ सुनकर ज़ोर से कहकहा मारा और बोले, मैं तुम्हें चकमा देना चाहता था। मैंने दिल में समझ लिया, अगर निकल जाते, तो बर्तन आपके थे, जब जाग पड़ा तो चकमा हो गया। घर में आये कैसे थे? यह रहस्य है। कदाचित् रात को ताश खेलकर चले, तो बाहर जाने के बदले नीचे अँधेरी कोठरी में छिप गये। एक दिन एक महाशय मुझसे पत्र लिखाने आये, कमरे में कलम-दवात न था। ऊपर के कमरे से लाने गया। लौटकर आया तो देखा, आप ग़ायब हैं और उनके साथ फाउण्टेन पेन भी ग़ायब है। सारांश यह कि नगर-जीवन नरक-जीवन से कम दुःखदाई नहीं है।

मगर पत्नीजी पर नागरिक जीवन का ऐसा जादू चढ़ा हुआ है कि मेरा कोई बहाना उन पर असर नहीं करता। इस पत्र के जवाब में उन्होंने लिखा—मुझसे बहाने करते हो, मैं हर्गिज़ न मानूँगी। तुम आकर मुझे ले जाओ।

आख़िर मुझे पाँचवाँ बहाना करना पड़ा। यह खोंचेवालों के विषय में था।

अभी बिस्तर से उठने की नौबत नहीं आयी कि कानों में विचित्र आवाजें आने लगीं। काबुल के मीनार के निर्माण के समय भी ऐसी निरर्थक आवाजें न आयी होंगी। यह खोंचेवालों की शब्द-क्रीड़ा है। उचित तो यह था, यह खोंचेवाले ढोल-मँजीरे के साथ लोगों को अपनी चीज़ों की ओर आकर्षित करते; मगर इन औंधी अक्लवालों को यह कहाँ सूझती है। ऐसे पैशाचिक स्वर निकालते हैं कि सुननेवालों के रोएँ खड़े हो जाते हैं। बच्चे माँ की गोद में चिपट जाते हैं। मैं भी रात को अकसर चौंक पड़ता हूँ। एक दिन तो मेरे पड़ोस में एक दुर्घटना हो गयी। ग्यारह बजे थे। कोई महिला बच्चे को दूध पिलाने उठी थी। एकाएक जो किसी खोंचेवाले को भयंकर ध्वनि कानों में आयी, तो चीख मारकर चिल्ला उठी और फिर बेहोश हो गयी। महीनों की दवा-दारू के बाद अच्छी हुई। अब रात को कानों में रुई डालकर सोती है। ऐसे कारण नगरों में नित्य ही रहते हैं। मेरे ही मित्रों में कई ऐसे हैं, जो अपनी स्त्रियों को घर से लाये मगर बेचारियाँ दूसरे ही दिन इन आवाज़ों से भयभीत होकर लौट गयीं।

श्रीमती ने इसके जवाब में लिखा—तुम समझते हो, मैं खोंचेवालों की आवाज़ों से डर जाऊँगी। यहाँ गीदड़ों का हौवाना और उल्लुओं का चीखना सुनकर तो डरती नहीं, खोंचेवालों से क्या डरूँगी!

अंत में मुझे एक ऐसा बहाना सूझा, जिसकी सफलता का मुझे पूरा विश्वास था। यद्यपि इसमें मेरी कुछ बदनामी थी लेकिन बदनामी से मैं इतना नहीं डरता, जितना उस विपत्ति से।

फिर मैंने लिखा—शहर शरीफ़ ज़ादियों के रहने की जगह नहीं। यहाँ की महरियाँ इतनी कटुभाषिणी हैं कि बातों का जवाब गालियों से देती हैं और उनके बनाव-सँवार का क्या पूछना! भले घरों की स्त्रियाँ तो इनके ठाट देखकर ही शर्म से पानी-पानी हो जाती हैं। सिर से पाँव तक सोने से लदी हुई, सामने से निकल जाती हैं, तो मालूम होता है कि सुगन्धि की लपट लग गयी। गृहणियाँ ये ठाठ कहाँ से लाएँ; उन्हें तो और भी सैकड़ों चिन्ताएँ हैं। इन महरियों को तो बनाव-सिंगार के सिवा दूसरा काम ही नहीं। नित्य नयी सज-धज, नित्य नयी अदा, और चंचल तो इस ग़ज़ब की हैं, मानो अंगों में रक्त की जगह पारा भर दिया हो। उनका चमकना और मटकना और मुस्कराना देखकर गृहणियाँ लज्जित हो जाती हैं। और ऐसी दीदा-दिलेर हैं कि ज़बरदस्ती घरों में घुस पड़ती हैं। जिधर देखो, उधर इनका मेला-सा लगा हुआ है। इनके मारे भले आदमियों का घर में बैठना मुश्किल है। कोई ख़त लिखाने के बहाने से आ जाती है, कोई ख़त पढ़ाने के बहाने से। असली बात यह है कि गृहदेवियों का रंग फ़ीका करने में इन्हें आनन्द आता है। इसीलिए शरीफ़ज़ादियाँ बहुत कम शहरों में आती हैं।

मालूम नहीं, इस पत्र में मुझसे क्या ग़लती हुई कि तीसरे दिन पत्नीजी एक बूढ़े कहार के साथ मेरा पता पूछती हुई अपने तीनों बच्चों को लिये एक असाध्य रोग की भाँति आ डटीं।

मैंने बदहवास होकर पूछा—क्यों कुशल तो है?

पत्नी ने चादर उतारते हुए कहा—घर में कोई चुड़ैल बैठी तो नहीं है? यहाँ किसी ने कदम रखा तो नाक काट लूँगी हाँ, जो तुम्हारी शह न हो।

अच्छा, तो अब रहस्य खुला। मैंने सिर पीट लिया। क्या जानता था, तमाचा अपने ही मुँह पर पड़ेगा!

❑❑❑

तावान

छकौड़ीलाल ने दूकान खोली और कपड़े के थानों को निकाल-निकाल रखने लगा कि एकमहिला, दो स्वयंसेवकों के साथ उसकी दूकान को छेंकने आ पहुँचीं। छकौड़ी के प्राण निकल गये।

महिला ने तिरस्कार करके कहा—क्यों लाला, तुमने सील तोड़ डाली न? अच्छी बात है, देखें तुम कैसे एक ग़िरह कपड़ा भी बेच लेते हो! भले आदमी, तुम्हें शर्म नहीं आती कि देश में यह संग्राम छिड़ा हुआ है और तुम विलायती कपड़ा बेच रहे हो; डूब मरना चाहिए! औरतें तक घरों से निकल पड़ी हैं, फिर भी तुम्हें लज्ञा नहीं आती! तुम जैसे कायर देश में न होते, तो उसकी यह अधोगति न होती!

छकौड़ी ने वास्तव में कल कांग्रेस की सील तोड़ डाली थी। यह तिरस्कार सुनकर उसने सिर नीचा कर लिया। उसके पास कोई सफ़ाई न थी, जवाब न था। उसकी दूकान बहुत छोटी थी। ठेली पर कपड़े लगाकर बेचा करता था। यही जीविका थी। इसी पर वृद्धा माता, रोगिणी स्त्री और पाँच बेटे-बेटियों का निर्वाह होता था। जब स्वराज्य-संग्राम छिड़ा और सभी बजाज विलायती कपड़ों पर मुहरें लगवाने लगे, तो उसने भी मुहर लगवा ली। दस-पाँच थान स्वदेशी कपड़ों के उधार लाकर दूकान पर रख लिए; पर कपड़ों का मेल न था, इसलिए बिक्री कम होती थी। कोई भूला-भटका ग्राहक आ जाता, तो रुपये-आठ आने की बिक्री हो जाती। दिन-भर दूकान में तपस्या-सी करके पहर रात को घर लौट जाता था।

गृहस्थी का ख़र्च इस बिक्री में क्या चलता! कुछ दिन क़र्ज़-वर्ज लेकर काम चलाया, फिर गहने बेचने की नौबत आयी। यहाँ तक कि अब घर में कोई ऐसी चीज़ न बची, जिससे दो-चार महीने पेट का भूत सिर से टाला जाता। उधर स्त्री का रोग असाध्य होता जाता था। बिना किसी कुशल डॉक्टर को दिखाये काम न चल सकता था। इसी चिंता में डूब-उतरा रहा था कि विलायती कपड़े का एक ग्राहक मिल गया, जो एक मुश्त दस रुपये का माल लेना चाहता था। इस प्रलोभन को वह रोक न सका!

स्त्री ने सुना, तो कानों पर हाथ रखकर बोली—मैं मुहर तोड़ने को कभी न कहूँगी। डॉक्टर तो कुछ अमृत पिला न देगा। तुम नक्कू क्यों बनो? बचना होगा, बच जाऊँगी, मरना होगा, मर जाऊँगी, बेआबरुई तो न होगी। मैं जीकर ही घर का क्या उपकार कर रही हूँ? और सबको दिक कर रही हूँ। देश को स्वराज्य मिले, सब सुखी हों, बला से मैं मर जाऊँगी! हज़ारों आदमी जेल जा रहे हैं, कितने घर तबाह हो गये, तो क्या सबसे ज़्यादा प्यारी मेरी ही जान है?

पर छकौड़ी इतना पक्का न था। अपना बस चलते, वह स्त्री को भाग्य के भरोसे न छोड़ सकता था। उसने चुपके से मुहर तोड़ डाली और लागत के दामों दस रुपये के कपड़े बेच लिये।

अब डॉक्टर को कैसे ले जाय। स्त्री से क्या परदा रखता? उसने जाकर साफ़-साफ़ सारा वृत्तांत कह सुनाया और डॉक्टर को बुलाने चला।

स्त्री ने उसका हाथ पकड़कर कहा—मुझे डॉक्टर की जरूरत नहीं, अगर तुमने ज़िद की, तो दवा की तरफ़ आँखें भी न उठाऊँगी।

छकौड़ी और उसकी माँ ने रोगिणी को बहुत समझाया; पर वह डॉक्टर को बुलाने पर राज़ी न हुई। छकौड़ी ने दसों रुपये उठाकर घर-कुइयाँ में फेंक दिये और बिना कुछ खाये-पीये, क़िस्मत को रोता-झींकता दूकान पर चला आया। उसी वक़्त पिकेट करनेवाले आ पहुँचे और उसे फटकारना शुरू कर दिया। पड़ोस के दूकानदार ने कांग्रेस-कमेटी में जाकर चुगली खायी थी।

2

छकौड़ी ने महिला के लिए अंदर से लोहे की एक टूटी, बेरंग कुर्सी निकाली और लपककर उनके लिए पान लाया। जब वह पान खाकर कुर्सी पर बैठीं, तो उसने अपराध के लिए क्षमा माँगी। बोला—बहनजी, बेसक मुझसे यह अपराध हुआ है, लेकिन मैंने मजबूर होकर मुहर तोड़ी। अबकी मुझे मुआफ़ी दीजिए। फिर ऐसी ख़ता न होगी।

देशसेविका ने थानेदारों के रौब के साथ कहा—यों अपराध क्षमा नहीं हो सकता। तुम्हें इसका तावान देना पड़ेगा। तुमने कांग्रेस के साथ विश्वासघात किया है और इसका तुम्हें दण्ड मिलेगा। आज ही बायकाट-कमेटी में यह मामला पेश होगा।

छकौड़ी बहुत ही विनीत, बहुत ही सहिष्णु था; लेकिन चिताग्नि में तपकर उसका हृदय उस दशा को पहुँच गया था, जब एक चोट भी चिनगारियाँ पैदा कर देती है। तिनककर बोला—तावान तो मैं न दे सकता हूँ, न दूँगा। हाँ, दूकान भले ही बन्द कर दूँ। और दूकान भी क्यों बन्द करूँ? अपना माल है, जिस जगह चाहूँ, बेच सकता हूँ। अभी जाकर थाने में लिखा दूँ, तो बायकाट कमेटी को भागने की राह न मिले। जितना ही दबता हूँ, उतना ही आप लोग दबाती हैं।

महिला ने सत्याग्रह-शक्ति के प्रदर्शन का अवसर पाकर कहा—हाँ, ज़रूर पुलिस में रपट करो, मैं तो चाहती हूँ। तुम उन लोगों को यह धमकी दे रहे हो, जो तुम्हारे ही लिए अपने प्राणों का बलिदान कर रहे हैं। तुम इतने स्वार्थान्ध हो गये हो कि अपने स्वार्थ के लिए देश का अहित करते तुम्हें लज्जा नहीं आती! उस पर मुझे पुलिस की धमकी देते हो! बायकाट-कमेटी जाय या रहे, पर तुम्हें तावान देना पड़ेगा, अन्यथा दूकान बन्द करनी पड़ेगी।

यह कहते-कहते महिला का चेहरा गर्व से तेजवान हो गया। कई आदमी जमा हो गये और सब-के-सब छकौड़ी को बुरा-भला कहने लगे। छकौड़ी को मालूम हो गया कि पुलिस की धमकी देकर उसने बहुत बड़ा अविवेक किया है। लज्जा और अपमान से उसकी गर्दन झुक गयी और मुँह ज़रा-सा निकल आया। फिर उसने गर्दन न उठायी।

सारा दिन गुजर गया और धेले की बिक्री न हुई। आख़िर हारकर उसने दूकान बन्द कर दी और घर चला गया।

दूसरे दिन प्रातःकाल बायकाट-कमेटी ने एक स्वयंसेवक द्वारा उसे सूचना दे दी कि कमेटी ने उसे 101 रु. का दण्ड दिया है।

3

छकौड़ी इतना जानता था कि कांग्रेस की शक्ति के सामने वह सर्वथा अशक्त है। उसकी जुबान से जो धमकी निकल गयी थी, उस पर घोर पश्चात्ताप हुआ, लेकिन तीर कमान से निकल चुका था। दूकान खोलना व्यर्थ था। वह जानता था। उसकी धेले की बिक्री न होगी। 101 रु. देना उसके बूते से बाहर की बात थी! दो-तीन दिन तो वह चुपचाप बैठा रहा। एक दिन, रात को दूकान खोलकर सारी गाँठें घर उठा लाया और चुपके-चुपके बेचने लगा। पैसे की चीज़ धेले में लुटा रहा था और वह भी उधार। जीने के लिए कुछ आधार तो चाहिए।

मगर उसकी यह चाल कांग्रेस से छिपी न रही। चौथे ही दिन गोइंदों ने कांग्रेस को ख़बर पहुँचा दी। उसी दिन तीसरे पहर छकौड़ी के घर की पिकेटिंग शुरू हो गयी। अबकी सिर्फ़ पिकेटिंग शुरू न थी, स्यापा भी था। पाँच-छः स्वयंसेविकाएँ और इतने ही स्वयंसेवक द्वार पर स्यापा करने लगे।

छकौड़ी आँगन में सिर झुकाये खड़ा था। कुछ अक्ल काम न करती थी, इस विपत्ति को कैसे टाले। रोगिणी स्त्री सायबान में लेटी हुई थी, वृद्धा माता उसके सिरहाने बैठी पंखा झल रही थी और बच्चे बाहर स्यापे का आनन्द उठा रहे थे।

स्त्री ने कहा—इन सबसे पूछते नहीं, खाएँ क्या?

छकौड़ी बोला—किससे पूछूँ, जब कोई सुने भी!

'जाकर कांग्रेसवालों से कहो, हमारे लिए कुछ इंतज़ाम कर दें, हम अभी कपड़े को जला देंगे। ज़्यादा नहीं, 25 रु. ही महीना दे दें।'

'वहाँ भी कोई न सुनेगा।'

'तुम जाओ भी, या यहीं से क़ानून बघारने लगे।'

'क्या जाऊँ, उलटे और लोग हँसी उड़ाएँगे। यहाँ तो जिसने दूकान खोली, उसे दुनिया लखपती ही समझने लगती है।'

'तो खड़े-खड़े ये गालियाँ सुनते रहोगे?'

'तुम्हारे कहने से कहो, चला जाऊँ, मगर वहाँ ठठोली के सिवा और कुछ न होगा।'

'हाँ, मेरे कहने से जाओ। जब कोई न सुनेगा, तो हम भी कोई और राह निकालेंगे।'

छकौड़ी ने मुँह लटकाए कुर्ता पहना और इस तरह कांग्रेस-दफ़्तर चला, जैसे कोई मरणासन्न रोगी को देखने के लिए वैद्य को बुलाने जाता है।

4

कांग्रेस-कमेटी के प्रधान के परिचय के बाद पूछा—तुम्हारे ही ऊपर तो बायकाट-कमेटी ने 101 रु. का तावान लगाया है?

'जी हाँ!'

'तो रुपया कब दोगे?'

'मुझमें तावान देने की सामर्थ्य नहीं है। आपसे मैं सत्य कहता हूँ, मेरे घर में दो दिन से चूल्हा नहीं जला। घर की जो जमा-जथा थी, वह सब बेचकर खा

गया। अब आपने तावान लगा दिया, दूकान बन्द करनी पड़ी। घर पर कुछ माल बेचने लगा। वहाँ स्यापा बैठ गया। अगर आपकी यही इच्छा हो कि हम सब दाने बग़ैर मर जायँ, तो मार डालिए और मुझे कुछ नहीं कहना है।

छकौड़ी जो बात कहने घर से चला था, वह उसके मुँह से न निकली। उसने देख लिया, यहाँ कोई उस पर विचार करनेवाला नहीं है!

प्रधानजी ने गम्भीर-भाव से कहा—तावान तो देना ही पड़ेगा। अगर तुम्हें छोड़ दूँ, तो इसी तरह और लोग भी करेंगे। फिर विलायती कपड़े की रोक-थाम कैसे होगी?

'मैं आपसे जो कह रहा हूँ, उस पर आपको विश्वास नहीं आता?'

'मैं जानता हूँ, तुम मालदार आदमी हो।'

'मेरे घर की तलाशी ले लीजिए।'

'मैं इन चकमों में नहीं आता।'

छकौड़ी ने उद्दंड होकर कहा—तो यह कहिए कि आप सेवा नहीं कर रहे हैं, ग़रीबों का ख़ून चूस रहे हैं। पुलिसवाले क़ानूनी पहलू से लेते हैं, आप ग़ैरक़ानूनी पहलू से लेते हैं। नतीजा एक है। आप भी अपमान करते हैं, वह भी अपमान करते हैं। मैं कसम खा रहा हूँ कि मेरे घर में खाने के लिए दाना नहीं है, मेरी स्त्री खाट पर पड़ी-पड़ी मर रही है फिर भी आपको विश्वास नहीं आता। आप मुझे कांग्रेस का काम करने के लिए नौकर रख लीजिए। 25 रु. महीने दीजिएगा। इससे ज़्यादा अपनी ग़रीबी का क्या प्रमाण दूँ? अगर मेरा काम संतोष के लायक न हो, तो एक महीने के बाद मुझे निकाल दीजिएगा। यह समझ लीजिए कि जब मैं आपकी ग़ुलामी करने को तैयार हुआ हूँ, तो इसीलिए कि मुझे दूसरा कोई आधार नहीं है! हम व्यापारी लोग, अपना बस चलते, किसी की चाकरी नहीं करते। ज़माना बिगड़ा हुआ है, नहीं 101 रु. के लिए इतना हाथ-पाँव न जोड़ता।

प्रधानजी हँसकर बोले—'यह तो तुमने नयी चाल चली।'

'चाल नहीं चल रहा हूँ, अपनी विपत्ति-कथा कह रहा हूँ।'

'कांग्रेस के पास इतने रुपये नहीं हैं कि वह मोटों को खिलाती फिरे।'

'अब भी आप मुझे मोटा कहे जायँगे?'

'तुम मोटे ही हो।'

'मुझ पर ज़रा भी दया न कीजिएगा?'

प्रधान ज़्यादा गहराई से बोले—छकौड़ीलालजी, मुझे पहले तो इसका विश्वास नहीं आता कि आपकी हालत इतनी ख़राब है, और अगर विश्वास आ भी जाये, तो मैं कुछ नहीं कर सकता। इतने महान् आन्दोलन में कितने ही घर तबाह हुए और होंगे। हम लोग सभी तबाह हो रहे हैं। आप समझते हैं, हमारे सिर कितनी बड़ी जिम्मेदारी है? आपका तावान मुआफ़ कर दिया जाय, तो कल ही आपके बीसियों भाई अपनी मुहरें तोड़ डालेंगे और हम उन्हें किसी तरह कायल न कर सकेंगे। आप ग़रीब हैं, लेकिन सभी भाई तो ग़रीब नहीं हैं। तब तो सभी अपनी ग़रीबी के प्रमाण देने लगेंगे। मैं किस-किस की तलाशी लेता फिरूँगा। इसलिए जाइए, किसी तरह रुपये का प्रबन्ध कीजिए और दूकान खोलकर कारोबार कीजिए। ईश्वर चाहेगा, तो वह दिन भी आयेगा जब आपका नुकसान पूरा होगा।

5

छकौड़ी घर पहुँचा, तो अँधेरा हो गया था। अभी तक उसके द्वार पर स्यापा हो रहा था। घर में जाकर स्त्री से बोला—आख़िर वही हुआ, जो मैं कहता था। प्रधानजी को मेरी बातों पर विश्वास नहीं आया।

स्त्री का मुरझाया हुआ बदन उत्तेजित हो उठा। उठ खड़ी हुई और बोली—अच्छी बात है, हम उन्हें विश्वास दिला देंगे। मैं अब कांग्रेस दफ़्तर के सामने ही मरूँगी। मेरे बच्चे उसी दफ़्तर के सामने भूख से विकल हो-होकर तड़पेंगे। कांग्रेस हमारे साथ सत्याग्रह करती है, तो हम भी उसके साथ सत्याग्रह करके दिखा दें। मैं इस मरी हुई दशा में भी कांग्रेस को तोड़ डालूँगी। जो अभी इतने निर्दयी हैं, वह कुछ अधिकार पा जाने पर क्या न्याय करेंगे? एक इक्का बुला लो, खाट की ज़रूरत नहीं। वहीं सड़क किनारे मेरी जान निकलेगी। जनता ही के बल पर तो वह कूद रहे हैं। मैं दिखा दूँगी, जनता तुम्हारे साथ नहीं, मेरे साथ है।

इस अग्निकुंड के सामने छकौड़ी की गर्मी शान्त हो गयी। कांग्रेस के साथ इस रूप में सत्याग्रह की कल्पना ही से वह काँप उठा। सारे शहर में हलचल पड़ जायेगी, हज़ारों आदमी आकर यह दशा देखेंगे। सम्भव है, कोई हंगामा ही हो जाय। ये सभी बातें इतनी भयंकर थीं कि छकौड़ी का मन कातर हो गया। उसने स्त्री को शान्त करने की चेष्टा करते हुए कहा—इस तरह चलना उचित नहीं है अम्बे! मैं एक बार प्रधानजी से मिलूँगा। अब रात हुई, स्यापा बन्द हो जायेगा। कल देखी जायेगी। अभी तो तुमने पथ्य भी नहीं लिया। प्रधानजी बेचारे बड़े असमंजस में पड़े हुए हैं। कहते हैं, अगर आपके साथ रियायत कर दें, तो फिर कोई शासन ही न रह जायेगा। मोटे-मोटे आदमी भी मुहरें तोड़ डालेंगे और जब कुछ कहा जायेगा, तो आपकी नज़ीर पेश कर देंगे।

अम्बा एक क्षण अनिश्चित दशा में खड़ी छकौड़ी का मुँह देखती रही, फिर धीरे से खाट पर बैठ गयी। उसकी उत्तेजना गहरे विचार में परिणत हो गयी। कांगेस की और अपनी ज़िम्मेदारी का ख़याल आ गया। प्रधानजी के कथन कितने सत्य थे, यह उससे छिपा न रहा।

उसने छकौड़ी से कहा—तुमने आकर यह बात न कही थी।

छकौड़ी बोला—उस वक़्त मुझे इसकी याद न थी।

'यह प्रधानजी ने कहा है, या तुम अपनी तरफ़ से मिला रहे हो'

'नहीं, उन्होंने ख़ुद कहा, मैं अपनी तरफ़ से क्यों मिलाता?'

'बात तो उन्होंने ठीक ही कही!'

'हम तो मिट जायेंगे!'

'हम तो यों ही मिटे हुए हैं!'

'रुपये कहाँ से आवेंगे?' भोजन के लिए तो ठिकाना ही नहीं, दण्ड कहाँ से दें?

'और कुछ नहीं है, घर तो है। इसे रेहन रख दो और अब विलायती कपड़े भूलकर भी न बेचना। सड़ जायँ, कोई परवाह नहीं। तुमने सील तोड़कर यह आफ़त सिर ली। मेरी दवा-दारू की चिन्ता न करो। ईश्वर की जो इच्छा होगी, वही होगा। बाल-बच्चे भूखों मरते हैं, मरने दो। देश में करोड़ों आदमी ऐसे हैं, जिनकी दशा हमारी दशा से भी ख़राब है। हम न रहेंगे, देश तो सुखी होगा।'

छकौड़ी जानता था, अम्बा जो कहती है, वह करके रहती है, कोई उज्र नहीं सुनती। वह सिर झुकाए, अम्बा पर झुँझलाता हुआ घर से निकलकर महाजन के घर की ओर चला।

घासवाली

मुलिया हरी-हरी घास का गट्ठा लेकर आयी, तो उसका गेहुँआ रंग कुछ तमतमाया हुआ था और बड़ी-बड़ी मद-भरी आँखों में शंका समायी हुई थी। महावीर ने उसका तमतमाया हुआ चेहरा देखकर पूछा—क्या है मुलिया, आज कैसा जी है?

मुलिया ने कुछ जवाब न दिया। उसकी आँखें डबडबा गयीं।

महावीर ने समीप आकर पूछा—क्या हुआ, बताती क्यों नहीं? किसी ने कुछ कहा है, अम्माँ ने डाँटा है, क्यों इतनी उदास है?

मुलिया ने कहा—कुछ नहीं, हुआ क्या है? अच्छी तो हूँ।

महावीर ने मुलिया को सिर से पाँव तक देखकर कहा—चुपचाप रोयेगी, बतायेगी नहीं?

मुलिया ने बात टालकर कहा—कोई बात भी हो, क्या बताऊँ।

मुलिया इस ऊसर में गुलाब का फूल थी। गेहुँआ रंग था, हिरन की-सी आँखें, नीचे खिंचा हुआ चिबुक, कपोलों पर हल्की लालिमा, बड़ी-बड़ी नुकीली पलकें, आँखों में एक विचित्र आर्द्रता, जिसमें एक स्पष्ट वेदना, एक मूक व्यथा झलकती रहती थी। मालूम नहीं, चमारों के इस घर में यह अप्सरा कहाँ से आ गयी। क्या उसका कोमल फूल-सा गात इस योग्य था कि सिर पर घास की टोकरी रखकर बेचने जाती? उस गाँव में भी ऐसे लोग मौजूद थे, जो उसके तलवों के नीचे आँखें बिछाते थे, उसकी एक चितवन के लिए तरसते थे, जिनसे अगर वह एक शब्द भी बोलती, तो निहाल हो जाते, लेकिन उसे आये साल भर से अधिक हो गया, किसी ने उसे युवकों की तरफ़ ताकते या बातें करते नहीं देखा। वह घास लिये निकलती, तो ऐसा मालूम होता, मानो उषा का प्रकाश, सुनहरे आवरण से रंजित, अपनी छटा बिखेरता जाता हो। कोई ग़ज़लें गाता, कोई छाती पर हाथ रखता, पर मुलिया नीची आँखें किये अपनी राह चली जाती। लोग हैरान होकर कहते—इतना अभिमान! महावीर में ऐसे क्या सुर्ख़ाब के पर लगे हैं! ऐसा अच्छा जवान भी तो नहीं, न जाने यह कैसे उसके साथ रहती है!

मगर आज एक ऐसी बात हो गयी, जो इस जाति की और युवतियों के लिए चाहे गुप्त संदेश होती, मुलिया के लिए हृदय का शूल थी। प्रभात का समय था, पवन आम की बौर की सुगन्धि से मतवाला हो रहा था, आकाश पृथ्वी पर सोने की वर्षा कर रहा था। मुलिया सिर पर झौआ रखे घास छीलने चली, तो उसका गेहुँआ रंग प्रभात की सुनहरी किरणों से कुन्दन की तरह दमक उठा। एकाएक युवक चैनसिंह सामने से आता हुआ दिखाई दिया। मुलिया ने चाहा कि कतराकर निकल जाय, मगर चैनसिंह ने उसका हाथ पकड़ लिया ओर बोला—मुलिया, तुझे क्या मुझ पर ज़रा भी दया नहीं आती?

मुलिया का वह फूल-सा खिला हुआ चेहरा ज्वाला की तरह दहक उठा। वह ज़रा भी नहीं डरी, ज़रा भी न झिझकी, झौआ ज़मीन पर गिरा दिया और बोली—मुझे छोड़ दो, नहीं मैं चिल्लाती हूँ।

चैनसिंह को आज जीवन में एक नया अनुभव हुआ। नीची जातों में रूप-

माधुर्य का इसके सिवा और काम ही क्या है कि वह ऊँची जातिवालों का खिलौना बनें। ऐसे कितने ही मौक़े उसने जीते थे, पर आज मुलिया के चेहरे का वह रंग, उसका वह क्रोध, वह अभिमान देखकर उसके छक्के छूट गये। उसने लज्जित होकर उसका हाथ छोड़ दिया। मुलिया वेग से आगे बढ़ गयी।

संघर्ष की गरमी में चोट की व्यथा नहीं होती, पीछे से टीस होने लगती है। मुलिया जब कुछ दूर निकल गयी, तो क्रोध और भय तथा अपनी बेबसी का अनुभव करके उसकी आँखों में आँसू भर आये। उसने कुछ देर जब्त किया, फिर सिसक-सिसककर रोने लगी। अगर वह इतनी ग़रीब न होती, तो किसी की मजाल थी कि इस तरह उसका अपमान करता! वह रोती जाती थी और घास छीलती जाती थी। महावीर का क्रोध वह जानती थी। अगर उससे कह दे, तो वह इस ठाकुर के ख़ून का प्यासा हो जायेगा। फिर न जाने क्या हो! इस ख़याल से उसके रोएँ खड़े हो गये। इसीलिए उसने महावीर के प्रश्नों का कोई उत्तर न दिया।

2

दूसरे दिन मुलिया घास के लिए न गयी। सास ने पूछा—तू क्यों नहीं जाती और सब तो चली गयीं?

मुलिया ने सिर झुकाकर कहा—मैं अकेले न जाऊँगी।

सास ने बिगड़कर कहा—अकेले क्या तुझे बाघ उठा ले जायेगा?

मुलिया ने और भी सिर झुका लिया और दबी हुई आवाज़ से बोली—सब मुझे छेड़ते हैं।

सास ने डाँटा—न तू औरों के साथ जायेगी, न अकेली जायेगी, तो फिर जायेगी कैसे? साफ़-साफ़ यह क्यों नहीं कहती कि मैं न जाऊँगी। तो यहाँ मेरे घर में रानी बन के निबाह न होगा। किसी को चाम नहीं प्यारा होता, काम प्यारा होता है। तू बड़ी सुन्दर है, तो तेरी सुन्दरता लेकर चाटूँ? उठा झाबा और घास ला!

द्वार-पर नीम के दरख़्त के साये में महावीर खड़ा, घोड़े को मल रहा था। उसने मुलिया को रोनी सूरत बनाये जाते देखा, पर कुछ बोल न सका। उसका बस चलता, तो मुलिया को कलेजे में बिठा लेता, आँखों में छिपा लेता, लेकिन घोड़े का पेट भरना भी तो जरूरी था। घास मोल लेकर खिलाये, तो बारह आने रोज़ से कम न पड़ें। ऐसी मजदूरी ही कौन होती है! मुश्किल से डेढ़-दो रुपये मिलते हैं, वह भी कभी मिले, कभी न मिले। जब से यह सत्यानाशी लारियाँ चलने लगी हैं, इक्केवालों की बधिया बैठ गयी है। कोई सेंत भी नहीं पूछता। महाजन से डेढ़-सौ रुपये उधार लेकर इक्का और घोड़ा खरीदा था, मगर लारियों के आगे इक्के को कौन पूछता है? महाजन का सूद भी तो न पहुँच सकता था! मूल का कहना ही क्या। ऊपरी मन से बोला—न मन हो, तो रहने दे, देखी जायेगी।

इस दिलजोई से मुलिया निहाल हो गयी। बोली—घोड़ा खायेगा क्या?

आज उसने कल का रास्ता छोड़ दिया और खेतों की मेड़ों से होती हुई चली। बार-बार सतर्क आँखों से इधर-उधर ताकती जाती थी। दोनों तरफ़ ऊख के खेत खड़े थे। ज़रा भी खड़खड़ाहट होती, उसका जी सन्न हो जाता। कहीं कोई ऊख में छिपा न बैठा हो, मगर कोई नई बात न हुई। ऊख के खेत निकल गये, आमों

का बाग़ निकल गया, सिंचे हुए खेत नज़र आने लगे। दूर के कुएँ पर पुर चल रहा था। खेतों की मेड़ों पर हरी-हरी घास जमी हुई थी। मुलिया का जी ललचाया। यहाँ आध घंटे में जितनी घास छिल सकती है, सूखे मैदान में दोपहर तक न छिल सकेगी। यहाँ देखता ही कौन है? कोई चिल्लाएगा, तो चली जाऊँगी। वह बैठकर घास छीलने लगी और एक घंटे में उसका झाबा आधे से ज़्यादा भर गया। वह अपने काम में इतनी तन्मय थी कि उसे चैनसिंह के आने की ख़बर ही न हुई। एकाएक उसने आहट पाकर सिर उठाया, तो चैनसिंह को खड़ा देखा।

मुलिया की छाती धक्-से हो गयी। जी में आया, भाग जाय, झावा उलट दे और खाली झावा लेकर चली जाय, पर चैनसिंह ने कई गज़ के फ़ासले से ही रुककर कहा—डर मत, डर मत! भगवान् जानता है, मैं तुमसे कुछ न बोलूँगा। जितनी घास चाहे छील ले, मेरा ही खेत है।

मुलिया के हाथ सुन्न हो गये, खुरपी हाथ में जम-सी गयी, घास नज़र ही न आती थी। जी चाहता था, ज़मीन फट जाय और मैं समा जाऊँ। ज़मीन आँखों के सामने तैरने लगी।

चैनसिंह ने आश्वासन दिया—छीलती क्यों नहीं? मैं तुझसे कुछ कहता थोड़ा ही हूँ। यहीं रोज़ चली आया कर, मैं छील दिया करूँगा।

मुलिया चित्रलिखित-सी बैठी रही।

चैनसिंह ने एक कदम और आगे बढ़ाया और बोला—तू मुझसे इतना डरती क्यों है? क्या तू समझती है, मैं आज भी तुझे सताने आया हूँ? ईश्वर जानता है, कल भी तुझे सताने के लिए मैंने तेरा हाथ नहीं पकड़ा था। तुझे देखकर आप-ही-आप हाथ बढ़ गये। मुझे कुछ सुध ही नहीं रही। तू चली गयी, तो मैं वहीं बैठकर घंटों रोता रहा। जी में आता था, हाथ काट डालूँ। कभी चाहता था, ज़हर खा लूँ। तभी से तुझे ढूँढ़ रहा हूँ। आज तू इसी रास्ते से चली आयी। मैं सारा हार छानता हुआ यहाँ आया हूँ। अब जो सज़ा तेरे जी में आये, दे-दे। अगर तू मेरा सिर भी काट ले, तो गर्दन न हिलाऊँगा। मैं शोहदा था, लुच्चा था, लेकिन जब से तुझे देखा है, मेरे मन की सारी खोट मिट गयी। अब तो यही जी में आता है कि तेरा कुत्ता होता और तेरे पीछे-पीछे चलता, तेरा घोड़ा होता, तब तो तू अपने हाथों से मेरे सामने घास डालती। किसी तरह यह चोला तेरे काम आये, मेरे मन की यह सबसे बड़ी लालसा है। मेरी जवानी काम न आये, अगर मैं किसी खोट से ये बातें कर रहा हूँ। बड़ा भाग्यवान था महावीर, जो ऐसी देवी उसे मिली।

मुलिया चुपचाप सुनती रही, फिर सिर नीचा करे भोलेपन से बोली—तो तुम मुझे क्या करने को कहते हो?

चैनसिंह और समीप आकर बोला—बस, तेरी दया चाहता हूँ।

मुलिया ने सिर उठाकर उसकी ओर देखा। उसकी लज्जा न जाने कहाँ ग़ायब हो गयी। चुभते हुए शब्दों में बोली—तुमसे एक बात कहूँ, बुरा तो न मानोगे? तुम्हारा विवाह हो गया या नहीं?

चैनसिंह ने दबी ज़बान से कहा—ब्याह तो हो गया है, लेकिन ब्याह क्या है, खिलवाड़ है।

मुलिया के होंठों पर अवहेलना की मुस्कराहट झलक पड़ी, बोली—फिर भी अगर मेरा आदमी तुम्हारी औरत से इसी तरह बातें करता, तो तुम्हें कैसा लगता? तुम उसकी गर्दन काटने पर तैयार हो जाते कि नहीं? बोलो! क्या समझते हो कि महावीर चमार है, तो उसकी देह में लहू नहीं है, उसे लज्जा नहीं है, अपनी मर्यादा

का विचार नहीं है? मेरा रूप-रंग तुम्हें भाता है। क्या घाट के किनारे मुझसे कहीं सुन्दर औरतें नहीं घूमा करतीं? मैं उनके तलवों की बराबरी भी नहीं कर सकती। तुम उनमें से किसी से क्यों नहीं दया माँगते? क्या उनके पास दया नहीं है। मगर वहाँ तुम न जाओगे, क्योंकि वहाँ जाते तुम्हारी छाती दहलती है। मुझसे दया माँगते हो, इसलिए न, कि मैं चमारिन हूँ, नीच जाति हूँ और नीच जाति की औरत ज़रा-सी घुड़की-धमकी या ज़रा-से लालच से तुम्हारी मुट्ठी में आ जायेगी। कितना सस्ता सौदा है! ठाकुर हो न, ऐसा सस्ता सौदा क्यों छोड़ने लगे?

चैनसिंह लज्जित होकर बोला—मूला, यह बात नहीं है। मैं सच कहता हूँ, इसमें ऊँच-नीच की बात नहीं है। सब आदमी बराबर हैं। मैं तो तेरे चरणों पर सिर रखने को तैयार हूँ।

मुलिया—इसलिए न, कि जानते हो, मैं कुछ कर नहीं सकती। जाकर किसी खतरानी के चरणों पर सिर रक्खो, तो मालूम हो कि चरणों पर सिर रखने का क्या फल मिलता है! फिर, यह सिर तुम्हारी गर्दन पर न रहेगा।

चैनसिंह मारे शर्म के ज़मीन में गड़ा जाता था। उसका मुँह ऐसा सूख गया था, मानो महीनों की बीमारी से उठा हो। मुँह से बात न निकलती थी। मुलिया इतनी वाक्पटु है, इसका उसे गुमान भी न था।

मुलिया फिर बोली—मैं भी रोज बाजार जाती हूँ। बड़े-बड़े घरों का हाल जानती हूँ। मुझे किसी बड़े घर का नाम बता दो, जिसमें कोई साईस, कोई कोचवान, कोई कहार, कोई पंडा, कोई महाराज न घुसा बैठा हो? यह सब बड़े घरों की लीला है। और वे औरतें जो कुछ करती हैं, ठीक करती हैं। उनके घरवाले भी तो चमारिनों और कहारिनों पर जान देते फिरते हैं। लेना-देना बराबर हो जाता है। बेचारे ग़रीब आदमियों के लिए यह बातें कहाँ? मेरे आदमी के लिए संसार में जो कुछ हूँ, मैं हूँ। वह किसी दूसरी महरिया की ओर आँख उठाकर भी नहीं देखता। संयोग की बात है कि मैं तनिक सुन्दर हूँ, लेकिन मैं काली-कलूटी भी होती, तब भी वह मुझे इसी तरह रखता, इसका मुझे विश्वास है। मैं चमारिन होकर भी इतनी नीच नहीं हूँ कि विश्वास का बदला खोट से दूँ। हाँ, वह अपने मन की करने लगे, मेरी छाती पर मूँग दलने लगे, तो मैं भी उसकी छाती पर मूँग दलूँगी। तुम मेरे रूप के ही दीवाने हो न? आज मुझे माता निकल जाये, कानी हो जाऊँ, तो मेरी ओर ताकोगे भी नहीं। बोलो, झूठ कहती हूँ?

चैनसिंह इनकार न कर सका।

मुलिया ने उसी गर्व से भरे हुए स्वर में कहा—लेकिन मेरी एक नहीं, दोनों आँखें फूट जायँ, तब भी वह मुझे इसी तरह रखेगा। मुझे उठावेगा, बैठावेगा, खिलावेगा। तुम चाहते हो, मैं ऐसे आदमी के साथ कपट करूँ? जाओ, अब मुझे कभी न छेड़ना, नहीं अच्छा न होगा!

3

जवानी जोश है, बल है, दया है, साहस है, आत्मविश्वास है, गौरव है और वह सब कुछ—जो जीवन को पवित्र, उज्ज्वल और पूर्ण बना देता है। जवानी का नशा घमंड है, निर्दयता है, स्वार्थ है, शेखी है, विषय-वासना है, कटुता है और वह सब-कुछ—जो जीवन को पशुता, विकार और पतन की ओर ले जाता है। चैनसिंह पर

जवानी का नशा था। मुलिया के शीतल छींटों ने नशा उतार दिया, जैसे उबलती हुई चाशनी में पानी के छींटे पड़ जाने से फेन मिट जाता है, मैल निकल जाता है और निर्मल, शुद्ध रस निकल आता है। जवानी का नशा जाता रहा, केवल जवानी रह गयी। कामिनी के शब्द जितनी आसानी से दीन और ईमान को गारत कर सकते हैं, उतनी ही आसानी से उसका उद्धार भी कर सकते हैं।

चैनसिंह उस दिन से दूसरा ही आदमी हो गया। गुस्सा उसकी नाक पर रहता था, बात-बात पर मजदूरों को गालियाँ देना, डाँटना और पीटना उसकी आदत थी! आसामी उससे थरथर काँपते थे। मज़दूर उसे आते देखकर अपने काम में चुस्त हो जाते थे। पर ज्योंही उसने इधर पीठ फेरी और उन्होंने चिलम पीना शुरू किया। सब दिल में उससे जलते थे, उसे गालियाँ देते थे, मगर उस दिन से चैनसिंह इतना दयालु, गंभीर, इतना सहनशील हो गया कि लोगों को आश्चर्य होता था।

कई दिन गुज़र गये थे। एक दिन संध्या समय चैनसिंह खेत देखने गया। पुर चल रहा था। उसने देखा कि एक जगह नाली टूट गयी है और सारा पानी बहा चला जाता है। क्यारियों में पानी बिलकुल नहीं पहुँचता, मगर क्यारी बनानेवाली बुढ़िया चुपचाप बैठी है। उसे इसका ज़रा भी फ़िक्र नहीं है कि पानी क्यों नहीं आता। पहले यह दशा देखकर चैनसिंह आपे से बाहर हो जाता। उस औरत की उस दिन की पूरी मजूरी काट लेता और पुर चलानेवालों को घुड़कियाँ जमाता, पर आज उसे क्रोध नहीं आया। उसने मिट्टी लेकर नाली बाँध दी और खेत में जाकर बुढ़िया से बोला—तू यहाँ बैठी है और पानी सब बहा जा रहा है।

बुढ़िया घबराकर बोली—अभी खुल गयी होगी राजा! मैं अभी जाकर बन्द किये देती हूँ।

यह कहती हुई वह थरथर काँपने लगी। चैनसिंह ने उसकी दिलजोई करते हुए कहा—भाग मत, भाग मत, मैंने नाली बन्द कर दी है। बुढ़ऊ कई दिन से नहीं दिखाई दिये, कहीं काम पर जाते हैं कि नहीं?

बुढ़िया गद्‌गद होकर बोली—आजकल तो खाली ही बैठे हैं भैया, कहीं काम नहीं लगता।

चैनसिंह ने नर्म भाव से कहा—तो हमारे यहाँ लगा दे। थोड़ा-सा सन रखा है, उसे कात दें।

यह कहता हुआ वह कुएँ की ओर चला गया। यहाँ चार पुर चल रहे थे, पर इस वक़्त दो हँकवे बेर खाने गये हुए थे। चैनसिंह को देखते ही मजूरों के होश उड़ गये। ठाकुर ने पूछा, दो आदमी कहाँ गये, तो क्या जवाब देंगे? सब-के-सब डाँटे जायँगे। बेचारे दिल में सहमे जा रहे थे। चैनसिंह ने पूछा—वह दोनों कहाँ चले गये?

किसी के मुँह से आवाज़ न निकली। सहसा सामने से दोनों मज़दूर धोती के एक कोने में बेर भरे आते दिखाई दिये। ख़ुश-ख़ुश बातें करते चले आ रहे थे। चैनसिंह पर निग़ाह पड़ी, तो दोनों के प्राण सूख गये। पाँव मन-मन भर के हो गये। अब न आते बनता है, न जाते। दोनों समझ गये कि आज डाँट पड़ी, शायद मज़दूरी भी कट ज़ाए। चाल धीमी पड़ गई। इतने में चैनसिंह ने पुकारा—बढ़ आओ, बढ़ आओ! कैसे बेर हैं, लाओ ज़रा मुझे भी दो, मेरे ही पेड़ के हैं न?

दोनों और भी सहम उठे। आज ठाकुर जीता न छोड़ेगा। कैसा मिठा-मिठाकर बोल रहा है! उतनी ही भिगो-भिगोकर लगायेगा। बेचारे और भी सिकुड़ गये।

चैनसिंह ने फिर कहा—जल्दी से आओ जी, पक्की-पक्की सब मैं ले लूँगा। ज़रा एक आदमी लपककर घर से थोड़ा-सा नमक तो ले आओ। (बाक़ी दोनों मजूरों से)तुम भी दोनों आ जाओ, उस पेड़ के बेर मीठे होते हैं। बेर खा लें, काम तो करना ही है।

अब दोनों भगोड़ों को कुछ ढाढ़स हुआ। सबों ने आकर सब बेर चैनसिंह के आगे डाल दिये और पक्के-पक्के छाँटकर उसे देने लगे। एक आदमी नमक लाने दौड़ा। आध घण्टे तक चारों पुरबन्द रहे। जब सब बेर उड़ गये और ठाकुर चलने लगे, तो दोनों अपराधियों ने हाथ जोड़कर कहा—भैयाजी, आज जान बकसी हो जाय। बड़ी भूख लगी थी, नहीं तो कभी न जाते।

चैनसिंह ने नम्रता से कहा—तो इसमें बुराई क्या हुई। मैंने भी तो बेर खाये। एक-आध घण्टे का हरज हुआ, यही न? तुम चाहोगे, तो घण्टे-भर का काम आध घण्टे में कर दोगे। न चाहोगे, दिन-भर में घण्टे-भर का भी काम न होगा।

चैनसिंह चला गया, तो चारों बातें करने लगे।

एक ने कहा—मालिक इस तरह रहे, तो काम करने में भी जी लगता है। यह नहीं कि हरदम छाती पर सवार!

दूसरा—मैंने तो समझा, आज कच्चा ही खा जायँगे।

तीसरा—कई दिन से देखता हूँ, मिज़ाज बहुत नरम हो गया है।

चौथा—साँझ को पूरी मजूरी मिले तो कहना!

पहला—तुम तो हो गोबर-गनेश। आदमी नहीं पहचानते।

दूसरा—अब ख़ूब दिल लगाकर काम करेंगे।

तीसरा—और क्या! जब उन्होंने हमारे ऊपर छोड़ दिया, तो हमारा भी धरम है कि कोई कसर न छोड़ें।

चौथा—मुझे तो भैया, ठाकुर पर अब भी विश्वास नहीं आता।

4

एक दिन चैनसिंह को किसी काम से कचहरी जाना था। पाँच मील का सफ़र था। यों तो वह बराबर अपने घोड़े पर जाया करता था, पर आज धूप बड़ी तेज़ हो रही थी, सोचा इक्के पर चला चलूँ। महावीर को कहला भेजा, मुझे लेते जाना। कोई नौ बजे महावीर ने पुकारा। चैनसिंह तैयार बैठा था। झटपट इक्के पर बैठ गया, मगर घोड़ा इतना दुबला हो रहा था, इक्के की गद्दी इतनी मैली और फटी हुई, सारा सामान इतना रद्दी कि चैनसिंह को उस पर बैठते शर्म आयी! पूछा—यह सामान क्यों बिगड़ा हुआ है महावीर? तुम्हारा घोड़ा तो इतना दुबला, कभी न था। आजकल सवारियाँ कम हैं क्या?

महावीर ने कहा—नहीं मालिक, सवारियाँ काहे नहीं हैं, मगर लारी के सामने इक्के को कौन पूछता है? कहाँ दो, ढाई, तीन की मजूरी करके घर लौटता था, कहाँ अब बीस आने भी नहीं मिलते? क्या जानवर को खिलाऊँ, क्या आप खाऊँ? बड़ी विपत्ति में पड़ा हूँ। सोचता हूँ, इक्का-घोड़ा बेच-बाचकर आप लोगों की मजूरी कर लूँ, पर कोई ग्राहक नहीं लगता। ज़्यादा नहीं तो बारह आने तो घोड़े को चाहिए, घास ऊपर से। अब अपना ही पेट नहीं चलता, जानवर को कौन पूछे।

चैनसिंह ने उसके फटे हुए कुरते की ओर देखकर कहा—दो-चार बीघे की खेती क्यों नहीं कर लेते?

महावीर सिर झुकाकर बोला—खेती के लिए बड़ा पौरुख चाहिए मालिक, मैंने तो यही सोचा कि कोई ग्राहक लग जाय, तो इक्के को औने-पौने निकाल दूँ, फिर घास छीलकर बाज़ार ले जाया करूँ। आजकल सास-पतोहू दोनों घास छीलती हैं, तब जाकर दो-चार आने पैसे नसीब होते हैं।

चैनसिंह ने पूछा—तो बुढ़िया बाज़ार जाती होगी?

महावीर लजाता हुआ बोला—नहीं भैया, वह इतनी दूर कहाँ चल सकती है। घरवाली चली जाती है। दोपहर तक घास छीलती है, तीसरे पहर बाज़ार जाती है। वहाँ से घड़ी रात गये लौटती है। हलकान हो जाती है भैया, मगर क्या करूँ, तक़दीर से क्या ज़ोर!

चैनसिंह कचहरी पहुँच गये और महावीर सवारियों की टोह में इधर-उधर इक्के को घूमाता हुआ शहर की तरफ़ चला गया। चैनसिंह ने उसे पाँच बजे आने को कह दिया।

कोई चार बजे चैनसिंह कचहरी से फ़ुरसत पाकर बाहर निकले। हाते में पान की दूकान थी, ज़रा और आगे बढ़कर एक घना बरगद का पेड़ था। उसकी छाँह में बीसों ही ताँगे, इक्के, फिटनें खड़ी थीं। घोड़े खोल दिए गये थे। वक़ीलों, मुख़्तारों और अफ़सरों की सवारियाँ यहीं खड़ी रहती थीं। चैनसिंह ने पानी पिया, पान खाया और सोचने लगा, कोई लारी मिल जाय, तो ज़रा शहर चला जाऊँ कि उसकी निग़ाह एक घासवाली पर गयी। सिर पर घास का झाबा रखे साईसों से मोल-भाव कर रही थी। चैनसिंह का हृदय उछल पड़ा—यह तो मुलिया है! बनी-ठनी, एक गुलाबी साड़ी पहने कोचवानों से मोल-तोल कर रही थी। कई कोचवान ज़मा हो गये थे। कोई उससे दिल्लगी करता था, कोई घूरता था, कोई हँसता था।

एक काले-कलूटे कोचवान ने कहा—मूला, घास तो अधिक-से-अधिक छः आने की है।

मुलिया ने उन्माद पैदा करनेवाली आँखों से देखकर कहा—छः आने पर लेना है, तो वह सामने घसियारिनें बैठी हैं, जाओ, दो-चार पैसे कम में पा जाओगे, मेरी घास तो बारह आने में जायेगी?

एक अधेड़ कोचवान ने फिटन के ऊपर से कहा—तेरा ज़माना है, बारह आने नहीं, एक रुपया माँग! लेनेवाले झख मारेंगे और लेंगे। निकलने दे वक़ीलों को। अब देर नहीं है।

एक ताँगेवाले ने, जो गुलाबी पगड़ी बाँधे हुए था, कहा—बुढ़ऊ के मुँह में भी पानी भर आया, अब मुलिया काहे को किसी की ओर देखेगी!

चैनसिंह को ऐसा क्रोध आ रहा था कि इन दुष्टों को जूतों से पीटें। सब-के-सब कैसे उसकी ओर टकटकी लगाये ताक रहे हैं, मानो आँखों से पी जायेंगे। और मुलिया भी यहाँ कितनी ख़ुश है! न लजाती है, न झिझकती है, न दबती है। कैसी मुस्कराकर, रसीली आँखों से देख-देखकर सिर का आँचल खिसका-खिसकाकर, मुँह मोड़कर बातें कर रही है। वही मुलिया, जो शेरनी की तरह तड़प उठी थी।

इतने में चार बजे। अमले और वक़ील-मुख़्तारों का एक मेला-सा निकल पड़ा। अमले लारियों पर दौड़े, वक़ील-मुख़्तार इन सवारियों की ओर चले। कोचवानों ने भी चटपट घोड़े जोते। कई महाशयों ने मुलिया को रसिक नेत्रों से देखा और अपनी गाड़ियों पर जा बैठे।

एकाएक मुलिया घास का झाबा लिये उस फिटन के पीछे दौड़ी। फिटन में अंगरेज़ी फैशन के जवान वक़ील साहब बैठे थे। उन्होंने पायदान के पास घास रखवा ली, जेब से कुछ निकालकर मुलिया को दिया। मुलिया मुस्कराई। दोनों में कुछ बातें भी हुई, जो चैनसिंह न सुन सके।

एक क्षण में मुलिया प्रसन्न-मुख घर की ओर चली। चैनसिंह पानवाले की दूकान पर विस्मृति की दशा में खड़ा रहा। पानवाले ने दूकान बढ़ायी, कपड़े पहने और अपने कैबिन का द्वार बन्द करके नीचे उतरा, तो चैनसिंह की समाधि टूटी। पूछा—क्या दूकान बन्द कर दी?

पानवाले ने सहानुभूति दिखाकर कहा—इसकी दवा करो ठाकुर साहब, यह बीमारी अच्छी नहीं है।

चैनसिंह ने चकित होकर पूछा—कैसी बीमारी?

पानवाला बोला—कैसी बीमारी! आध घण्टे से यहाँ खड़े हो जैसे कोई मुर्दा खड़ा हो। सारी कचहरी खाली हो गयी, सब दूकानें बन्द हो गयीं, मेहतर तक झाड़ू लगाकर चल दिये, तुम्हें कुछ ख़बर हुई? यह बुरी बीमारी है, जल्दी दवा कर डालो।

चैनसिंह ने छड़ी सँभाली और फाटक की ओर चला कि महावीर का इक्का सामने से आता दिखाई दिया।

5

कुछ दूर इक्का निकल गया, तो चैनसिंह ने पूछा—आज कितने पैसे कमाये महावीर?

महावीर ने हँसकर कहा—आज तो मालिक, दिन-भर खड़ा ही रह गया। किसी ने बेगार में भी न पकड़ा। ऊपर से चार पैसे की बीड़ियाँ पी गया।

चैनसिंह ने ज़रा देर के बाद कहा—मेरी एक सलाह है। तुम मुझसे एक रुपया रोज़ लिया करो। बस, जब मैं बुलाऊँ, तो इक्का लेकर चले आया करो। तब तो तुम्हारी घरवाली को घास लेकर बाज़ार न आना पड़ेगा। बोलो, मंज़ूर है?

महावीर ने सजल आँखों से देखकर कहा—मालिक, आप ही का तो खाता हूँ। आपकी परजा हूँ। जब मरजी हो, पकड़वा मँगवाइए। आपसे रुपये ...

चैनसिंह ने बात काटकर कहा—नहीं, मैं तुमसे बेगार नहीं लेना चाहता। तुम मुझसे एक रुपया रोज़ ले जाया करो। घास लेकर घरवाली को बाज़ार मत भेजा करो। तुम्हारी आबरू मेरी आबरू है। और भी रुपये-पैसे का जब काम लगे, बेखटके चले आया करो। हाँ, देखो, मुलिया से इस बात की भूलकर भी चर्चा न करना। क्या फ़ायदा!

कई दिनों बाद संध्या समय मुलिया चैनसिंह से मिली। चैनसिंह असामियों से मालगुजारी वसूल करके घर की ओर लपका जा रहा था कि उस जगह, जहाँ उसने मुलिया की बाँह पकड़ी थी, मुलिया की आवाज़ कानों में आयी। उसने ठिठककर पीछे देखा, तो मुलिया दौड़ी चली आ रही थी। बोला—क्या है, मूला! क्यों दौड़ती हो, मैं तो खड़ा हूँ?

मुलिया ने हाँफ़ते हुए कहा—कई दिन से तुमसे मिलना चाहती थी। आज तुम्हें आते देखा, तो दौड़ी। अब मैं घास बेचने नहीं जाती।

चैनसिंह ने कहा—बहुत अच्छी बात है।

'क्या तुमने मुझे कभी घास बेचते देखा है?'

'हाँ, एक दिन देखा था। क्या महावीर ने तुझसे सब कह डाला? मैंने तो मना कर दिया था।'

'वह मुझसे कोई बात नहीं छिपाता।'

दोनों एक क्षण चुप खड़े रहे। किसी को कोई बात न सूझती थी। एकाएक मुलिया ने मुस्कराकर कहा—यहीं तुमने मेरी बाँह पकड़ी थी।

चैनसिंह ने लज्जित होकर कहा—उसको भूल जाओ मूला! मुझ पर न जाने कौन भूत सवार था।

मुलिया गद्‌गद कंठ से बोली—उसे क्यों भूल जाऊँ? उसी बाँह गहे की लाज तो निभा रहे हो! ग़रीबी आदमी से जो चाहे करावे। तुमने मुझे बचा लिया।

फिर दोनों चुप हो गये।

ज़रा देर के बाद मुलिया ने फिर कहा—तुमने समझा होगा, मैं हँसने-बोलने में मगन हो रही थी?

चैनसिंह ने बलपूर्वक कहा—नहीं मुलिया, मैंने एक क्षण के लिए भी यह नहीं समझा।

मुलिया मुस्कराकर बोली—मुझे तुमसे यही आशा थी, और है।

पवन सिंचे हुए खेतों में विश्राम करने जा रहा था, सूर्य निशा की गोद में विश्राम करने जा रहा था, और उस मलिन प्रकाश में चैनसिंह मुलिया की विलीन होती हुई रेखा को खड़ा देख रहा था।

❑❑❑

गिला

जीवन का बड़ा भाग इसी घर में गुज़र गया, पर कभी आराम न नसीब हुआ। मेरे पति संसार की दृष्टि में बड़े सज्जन, बड़े शिष्ट, बड़े उदार, बड़े सौम्य होंगे, लेकिन जिस पर गुज़रती है, वही जानता है। संसार को तो उन लोगों की प्रशंसा करने में आनन्द आता है, जो अपने घर को भाड़ में झोंक रहे हों, ग़ैरों के पीछे अपना सर्वनाश किये डालते हों। जो प्राणी घरवालों के लिए मरता है, उसकी प्रशंसा संसारवाले नहीं करते। वह तो उनकी दृष्टि में स्वार्थी है, कृपण है, संकीर्ण हृदय है, आचार-भ्रष्ट है। इसी तरह जो लोग बाहरवालों के लिए मरते हैं, उनकी प्रशंसा घरवाले क्यों करने लगे! अब इन्हीं को देखो, सारे दिन मुझे जलाया करते हैं। मैं परदा तो नहीं करती, लेकिन सौदे-सुलफ के लिए बाज़ार जाना बुरा मालूम होता है। और इनका यह हाल है कि चीज़ मँगवाओ, तो ऐसी दूकान से लायेंगे, जहाँ कोई ग्राहक भूलकर भी न जाता हो। ऐसी दूकानों पर न तो चीज़ अच्छी मिलती है, न तौल ठीक होती है, न दाम ही उचित होते हैं। यह दोष न होते, तो वह दूकान बदनाम ही क्यों होती, पर इन्हें ऐसी ही गयी-बीती दूकानों से चीज़ें लाने का मरज है। बार-बार कह दिया, साहब, किसी चलती हुई दूकान से सौदे लाया करो। वहाँ माल अधिक खपता है, इसलिए ताज़ा माल आता रहता है, पर इनकी तो टुटपूँजियों से बनती है, और वे इन्हें उलटे छूरे से मूँड़ते हैं। गेहूँ लायेंगे, तो सारे बाज़ार से ख़राब, घुना हुआ, चावल ऐसा मोटा कि बैल भी न पूछें, दाल में कराई और कंकड़ भरे हुए। मनों लकड़ी जला डालो, क्या मजाल कि गले। घी लायेंगे, तो आधों-आध तेल या सोलहों आने कोकोजेम और दरअसल घी से एक छटाँक कम! तेल लायेंगे तो मिलावट, बालों में डालो तो चिपट जायें, पर दाम दे आयेंगे शुद्ध आँवले के तेल का! किसी चलती हुई नामी दूकान पर जाते इन्हें जैसे डर लगता है। शायद ऊँची दूकान और फ़ीका पकवान के कायल हैं। मेरा अनुमान तो यह है कि नीची दूकान पर ही सड़े पकवान मिलते हैं।

एक दिन की बात हो, तो बर्दाश्त कर ली जाय, रोज-रोज का टंटा नहीं सहा जाता। मैं पूछती हूँ, आख़िर आप टुटपुँजियों की दूकान पर जाते क्यों हो? क्या उनके पालन-पोषण का ठेका तुम्हीं ने लिया है? आप फ़रमाते हैं देखकर सब-के-सब बुलाने लगते हैं! वाह, मुझे क्या कहना है! कितनी दूर की बात है? ज़रा इन्हें बुला लिया और ख़ुशामद के दो-चार शब्द सुना दिये, थोड़ी स्तुति कर दी, बस, आपका मिजाज आसमान पर जा पहुँचा। फिर इन्हें सुधि नहीं रहती कि यह कूड़ा-करकट बाँध रहा है या क्या। पूछती हूँ, तुम उस रास्ते से जाते ही क्यों हो? क्यों किसी दूसरे रास्ते से नहीं जाते? ऐसे उठाईगीरों को मुँह ही क्यों लगाते हो? इसका जवाब नहीं। एक चुप सौ बाधाओं को हराती है।

एक बार एक गहना बनवाने को दिया। मैं तो महाशय को जानती थी। इनसे कुछ पूछना व्यर्थ समझा। अपने पहचान के एक सुनार को बुला रही थी। संयोग से आप भी विराजमान थे। बोले—यह सम्प्रदाय विश्वास के योग्य नहीं, धोखा खाओगी। मैं एक सुनार को जानता हूँ, मेरे साथ का पढ़ा हुआ है। बरसों साथ-साथ खेले थे। वह मेरे साथ चालबाज़ी नहीं कर सकता। मैं भी समझी, जब इनका

मित्र है और वह भी बचपन का, तो कहाँ तक दोस्ती का हक न निभायेगा? सोने का एक आभूषण और सौ रुपये इनके हवाले किये। इन भले मानस ने वह आभूषण और रुपये न जाने किस बेईमान को दे दिये कि बरसों के झंझट के बाद जब चीज बनकर आयी, तो आठ आने ताँबा और इतनी भद्दी कि देखकर घिन लगती थी। बरसों की अभिलाषा धूल में मिल गयी। रो-पीटकर बैठ रही। ऐसे-ऐसे वफ़ादार तो इनके मित्र हैं, जिन्हें मित्र की गर्दन पर छुरी फेरने में भी संकोच नहीं। इनकी दोस्ती भी उन्हीं लोगों से है, जो ज़माने भर के जट्टू, गिरहकट, लँगोटी में फाग खेलनेवाले, फ़ाक़ेमस्त हैं, जिनका उद्यम ही इन जैसे आँख के अंधों से दोस्ती गाँठना है। नित्य ही एक-न-एक महाशय उधार माँगने के लिए सिर पर सवार रहते हैं और बिना लिये गला नहीं छोड़ते। मगर ऐसा कभी न हुआ कि किसी ने रुपये चुकाये हों। आदमी एक बार खोकर सीखता है, दो बार खोकर सीखता है, किन्तु यह भलेमानस हज़ार बार खोकर भी नहीं सीखते! जब कहती हूँ, रुपये तो दे आये, अब माँग क्यों नहीं लाते! क्या मर गये तुम्हारे वह दोस्त? आप तो बस, बगलें झाँककर रह जाते हैं। आप से मित्रों को सूखा जवाब नहीं दिया जाता। ख़ैर, सूखा जवाब न दो। मैं भी नहीं कहती कि दोस्तों से बुमुरौवती करो, मगर चिकनी-चुपड़ी बातें तो बना सकते हो, बहाने तो कर सकते हो। किसी मित्र ने रुपये माँगे और आपके सिर पर बोझ पड़ा। बेचारे कैसे इनकार करें? आख़िर लोग जान जायेंगे कि नहीं, कि यह महाशय भी खुक्कल ही हैं। इनकी हविस यह है कि दुनिया इन्हें सम्पन्न समझती रहे, चाहे मेरे गहने ही क्यों न गिरवी रखने पड़ें। सच कहती हूँ, कभी-कभी तो एक-एक पैसे की तंगी हो जाती है और इन भले आदमी को रुपये जैसे घर में काटते हैं। जब तक रुपये के वारे-न्यारे न कर लें, इन्हें चैन नहीं। इनकी करतूत कहाँ तक गाऊँ। मेरी तो नाक में दम आ गया। एक-न-एक मेहमान रोज यमराज की भाँति सिर पर सवार रहते हैं। न जाने कहाँ के बेफ़िक्रे इनके मित्र हैं। कोई कहीं से आकर मरता है, कोई कहीं से। घर क्या है, अपाहिजों का अड्डा है। ज़रा-सा तो घर, मुश्किल से दो पलंग, ओढ़ना-बिछौना भी फालतू नहीं, मगर आप हैं कि मित्रों को निमंत्रण देने को तैयार! आप तो अतिथि के साथ लेटेंगे, इसलिए इन्हें चारपाई भी चाहिए, ओढ़ना-बिछौना भी चाहिए, नहीं तो घर का परदा खुल जाय। जाता है मेरे और बच्चों के सिर। गरमियों में तो ख़ैर कोई मुज़ायका नहीं, लेकिन जाड़ों में तो ईश्वर ही याद आते हैं। गरमियों में भी खुली छत पर तो मेहमानों का अधिकार हो जाता है, अब मैं बच्चों को लिए पिंजड़े में पड़ी फड़फड़ाया करूँ। इन्हें इतनी भी समझ नहीं कि जब घर की यह दशा है, तो क्यों ऐसे को मेहमान बनाएँ, जिनके पास कपड़े-लत्ते तक नहीं। ईश्वर की दया से इनके सभी मित्र इसी श्रेणी के हैं। एक भी ऐसा माई का लाल नहीं, जो समय पड़ने पर धेले से भी इनकी मदद कर सके। दो बार महाशय को इनका अनुभव—अत्यंत कटु अनुभव हो चुका है, मगर इस जड़ भरत ने जैसे आँखें न खोलने की क़सम खा ली हैं। ऐसे ही दरिद्र भट्टाचार्यों से इनकी पटती है। शहर में इतने लक्ष्मी के पुत्र हैं, पर आपका किसी से परिचय नहीं। उनके पास जाते इनकी आत्मा दुखती है। दोस्ती गाठेंगे ऐसों से, जिनके घर में खाने का ठिकाना नहीं।

एक बार हमारा कहार छोड़कर चला गया और कई दिन कोई दूसरा कहार न मिला। किसी चतुर और कुशल कहार की तलाश में थी, किन्तु आपको जल्द-से-जल्द कोई आदमी रख लेने की धुन सवार हो गयी। घर के सारे काम पूर्ववत्

चल रहे थे, पर आपको मालूम हो रहा था कि गाड़ी रुकी है। मेरा जूठे बरतन माँजना और अपना साग-भाजी के लिए बाज़ार जाना इनके लिए असह्य हो उठा। एक दिन जाने कहाँ से एक बागड़ू को पकड़ लाये। उसकी सूरत कहे देती थी कोई जाँगलू है,! मगर आपने उसका ऐसा बखान किया कि क्या कहूँ। बड़ा होशियार है, बड़ा आज्ञाकारी, परले-सिरे का मेहनती, ग़ज़ब का सलीकेकार और बहुत ही ईमानदार। ख़ैर, मैंने इसे रख लिया। मैं बार-बार क्यों इनकी बातों में आ जाती हूँ, इसका मुझे स्वयं आश्चर्य है। यह आदमी केवल रूप से आदमी था। आदमियत के और कोई लक्षण उसमें न थे। किसी काम की तमीज नहीं। बेईमान न था, पर गधा अव्वल दरजे का। बेईमान होता, तो कम-से-कम इतनी तस्कीन तो होती कि ख़ुद खा जाता है। अभागा दूकानदारों के हाथों लुट जाता था। दस तक की गिनती उसे न आती थी। एक रुपया देकर बाज़ार भेजूँ, तो संध्या तक हिसाब न समझा सके। क्रोध पी-पीकर रह जाती थी। रक्त खौलने लगता था कि दुष्ट के कान उखाड़ लूँ, मगर इन महाशय को उसे कभी कुछ कहते नहीं देखा, डाँटना तो दूर की बात है। आप नहा-धोकर धोती छाँट रहे हैं ओर वह दूर बैठा तमाशा देख रहा है। मैं तो बच्चो का ख़ून पी जाती, लेकिन इन्हें ज़रा भी ग़म नहीं। जब मेरे डाँटने पर धोती छाँटने जाता भी, तो आप उसे समीप न आने देते। बस, उनके दोषों को गुण बनाकर दिखाया करते थे। मूर्ख को झाड़ू लगाने की तमीज़ न थी। मरदाना कमरा ही तो सारे घर में ढंग का कमरा है। उसमें झाड़ू लगाता, तो इधर की चीज़ उधर, ऊपर की नीचे, मानो कमरे में भूकम्प आ गया हो! और गर्द का यह हाल कि साँस लेना कठिन, पर आप शांतिपूर्वक कमरे में बैठे हैं, जैसे कोई बात ही नहीं। एक दिन मैंने उसे ख़ूब डाँटा—कल से ठीक-ठीक झाड़ू न लगाया, तो कान पकड़कर निकाल दूँगी। सबेरे सोकर उठी तो देखती हूँ, कमरे में झाड़ू लगी हुई है और हरेक चीज़ करीने से रखी हुई है। गर्द-गुबार का नाम नहीं। मैं चकित होकर देखने लगी। आप हँसकर बोले—देखती क्या हो! आज घूरे ने बड़े सबेरे उठकर झाड़ू लगायी है। मैंने समझा दिया। तुम ढंग से बताती नहीं, उलटे डाँटने लगती हो।

मैंने समझा, ख़ैर, दुष्ट ने कम-से-कम एक काम तो सलीके से किया। अब रोज़ कमरा साफ़-सुथरा मिलता। घूरे मेरी दृष्टि में विश्वासी बनने लगा। संयोग की बात! एक दिन ज़रा मामूल से सबेरे उठ बैठी और कमरे में आयी, तो क्या देखती हूँ कि घूरे द्वार पर खड़ा है और आप तन-मन से कमरे में झाड़ू लगा रहे हैं। मेरी आँखों में ख़ून उतर आया। उनके हाथ से झाड़ू छीनकर घूरे के सिर पर जमा दी। हरामख़ोर को उसी दम निकाल बाहर किया। आप फ़रमाने लगे—उसका महीना तो चुका दो! वाह री समझ! एक तो काम न करे, उस पर आँखें दिखाये। उस पर पूरी मजूरी भी चुका दूँ। मैंने एक कौड़ी भी न दी। एक कुरता दिया था, वह भी छीन लिया। इस पर जड़ भरत महोदय मुझसे कई दिन रूठे रहे। घर छोड़कर भागे जाते थे। बड़ी मुश्किलों से रुके। ऐसे-ऐसे भोंदू भी संसार में पड़े हुए हैं। मैं न होती, तो शायद अब तक इन्हें किसी ने बाज़ार में बेच लिया होता।

एक दिन मेहतर ने उतारे कपड़ों का सवाल किया। इस बेकारी के ज़माने में फ़ालतू कपड़े तो शायद पुलिसवालों या रईसों के घर में हों, मेरे घर में तो ज़रूरी कपड़े भी काफ़ी नहीं। आपका वस्त्रालय एक बकची में आ जायगा, जो डाक के पारसल से कहीं भेजा जा सकता है। फिर इस साल जाड़ों के कपड़े बनवाने की नौबत न आयी। पैसे नज़र नहीं आते, कपड़े कहाँ से बनें? मैंने मेहतर को

साफ़ जवाब दे दिया। कड़ाके का जाड़ा पड़ रहा था, इसका अनुभव मुझे कम न था। ग़रीबों पर क्या बीत रही है? इसका भी मुझे ज्ञान था, लेकिन मेरे या आपके पास खेद के सिवा इसका और क्या इलाज है? जब तक समाज का यह संगठन रहेगा, ऐसी शिक़ायतें पैदा होती रहेंगी। जब एक-एक अमीर और रईस के पास एक-एक मालगाड़ी कपड़ों से भरी हुई है, तब फिर निर्धनों को क्यों न नग्नता का कष्ट उठाना पड़े? ख़ैर, मैंने तो मेहतर को जवाब दे दिया, आपने क्या किया कि अपना कोट उठाकर उसकी भेंट कर दिया। मेरी देह में आग लग गयी। मैं इतनी दानशील नहीं हूँ कि दूसरों को खिलाकर आप सो रहूँ। देवता के पास यही एक कोट था। आपको इसकी ज़रा भी चिंता न हुई कि पहनेंगे क्या? यश के लोभ ने जैसे बुद्धि ही हर ली। मेहतर ने सलाम किया, दुआयें दीं और अपनी राह ली। आप कई दिन सर्दी से ठिठुरते रहे। प्रातःकाल घूमने जाया करते थे, वह बन्द हो गया। ईश्वर ने उन्हें हृदय भी एक विचित्र प्रकार का दिया है। फटे-पुराने कपड़े पहनते आपको ज़रा भी संकोच नहीं होता। मैं तो मारे लाज के गड़ जाती हूँ, पर आपको ज़रा भी फ़िक्र नहीं। कोई हँसता है, तो हँसे, आपकी बला से। अन्त में जब मुझसे न देखा गया, तो एक कोट बनवा दिया। जी तो जलता था कि ख़ूब सर्दी खाने दूँ, पर डरी कि कहीं बीमार पड़ जायँ, तो और बुरा हो। आख़िर काम तो इन्हीं को करना है।

महाशय अपने दिल में समझते होंगे, मैं कितना विनीत, कितना परोपकारिणी हूँ। शायद इन्हें इन बातों का गर्व हो। मैं इन्हें परोपकारी नहीं समझती, न विनीत ही समझती हूँ। यह जड़ता है, सीधी-सादी निरीहता। जिस मेहतर को आपने अपना कोट दिया, उसे मैंने कई बार रात को शराब के नशे में मस्त झूमते देखा है और आपको दिखा भी दिया है। तो फिर दूसरों की विवेकहीनता की पुरौती हम क्यों करें? अगर आप विनीत और परोपकारी होते, तो घरवालों के प्रति भी तो आपके मन में कुछ उदारता होती, या सारी उदारता बाहरवालों के लिए सुरक्षित है? घरवालों को उसका अल्पांश भी न मिलना चाहिए? मेरी इतनी अवस्था बीत गयी, पर इस भले आदमी ने कभी अपने हाथों से मुझे एक उपहार भी न दिया। बेशक मैं जो चीज़ बाज़ार से मँगवाऊँ, उसे लाने में इन्हें ज़रा भी आपत्ति नहीं, बिल्कुल उज्र नहीं, मगर रुपये मैं दे दूँ, यह शर्त है। इन्हें ख़ुद कभी यह उमंग नहीं होती। यह मैं मानती हूँ कि बेचारे अपने लिए भी कुछ नहीं लाते। मैं जो कुछ मँगवा दूँ, उसी पर संतुष्ट हो जाते हैं, मगर आख़िर आदमी कभी-कभी शौक़ की चीज़ें चाहता ही है। अन्य पुरुषों को देखती हूँ, स्त्री के लिए तरह-तरह के गहने, भाँति-भाँति के कपड़े, शौक़-सिंगार की वस्तुएँ लाते रहते हैं। यहाँ व्यवहार का निषेध है। बच्चों के लिए भी मिठाइयाँ, खिलौने, बाजे शायद जीवन में एक बार भी न लाये हों। शपथ-सी खा ली है। इसलिए मैं इन्हें कृपण कहूँगी, अरसिक कहूँगी, हृदय-शून्य कहूँगी, उदार नहीं कह सकती। दूसरों के साथ इनका जो सेवा-भाव है, उसका कारण है, इनका यश-लोभ और व्यावहारिक अज्ञानता। आपके विनय का यह हाल है, कि जिस दफ़्तर में आप नौकर हैं, उसके किसी अधिकारी से आपका मेल-जोल नहीं। अफ़सरों को सलाम करना तो आपकी नीति के विरुद्ध है, नज़र या डाली तो दूर की बात है। और-तो-और, कभी किसी अफ़सर के घर नहीं जाते। इसका ख़ामियाज़ा आप न उठायें, तो कौन उठाये? औरों को रिआयती छुट्टियाँ मिलती हैं, आपका वेतन कटता है, औरों की तरक्कियाँ होती हैं, आपको कोई पूछता भी नहीं. हाज़िरी में पाँच मिनट की देर हो जाय, तो जवाब पूछा जाता है। बेचारे जी

तोड़कर काम करते हैं, कोई बड़ा कठिन काम आ जाता है, तो इन्हीं के सिर मढ़ा जाता है, इन्हें ज़रा भी आपत्ति नहीं। दफ़्तर में इन्हें 'घिस्सू, पिस्सू' आदि उपाधियाँ मिली हैं, मगर पड़ाव कितना ही बड़ा मारें, इनके भाग्य में वही सूखी घास लिखी है। यह विनय नहीं है! स्वाधीन मनोवृत्ति भी नहीं है, मैं तो इसे समय-चातुरी का अभाव कहती हूँ, व्यावहारिक ज्ञान की क्षति कहती हूँ। आख़िर कोई अफ़सर आपसे क्यों प्रसन्न हो? इसलिए कि आप बड़े मेहनती हैं? दुनिया का काम मुरौवत और रवादारी से चलता है। अगर हम किसी से खिंचे रहें, तो कोई कारण नहीं कि वह हमसे खिंचा रहे। फिर, जब मन में क्षोभ होता है, तो वह दफ़्तरी व्यवहारों में भी प्रकट हो ही जाता है। जो मातहत अफ़सर को प्रसन्न रखने की चेष्टा करता है, जिसकी जात से अफ़सर को कोई व्यक्तिगत उपकार होता है, जिस पर वह विश्वास कर सकता है, उसका लिहाज़ वह स्वभावतः करता है। ऐसे सिरागियों से क्यों किसी को सहानुभूति होने लगी? अफ़सर भी तो मनुष्य हैं। उनके हृदय में जो सम्मान और विशिष्टता की कामना है, वह कहाँ पूरी हो? जब अधीनस्थ कर्मचारी ही उससे फिरंट रहें, तो क्या उसके अफ़सर उसे सलाम करने आयेंगे? आपने जहाँ नौकरी की, वहाँ से निकाले गये या कार्याधिक्य के कारण छोड़ बैठे।

आपको कुटुम्ब-सेवा का दावा है। आपके कई भाई-भतीजे होते हैं, वह कभी इनकी बात भी नहीं पूछते, आप बराबर उनका मुँह ताकते रहते हैं।

इनके एक भाई साहब आजकल तहसीलदार हैं। घर की मिल्कियत उन्हीं की निगरानी में है। वह ठाठ से रहते हैं। मोटर रख ली है, कई नौकर-चाकर हैं, मगर यहाँ भूल से भी पत्र नहीं लिखते। एक बार हमें रुपये की बड़ी तंगी हुई। मैंने कहा, अपने भ्राताजी से क्यों नहीं माँग लेते? कहने लगे, उन्हें क्यों चिन्ता में डालूँ। उनका भी तो अपना ख़र्च है। कौन-सी ऐसी बचत हो जाती होगी। जब बहुत मजबूर किया, तो आपने पत्र लिखा। मालूम नहीं, पत्र में क्या लिखा, पत्र लिखा या मुझे चकमा दे दिया, पर रुपये न आने थे, न आये। कई दिनों के बाद मैंने पूछा—कुछ जवाब आया श्रीमान् के भाई साहब के दरबार से? आपने रुष्ट होकर कहा—अभी केवल एक सप्ताह तो ख़त पहुँचे हुए, क्या जवाब आ सकता है? एक सप्ताह और गुज़रा, मगर जवाब नदारद। अब आपका यह हाल है कि मुझे कुछ बातचीत करने का अवसर ही नहीं देते। इतने प्रसन्न-चित्त नज़र आते हैं कि क्या कहूँ। बाहर से आते हैं तो ख़ुश-ख़ुश! कोई-न-कोई शिगूफ़ा लिये। मेरी ख़ुशामद भी ख़ूब हो रही है, मेरे मैकेवालों की प्रशंसा भी हो रही है, मेरे गृह-प्रबन्ध का बखान भी असाधारण रीति से किया जा रहा है। मैं इन महाशय की चाल समझ रही थी। यह सारी दिलजोई केवल इसलिए थी कि श्रीमान् के भाई साहब के विषय में कुछ पूछ न बैठूँ। सारे राजनीतिक, आर्थिक, सामाजिक, आचारिक प्रश्नों की मुझसे व्याख्या की जाती थी, इतने विस्तार और गवेषणा के साथ कि विशेषज्ञ भी लोहा मान जायँ। केवल इसलिए कि मुझे वह प्रसंग उठाने का अवसर न मिले! लेकिन मैं भला कब चूकनेवाली थी? जब पूरे दो सप्ताह गुज़र गये और बीमे के रुपये भेजने की मिती मौत की तरह सिर पर सवार हो गयी, तो मैंने पूछा—क्या हुआ? तुम्हारे भाई साहब ने श्रीमुख से कुछ फ़रमाया या अभी तक पत्र नहीं पहुँचा? आख़िर घर की जायदाद में हमारा भी कुछ हिस्सा है या नहीं? या हम किसी लौंडी-दासी की सन्तान हैं? पाँच सौ रुपये साल का नफ़ा तो दस साल पहले था। अब तो एक हज़ार से कम न होगा, पर हमें कभी एक कानी कौड़ी न मिली। मोटे हिसाब से हमें दो हज़ार मिलना चाहिए। दो हज़ार न हों,

एक हज़ार हों, पाँच सौ हों, ढाई सौ हों, कुछ न हो तो बीमा के प्रीमियम भर को तो हो। तहसीलदार साहब की आमदनी हमारी आमदनी की चौगुनी है, रिश्वतें भी लेते हैं, तो फिर हमारे रुपये क्यों नहीं देते? आप हें-हें, हाँ-हाँ करने लगे। वह बेचारे घर की मरम्मत करवाते हैं। बंधु-बांधवों का स्वागत-सत्कार करते हैं, नातेदारियों में भेंट-भाँट भेजते हैं। और कहाँ से लावें, जो हमारे पास भेजें? वाह री बुद्धि! मानो जायदाद इसीलिए होती है कि उसकी कमाई उसी में ख़र्च हो जाय। इस भले आदमी को बहाने गढ़ने भी नहीं आते। मुझसे पूछते, मैं एक नहीं हज़ार बता देती, एक-से-एक बढ़कर—कह देते, घर में आग लग गयी, सब कुछ स्वाहा हो गया, या चोरी हो गयी, तिनका तक न बचा, या दस हज़ार का अनाज भरा था, उसमें घाटा रहा, या किसी से फौजदारी हो गयी, उसमें दिवाला पिट गया। आपको सूझी भी लचर-सी बात। तक़दीर ठोककर बैठ रही। पड़ोस की एक महिला से रुपये कर्ज़ लिये, तब जाकर काम चला। फिर भी आप भाई-भतीजों की तारीफ़ों के पुल बाँधते हैं, तो मेरे शरीर में आग लग जाती है। ऐसे कौरवों से ईश्वर बचाये।

ईश्वर की दया से आपके दो बच्चे हैं, दो बच्चियाँ भी हैं। ईश्वर की दया कहूँ या कोप कहूँ? सब-के-सब इतने ऊधमी हो गये हैं कि ख़ुदा की पनाह, मगर क्या मज़ाल है कि भोंदू किसी को कड़ी आँख से भी देखें! रात के आठ बज गये हैं, युवराज अभी घूमकर नहीं आये। मैं घबड़ा रही हूँ, आप निश्चिंत बैठे अख़बार पढ़ रहे हैं। झल्लाई हुई जाती हूँ और अख़बार छीनकर कहती हूँ, जाकर ज़रा देखते क्यों नहीं, लौंडा कहाँ रह गया? न जाने तुम्हारा हृदय कितना कठोर है! ईश्वर ने तुम्हें सन्तान ही न जाने क्यों दे दी? पिता का पुत्र के साथ कुछ तो धर्म है! तब आप भी गर्म हो जाते हैं, अभी तक नहीं आया? बड़ा शैतान है। आज बच्चा आते हैं, तो कान उखाड़ लेता हूँ। मारे हंटरों के ख़ाल उधेड़कर रख दूँगा। यों बिगड़कर तैश के साथ आप उसे खोजने निकलते हैं। संयोग की बात! आप उधर जाते हैं, इधर लड़का आ जाता है। मैं पूछती हूँ—तू किधर से आ गया? तुझे वह ढूँढ़ने गये हुए हैं। देखना, आज कैसी मरम्मत होती है! यह आदत छूट जायेगी। दाँत पीस रहे थे। आते ही होंगे। छड़ी भी उनके हाथ में है। तुम इतने अपने मन के हो गये हो कि बात नहीं सुनते! आज आटे-दाल का भाव मालूम होगा। लड़का सहम जाता है और लैम्प जलाकर पढ़ने बैठ जाता है। महाशयजी दो-ढाई घंटे के बाद लौटते हैं, हैरान, परेशान और बदहवास होकर। घर में पाँव रखते ही पूछते हैं—आया कि नहीं?

मैं उनका क्रोध उत्तेजित करने के विचार से कहती हूँ—आकर बैठा तो है, जाकर पूछते क्यों नहीं? पूछकर हार गयी, कहाँ गया था, कुछ बोलता ही नहीं।

आप गरजकर कहते हैं—मन्नू, यहाँ आओ।

लड़का थर-थर काँपता हुआ आकर आँगन में खड़ा हो जाता है। दोनों बच्चियाँ घर में छिप जाती हैं कि कोई बड़ा भयंकर कांड होनेवाला है। छोटा बच्चा खिड़की से चूहे की तरह झाँक रहा है। आप क्रोध से बौखलाए हुए हैं! हाथ में छड़ी है ही, मैं भी वह क्रोधोन्मत्त आकृति देखकर पछताने लगती हूँ कि कहाँ से इनसे शिकायत की। आप लड़के के पास जाते हैं, मगर छड़ी जमाने के बदले आहिस्ते से उसके कंधे पर हाथ रखकर बनावटी क्रोध से कहते हैं—तुम कहाँ गये थे जी? मना किया जाता है, मानते नहीं हो। ख़बरदार, जो अब कभी इतनी देर होगी? आदमी शाम को अपने घर चला आता है या मटरग़श्ती करता है?

मैं समझ रही हूँ कि यह भूमिका है। विषय अब आयेगा। भूमिका तो बुरी नहीं, लेकिन यहाँ तो भूमिका पर इति हो जाती है। बस, आपका क्रोध शांत हो गया। बिलकुल जैसे क्वार की घटा—घेर-घार हुआ, काले बादल आये, गड़गड़ाहट हुई और गिरी क्या, चार बूँदें। लड़का अपने कमरे में चला जाता है और शायद ख़ुशी से नाचने लगता है।

मैं पराभूत हो जाती हूँ—तुम तो जैसे डर गये। भला, दो-चार तमाचे तो लगाए होते! इसी तरह तो लड़के शेर हो जाते हैं।

आप फ़रमाते हैं—तुमने सुना नहीं, मैंने कितने जोर से डाँटा! बच्चू की जान ही निकल गयी होगी। देख लेना, जो फिर कभी देर में आये।

'तुमने डाँटा तो नहीं, हाँ आँसू पोंछ दिये।'

'तुमने मेरी डाँट सुनी नहीं?'

'क्या कहना है, आपकी डाँट का! लोगों के कान बहरे हो गये। लाओ, तुम्हारा गला सहला दूँ।'

आपने एक नया सिद्धांत निकाला है कि दंड देने से लड़के ख़राब हो जाते हैं। आपके विचार से लड़कों को आजाद रहना चाहिए। उन पर किसी तरह का बंधन, शासन या दवाब न होना चाहिए। आपके मत से शासन बालकों के मानसिक विकास में बाधक होता है। इसी का यह फल है कि लड़के बिना नकेल के ऊँट बने हुए हैं। कोई एक मिनट भी किताब खोलकर नहीं बैठना। कभी गुल्ली-डंडा है, कभी गोलियाँ, कभी कनकौवे। श्रीमान् भी लड़कों के साथ खेलते हैं। चालीस साल की उम्र और लड़कपन इतना। मेरे पिताजी के सामने मजाल थी कि कोई लड़का कनकौआ उड़ा ले या गुल्ली-डंडा खेल सके! ख़ून ही पी जाते। प्रातःकाल से लड़कों को लेकर बैठ जाते थे। स्कूल से ज्यों ही लड़के आते, फिर ले बैठते थे। बस, संध्या समय आध घंटे की छुट्टी देते थे। रात को फिर जोत देते। यह नहीं कि आप तो अख़बार पढ़ा करें और लड़के गली-गली भटकते फिरें। कभी-कभी आप सींग काटकर बछड़े बन जाते हैं। लड़कों के साथ ताश खेलने बैठा करते हैं। ऐसे बाप का भला, लड़कों पर क्या रौब हो सकता है? पिताजी के सामने मेरे भाई सीधे ताक नहीं सकते थे। उनकी आवाज सुनते ही तहलका मच जाता था। उन्होंने घर में कदम रखा और शांति का साम्राज्य हुआ। उनके सम्मुख जाते लड़कों के प्राण सूखते थे। उसी शासन की यह बरकत है कि सभी लड़के अच्छे-अच्छे पदों पर पहुँच गये। हाँ, स्वास्थ्य किसी का अच्छा नहीं है। तो पिताजी ही का स्वास्थ्य कौन बड़ा अच्छा था! बेचारे हमेशा किसी-न-किसी औषधि का सेवन करते रहते थे। और क्या कहूँ, एक दिन तो हद ही हो गयी! श्रीमान्‌जी लड़कों को कनकौआ उड़ाने की शिक्षा दे रहे थे—यों घुमाओ, यों गोता दो, यों खींचो, यों ढील दो। ऐसा तन-मन से सिखा रहे थे, मानो गुरु-मंत्र दे रहे हों। उस दिन मैंने इनकी ऐसी ख़बर ली कि याद करते होंगे—तुम कौन होते हो, मेरे बच्चों को बिगाड़नेवाले! तुम्हें घर से कोई मतलब नहीं है, न हो, लेकिन मेरे बच्चों को ख़राब न कीजिए। बुरी-बुरी आदतें न सिखाइए। आप उन्हें सुधार नहीं सकते, तो कम-से-कम बिगाड़िए मत। लगे बगलें झाँकने। मैं चाहती हूँ, एक बार यह भी गरज़ पड़ें, तो अपना चंडी रूप दिखाऊँ, पर यह इतना जल्द दब जाते हैं कि मैं हार जाती हूँ। पिताजी किसी लड़के को मेले-तमाशे न ले जाते थे। लड़का सिर पीटकर मर जाय, मगर ज़रा भी न पसीजते थे। और इन महात्माजी का यह हाल है कि एक-एक से पूछकर

मेले ले जाते हैं—चलो, चलो, वहाँ बड़ी बहार है, ख़ूब आतिशबाजियाँ छूटेंगी, गुब्बारे उड़ेंगे, विलायती चर्खियाँ भी हैं। उन पर मजे से बैठना। और-तो-और, आप लड़कों को हाकी खेलने से भी नहीं रोकते। यह अंग्रेज़ी खेल भी कितने जानलेवा हैं—क्रिकेट, फुटबाल, हाकी—एक-से-एक घातक। गेंद लग जाय तो जान लेकर ही छोड़े, पर आपको इन सभी खेलों से प्रेम है। कोई लड़का मैच जीतकर आ जाता है, तो ऐसे फूल उठते हैं, मानो क़िला फ़तह कर आया हो। आपको इसकी ज़रा परवाह नहीं कि चोट-चपेट आ गयी तो क्या होगा! हाथ-पाँव टूट गये तो बेचारों की ज़िन्दगी कैसे पार लगेगी!

पिछले साल कन्या का विवाह था। आपकी ज़िद थी कि दहेज के नाम कानी कौड़ी भी न देंगे, चाहे कन्या आजीवन क्वाँरी रहे। यहाँ भी आपका आदर्शवाद आ कूदा। समाज के नेताओं का छल-प्रपंच आये-दिन देखते रहते हैं, फिर भी आपकी आँखें नहीं खुलतीं। जब तक समाज की यह व्यवस्था क़ायम है और युवती कन्या का अविवाहित रहना निन्दास्पद है, तब तक यह प्रथा मिटने की नहीं। दो-चार ऐसे व्यक्ति भले ही निकल आवें, जो दहेज के लिए हाथ न फैलावें, लेकिन इनका परिस्थिति पर कोई असर नहीं पड़ता और कुप्रथा ज्यों-की-त्यों बनी हुई है। पैसो की कमी नहीं, दहेज की बुराइयों पर लेक्चर दे सकते हैं, लेकिन मिलते हुए दहेज को छोड़ देनेवाला मैंने आज तक न देखा। जब लड़कों की तरह लड़कियों को शिक्षा और जीविका की सुविधाएँ निकल आयेंगी, तो यह प्रथा भी विदा हो जायेगी, उसके पहले सम्भव नहीं। मैंने जहाँ-जहाँ संदेशा भेजा, दहेज का प्रश्न उठ खड़ा हुआ और आपने प्रत्येक अवसर पर टाँग अड़ायी। जब इस तरह पूरा साल गुज़र गया और कन्या का सत्रहवाँ लग गया, तो मैंने एक जगह बात पक्की कर ली। आपने भी स्वीकार कर लिया, क्योंकि वर-पक्ष ने लेन-देन का प्रश्न उठाया ही नहीं, हालाँकि अन्तःकरण में उन लोगों को विश्वास था कि अच्छी रक़म मिलेगी और मैंने भी तय कर लिया था कि यथाशक्ति कोई बात उठा न रक्खूँगी। विवाह के सकुशल होने में कोई सन्देह नहीं था, लेकिन इन महाशय के आगे मेरी एक न चली—यह प्रथा निंद्य है, यह रस्म निरर्थक है, यहाँ रुपये की क्या ज़रूरत? यहाँ गीतों का क्या काम? नाक में दम था। यह क्यों, वह क्यों, यह तो साफ़ दहेज है, तुमने मुँह में कालिख लगा दी। मेरी आबरू मिटा दी। ज़रा सोचिए, इस परिस्थिति को कि बारात द्वार पर पड़ी हुई है और यहाँ बात-बात पर शास्त्रार्थ हो रहा है। विवाह का मुहूर्त आधी रात के बाद था। प्रथानुसार मैंने व्रत रखा, किन्तु आपकी टेक थी कि व्रत की कोई ज़रूरत नहीं। जब लड़के के माता-पिता व्रत नहीं रखते, जब लड़का तक व्रत नहीं रखता, तो कन्या-पक्षवाले ही व्रत क्यों रखें! मैं और सारा ख़ानदान मना करता रहा, लेकिन आपने नाश्ता किया। ख़ैर! कन्यादान का मुहूर्त आया। आप सदैव से इस प्रथा के विरोधी हैं। आप इसे निषिद्ध समझते हैं। कन्या क्या दान की वस्तु है? दान रुपये-पैसे, जगह-ज़मीन का होता है। पशु-दान भी होता है, लेकिन लड़की का दान! एक लचर-सी बात है। कितना समझाती हूँ, पुरानी प्रथा है, वेद-काल से होती चली आयी है, शास्त्रों में इसकी व्यवस्था है। सम्बन्धी समझा रहे हैं, पंडित समझा रहे हैं, पर आप हैं कि कान पर जूँ नहीं रेंगती। हाथ जोड़ती पैर पड़ती हूँ, गिड़गिड़ाती हूँ, लेकिन आप मंडप के नीचे न गये। और मजा यह है कि आपने ही तो यह अनर्थ किया और आप ही मुझसे रूठ गये। विवाह के पश्चात् महीनों बोलचाल न रही। झख मारकर मुझी को मनाना पड़ा।

किन्तु सबसे बड़ी विडम्बना यह है कि इन सारे दुर्गुणों के होते हुए भी मैं इनसे एक दिन भी पृथक् नहीं रह सकती—एक क्षण का वियोग नहीं सह सकती। इन सारे दोषों पर भी मुझे इनसे प्रगाढ़ प्रेम है। इनमें यह कौन सा गुण है जिस पर मैं मुग्ध हूँ, मैं ख़ुद नहीं जानती, पर इनमें कोई बात ऐसी है, जो मुझे इनकी चेली बनाये हुए है। यह ज़रा मामूली-सी देर से घर आते हैं, तो प्राण नहों में समा जाते हैं। आज यदि विधाता इनके बदले मुझे कोई विद्या और बुद्धि का पुतला-रूप और धन का देवता भी दे, तो मैं उसकी ओर आँखें उठाकर न देखूँ। यह धर्म की बेड़ी है, कदापि नहीं। प्रथागत पातिव्रत भी नहीं, बल्कि हम दोनों की प्रकृति में कुछ ऐसी क्षमताएँ, कुछ ऐसी व्यवस्थाएँ उत्पन्न हो गयी हैं मानो किसी मशीन के कल-पुरजे घिस-घिसाकर फिट हो गये हों, और एक पुरजे की जगह दूसरा पुरजा काम न दे सके, चाहे वह पहले से कितना ही सुडौल, नया और सुदृढ़ क्यों न हो। जाने हुए रास्ते से हम निःशंक आँखें बन्द किये चले जाते हैं, उसके ऊँच-नीच मोड़ और घुमाव, सब हमारी आँखों में समाये हैं। अनजान रास्ते पर चलना कितना कष्टप्रद होगा। शायद आज मैं इनके दोषों को गुणों से बदलने पर भी तैयार न हूँगी।

❑❑❑

रसिक सम्पादक

'नवरस' के सम्पादक पं. चोखेलाल शर्मा की धर्मपत्नी का जब से देहांत हुआ है, आपको स्त्रियों से विशेष अनुराग हो गया है और रसिकता की मात्रा भी कुछ बढ़ गयी है। पुरुषों के अच्छे-अच्छे लेख रद्दी में डाल दिये जाते हैं, पर देवियों के लेख कैसे भी हों, तुरन्त स्वीकार कर लिये जाते हैं और बहुधा लेख की प्रशंसा कुछ इन शब्दों में की जाती है—आपका लेख पढ़कर दिल थामकर रह गया, अतीत जीवन आँखों के सामने मूर्तिमान हो गया, अथवा आपके भाव साहित्य-सागर के उज्ज्वल रत्न हैं जिसकी चमक कभी कम न होगी। और कविताएँ तो हृदय की हिलोरे, विश्व-वीणा की अमर तान, अनन्त की मधुर वेदना, निशा का नीरव गान होती थीं। प्रशंसा के साथ दर्शनों की उत्कट अभिलाषा भी प्रकट की जाती थी—यदि आप कभी इधर से गुज़रें, तो मुझे न भूलिएगा। जिसने ऐसी कविता की सृष्टि की है, उसके दर्शनों का सौभाग्य हमें मिला, तो अपने को धन्य मानूँगा।

लेखिकाएँ अनुराग-मय प्रोत्साहन से भरे हुए पत्र पाकर फूली न समातीं। जो लेख अभागे भिक्षुक की भाँति कितनी ही पत्र-पत्रिकाओं के द्वार से निराश लौट आये थे, उनका यहाँ इतना आदर! पहली ही बार ऐसा सम्पादक जन्मा है, जो गुणों का पारखी है! और सभी सम्पादक अहम्मन्य हैं, अपने आगे किसी को समझते ही नहीं। ज़रा-सी सम्पादकी क्या मिल गयी मानो कोई राज्य मिल गया। इन सम्पादकों को कहीं सरकारी पद मिल जाय तो अन्धेर मचा दें। वह तो कहो कि सरकार इन्हें पूछती नहीं, उसने बहुत अच्छा किया, जो आर्डिनेन्स पास कर दिये। और स्त्रियों से द्वेष करो! यह उसी का दंड है! यह भी सम्पादक ही हैं, कोई घास नहीं छीलते और सम्पादक भी एक जगत् विख्यात पत्र के 'नवरस' सब पत्रों में राजा है।

चोखेलालजी के पत्र की ग्राहक-संख्या बड़े वेग से बढ़ने लगी। हर डाक से धन्यवादों की एक बाढ़-सी आ जाती, और लेखिकाओं में उनकी पूजा होने लगी। ब्याह, गौना, मुंडन, जन्म-मरण के समाचार आने लगे। कोई आशीर्वाद माँगती, कोई उनके मुख से सांत्वना के दो शब्द सुनने की अभिलाषा करती, कोई उनसे घरेलू संकटों में परामर्श पूछती। और महीने में दस-पाँच महिलाएँ उन्हें दर्शन भी दे जातीं। शर्माजी उनकी अवाई का तार या पत्र पाते ही स्टेशन पर जाकर उनका स्वागत करते, बड़े आग्रह से उन्हें एक-आध दिन ठहराते, उनकी ख़ूब ख़ातिर करते। सिनेमा के फ्री पास मिले हुए थे ही, ख़ूब सिनेमा दिखाते। महिलाएँ उनके सद्भाव से मुग्ध होकर विदा होतीं। मशहूर तो यहाँ तक है कि शर्माजी का कई लेखिकाओं से बहुत ही घनिष्ट सम्बन्ध हो गया है, लेकिन इस विषय में हम निश्चित पूर्वक कुछ नहीं कह सकते। हम तो इतना ही जानते हैं कि जो देवियाँ एक बार यहाँ आ जातीं, वह शर्माजी की अनन्य भक्त हो जातीं। बेचारा साहित्य की कुटिया का तपस्वी है। अपने विधुर जीवन की निराशाओं को अपने अन्तस्तल में संचित रखकर मूक वेदना में प्रेम-माधुर्य का रस-पान कर रहा है। सम्पादकजी के जीवन में जो कमी आ गयी थी, उनकी कुछ पूर्ति करना महिलाओं ने अपना धर्म-सा मान लिया।

उनके भरे हुए भंडार में से अगर एक क्षुधित प्राणी को थोड़ी-सी मिठास दी जा सके, तो उससे भंडार की शोभा है। कोई देवी पार्सल से अचार भेज देती, कोई लड्डू। एक ने पूजा का ऊनी आसन अपने हाथों बनाकर भेज दिया। एक देवी महीने में एक बार आकर उनके कपड़ों की मरम्मत कर देती थीं। दूसरी देवी महीने में दो-तीन बार आकर उन्हें अच्छी-अच्छी चीज़ें बनाकर खिला जाती थीं। अब वह किसी एक के न होकर सबके हो गये थे। स्त्रियों के अधिकारों का उनसे कड़ा रक्षक शायद ही कोई मिले। पुरुषों से तो शर्माजी को हमेशा तीव्र आलोचना ही मिलती थी। श्रद्धामय सहानुभूति का आनंद तो उन्होंने स्त्रियों में ही पाया।

एक दिन सम्पादकजी को एक ऐसी कविता मिली, जिसमें लेखिका ने अपने उग्र प्रेम का रूप दिखाया था। अन्य सम्पादक उसे अश्लील कहते, लेकिन चोखेलाल इधर बहुत उदार हो गये थे। कविता इतने सुन्दर अक्षरों में लिखी थी, लेखिका का नाम इतना मोहक था कि सम्पादकजी के सामने उसका एक कल्पना-चित्र-सा आकर खड़ा हो गया। भावुक प्रकृति, कोमल गीत, याचना भरे नेत्र, बिम्ब-अधर, चंपई रंग, अंग-अंग में चपलता भरी हुई, पहले गोंद की तरह शुष्क और कठोर, आर्द्र होते हुए ही चिपक जाने वाली। उन्होंने कविता दो-तीन बार पढ़ी और हर बार उनके मन में सनसनी दौड़ी—

क्या तुम समझते हो, मुझे छोड़कर भाग जाओगे?
भाग सकोगे?
मैं तुम्हारे गले में हाथ डाल दूँगी,
मैं तुम्हारी कमर में करपाश कस दूँगी,
मैं तुम्हारा पाँव पकड़कर रोक लूँगी,
तब उस पर सर रख दूँगी।

क्या तुम समझते हो, मुझे छोड़कर भाग जाओगे?
छोड़ सकोगे?

मैं तुम्हारे अधरों पर अपने कपोल चिपका दूँगी,
उस प्याले में जो मादक सुधा है,
उसे पीकर तुम मस्त हो जाओगे।
क्या तुम समझते हो, मुझे छोड़कर भाग जाओगे?

—कामाक्षी

शर्माजी को हर बार इस कविता में एक नया रस मिलता था। उन्होंने उसी क्षण कामाक्षी देवी के नाम नाम यह पत्र लिखा—

'आपकी कविता पढ़कर, मैं नहीं कह सकता, मेरे चित्त की क्या दशा हुई। हृदय में एक ऐसी तृष्णा जाग उठी है, जो मुझे भस्म किये डालती है। नहीं जानता, इसे कैसे शान्त करूँ? बस यही आशा है कि इसको शीतल करनेवाली सुधा भी वहीं मिलेगी, जहाँ से यह तृष्णा मिली है। मन पतंग की भाँति जंजीर तुड़ाकर भाग जाना चाहता है। जिस हृदय से यह भाव निकले हैं, उसमें प्रेम का कितना अक्षय भंडार है, उस प्रेम का, जो अपने को समर्पित कर देने में ही आनन्द पाता है। मैं आपसे सत्य कहता हूँ, ऐसी कविता मैंने आज तक नहीं सुनी थी और इसने मेरे अंदर जो तूफ़ान उठा दिया है, वह मेरी विधुर शांति को छिन्न-भिन्न किये डालता है। आपने एक ग़रीब की फूस की झोंपड़ी में आग दी है, लेकिन मन यह

स्वीकार नहीं करता कि वह केवल विनोद-क्रीड़ा है। इन शब्दों में मुझे एक ऐसा हृदय छिपा हुआ ज्ञात होता है, जिसने प्रेम की वेदना सही है, जो लालसा की आग में तपा है। मैं इसे परम सौभाग्य समझूँगा, यदि आपके दर्शनों का सौभाग्य पा सका। यह कुटिया अनुराग की भेंट के लिए आपका स्वागत करने को तड़प रही है।'

तीसरे ही दिन उत्तर आ गया। कामाक्षी ने बड़े भावुकतापूर्ण शब्दों में कृतज्ञता प्रकट की थी और अपने आने की तिथि बतायी थी।

2

आज कामाक्षी का शुभागमन है।

शर्माजी ने प्रातःकाल हजामत बनवायी, साबुन और बेसन से स्नान किया, महीन खद्दर की धोती, कोकटी का ढीला चुन्नटदार कुरता, मलाई के रंग की रेशमी चादर—ठाठ से कार्यालय में बैठे, तो सारा दफ़्तर चमक उठा। दफ़्तर की भी ख़ूब सफ़ाई कर दी गयी थी। बरामदे में गमले रखवा दिये गये थे, मेज पर गुलदस्ते सजा दिये गये थे। गाड़ी नौ बजे आती है, अभी साढ़े आठ बजे हैं, साढ़े नौ बजे तक यहाँ आ जायेगी। इस परेशानी में कोई काम नहीं हो रहा है। बार-बार घड़ी की ओर ताकते हैं, फिर आइने में अपनी सूरत देखकर कमरे में टहलने लगते हैं। मूँछों से दो-चार बाल पके हुए नज़र आ रहे हैं, उन्हें उखाड़ फेंकने का इस समय कोई साधन नहीं है। कोई हरज नहीं। इससे रंग कुछ और ज़्यादा ही जमेगा। प्रेम जब श्रद्धा के साथ आता है, तब वह ऐसा मेहमान हो जाता है, जो उपहार लेकर आया हो। युवकों का प्रेम खर्चीली वस्तु है लेकिन महात्माओं या महात्मापन के समीप पहुँचे हुए लोगों का प्रेम—उलटे और कुछ ले आता है। युवक जो रंग बहुमूल्य उपहारों से जमाता है, ये महात्मा या अर्द्ध-महात्मा लोग केवल आशीर्वाद से जमा लेते हैं।

ठीक साढ़े नौ बजे चपरासी ने आकर कार्ड दिया। लिखा था—कामाक्षी।

शर्माजी ने उसे देवीजी को लाने की अनुमति देकर एक बार फिर आइने में अपनी सूरत देखी और एक मोटी-सी पुस्तक पढ़ने लगे, मानो स्वाध्याय में तन्मय हो गये हैं। एक क्षण में देवीजी ने कमरे में कदम रखा। शर्माजी को उनके आने की ख़बर न हुई।

देवीजी डरते-डरते समीप आ गयीं, तब शर्माजी ने चौंककर सिर उठाया मानो समाधि से जाग पड़े हों, और खड़े होकर देवीजी का स्वागत किया, मगर यह वह मूर्ति न थी, जिसकी उन्होंने कल्पना कर रखी थी!

एक काली, मोटी, अधेड़, चंचल औरत थी, जो शर्माजी को इस तरह घूर रही थी, मानो उसे पी जायेगी। शर्माजी का सारा उत्साह, सारा अनुराग ठंडा पड़ गया। वह सारी मन की मिठाइयाँ, जो वह महीनों से खा रहे थे, पेट में शूल की भाँति चुभने लगीं। कुछ कहते-सुनते न बना। केवल इतना बोले—सम्पादकों का जीवन बिलकुल पशुओं का जीवन है। सिर उठाने का समय नहीं मिलता। उस पर कार्याधिक्य से इधर मेरा स्वास्थ्य भी बिगड़ रहा है। रात ही से सिर-दर्द से बैचैन हूँ। आपकी क्या ख़ातिर करूँ?

कामाक्षी देवी के हाथ में एक बड़ा-सा पुलिंदा था। उसे मेज पर पटककर

रूमाल से मुँह पोंछकर मृदु-स्वर में बोलीं—यह तो आपने बड़ी बुरी ख़बर सुनाई। मैं तो एक सहेली से मिलने जा रही थी। सोचा रास्ते में आपके दर्शन करती चलूँ, लेकिन जब आपका स्वास्थ्य ठीक नहीं है, तो मुझे कुछ दिन रहकर आपका स्वास्थ्य सुधारना पड़ेगा। मैं आपके सम्पादन- कार्य में भी अपकी मदद करूँगी। आपका स्वास्थ्य स्त्री-जाति के लिए बड़े महत्त्व की वस्तु है। आपको इस दशा में छोड़कर अब मैं जा ही नहीं सकती।

शर्माजी को ऐसा जान पड़ा, जैसे उनका रक्त-प्रवाह रुक गया है, नाड़ी टूटी जा रही है। उस चुड़ैल के साथ रहकर तो जीवन ही नरक हो जायेगा। चली हैं कविता करने, और कविता भी कैसी? अश्लीलता में डूबी हुई। अश्लील तो है ही। बिलकुल सड़ी हुई, गंदी। एक सुन्दरी युवती की कलम से वह कविता काम-वाण थी। इस डाइन की कलम से तो वह परनाले का कीचड़ है। मैं कहता हूँ, इसे ऐसी कविता लिखने का अधिकार ही क्या है? वह क्यों ऐसी कविता लिखती है? क्यों नहीं किसी कोने में बैठकर राम-भजन करती? आप पूछती हैं—मुझे छोड़कर भाग सकोगे? मैं कहता हूँ, आपके पास कोई आयेगा ही क्यों? दूर से ही देखकर न लम्बा हो जायेगा। कविता क्या है, जिसका न सिर, न पैर, मात्राओं तक का तो इसे ज्ञान नहीं है। और कविता करती है? कविता अगर इस काया में निवास कर सकती है, तो फिर गधा भी गा सकता है! ऊँट भी नाच सकता है! इस राँड़ को इतना भी नहीं मालूम कि कविता करने के लिए रूप और यौवन चाहिए, नज़ाकत चाहिए। भूतनी-सी तो आपकी सूरत है, रात को कोई देख ले, तो डर जाय और आप उत्तेजक कविता लिखती हैं! कोई कितना ही क्षुधातुर हो, तो क्या गोबर खा लेगा? और चुड़ैल इतना बड़ा पोथा लेती आयी है। इसमें भी वही परनाले का गंदा कीचड़ होगा!

उस मोटी पुस्तक की ओर देखते हुए बोले—नहीं, नहीं, मैं आपको कष्ट नहीं देना चाहता। वह ऐसी कोई बात नहीं है! दो-चार दिन के विश्राम से ठीक हो जायेगा। आपकी सहेली आपकी प्रतीक्षा करती होंगी।

'आप तो महाशयजी संकोच कर रहे हैं। मैं दस-पाँच दिन के बाद भी चली जाऊँगी, तो कोई हानि न होगी।'

'इसकी कोई आवश्यकता नहीं है देवीजी।'

'आपके मुँह पर तो आपकी प्रशंसा करना ख़ुशामद होगी, पर जो सज्जनता मैंने आप में देखी, वह कहीं नहीं पायी। आप पहले महानुभाव हैं, जिन्होंने मेरी रचना का आदर किया, नहीं, मैं तो निराश हो चुकी थी। आपके प्रोत्साहन का यह शुभ फल है कि मैंने इतनी कविताएँ रच डालीं। आप इनमें से जो चाहें रख लें। मैंने एक ड्रामा भी लिखना शुरू कर दिया है। उसे भी शीघ्र ही आपकी सेवा में भेजूँगी। कहिए तो दो-चार कविताएँ सुनाऊँ? ऐसा अवसर मुझे कब मिलेगा? यह तो नहीं जानती कि कविताएँ कैसी हैं, पर आप सुनकर प्रसन्न होंगे। बिलकुल उसी रंग की हैं।'

उसने अनुमति की प्रतीक्षा न की। तुरन्त पोथा खोलकर एक कविता सुनाने लगी। शर्माजी को ऐसा मालूम होने लगा, जैसे कोई भिगो-भिगोकर जूते मार रहा है। कई बार उन्हें मतली आ गयी, जैसे एक हज़ार गधे कानों के पास खड़े अपना स्वर अलाप रहे हों। कामाक्षी के स्वर में कोयल का माधुर्य था। पर शर्माजी को इस समय वह भी अप्रिय लग रहा था। सिर में सचमुच दर्द होने लगा। यह गधी

टलेगी भी, या यों ही बैठी सिर खाती रहेगी? इसे मेरे चेहरे से भी मेरे मनोभावों का ज्ञान नहीं हो रहा है! उस पर आप कविता करने चली है? इस मुँह से महादेवी या सुभद्राकुमारी की कविताएँ भी घृणा ही उत्पन्न करेंगी।

आख़िर न रहा गया। बोले—आपकी रचनाओं का क्या कहना, आप यह संग्रह यहीं छोड़ जायें। मैं अवकाश में पढ़ूँगा। इस समय तो बहुत-सा काम है।

कामाक्षी ने दयार्द्र होकर कहा—आप इतना दुर्बल स्वास्थ्य होने पर भी इतने व्यस्त रहते हैं? मुझे आप पर दया आती है।

'आपकी कृपा है।'

'आपको कल अवकाश रहेगा? ज़रा मैं ड्रामा सुनाना चाहती थी?'

'खेद है, कल मुझे ज़रा प्रयाग जाना है।'

'तो मैं भी आपके साथ चलूँ? गाड़ी में सुनाती चलूँगी?'

'कुछ निश्चय नहीं, किस गाड़ी से जाऊँ।'

'आप लौटेंगे कब तक?'

'यह भी निश्चय नहीं।'

और टेलीफ़ोन पर जाकर बोले—हल्लो, नं. 77

कामाक्षी ने आध घंटे तक उनका इन्तज़ार किया, मगर शर्माजी एक सज्जन से ऐसी महत्त्व की बातें कर रहे थे, जिसका अन्त ही होने न पाता था।

निराश होकर कामाक्षी देवी विदा हुईं और शीघ्र ही फिर आने का वादा कर गयीं। शर्माजी ने आराम की साँस ली और उस पोथे को उठाकर रद्दी में डाल दिया और जले हुए दिल से आप-ही-आप कहा—ईश्वर न करे कि फिर तुम्हारे दर्शन हों। कितनी बेशर्म है, कुलटा कहीं की! आज इसने सारा मज़ा किरकिरा कर दिया।

फिर मैनेजर को बुलाकर कहा—कामाक्षी की कविता नहीं जायेगी।

मैनेजर ने स्तम्भित होकर कहा—फार्म तो मशीन पर है!

'कोई हरज नहीं। फार्म उतार लीजिए।'

'बड़ी देर होगी।'

'होने दीजिए। वह कविता नहीं जायेगी।'

❑❑❑

मनोवृत्ति

एक सुन्दर युवती, प्रातःकाल गांधी-पार्क में बिल्लौर के बेंच पर गहरी नींद में सोयी पायी जाय, यह चौंका देनेवाली बात है। सुन्दरियाँ पार्कों में हवा खाने आती हैं, हँसती हैं, दौड़ती हैं, फूल-पौधों से खेलती हैं, किसी का इधर ध्यान नहीं जाता, लेकिन कोई युवती रविश के किनारेवाले बेंच पर बेख़बर सोये, वह बिलकुल ग़ैरमामूली बात है, अपनी ओर बलपूर्वक आकर्षित करनेवाली। रविश पर कितने आदमी चहलकदमी कर रहे हैं, बूढ़े भी, जवान भी, सभी एक क्षण के लिए वहीं ठिठक जाते हैं, एक नजर वह दृश्य देखते हैं और तब चले जाते हैं। युवक-वृन्द रहस्य-भाव से मुस्कराते हुए, वृद्ध-जन चिंताभाव से सिर हिलाते हुए और युवतियाँ लज्जा में आँखें नीची किये हुए।

2

वसंत और हाशिम निकर और बनियाइन पहने नंगे पाँव दौड़कर रहे हैं। बड़े दिन की छुट्टियों में ओलिम्पियन रेस होनेवाला है, दोनों उसी की तैयारी कर रहे हैं। दोनों इस स्थल पर पहुँचकर रुक जाते हैं और दबी आँखों से युवती को देखकर आपस में ख़याल दौड़ाने लगते हैं।

वसंत ने कहा—इसे और कहीं सोने की जगह न मिली।

हाशिम ने जवाब दिया—कोई वेश्या है।

'लेकिन वेश्याएँ भी तो इस तरह बेशर्मी नहीं करतीं।'

'वेश्या अगर बेशर्म न हो, तो वह वेश्या नहीं।'

'बहुत-सी ऐसी बातें हैं, जिनमें कुलवधू और वेश्या, दोनों एक व्यवहार करती हैं। कोई वेश्या मामूली तौर पर सड़क पर सोना नहीं चाहती।'

'रूप-छवि दिखाने का नया आर्ट है।'

'आर्ट का सबसे सुन्दर रूप छिपाव है, दिखाव नहीं। वेश्या इस रहस्य को ख़ूब समझती है।'

'उसका छिपाव केवल आकर्षण बढ़ाने के लिए है।'

'हो सकता है, मगर केवल यहाँ सो जाना, यह प्रमाणित नहीं करता कि यह वेश्या है। इसकी माँग में सिंदूर है।'

'वेश्याएँ अवसर पड़ने पर सौभाग्यवती बन जाती हैं। रात भर प्याले के दौर चले होंगे। काम-क्रीड़ाएँ हुई होंगी। अवसाद के कारण, ठंडक पाकर सो गयी होगी।'

'मुझे तो कुल-वधू-सी लगती है।'

'कुल-वधू पार्क में सोने आयेगी?'

'हो सकता है, घर से रूठकर आयी हो।'

'चलकर पूछ ही क्यों न लें।'

'निरे अहमक हो! बग़ैर परिचय के आप किसी को जगा कैसे सकते हैं?'

'अजी, चलकर परिचय कर लेंगे। उलटे और एहसान जताएँगे।'

'और जो कहीं झिड़क दे?'

'झिड़कने की कोई बात भी हो। उससे सौजन्य और सहृदयता में डूबी हुई बातें करेंगे। कोई युवती ऐसी बातें सुनकर चिढ़ नहीं सकती। अजी, गतयौवनाएँ तक तो रस-भरी बातें सुनकर फूल उठती हैं। यह तो नवयौवना है। मैंने रूप और यौवन का ऐसा सुन्दर संयोग नहीं देखा था।'

'मेरे हृदय पर तो यह रूप जीवन-पर्यंत के लिए अंकित हो गया! शायद कभी न भूल सकूँ।'

'मैं तो फिर भी यही कहता हूँ कि कोई वेश्या है।'

'रूप की देवी वेश्या भी हो, उपास्य है।'

'यहीं खड़े-खड़े कवियों की-सी बातें करोगे, ज़रा वहाँ तक चलते क्यों नहीं? तुम केवल खड़े रहना, पाश तो मैं डालूँगा।'

'कोई कुल-वधू है।'

'कुल-वधू पार्क में आकर सोये, तो इसके सिवा कोई अर्थ नहीं कि वह आकर्षित करना चाहती है और यह वेश्या मनोवृत्ति है।'

'आजकल की युवतियाँ भी तो फारवर्ड होने लगी हैं।'

'फारवर्ड युवतियाँ युवकों से आँखें नहीं चुरातीं।'

'हाँ, लेकिन है कुल-वधू। कुल-वधू से किसी तरह की बातचीत करना मैं बेहूदगी समझता हूँ।'

'तो चलो, फिर दौड़ लगाएँ।'

'लेकिन दिल में वह मूर्ति दौड़ रही है।'

'तो आओ बैठें। जब वह उठकर जाने लगे, तो उसके पीछे चलें। मैं कहता हूँ वेश्या है।'

'और मैं कहता हूँ कुल-वधू है।'

'तो दस-दस की बाज़ी रही।'

3

दो वृद्ध पुरुष धीरे-धीरे जमीन की ओर ताकते आ रहे हैं। मानो खोई जवानी ढूँढ़ रहे हों। एक की कमर झुकी, बाल काले, शरीर स्थूल, दूसरे के बाल पके हुए, पर कमर सीधी, इकहरा शरीर। दोनों के दाँत टूटे, पर नक़ली लगाए, दोनों की आँखों पर ऐनक। मोटे महाशय वक़ील हैं, छरहरे महोदय डॉक्टर।

वक़ील—देखा, यह बीसवीं सदी की करामात!

डॉक्टर—जी हाँ देखा, हिन्दुस्तान दुनिया से अलग तो नहीं है?

'लेकिन आप इसे शिष्टता तो नहीं कह सकते?'

'शिष्टता की दुहाई देने का अब समय नहीं।'

'है किसी भले घर की लड़की।'

'वेश्या है साहब, आप इतना भी नहीं समझते।'

'वेश्या इतनी फूहड़ नहीं होती।'

'और भले घर की लड़की फूहड़ होती है?'

'नयी आज़ादी है, नया नशा है।'

'हम लोगों की तो बुरी-भली कट गयी। जिनके सिर आयेगी, वह झेलेंगे।'

'ज़िन्दगी जहन्नुम से बदतर हो जायेगी।'

'अफ़सोस! जवानी रुख़सत हो गयी।'

'मगर आँखें तो नहीं रुख़सत हो गईं, वह दिल तो नहीं रुख़सत हो गया।'

'बस, आँखों से देखा करो, दिल जलाया करो।'

'मेरा तो फिर जवान होने को जी चाहता है! सच पूछो, तो आजकल के जीवन में ही ज़िंदगी की बहार है। हमारे वक़्तों में तो कहीं कोई सूरत ही नज़र नहीं आती थी। आज तो जिधर जाओ, हुस्न-ही-हुस्न के जलवे हैं।'

'सुना, युवतियों को दुनिया में जिस चीज़ से सबसे ज़्यादा नफ़रत है, वह बूढ़े मर्द हैं।'

'मैं इसका कायल नहीं। पुरुष का जौहर उसकी जवानी नहीं, उसका शक्ति-सम्पन्न होना है। कितने ही बूढ़े जवानों से ज़्यादा कड़ियल होते हैं। मुझे तो आये दिन इसके तजुरबे होते हैं। मैं ही अपने को किसी जवान से कम नहीं समझता!'

'यह सब सही है, पर बूढ़ों का दिल कमज़ोर हो जाता है। अगर यह बात न होती, तो इस रमणी को इस तरह देखकर हम लोग यों न चले जाते। मैं तो आँखों भर देख भी न सका। डर लग रहा था कि कहीं उसकी आँखें खुल जायें और वह मुझे ताकते देख ले, तो दिल में क्या समझे!'

'ख़ुश होती कि बूढ़े पर भी उसका जादू चल गया।'

'अजी रहने भी दो।'

'आप कुछ दिनों 'ओकासा' का सेवन कीजिए।'

'चन्द्रोदय खाकर देख चुका। सब लूटने की बातें हैं।'

'मंकी ग्लैण्ड लगवा लीजिए न?'

'आप इस युवती से मेरी बातें पक्की करा दें। मैं तैयार हूँ।'

'हाँ, यह मेरा जिम्मा, मगर हमारा भाई हिस्सा भी रहेगा।'

'अर्थात्?'

'अर्थात्, यह कि कभी-कभी मैं भी आपके घर आकर अपनी आँखें ठंडी कर लिया करूँगा।'

'अगर आप इस इरादे से आये, तो मैं आपका दुश्मन हो जाऊँगा।'

'ओ हो, आप तो मंकी ग्लैण्ड का नाम सुनते ही जवान हो गये।'

'मैं तो समझता हूँ, यह भी डॉक्टरों ने लूटने का एक लटका निकाला है। सच!'

'अरे साहब, इस रमणी के स्पर्श में जवानी है, आप हैं किस फेर में! उसके एक-एक अंग में, एक-एक चितवन में, एक-एक मुस्कान में, एक-एक विलास में जवानी भरी हुई है! न सौ मंकी ग्लैंड, न एक रमणी का बाहुपाश।'

'अच्छा कदम बढ़ाइए, मुवक्किल आकर बैठे होंगे।'

'यह सूरत याद रहेगी।'

'फिर आपने याद दिला दी।'

'वह इस तरह सोयी है, इसलिए कि लोग उसके रूप को, उसके अंग-विन्यास को, उसके बिखरे हुए केशों को, उसकी खुली हुई गर्दन को देखें और अपनी छाती पीटें। इस तरह चले जाना, उसके साथ अन्याय है। वह बुला रही है और आप भागे जा रहे हैं।'

'हम जिस तरह दिल से प्रेम कर सकते हैं, जवान कभी कर सकता है?'

'बिल्कुल ठीक! मुझे तो ऐसी औरतों से साबिका पड़ चुका है, जो रसिक बूढ़ों को खोजा करती हैं। जवान जो छिछोरे, उच्छृंखलित, अस्थिर और गर्वीले होते हैं। वे प्रेम के बदले में कुछ चाहते हैं। यहां निःस्वार्थ भाव से आत्म-समर्पण करते हैं।'

'आपकी बातों से दिल में गुदगुदी हो गई।'

'मगर एक बात याद रखिए, कहीं उसका जवान प्रेमी मिल गया तो?'

'तो मिला करे, यहां ऐसों से नहीं डरते।'

'आपकी शादी की कुछ बातचीत थी तो?'

'हां थी, मगर अपने ही लड़के जब दुश्मनी पर कमर बांधें तो क्या हो! मेरा बड़ा लड़का यशवंत तो मुझे बंदूक दिखाने लगा। यह जमाने की खूबी है।'

अक्टूबर की धूप तेज हो चली थी। दोनों मित्र निकल गए।

4

दो देवियां, एक वृद्धा, दूसरी नवयौवना पार्क के फाटक पर मोटर से उतरीं और पार्क में हवा खाने आईं। उनकी निगाह भी उस नींद की मारी युवती पर पड़ी।

वृद्धा ने कहा-'बड़ी बेशर्म है!'

नवयौवना ने तिरस्कार-भाव से उसकी ओर देखकर कहा-'ठाट तो भले घर की देवियों के हैं।'

'बस ठाट ही देख लो। इसी से मर्द कहते हैं, स्त्रियों को आज़ादी न मिलनी चाहिए।'

'मुझे तो कोई वेश्या मालूम होती है।'

'वेश्या ही सही, पर उसे इतनी बेशर्मी करके स्त्री-समाज को लज्जित करने का क्या अधिकार है?'

'कैसे मजे से सो रही है, मानों अपने घर में है।'

'बेहयाई है, मैं पर्दा नहीं चाहती, पुरुषों की गुलामी नहीं चाहती, लेकिन औरतों में जो गौरवशीलता और सलज्जता है, उसे नहीं छोड़ना चाहती। मैं किसी युवती को सड़क पर सिगरेट पीते देखती हूं तो मेरे बदन में आग लग जाती है, उसी तरह आधी छाती का जम्फर भी मुझे नहीं सोहाता। क्या अपने धर्म की लाज छोड़ देने से ही साबित होगा कि हम बहुत फॉरवर्ड हैं? पुरुष अपनी छाती या पीठ खोले तो नहीं घूमते?'

'इसी बात पर बाईजी, जब मैं आपको आड़े हाथों लेती हूं, तो आप बिगड़ने लगती हैं। पुरुष स्वाधीन है, वह दिल में समझता है कि मैं स्वाधीन हूं। वह स्वाधीनता का स्वांग नहीं भरता। स्त्री अपने दिल में समझती रहती है कि वह स्वाधीन नहीं है इसलिए वह अपनी स्वाधीनता का ढोंग करती है। जो बलवान हैं, वे अकड़ते नहीं। जो दुर्बल हैं, वहीं अकड़ दिखाते हैं। क्या आप उन्हें अपने आंसू पोंछने के लिए इतना अधिकार भी नहीं देना

चाहतीं ?'

'मैं तो कहती हूं, स्त्री अपने को छिपाकर पुरुष को जितना नचा सकती है, अपने को खोलकर नहीं नचा सकती।'

'स्त्री ही पुरुष के आकर्षण की फिक्र क्यों करे? पुरुष क्यों स्त्री से पर्दा नहीं करता ?'

'अब मुंह न खुलवाओ मीनू, इस छोकरी को जगाकर कह दो जाकर घर में सोए, इतने आदमी आ-जा रहे हैं और यह निर्लज्ज टांग फैलाए पड़ी है, यहां इसे नींद कैसे आ गई ?'

'रात कितनी गर्मी थी बाईजी, ठंडक पाकर बेचारी की आंख लग गई है।'

'रात-भर यहीं रही है, कुछ-कुछ बदती हूं?'

मीनू युवती के पास जाकर उसका हाथ पकड़कर हिलाती है-'यहां क्यों सो रही हो देवीजी, इतना दिन चढ़ आया, उठकर घर जाओ।'

युवती आंखे खोल देती है-'ओ हो इतना दिन चढ़ आया? क्या मैं सो गई थी? मेरे सिर में चक्कर आ जाया करता है, मैंने समझा शायद हवा से कुछ लाभ हो, यहां आई कि मै इस बेंच पर बैठ गई, फिर मुझे कुछ होश न रहा, अब भी मैं खड़ी नहीं हो सकती, मालूम होता है, मैं गिर पड़ूंगी, बहुत दवा की, पर कोई फायदा नहीं होता, आप डॉक्टर श्यामनाथ को जानती होंगी, वह मेरे ससुर हैं।'

युवती ने आश्चर्य से कहा-'अच्छा! वह तो अभी इधर ही से गए हैं।'

'सच! लेकिन मुझे पहचान कैसे सकते हैं? अभी मेरा गौना नहीं हुआ है।'

'तो क्या आप उनके लड़के बसंतलाल की धर्मपत्नी हैं ?'

युवती ने शर्म से सिर झुकाकर स्वीकार किया, मीनू ने हंसकर कहा-'बसंतलाल तो अभी इधर से गए हैं? मेरा उनसे यूनिवर्सिटी का परिचय है।'

'अच्छा! लेकिन मुझे उन्होंने देखा कहां है?'

'तो मैं दौड़कर डॉक्टर को खबर दे दूं।'

'जी नहीं, मैं थोड़ी देर में बिल्कुल अच्छी हो जाऊंगी।'

'बसंतलाल भी वह खड़ा है, उसे बुला दूं।'

'जी नहीं, किसी को न बुलाइए।'

'तो चलो, अपनी मोटर पर तुम्हें तुम्हारे घर पहुंचा दूं।'

'आपकी बड़ी कृपा होगी।'

'किस मुहल्ले में ?'

'बेगमगंज, मिस्टर जयरामदास के घर?'

'मैं आज ही मिस्टर बंसतलाल से कहूंगी।'

'मैं क्या जानती थी कि वह इस पार्क में आते हैं।'

'मगर कोई आदमी तो साथ ले लिया होता ?'

'किसलिए? कोई जरूरत न थी।'

□□□

कश्मीरी सेब

कल शाम को चौक में दो-चार ज़रूरी चीजें खरीदने गया था। पंजाबी मेवाफ़रोशों की दूकानें रास्ते मे ही पड़ती हैं। एक दूकान पर बहुत अच्छे रंगदार, गुलाबी सेब सजे हुए नजर आये। जी ललचा उठा। आज-कल शिक्षित समाज में विटामिन और प्रोटीन के शब्दों में विचार करने की प्रवृत्ति हो गई है। टमाटो को पहले कोई सेंत भी नहीं पूछता था। अब टमाटो भोजन का आवश्यक अंग बन गया है। गाजर भी पहले ग़रीबों के पेट भरने की चीज़ थी। अमीर लोग तो उसका हलवा ही खाते थे; मगर अब पता चला है कि गाजर में भी बहुत विटामिन हैं, इसलिए गाजर को भी मेज़ों पर स्थान मिलने लगा है। और सेब के विषय में तो यह कहा जाने लगा है कि एक सेब रोज़ खाइए तो आपको डॉक्टरों की ज़रूरत न रहेगी। डॉक्टर से बचने के लिए हम मिकौड़ी तक खाने को तैयार हो सकते हैं। सेब तो रस और स्वाद में अगर आम से बढ़कर नहीं है तो घटकर भी नहीं। हाँ, बनारस के लंगड़े और लखनऊ के दसहरी और बम्बई के अल्फाँसों की बात दूसरी है। उनके टक्कर का फल तो संसार में दूसरा नहीं है; मगर उनमें विटामिन और प्रोटीन हैं या नहीं हैं, तो काफ़ी है या नहीं, इन विषयों पर अभी किसी पश्चिमी डॉक्टर की व्यवस्था देखने में आई है। सेब को यह व्यवस्था मिल चुकी है। अब वह केवल स्वाद की चीज़ नहीं है, उसमें गुण भी है। हमने दूकानदार से मोल-भाव किया और आध सेर सेब माँगे।

दूकानदार ने कहा-'बाबूजी बड़े मज़ेदार सेब आये हैं, खास कश्मीर के।' 'आप ले जायें, खाकर तबीयत खुश हो जायेगी।'

मैने रूमाल निकालकर उसे देते हुए कहा-'चुन-चुनकर रखना।'

दूकानदार ने तराजू उठाई और अपने नौकर से बोला-'लौंडे आध सेर कश्मीरी सेब निकाल ला।' 'चुनकर लाना।'

लौंडा चार सेब लाया। दूकानदार ने तौला, एक लिफ़ाफ़े में उन्हें रखा और रूमाल मे बांधकर मुझे दे दिया। मैने चार आने उसके हाथ में रखे।

घर आकर लिफ़ाफ़ा ज्यों-का-त्यों रख दिया। रात को सेब या कोई दूसरा फल खाने का कायदा नही है। फल खाने का समय तो प्रातःकाल है। आज सुबह मुँह-हाथ धोकर जो नाश्ता करने के लिए एक सेब निकाला, तो सड़ा हुआ था। एक रूपये के आकार का छिलका गल गया था। समझा, रात को दूकानदार ने देखा न होगा। दूसरा निकाला। मगर वह आधा सड़ा हुआ था। अब सन्देह हुआ, दूकानदार ने मुझे धोखा तो नहीं दिया। तीसरा सेब निकाला। यह सड़ा तो न था; मगर एक तरफ दबकर बिल्कुल पिचक गया था। चौथा देखा। वह यों तो बेदाग़ था; मगर उनमे एक काला सूराख था जैसा अक्सर सेबों में होता है। काटा तो भीतर वैसे ही धब्बे, जैसे किड़हे बेर में होते हैं। एक सेब भी खाने लायक नहीं। चार आने पैसों का इतना

ग़म न हुआ जितना समाज के इस चारित्रिक पतन का। दूकानदार ने जानबूझकर मेरे साथ धोखेबाजी का व्यवहार किया। एक सेब सड़ा हुआ होता, तो उनको क्षमा के योग्य समझता। सोचता, उसकी निगाह न पड़ी होगी। मगर चारों-के-चारों खराब निकल जायें, यह तो साफ़ धोखा है। मगर इस धोखे में मेरा भी सहयोग था। मेरा उसके हाथ में रूमाल रख देखा मानो उसे धोखा देने की प्रेरणा थी। उसने भाँप लिया कि यह महाशय अपनी आँखों से काम लेने वाले जीव नहीं हैं और न इतने चौकस हैं कि घर से लौटाने आयें। आदमी बेईमानी तभी करता है जब उसे अवसर मिलता है। बेईमानी का अवसर देना, चाहे वह अपने ढीलेपन से हो या सहज विश्वास से, बेईमानी मे सहयोग देना है। पढ़े-लिखे बाबुओं और कर्मचारियों पर तो अब कोई विश्वास नहीं करता। किसी थाने या कचहरी या म्युनिसिपिलटी मे चले जाइए, आपकी ऐसी दुर्गती होगी कि आप बड़ी-से-बड़ी हानि उठाकर भी उधर न जायेंगे। व्यापारियों की साख अभी तक बनी हुई थी। यों तौल में चाहे छटाँक-आध-छटाँक कस लें; लेकिन आप उन्हें पाँच की जगह भूल से दस का नोट दे आते थे तो आपको घबराने की जरूरत न थी। आपके रुपये सुरक्षित थे। मुझे याद है, एक बार मैंने मुहर्रम के मेले मे एक खोंचेवाले से एक पैसे की रेवड़ियाँ ली थीं और पैसे की जगह आठन्नी दे आया था। घर आकर जब अपनी भूल मालूम हुई तो खोंचेवाले के पास दौड़ा गया। आशा नहीं थी कि वह अठन्नी लौटायेगा, लेकिन उसने प्रसन्नचित से अठन्नी लौटा दी और उलटे मुझसे क्षमा माँगी। और यहाँ कश्मीरी सेब के नाम से सड़े हुए सेब बेचे जाते हैं ! मुझे आशा है, पाठक बाज़ार मे जाकर मेरी तरह आँखें न बन्द कर लिया करेंगे। नहीं तो उन्हें भी कश्मीरी सेब ही मिलेंगे।

❑❑❑